QUE S'EST-IL
VRAIMENT
PASSÉ?

QUE S'EST-IL VRAIMENT PASSÉ?

Sélection
Reader's Digest

MONTRÉAL

QUE S'EST-IL VRAIMENT PASSÉ ?
est l'adaptation française de *How did it really happen ?*
© 2000 The Reader's Digest Association, Inc.
publié par The Reader's Digest Association, Pleasantville (États-Unis).

L'ouvrage a été réalisé sous la direction de l'équipe éditoriale
de Sélection du Reader's Digest.
Direction éditoriale : Gérard Chenuet
Responsable de l'ouvrage : Philippe Leclerc
Direction artistique : Dominique Charliat
Lecture-correction : Béatrice Argentier-Le Squer
Fabrication : Guillaume Duserre et Yves de Ternay

ADAPTATION FRANÇAISE : Éditions d'Alembert
Responsable d'édition : Florence Daniel
Consultants : Thierry Delcourt, Fabrice Lascar, avec la collaboration de
Paule Roch, Jean Matricon
Traduction des textes de la version originale :
Thierry Delcourt, Fabrice Lascar, avec la collaboration de Bernard Edinger, Hugues Boucé
Rédaction des nouveaux chapitres :
Thierry Delcourt
(p. 10-11, 34-37, 74-75, 82-85, 94-99, 106-107, 110-113, 116-119, 134-135, 142-143,
148-149, 152-153, 158-161, 164-165, 168-173, 180-181, 220-221, 230-231, 244-245,
268-269, 300-303, 314-315, 320-321, 338-341)
Fabrice Lascar
(p. 176-179, 198-199, 214-215, 248-255, 262-263, 266-267, 270-271, 274-275, 334-335)
Lecture-correction : Jean-Pierre Lacroux et Anne Cantal
Mise en page et PAO : Martine Olivier, avec la collaboration de Myriam Barré
Recherche iconographique : Nathalie Lasserre

Sélection du Reader's Digest, Reader's Digest et le pégase sont des marques déposées de
The Reader's Digest Association Inc.

Pour obtenir notre catalogue ou des renseignements sur d'autres produits de Sélection du Reader's Digest
(24 heures sur 24), composez le 1 800 465-0780.

Vous pouvez également nous rendre visite sur notre site Web : http://www.selection.ca

Les sources et les crédits des pages 450-451 sont, par la présente, intégrés à cette notice.

ISBN 978-0-88850-952-9

© 2002, 2008 Sélection du Reader's Digest (Canada) SRI
1100, boulevard René-Lévesque Ouest, Montréal (Québec), H3B 5H5

09 10 11 / 5 4 3

Imprimé en Chine

NOTE
DE
L'ÉDITEUR

Sainte-Beuve disait qu'il y a des façons infinies d'écrire l'Histoire. Il en est une qui privilégie les épisodes mystérieux, sujets à controverse ; en même temps qu'elle pique la curiosité, elle donne à penser. C'est celle que nous proposons.

Le lecteur retrouvera dans cet ouvrage de très célèbres énigmes, qu'elles concernent les origines de l'Univers et de la vie ou les actes de grands personnages ayant conduit les destinées des hommes, ou encore qu'elles relèvent de ce qu'on appelle la « petite » Histoire et qui reflète fort bien, pourtant, les mœurs d'une époque...

Notre souhait est que l'on trouve ici matière à rêver, à trembler, à espérer et, toujours, à s'instruire.

Sommaire

Le Moyen Âge

L'Époque moderne

La Première Moitié du XXe siècle 198

La Seconde Moitié du XXe siècle 262

Énigmes pour le IIIe millénaire 320

L'AUBE DES TEMPS

LE MONDE DANS LEQUEL NOUS VIVONS EST À LA FOIS TRÈS NEUF ET TRÈS ancien. Si les technologies qui nous entourent sont pour la plupart nées au cours des deux cents dernières années, notre histoire, elle, plonge ses racines dans des événements qui remontent fort loin et dont nous tentons — avec beaucoup de difficultés — de reconstituer le déroulement.

Les ténèbres qui enveloppaient les commencements du monde se sont peu à peu déchirées, et depuis un peu plus d'un siècle les savants ont permis à la lumière de pénétrer certaines zones de ce passé lointain. Comment est né l'Univers ? Pourquoi les dinosaures se sont-ils éteints ? Comment l'homme moderne a-t-il supplanté l'homme de Neandertal ? Quel est le sens des chefs-d'œuvre peints sur les murs de la grotte Chauvet ? Comment les hommes ont-ils inventé l'écriture ? À ces énigmes passionnantes les avancées de sciences comme l'astronomie, la paléontologie et l'archéologie commencent à proposer des réponses.

Le Big Bang
a-t-il eu lieu?

Est-ce une violente explosion qui a façonné l'Univers il y a plusieurs milliards d'années?

« COMMENT L'UNIVERS A-T-IL COMMENCÉ? » Quelle question fut posée plus souvent, depuis plus longtemps et avec plus d'émerveillement que celle-ci? Les philosophes ont passé des siècles à s'interroger, ou à postuler que la réponse dépassait l'entendement humain. Lorsque, sur ce sujet, la ligne de démarcation entre la philosophie et la science est devenue plus claire, les scientifiques se sont emparés du problème et ont proposé, depuis les années 1920, des explications de plus en plus hardies.

La plus célèbre est la théorie du big bang. L'Univers serait né de l'explosion violente de la matière primordiale. Il faut se représenter l'Univers tellement comprimé qu'il ne tenait guère plus de place que le point qui termine cette phrase. L'hypothèse a été proposée pour la première fois, dans les années 1920, par les astrophysiciens Friedman et Lemaître.

En 1964, deux scientifiques américains des laboratoires Bell, Arno Penzias et Robert Wilson, travaillent sur les ondes radio de la Voie lactée. Alors qu'ils cherchent à éliminer le « bruit » provenant d'autres sources, ils découvrent un rayonnement radioélectrique qui semble venir de toutes les directions. La fréquence du signal confirme les calculs des astrophysiciens qui ont avancé la théorie de l'explosion initiale.

LE BOURDONNEMENT COSMIQUE

Penzias et Wilson ont découvert le « bourdonnement » de l'Univers, qu'on connaît désormais sous le nom de rayonnement fossile, vestige de l'explosion primitive. En 1978, ils ont reçu le prix Nobel de physique pour leurs travaux.

La découverte du rayonnement fossile n'est que l'une des nombreuses observations qui confirment l'idée que l'Univers est né à un

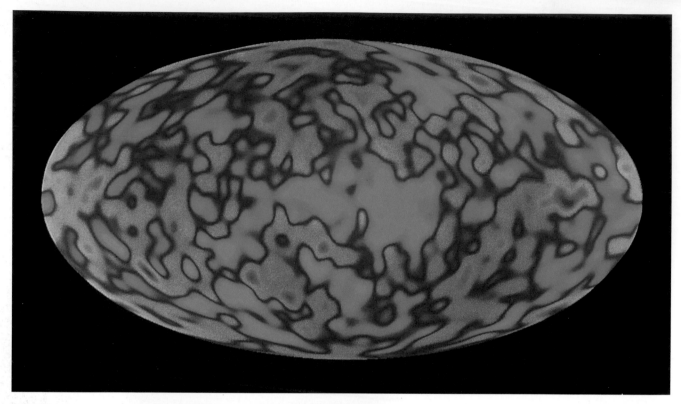

CI-DESSUS :
CETTE CARTE DU RAYONNEMENT FOSSILE DE L'UNIVERS EST FONDÉE SUR DES MESURES RÉALISÉES PAR LE SATELLITE *COBE* (COSMIC BACKGROUND EXPLORER, CI-CONTRE**), ENVOYÉ DANS L'ESPACE EN 1989. LES VARIATIONS DE COULEUR MONTRENT QUE LE RAYONNEMENT N'EST PAS TOTALEMENT HOMOGÈNE, INDICE SUPPLÉMENTAIRE DE LA VALIDITÉ DE LA THÉORIE DU BIG BANG.**

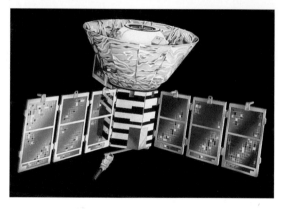

moment précis. Cette hypothèse est émise pour la première fois en 1927 par un astronome belge, l'abbé Georges Lemaître, qui estime que les galaxies s'éloignent les unes des autres comme si elles étaient nées d'une explosion. L'hypothèse est confirmée lorsque l'astrophysicien américain Edwin Hubble découvre que les objets célestes s'éloignent à une vitesse d'autant plus grande qu'ils sont plus loin de nous. Ce phénomène ne peut s'expliquer que par le big bang.

UN UNIVERS DIFFÉRENT

À mesure que les instruments astronomiques sont capables de scruter des secteurs de plus en plus lointains, l'Univers y apparaît très différent de ce que nous connaissons dans notre petit coin d'espace. Par exemple, on ne trouve des quasars (objets extrêmement lumineux qui

émettent une quantité d'énergie énorme) que vers les marges de l'Univers. Il n'y en a pas dans notre voisinage. Par ailleurs, n'oublions pas que, lorsque nous regardons à travers les télescopes, nous ne voyons pas les corps célestes tels qu'ils sont aujourd'hui, mais comme ils étaient il y a plusieurs millions ou milliards d'années, en fonction du temps que met la lumière pour franchir la distance qui nous sépare d'eux. Si l'on en juge par ce que l'on connaît de ses lointaines régions, l'Univers était très différent voilà 15 milliards d'années de ce qu'il est aujourd'hui — ce qui est un élément essentiel de la théorie du big bang.

Il n'était pas facile de faire admettre l'idée que c'est une gigantesque explosion qui a créé l'Univers, et cette théorie a toujours ses contradicteurs. D'abord, la question fondamentale du « pourquoi ? » demeure. Ensuite, l'idée que l'Univers peut ne pas avoir existé à un certain moment du passé met en question l'un des principes fondamentaux de la physique : les lois de la nature sont indépendantes du moment et du lieu. Un Univers qui obéit à des lois différentes selon le moment cosmologique ne respecte pas les lois universelles de la physique, qui devraient s'appliquer en tout temps et en tout lieu.

L'INFINIMENT GRAND ET L'INFINIMENT PETIT

L'une des raisons pour lesquelles la théorie du big bang est généralement acceptée par les

L'ASTRONOME
EDWIN HUBBLE,
DANS SON
OBSERVATOIRE
CALIFORNIEN
DU MONT WILSON.
FIGURE CLEF DE
LA RECHERCHE
DES ORIGINES
DE L'UNIVERS,
HUBBLE A
DÉCOUVERT DANS
LES ANNÉES 1920
QU'IL EXISTAIT
D'AUTRES GALAXIES
QUE LA NÔTRE.

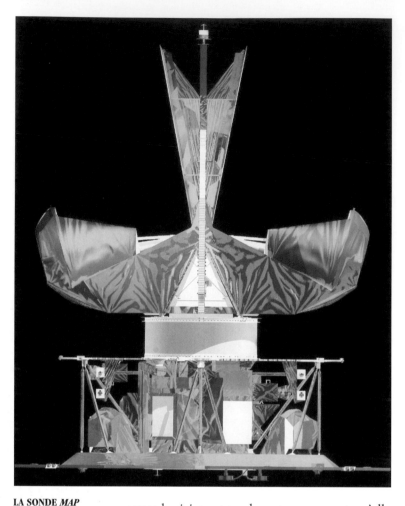

LA SONDE *MAP*
REPRÉSENTE
LA TENTATIVE
LA PLUS RÉCENTE
POUR OBSERVER
LES CONFINS
DE L'UNIVERS.
ÉQUIPÉE
DE TÉLESCOPES
TRÈS PUISSANTS ET
D'AMPLIFICATEURS,
ELLE FERA SES
OBSERVATIONS
À DES MILLIONS
DE KILOMÈTRES
DE NOTRE PLANÈTE
ET LES ANALYSERA
AVANT DE LES
ENVOYER VERS
LA TERRE.
PAGE DE DROITE :
LES RÉCEPTEURS
PLACÉS AU CŒUR
DE LA SONDE
SONT CAPABLES
DE REPÉRER ET
D'ENREGISTRER UN
PHOTON À 15 OU
18 MILLIARDS
D'ANNÉES-LUMIÈRE
DE DISTANCE.

astrophysiciens et par les astronomes est qu'elle fournit un lien entre la physique des particules (qui concerne l'infiniment petit) et la cosmologie (science de l'Univers considéré comme un tout). Dans notre monde quotidien, nous sommes constamment confrontés à deux forces : la gravité, qui nous permet de rester sur le sol, et la force électromagnétique. Mais, dans le royaume de l'atome, il existe deux autres forces : l'interaction faible, qui assure la stabilité (ou la décomposition radioactive) de certains constituants du noyau atomique, et l'interaction forte, beaucoup plus puissante, qui permet aux particules élémentaires (quarks) de s'associer pour former les protons et les neutrons, et qui confine ces derniers à l'intérieur du noyau. À notre connaissance, quatre forces régissent donc la nature. Depuis toujours, la science a cherché à démontrer que l'Univers est gouverné par un modèle simple, et par une seule force plutôt que quatre. On a prouvé, au XIXᵉ siècle, que l'électricité et le magnétisme étaient une seule et même force, et la science du XXᵉ siècle s'est efforcée d'étendre cette unification à l'ensemble des quatre forces

fondamentales qu'on rencontre dans la nature. Une grande partie des recherches théoriques de la physique moderne tend à déterminer, mathématiquement et expérimentalement, à quoi ressemble cette force.

LE COMPTE À REBOURS DE LA CRÉATION

La théorie du big bang implique un Univers primitif très chaud et très dense dans lequel l'énergie est si considérable que les quatre forces que nous connaissons aujourd'hui sont confondues en une seule. Cette force opère à l'intérieur de la substance hautement énergétique qui compose alors l'Univers. Cette « substance » n'est pas de la matière, parce que l'Univers n'est pas assez refroidi pour permettre la formation de particules. Pas plus qu'il ne s'agit d'énergie ou de radiations, parce que les quarks et les autres particules se créent et s'annihilent alors constamment.

Dès que l'Univers entre en expansion et se refroidit, dans les premiers instants du big bang — qui correspondent à la durée incroyablement courte de 10^{-43} seconde —, la force de gravitation se sépare de la force unique primitive. À 10^{-35} seconde précisément, l'interaction forte se sépare à son tour. À 10^{-10} seconde, les deux dernières forces, l'interaction faible et la force électromagnétique, se différencient enfin. Lorsque l'Univers a atteint l'âge de 10^{-4} seconde (un dix-millième de seconde), il est assez froid pour que les quarks se forment, puis se combinent pour constituer des particules. Les premiers noyaux apparaissent après 100 secondes, mais il faut attendre 300 000 ans pour que la lumière cesse d'être en permanence absorbée et réémise par la matière et qu'ainsi l'Univers devienne transparent. Les galaxies commencent à se former un milliard d'années après le big bang.

Cette théorie présente une image très séduisante de l'évolution de l'Univers, car elle est cohérente avec ce que nous savons des forces qui existent dans la nature, et avec les observations que nous pouvons faire dans l'infiniment grand et dans l'infiniment petit. Restera-t-elle l'orthodoxie de la science, dans l'avenir ? Peut-être… mais nous avons appris que les orthodoxies ne conservent pas longtemps leur statut. Des images récemment fournies par un puissant télescope ont montré que l'Univers était plat, et non courbe comme on le croyait jusqu'alors. Vérité définitive, ou juste un pas de plus vers la découverte de l'origine de l'Univers ?

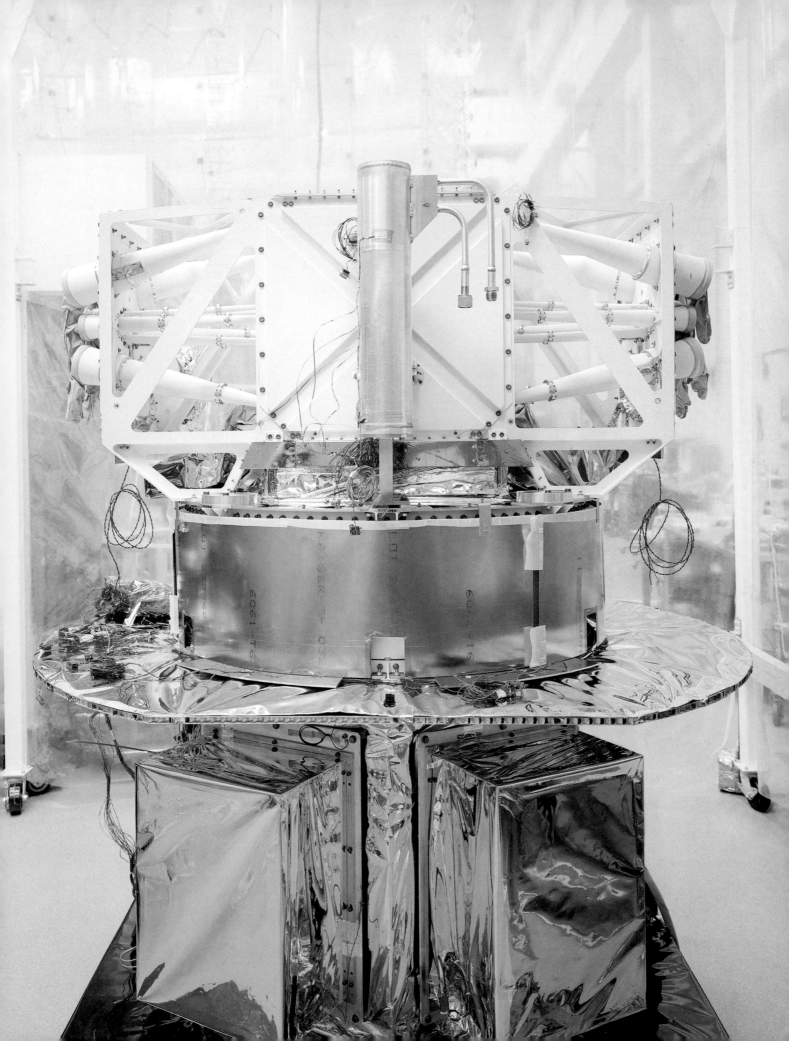

Comment la Vie est-elle apparue sur Terre ?

Longtemps considérée comme relevant du mythe ou de la religion, la question des origines de la vie sur la Terre demeure une énigme pour la science.

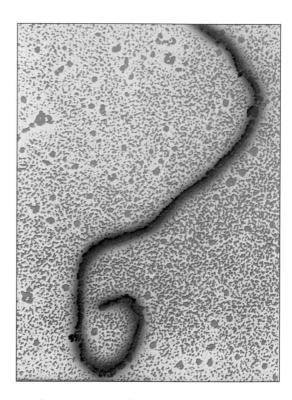

LA GENÈSE (À GAUCHE) **ET LA STRUCTURE COMPLEXE DE L'ADN** (À DROITE) **SYMBOLISENT L'ÉNIGME DE L'APPARITION DE LA VIE SUR LA TERRE. LE PREMIER LIVRE DE LA BIBLE, QUI RACONTE LA CRÉATION DU MONDE PAR DIEU, FUT LONGTEMPS LA SEULE RÉPONSE AUTORISÉE PAR L'ÉGLISE (ICI, DÉBUT DU TEXTE DE LA BIBLE IMPRIMÉE PAR GUTENBERG EN 1455).**
CI-DESSOUS :
UN FOSSILE DE TRILOBITE, UNE ESPÈCE D'ARTHROPODE MARIN COMMUNE DANS LES FONDS OCÉANIQUES VOICI 600 À 250 MILLIONS D'ANNÉES.

MÊME SI LES SCIENTIFIQUES REMONTENT toujours plus haut dans le temps, vers les étapes les plus primitives d'une évolution de plusieurs milliards d'années, un problème reste inexpliqué : qu'est-ce qui a déclenché, à un certain moment de l'histoire de la Terre, le processus de combinaison d'éléments inertes (molécules) qui a abouti à la constitution d'organismes vivants ? Ainsi continue de se poser, pour les croyants, la question de l'existence d'une volonté extérieure — Dieu — qui expliquerait l'apparition de la vie au-delà du simple hasard.

DANS LES PAS DE DARWIN

Jusqu'au XVIIIᵉ siècle, en se fondant sur une lecture littérale du premier livre de la Bible, la Genèse, qui raconte la création du monde par Dieu, on considérait que la vie, lorsqu'elle apparut, était déjà semblable à celle que nous connaissons aujourd'hui. C'est à cette époque que les naturalistes français Buffon et Lamarck commencent à évoquer l'idée d'une évolution des espèces au cours du temps.

Au début du XIXᵉ siècle, à la suite des travaux du physiologiste allemand Theodor Schwann, les scientifiques admettent que la cellule est l'unité de base du vivant. En 1859, dans son livre *De l'origine des espèces par voie de sélection naturelle*, Charles Darwin développe l'hypothèse selon laquelle la cellule se trouve à l'origine de la vie. À la notion d'évolution des espèces s'ajoute désormais l'idée que toutes les formes actuelles du vivant ont un ancêtre primitif commun. Malgré les critiques, cette théorie se répand progressivement dans la communauté scientifique et, dans un essai de 1871, Darwin esquisse ceci : « Et si (oh, quel grand si !) on imaginait que dans une petite mare d'eau chaude contenant de l'ammoniaque et des sels phosphoriques, le tout avec de la lumière, de la chaleur, de l'électricité, etc., s'était formé un composé protéique prêt à se complexifier encore plus ? »

Ainsi naît la pierre angulaire de l'évolution : l'idée que de simples molécules se sont combinées en composés organiques qui, à leur tour, ont engendré des cellules primitives destinées à former de véritables organismes vivants.

Restait à déterminer comment un tel processus avait pu s'enclencher. En 1924, le Russe Alexandre Oparine et, indépendamment, l'Anglais John Haldane l'expliquent par une série de réactions chimiques rendues possibles par les conditions particulières qui régnaient sur la Terre il y a 4 milliards d'années : faute d'oxygène dans l'atmosphère, les composés primitifs qui existent alors sur notre planète sont soumis à des quantités considérables de rayons ultraviolets solaires. C'est cette énergie solaire, renforcée par d'énormes orages électriques, qui aurait favorisé la formation de composés organiques. Après des millions d'années, les premiers composés capables de se reproduire seraient apparus : c'est en effet à 3,8 milliards d'années environ que remontent les plus anciens indices de photosynthèse (processus de transformation de l'eau et du gaz carbonique en oxygène et en glucides). Dès lors, l'atmosphère se charge en oxygène, ce qui rend les conditions terrestres de plus en plus favorables à l'expansion de la vie.

L'EXPÉRIENCE DE MILLER

En 1953, un étudiant américain de l'université de Chicago, Stanley Miller, doit abandonner sa thèse parce que son tuteur quitte l'université. Cherchant désespérément un nouveau sujet, il tombe alors par hasard sur la théorie d'Oparine et de Haldane, qu'il va confirmer expérimentalement en reconstituant en laboratoire les conditions approximatives qui régnaient sur Terre voici 4 milliards d'années. Il combine dans une fiole de l'hydrogène, du méthane et de l'ammoniac avec un petit peu d'eau, et les soumet à un courant électrique. Le méthane et l'ammoniac se comportent alors comme une atmosphère qui circule au-dessus d'une mare d'eau, pendant que des étincelles électriques jouent le rôle d'éclairs.

Le lendemain, Miller constate que la moitié du carbone qui entrait dans la constitution du méthane s'est combinée à l'ammoniac pour former des acides aminés et d'autres molécules

organiques. Des expériences ultérieures ont montré que les différents types d'acides aminés — y compris ceux qui entrent dans la composition de l'ADN — peuvent être formés de la même façon, dans des conditions comparables.

Cependant, la formation sur notre planète des molécules complexes est loin d'expliquer entièrement l'apparition de la vie. C'est pourquoi on évoque aujourd'hui l'idée selon laquelle la vie s'est peut-être amorcée dans les espaces interstellaires : des météorites auraient pu apporter sur la Terre des molécules organiques qui se seraient ensuite organisées en cellules… Le mystère des origines de la vie est donc encore loin d'être résolu.

La mystérieuse extinction des Dinosaures

UNE INTERPRÉTATION DU DRAME QUI S'EST JOUÉ IL Y A 65 MILLIONS D'ANNÉES : UN DINOSAURE CONTEMPLE LA QUEUE D'UNE COMÈTE QUI S'APPROCHE DE LA TERRE.
PAGE DE DROITE :
VU D'UNE ALTITUDE DE 100 KM, L'IMPACT D'UNE ÉNORME MÉTÉORITE POURRAIT RESSEMBLER À CELA...

PENDANT PRÈS DE 140 MILLIONS d'années, les dinosaures ont été les maîtres du monde. Certains étaient énormes, massifs, alors que d'autres étaient petits et agiles. Durant l'ère secondaire, les dinosaures ont occupé la plupart des niches écologiques disponibles sur la Terre. Pourtant, voici 65 millions d'années, les dinosaures commencent à s'éteindre. Les fossiles indiquent que les trois quarts des espèces vivantes alors présentes à la surface du globe disparaissent en quelques centaines de milliers d'années — parmi elles, tous les dinosaures. Qu'est-ce qui a pu causer un bouleversement aussi rapide de la faune et de la flore ? Les scientifiques font la chasse aux énigmes, et celle-ci est de taille !

Diverses théories contradictoires ont été avancées, certaines raisonnables et plausibles, d'autres plus ou moins farfelues. Parmi les premières : le changement du climat, les éruptions volcaniques, le mouvement des plaques tectoniques, la variation du niveau des mers ; parmi les secondes : les invasions d'êtres extraterrestres ou la disparition d'une espèce de fougères dont se nourrissaient les dinosaures.

SUPERNOVA OU ASTÉROÏDE ?
Selon une intéressante théorie présentée par le scientifique américain Dale Russell en 1979, l'explosion d'une étoile, une supernova, pourrait être la cause directe de l'extinction des dinosaures il y a 65 millions d'années. L'énorme quantité d'énergie émise par ce type d'explosion peut égaler celle de dix millions de soleils. Une supernova éloignée de 50 millions d'années-lumière aurait eu des effets catastrophiques sur la Terre. En quelques heures, notre planète aurait été baignée d'une première

Est-ce l'impact d'un astéroïde, une gigantesque éruption volcanique ou un profond changement du climat qui a entraîné l'extinction soudaine de centaines d'espèces de dinosaures ?

vague de radiations électromagnétiques. Puis, entre trois et trente ans plus tard, une seconde vague de rayons cosmiques aurait touché notre planète, avec des niveaux de radiations très élevés. Elle aurait duré une dizaine d'années. Cependant, les calculs des astrophysiciens ont permis d'établir qu'une telle explosion se produit tous les 70 millions d'années en moyenne. Puisque les dinosaures ont prospéré pendant environ 140 millions d'années, il semble peu probable qu'ils aient été tués par les radiations d'une supernova proche de la Terre.

Quelle est donc la cause de leur mort ? En 1980, deux chercheurs de l'université de Berkeley, en Californie, ont proposé une théorie qui a été largement acceptée depuis lors. Walter Alvarez et son père, Luis, ont étudié une couche d'argile datant de 65 millions d'années qui présente un phénomène curieux. On y trouve en effet des concentrations d'un métal extrêmement rare, l'iridium, qui atteint parfois 30 fois le niveau normal. La même constatation a été faite dans d'autres prélèvements datant de la même époque et réalisés dans le monde entier. D'où une telle quantité d'iridium peut-elle donc provenir ?

La réponse, selon les Alvarez, vient de l'espace. L'iridium présent sur la Terre trouverait principalement son origine dans les météorites et les micrométéorites qui frappent constamment la surface du globe. De telles concentrations d'iridium impliqueraient que près de 500 milliards de tonnes de matière extraterrestre soient arrivées simultanément. Les Alvarez pensent que seul pourrait en rendre compte l'impact d'un énorme astéroïde mesurant 16 km de diamètre et s'écrasant sur la Terre à

RECONSTITUTION D'UN PTÉRANODON, (DINOSAURE VOLANT DU MÉSOZOÏQUE) AU ZOO PRÉHISTORIQUE DE CALGARY (CANADA). ON EST DÉSORMAIS CERTAIN QU'IL EXISTAIT DE NOMBREUSES ESPÈCES DE DINOSAURES VOLANTS.

la vitesse de 160 000 km/heure. Un tel cataclysme aurait pu anéantir la plupart des formes de vie existant sur notre planète. Outre des tremblements de terre, cette météorite aurait causé d'immenses nuages de poussière capables d'empêcher le passage du rayonnement solaire et qui auraient plongé la Terre dans l'obscurité pendant des dizaines d'années. Cette période, sombre et glaciale, est appelée l'hiver météoritique. Elle aurait causé la disparition de la plupart des plantes dont les dinosaures herbivores se nourrissaient. Si l'astéroïde est tombé dans l'océan, il a engendré des vagues atteignant sans doute la hauteur incroyable de 8 km ! On imagine que la combinaison de ces effets ait pu dévaster notre planète et entraîner l'extinction des dinosaures et de la plupart des autres êtres vivants ! Même

si cette théorie est assez largement acceptée aujourd'hui, elle pose encore des problèmes. Des scientifiques travaillent à une explication qui corresponde mieux à l'ensemble des données rassemblées. On s'est rendu compte qu'il existait sans doute un cycle d'extinction des espèces qui semble se répéter tous les 60 à 70 millions d'années, voire moins. La cause d'un tel cycle est l'objet d'âpres discussions. Les uns l'attribuent à l'activité volcanique, les autres à des changements du niveau des océans, d'autres encore à des phénomènes astronomiques (passage périodique de la Terre dans un champ de météorites).

LA QUESTION DU VOLCANISME

Une théorie propose une alternative à l'hypothèse de la météorite et a l'avantage d'expliquer elle aussi la présence d'iridium : une augmentation généralisée du volcanisme terrestre et le bouleversement climatique qui en résulta. La hausse des températures et les taux croissants de dioxyde de carbone créèrent un environnement hostile dans lequel les êtres vivants durent s'adapter ou mourir. C'est pour cette raison que les dinosaures se seraient éteints, laissant la place aux mammifères, mieux adaptés aux climats chauds.

Bref, les théories sont nombreuses et encore largement controversées.

LA THÉORIE D'ALVAREZ… RÉALITÉ OU FICTION ?

Une des principales critiques apportées à la théorie de l'extinction des dinosaures à la suite d'un impact d'astéroïde tient au fait que la vie n'aurait pu résister à un tel cataclysme. En d'autres termes, il aurait sonné le glas de la plupart des espèces, et celles qui auraient pu survivre auraient été trop peu nombreuses pour repeupler rapidement la Terre.

Cette théorie ne permet pas non plus d'expliquer la relative lenteur du processus d'extinction. Elle implique que l'hiver météoritique a dévasté la surface de la Terre pendant quelques siècles. Or

les fossiles prouvent que la disparition des dinosaures s'étale sur une durée beaucoup plus longue : environ 140 000 ans.

Walter et Luis Alvarez ont fondé leur théorie sur l'hypothèse selon laquelle le taux anormalement élevé d'iridium constaté dans les

PIÈCE DU PUZZLE ▼

couches géologiques du crétacé serait d'origine extraterrestre.

Comme l'iridium natif est rare dans la croûte terrestre, cela semble effectivement plausible. Mais il existe aussi une autre source possible d'iridium : la Terre elle-même. Si ce métal lourd est

effectivement rare à la surface de la Terre, il est en revanche un des éléments constitutifs du manteau terrestre. Des études récentes ont montré que les émissions du Kilauea, un volcan hawaiien très actif aujourd'hui, présentent un taux d'iridium plus proche de celui qu'on a découvert dans les couches géologiques du crétacé que dans aucune météorite connue à ce jour.

CETTE ILLUSTRATION PERMET D'IMAGINER CE QU'A PU ÊTRE L'IMPACT DE L'ASTÉROÏDE QUI A TOUCHÉ LA TERRE À CHICXULUB, DANS LA PÉNINSULE DU YUCATÁN (MEXIQUE).

Les Oiseaux descendent-ils des Dinosaures ?

L'hypothèse la plus courante aujourd'hui veut que les oiseaux descendent d'un groupe de dinosaures, les théropodes. Comment s'imaginer que nos pinsons descendent de ces terribles carnivores?

Un des plus anciens « oiseaux » est l'archéoptéryx, qui vivait il y a 150 millions d'années. Il possédait des dents et une longue queue, comme un reptile, mais aussi des plumes. Son sternum (os où sont attachés les muscles qui permettent de voler) était étroit, aussi l'archéoptéryx était-il sans doute plus apte à planer qu'à voler. Le premier fossile fut découvert en Allemagne en 1855 : on pensa alors qu'il s'agissait d'un dinosaure volant, un ptérodactyle. La mise au jour d'un second spécimen en 1861 permit de l'identifier comme un animal de transition entre les dinosaures et les oiseaux. Si importante que soit cette découverte, l'archéoptéryx n'est qu'un des maillons de la chaîne de l'évolution. Jusqu'aux années 1970, on prenait plutôt les oiseaux pour les descendants de reptiles non dinosauriens, comme les crocodiles. Aujourd'hui, la question est de savoir quels dinosaures sont les ancêtres des oiseaux. De nombreux autres points restent à élucider : quel était le rôle primitif des plumes, comment s'est effectué le passage d'animaux à sang froid comme les dinosaures à des êtres à sang chaud comme les oiseaux, et, enfin, pourquoi certains groupes d'oiseaux ont-ils survécu à l'extinction des dinosaures?

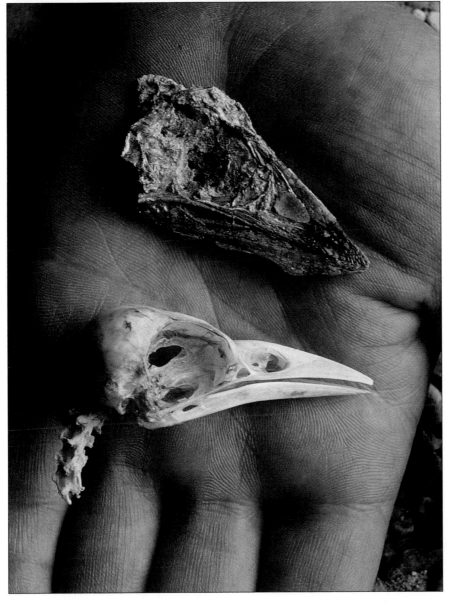

BIEN QUE DÉPOURVU D'AILES, LE SINOSAUROPTÉRYX (EN HAUT) **EST UN ANCÊTRE POSSIBLE DES OISEAUX. EN BAS : COMPARAISON D'UN LORIOT ET D'UN FOSSILE DE *CONFUCIUSORNIS*, LE PLUS ANCIEN OISEAU À AVOIR POSSÉDÉ UN BEC SANS DENTS.**

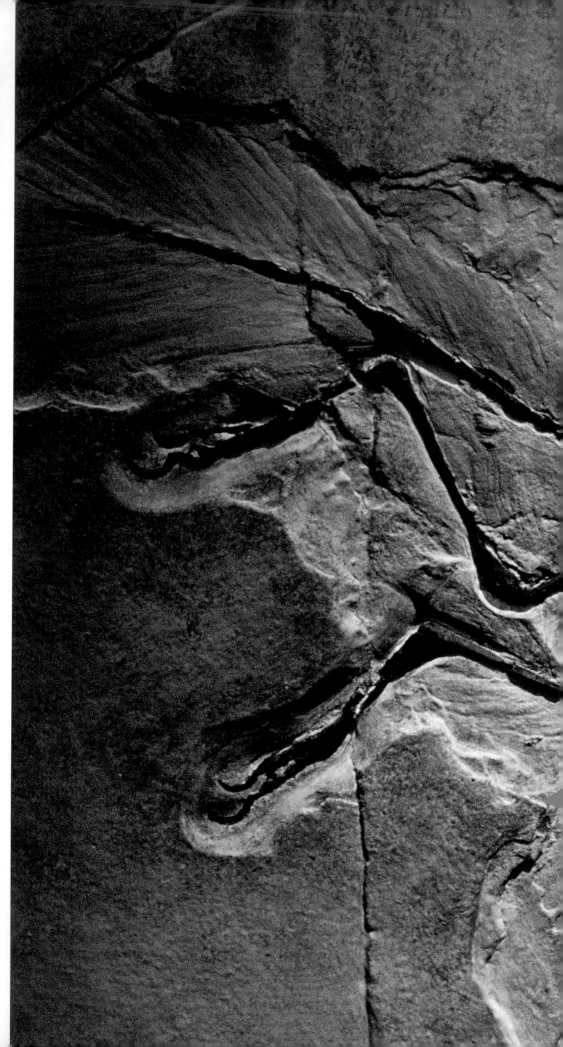

L'ARCHÉOPTÉRYX DÉCOUVERT
EN ALLEMAGNE EN 1861
(À DROITE) EST L'UN DES PLUS
EXTRAORDINAIRES FOSSILES
MIS AU JOUR DANS LES
150 DERNIÈRES ANNÉES.
CETTE CRÉATURE, PRISE DANS
LE CALCAIRE, POSSÈDE À LA FOIS
DES DENTS ET DES PLUMES.
PLUSIEURS FOSSILES
DÉCOUVERTS RÉCEMMENT
EN CHINE ONT RENFORCÉ LA
THÉORIE SELON LAQUELLE
LES OISEAUX DESCENDENT
DES DINOSAURES.
LA RECONSTITUTION DE
CAUDIPTERYX ZOUI (CI-DESSUS)
MONTRE CE DINOSAURE VIEUX
DE 120 MILLIONS D'ANNÉES
DANS UNE POSITION DE PARADE
AMOUREUSE. MALGRÉ SON
PLUMAGE, IL NE POUVAIT
PAS VOLER.

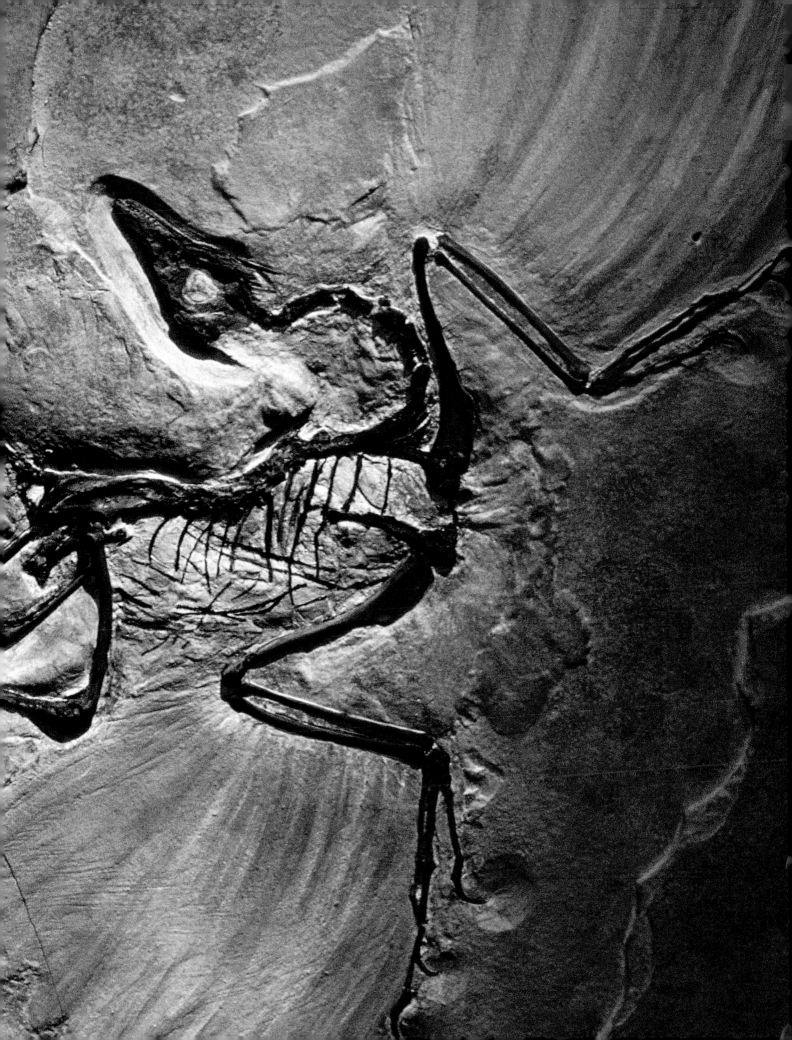

Qui étaient les Premiers Hommes?

Les origines de l'Homme sont entourées de mystère. Les précisions font défaut, mais nous savons que notre histoire remonte à des centaines de milliers d'années.

ESPÈCE DU GENRE PROCONSUL (DE – 20 À – 15 MILLIONS D'ANNÉES)

AUSTRALOPITHECUS AFARENSIS (– 3,5 MILLIONS D'ANNÉES ENVIRON)

HOMO HABILIS (– 2 MILLIONS D'ANNÉES ENVIRON)

D'OÙ VENONS-NOUS? EST-IL PLUS GRAND mystère, question plus importante et plus troublante? Si nous acceptons de rester dans le doute pour la plupart des énigmes, celle-ci échappe à la règle, parce que nous espérons peut-être qu'en comprenant comment nous sommes apparus sur la Terre nous pourrons répondre à cette autre question essentielle et encore plus déconcertante: pourquoi sommes-nous ici?

UNE SUCCESSION DE THÉORIES

Les réponses qui ont été apportées à ces interrogations dans le passé en disent long sur notre manière d'appréhender le monde. Il y a 300 ans encore, on pensait généralement que la Terre n'avait pas plus de 5 000 ans et qu'aucun homme n'avait vécu avant 4004 avant J.-C.,

date présumée de la création du monde selon des exégètes de la Bible. Au début du XIXᵉ siècle, nombre de gens instruits prenaient le texte de la Genèse à la lettre, même lorsqu'ils acceptaient les théories de Copernic sur les planètes et les astres.

Trois découvertes ont rendu cette croyance de moins en moins vraisemblable. Il est d'abord apparu évident que la Terre était beaucoup plus vieille qu'on ne l'avait pensé jusqu'alors. Avant même la mise au point de méthodes de datation précises, l'observation des roches et des terrains a conduit à cette conclusion. La géologie, l'étude de la formation des montagnes et des vallées montrent que les processus qui ont engendré le monde tel que nous le connaissons ont duré des millions d'années.

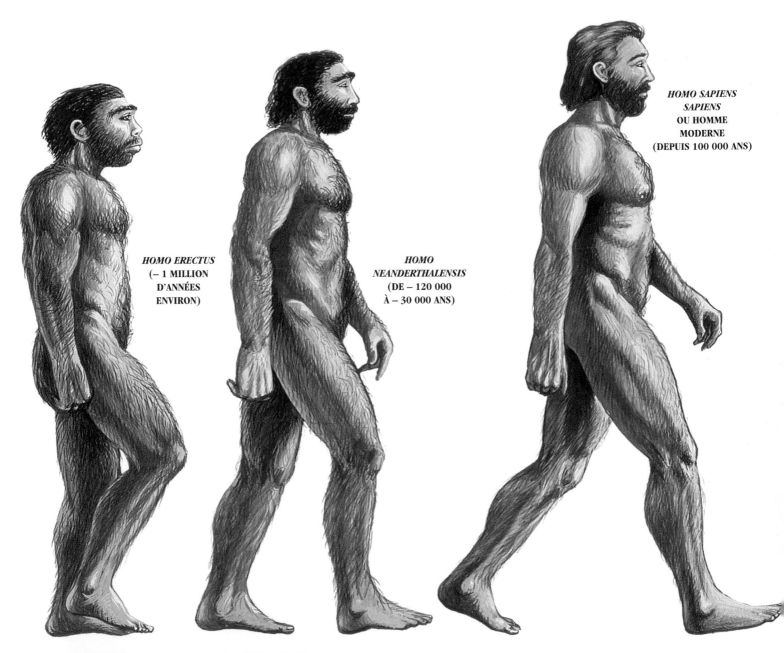

HOMO ERECTUS
(– 1 MILLION
D'ANNÉES
ENVIRON)

HOMO
NEANDERTHALENSIS
(DE – 120 000
À – 30 000 ANS)

HOMO SAPIENS
SAPIENS
OU HOMME
MODERNE
(DEPUIS 100 000 ANS)

Au XIXᵉ siècle, certains déployèrent une imagination infinie pour contester cette évidence, mais plus personne de sérieux ne la remet aujourd'hui en cause. L'étude des dépôts sédimentaires présents dans de nombreuses régions du globe a révélé une multitude de fossiles de végétaux et d'animaux qui prouvent que la vie n'a cessé d'évoluer depuis des centaines de millions d'années. Mais c'est la découverte de restes humains qui a définitivement réglé la question : l'homme moderne est, comme tous les autres animaux, le fruit d'une très longue évolution.

En 1856, la découverte spectaculaire d'un squelette humain fossile dans la vallée de la Neander, dans l'ouest de l'Allemagne, a imposé de réviser toutes les théories sur l'origine de

CI-DESSUS :
ENTRE L'HOMME
MODERNE ET LES
DIVERSES ESPÈCES
FOSSILES CONNUES
D'HOMINOÏDES
AUCUNE FILIATION
NE PEUT ÊTRE
ÉTABLIE AVEC
CERTITUDE.

CI-CONTRE :
PHOTOGRAPHIE
DE LA TERRE VUE
DE LA LUNE.
DU PREMIER HOMME
À NOS JOURS, QUEL
CHEMIN PARCOURU,
QU'IL S'AGISSE
DE DÉCOUVERTES
OU D'INVENTIONS !

L'HYPOTHÈSE DE *L'OMPHALOS*

L'Omphalos (du grec *omphalos*, ombilic), livre du naturaliste anglais Philip Gosse (créateur du premier aquarium public), paraît en 1857. Il fournit aux biologistes et aux philosophes la matière d'années de réflexion. Opposant farouche aux théories de l'évolution, Gosse est cependant conscient des preuves archéologiques et géologiques qui contredisent sa position fondamentaliste. Il pose donc une question décisive : Adam et Ève avaient-ils un nombril? Puisqu'il s'agit d'un vestige du cordon ombilical qui permet à l'enfant de se nourrir dans le ventre de sa mère, Adam ne peut qu'avoir été créé sans nombril. Mais si Adam et Ève devaient servir de modèles à l'humanité, il fallait qu'ils en possèdent un. Gosse conclut donc qu'Adam et Ève ont tous deux été faits avec un nombril, comme s'ils étaient nés des entrailles d'une femme.

PIÈCE DU PUZZLE ▼

Il suggère même qu'Adam, créé adulte, a sans doute été doté de souvenirs d'enfance, afin d'être un être humain normal. Cette hypothèse bizarre tendait à démontrer que toutes les preuves archéologiques qui paraissent remonter à des temps très anciens n'existent en fait que depuis 4004 av. J.-C. (date de la création du monde selon la Bible), dans le seul dessein de faire paraître la Terre vieille de plusieurs millions d'années! Mais Gosse n'a jamais pu expliquer pour quelle raison Dieu aurait inventé une ruse si élaborée, ni ce qui prouve que le monde n'a pas été créé il y a cinq minutes, avec toute l'histoire humaine inscrite dans nos mémoires…

CETTE PEINTURE DU XVIe SIÈCLE REPRÉSENTE ADAM ET ÈVE AVEC UN NOMBRIL, ANOMALIE APPARENTE DONT PHILIP GOSSE A DONNÉ UNE EXPLICATION EXTRAVAGANTE.

l'homme. Cet homme de Neandertal, comme on devait l'appeler, s'est en effet révélé à la fois très proche de nous (assez pour qu'on lui donne le nom d'homme) et suffisamment différent pour le rattacher à une autre espèce *(Homo neanderthalensis)*, dont il convenait dès lors de connaître l'histoire et les liens avec l'homme moderne.

HOMINOÏDES ET HOMINIDÉS

Pour se représenter l'échelle du temps, on peut imaginer que l'histoire de la Terre correspond à un livre de 1 000 pages. La formation des Alpes se placerait page 997. L'ère quaternaire, dans laquelle nous vivons encore, commencerait en haut de la page 1000. L'homme de Neandertal n'apparaîtrait pas avant la dernière ligne de cette dernière page, et la première grande civilisation, celle de Mésopotamie, se situerait à la huitième lettre avant la fin.

Quelles sont les étapes de l'évolution qui, à travers les âges et les continents, ont conduit à l'apparition de ce mammifère de l'ordre des primates appelé « homme moderne » ? Pour mieux comprendre où chercher ses origines, il faut évoquer sa parenté avec d'autres espèces actuelles de primates. C'est avec le bonobo (chimpanzé nain) et le chimpanzé commun que l'homme moderne partage le plus de caractères. Tous trois — avec le gorille, l'autre espèce de grands singes africains — sont donc classés dans une même famille, celle des hominidés, qui forme à son tour, avec deux autres familles assez proches (celle de l'orang-outan et celle des gibbons, singes d'Asie), la super-famille des hominoïdes. Les hominoïdes actuels sont des singes sans queue, souvent de grande taille, capables de se tenir en position verticale plus ou moins longtemps (suspendus aux branches par les bras ou, au sol, posés sur leurs membres inférieurs).

Dans l'arbre dessiné par l'évolution des espèces, la branche, ou lignée, des hominoïdes s'est sans doute séparée des autres primates (petits singes sans queue et se déplaçant à quatre pattes, singes d'Amérique à longue queue, lémuriens…) il y a 30 à 20 millions d'années. Puis, sans doute entre – 20 et – 15 millions d'années, la lignée des hominidés s'est différenciée de celle des hominoïdes d'Asie (les gibbons, puis l'orang-outan).

Les plus anciens fossiles connus d'hominoïdes remontent probablement à – 20 millions

d'années environ. Jusqu'à – 17 millions d'années, ils sont tous localisés en Afrique. Ainsi *Moropithecus bishopi* (– 20,6 millions d'années) est un grand singe qui semble avoir eu la possibilité de se redresser dans les arbres. Les espèces du genre *Proconsul* (– 19,5 à – 16,6 millions d'années) devaient pouvoir faire de même. *Proconsul africanus* n'a pas de queue ; la structure de son épaule et de son coude, ainsi que la forme de sa mâchoire et de son gros orteil le rapprochent des grands singes actuels (africains et asiatiques), mais il partage également des caractéristiques (cheville, main, poignet…) avec les petits singes africains non hominoïdes.

Plus récemment, vers – 14 à – 12 millions d'années, vivaient en Afrique deux genres d'hominoïdes, *Kenyapithecus* et *Otavipithecus*,

EN 1978, L'ÉQUIPE DE MARY LEAKEY A DÉCOUVERT, FOSSILISÉES DANS LA ROCHE VOLCANIQUE, DES EMPREINTES DE PAS ATTESTANT LA PRÉSENCE EN AFRIQUE D'HOMINIDÉS PRATIQUANT LA BIPÉDIE SUR D'ASSEZ LONGUES DISTANCES, IL Y A ENVIRON 3,5 MILLIONS D'ANNÉES.

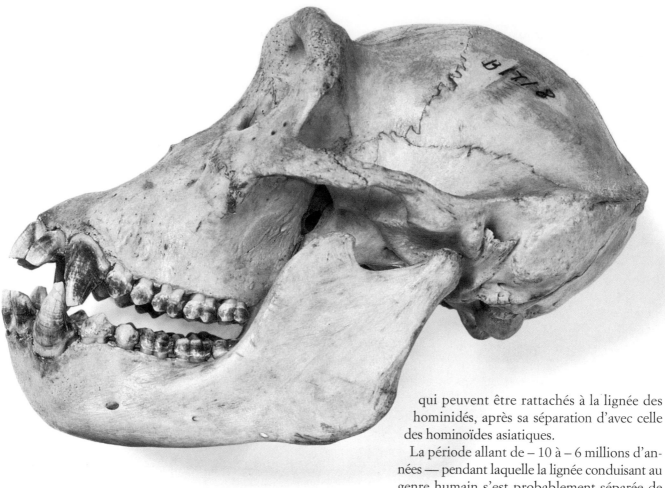

LA MÂCHOIRE
DE CET
*AUSTRALOPITHECUS
AFARENSIS*
(AU MILIEU),
HOMINIDÉ QUI
VIVAIT EN ÉTHIOPIE
IL Y A 3,7 MILLIONS
D'ANNÉES, EST
INTERMÉDIAIRE
ENTRE CELLE
D'UN CHIMPANZÉ
(EN HAUT)
ET CELLE
D'UN HOMME
MODERNE (EN BAS).
CELA MONTRE
LE CHEMIN
QU'IL RESTAIT À
PARCOURIR JUSQU'À
L'AVÈNEMENT DE
L'HOMME MODERNE,
*HOMO SAPIENS
SAPIENS*.

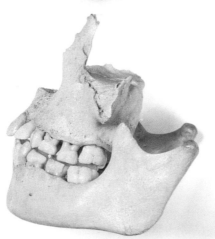

qui peuvent être rattachés à la lignée des hominidés, après sa séparation d'avec celle des hominoïdes asiatiques.

La période allant de – 10 à – 6 millions d'années — pendant laquelle la lignée conduisant au genre humain s'est probablement séparée de celle des grands singes africains (gorille, chimpanzés) — est mal connue car elle a livré très peu de fossiles d'hominidés. Ceux-ci ont tous ont été trouvés en Afrique, de même que la dizaine d'espèces datées, à ce jour, de – 6 à – 2 millions d'années, et dont la plupart sont généralement désignées sous le terme d'australopithèques.

La majorité des fossiles montrant une tendance marquée à la bipédie sont localisés en Afrique orientale (notamment les plus anciens de ce type, *Orrorin tugenensis*, vivant au Kenya il y a 6 millions d'années, et *Ardipithecus ramidus*, vivant en Éthiopie il y a 5,8 à 5,2 millions d'années).

C'est pourquoi le paléontologue français Yves Coppens a émis l'hypothèse selon laquelle le développement de la bipédie chez ces espèces d'hominidés aurait été favorisé par le changement du climat en Afrique de l'Est : en arrêtant les pluies venues de l'Atlantique, les volcans qui se formèrent là il y a environ 8 millions d'années auraient entraîné l'assèchement du climat et la disparition de la forêt primaire au profit de la savane, ce qui aurait obligé certains primates à s'adapter à un mode de vie non arboricole et à chasser debout. Cette thèse est toutefois contestée.

LE GENRE HUMAIN

Il est facile d'établir la liste des caractères qui distinguent l'homme moderne des autres hominidés actuels. Il est beaucoup plus difficile en revanche de définir, en présence de fossiles, quelles caractéristiques permettent d'établir une appartenance au genre humain, car leur évolution s'est faite souvent de façon progressive (cerveau de plus en plus gros, par exemple) et distincte (ainsi, certains fossiles peuvent à la fois montrer une bonne aptitude à la bipédie, qui les rapproche du genre humain, et posséder des dents à émail fin, caractéristiques des singes, frugivores). Il ne faut donc pas s'étonner que certains australopithèques, classés pourtant hors du genre humain, aient eu un cerveau aussi gros que celui des premiers hommes et des mains aptes à effectuer des mouvements très précis, ce qui leur a peut-être permis de fabriquer des outils. En outre, certains comportements propres à l'homme moderne sont difficiles à identifier par l'étude de fossiles ou de traces d'activité : il ne pourra pas être prouvé avec certitude, par exemple, que les hommes les plus anciens utilisaient déjà un langage articulé, fût-il rudimentaire, même si certains indices anatomiques le suggèrent.

Les plus anciens fossiles attribués au genre humain (*Homo*) par la majorité des paléontologues sont ceux d'*Homo habilis*, vivant en Afrique à partir de – 2,4 millions d'années. Au total, huit espèces d'homme (la nôtre et sept espèces fossiles plus ou moins âgées, dont les plus connues sont *Homo habilis* et *Homo erectus*) ont été identifiées à ce jour.

Hors d'Afrique, les plus anciens restes humains datent de – 2 millions d'années environ. Ceux de l'homme de Neandertal (*Homo neanderthalensis*), trouvés en Europe et au Moyen-Orient, datent de – 120 000 à – 28 000 ans. Les premières représentations de l'homme de Neandertal sont largement erronées : on le décrivait comme une brute stupide avançant courbée, les bras ballants, comme un singe. En réalité, il marchait comme nous et son cerveau était un peu plus grand que le nôtre. Il ensevelissait ses morts, indice, sans doute, d'une certaine forme de sentiment religieux. On ignore encore pourquoi l'homme de Neandertal a disparu il y a 30 000 ans environ, peu après l'apparition de l'homme moderne en Europe. Les deux espèces ont cohabité et ont pu, éventuellement, s'accoupler ou s'influencer l'une l'autre.

HOMO SAPIENS SAPIENS

L'homme moderne serait apparu il y a environ 100 000 ans (âge des plus anciens fossiles découverts en Afrique et au Moyen-Orient). Il a dû parvenir vers – 40 000 ans en Europe. C'est là qu'on lui a donné le nom d'homme de Cro-Magnon, en référence à la grotte de Dordogne où furent découverts les premiers vestiges. Les hommes de Cro-Magnon sont parvenus à occuper presque toute la surface de la planète, de la Sibérie à la Terre de Feu et à l'Australie.

Quelles que soient leurs caractéristiques extérieures (notamment la couleur de leur peau), tous les hommes actuels appartiennent à cette espèce unique, et leurs différences sont dues à une adaptation récente à des environnements particuliers. Depuis 30 000 ans, l'homme moderne est la seule espèce du genre humain à vivre sur la Terre. Grâce à de nouvelles découvertes et aux progrès techniques (reconstitution virtuelle des crânes ou analyse de l'ADN des spécimens les plus récents, par exemple), les chercheurs ne cessent de redessiner la lignée qui a abouti à l'homme moderne.

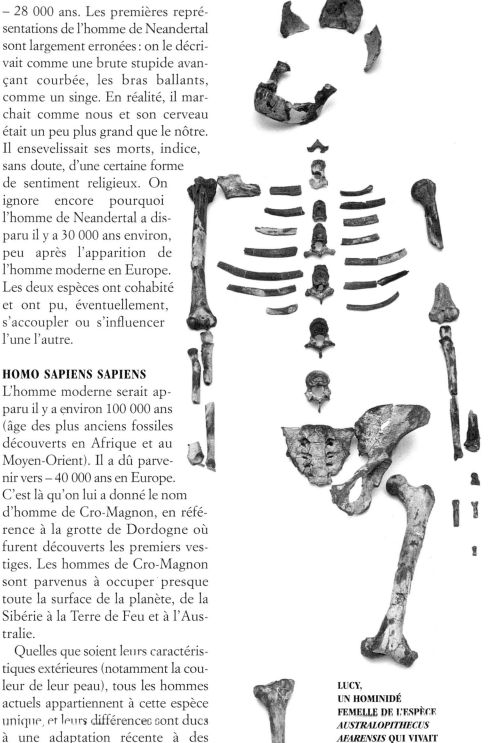

LUCY, UN HOMINIDÉ FEMELLE DE L'ESPÈCE *AUSTRALOPITHECUS AFARENSIS* QUI VIVAIT EN AFRIQUE IL Y A 3,3 MILLIONS D'ANNÉES, MESURAIT À PEINE UN MÈTRE ET ÉTAIT ÂGÉE DE VINGT ANS AU MOMENT DE SA MORT.

Qu'est-il arrivé à l'homme de Neandertal?

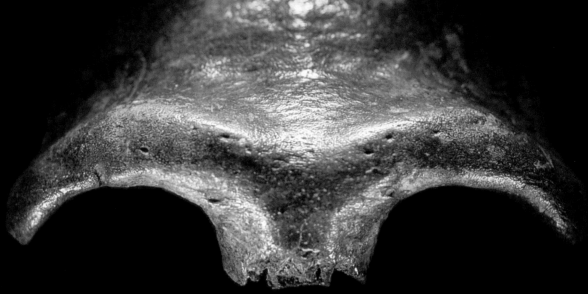

L'IMAGE TRADITIONNELLE DE L'HOMME de Neandertal est si profondément ancrée en nous qu'elle appartient à notre imaginaire collectif. On se le représente brutal, poilu, stupide, violent et primitif. Il marche pesamment, sautillant comme un singe lorsqu'il abat sa massue sur la tête d'un animal ou sur l'un de ses congénères. C'est l'idée qui s'est imposée au début du XXe siècle, à partir des travaux du paléontologue français Marcellin Boule, éditeur de l'influente revue *l'Anthropologie*. On sait désormais que cette représentation de l'homme de Neandertal est erronée. Le spécimen particulier étudié par Boule était celui d'un vieux mâle qui souffrait d'arthrite aiguë, ce qui explique sa posture courbée. Les ossements mis au jour depuis lors (ainsi que d'autres découverts antérieurement, mais qui n'avaient pas été identifiés comme tels) ont confirmé que les néandertaliens se

Il n'était pas très différent de nous, et son cerveau était plus volumineux que le nôtre. Pour quelle raison a-t-il disparu, alors que nos ancêtres survivaient?

tenaient parfaitement droits. Par bien des côtés, ils étaient très proches des hommes d'aujourd'hui ; par d'autres, ils étaient désavantagés par rapport aux hommes de Cro-Magnon, particulièrement durant la période comprise entre – 40 000 et – 30 000 ans, lorsque les deux espèces coexistaient sur les mêmes territoires et se trouvaient donc en concurrence. Cependant, tout indique que l'homme de Neandertal ne partait pas perdant dans la lutte pour la survie. Sa disparition rapide de la surface de la Terre n'en est donc que plus mystérieuse.

UNE ESPÈCE SUPPLANTÉE

Alors qu'ils avaient survécu dans des conditions bien plus défavorables que celles qui régnaient il y a 40 000 ans, les néandertaliens se sont effacés en moins de 10 000 ans seulement, laissant la place aux hommes de Cro-Magnon, ou *Homo*

sapiens sapiens — c'est-à-dire les hommes modernes. Que s'est-il passé? L'homme de Neandertal représente un chapitre très réussi de l'histoire de l'évolution humaine, puisqu'il a prospéré dans de nombreuses régions du globe pendant plus de 100 000 ans. En vérité, il était aussi capable que l'homme de Cro-Magnon: il chassait avec des armes en silex, savait organiser des battues, connaissait la cuisson et les techniques de conservation des aliments, montrait autant de dextérité et d'ingéniosité pour fabriquer des outils, était sans doute parvenu au même niveau de socialisation et vivait selon les mêmes structures familiales. Les néandertaliens ont développé des rites et une forme de religiosité (comme en témoignent leurs pratiques d'ensevelissement des morts), et ils pouvaient communiquer entre eux aussi bien que les Cro-Magnon (si l'on en juge par leurs stratégies de chasse en groupe). Ils possédaient un cerveau de grande capacité, plus volumineux que le nôtre en moyenne, même si sa structure était sans doute légèrement différente.

UNE TRÈS PETITE DIFFÉRENCE

Aujourd'hui, les anthropologues ont acquis une connaissance plus fine du temps nécessaire pour qu'une mutation génétique s'accomplisse. Du point de vue de l'évolution, 10 000 ans ne sont rien. Si, il y a 100 000 ans, est intervenu quelque chose qui a abouti à l'apparition d'un hominidé mieux adapté à la survie que l'homme de Neandertal, cela ne peut être qu'un changement physiologique mineur. Mais, dans le même temps, le changement aurait eu de tels effets sur la résistance de l'espèce que celle-ci a pu supplanter l'homme de Neandertal. Depuis cinquante ans, les spécialistes ont aussi découvert à quel point les barrières peuvent être infranchissables entre les espèces. Nous savons désormais que les êtres vivants ne peuvent pas s'accoupler avec des êtres d'une autre espèce, même très proche, pour donner une descendance qui puisse elle-même se reproduire. Il reste donc à savoir si la différence biologique entre néandertaliens et hommes de Cro-Magnon était assez grande pour les empêcher de s'absorber mutuellement. Les dernières recherches donnent plutôt à penser que cette différence était suffisamment ténue pour leur permettre de se reproduire. La confirmation de cette hypothèse sera apportée par l'étude de l'ADN de nos ancêtres.

UNE QUESTION DE LANGAGE?

Dans les années 1970, les anthropologues américains Philip Lieberman et Edmund Crelin ont remarqué une légère différence de structure entre les organes vocaux des néandertaliens et ceux des hommes de Cro-Magnon. Le système vocal des hommes modernes se compose de deux parties: le larynx, qui contient les cordes vocales, et le pharynx. Chez les néandertaliens, la configuration demeure proche de celle qu'on trouve chez les hominidés primitifs: l'appareil vocal est simplement courbé, sans séparation entre le larynx et le pharynx. C'est une petite différence, bien sûr, mais les simulations par ordinateur ont montré que cette configuration empêchait les néandertaliens d'émettre une grande quantité de

sons, et notamment les voyelles, qui constituent pourtant la base de notre langage articulé. Cette découverte permet d'imaginer ce qui s'est produit. Étant capables de prononcer un plus grand nombre de syllabes, les hommes de Cro-Magnon eurent la capacité d'élaborer un langage beaucoup plus complexe, et donc de mieux communiquer entre eux en désignant davantage d'objets ou de situations. Ils auraient ainsi acquis une supériorité décisive sur les hommes de Neandertal. C'est le langage qui expliquerait leur succès, et la disparition de leurs prédécesseurs.

La Grotte Chauvet
ou la naissance de l'art

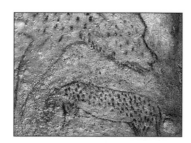

LORSQUE, EN 1879, LES PREMIÈRES peintures rupestres sont découvertes dans la grotte d'Altamira, en Espagne, les préhistoriens ne peuvent s'empêcher de manifester le plus grand scepticisme devant un tel chef-d'œuvre, qui leur paraît incompatible avec le caractère « primitif » des hommes qui l'ont réalisé. Puis la mise au jour de la grotte de Lascaux, en 1940, permet de préciser les connaissances sur l'art des cavernes. De grands savants, comme le Français André Leroi-Gourhan, établissent alors une chronologie des styles de la préhistoire.

On pense à cette époque que les premières grottes ornées (principalement de frises destinées à être vues à la lumière du jour) remontent à – 23 000 ans et qu'il faut attendre – 15 000 ans pour voir apparaître les premiers sanctuaires peints, dans des grottes profondes, éloignées de plusieurs

La découverte de la grotte Chauvet a révolutionné notre connaissance de la préhistoire. Elle a aussi remis en cause bien des théories sur l'apparition de l'art.

centaines de mètres de tout éclairage solaire. Parmi celles-ci, les grottes de Lascaux (– 15 000 ans), en Dordogne, et celles d'Altamira (– 12 000 ans) font figure de chefs-d'œuvre.

Les découvertes successives des peintures d'Arcis-sur-Cure, dans l'Yonne, en 1990, de la grotte Cosquer, au bord de la Méditerranée, en 1991, et de la grotte Chauvet en Ardèche en 1994 ont totalement bouleversé nos connaissances. On sait aujourd'hui que l'art des cavernes est bien plus ancien que ne le pensait Leroi-Gourhan : en utilisant la technique de datation au carbone 14, l'équipe de Jean Clottes a pu établir que les peintures de Chauvet remontaient à une période comprise entre – 30 000 ans et – 28 000 ans. Chauvet s'affirme ainsi comme la plus ancienne grotte ornée au monde et constitue une œuvre d'autant plus inestimable qu'elle témoigne d'emblée d'un art en pleine possession de ses moyens. Plus surprenant encore : elle est de peu postérieure à l'arrivée de l'homme de Cro-Magnon en Europe, et elle aurait été décorée à une époque où il coexistait encore avec les Néandertaliens.

UN BESTIAIRE MAGNIFIQUE

À côté de nombreuses empreintes de mains et de signes abstraits, la grotte Chauvet recèle un extraordinaire bestiaire de près de trois cent cinquante animaux. Les bêtes dangereuses (mammouths et rhinocéros laineux principalement, ours des cavernes, lions, hyènes, panthères) sont les plus nombreuses, mais on trouve également des chevaux, des bisons, des rennes, des aurochs, des bouquetins, quelques cerfs et mégacéros — une espèce de cerf géant aujourd'hui éteinte — et même un hibou. Il ne s'agit pas, cependant, d'une représentation réaliste de la nature, puisqu'il y manque de nombreuses espèces alors très courantes — lapins, renards, oiseaux…

Quant à l'homme, il n'est présent que sous la forme d'un être hybride, mi-homme, mi-bison, associé à la plus ancienne peinture murale connue représentant une femme. Comme de nombreuses autres peintures de la grotte, cette « Vénus » épouse la forme d'un rocher.

L'art de Chauvet se caractérise, en effet, par une utilisation parfaitement maîtrisée des reliefs des parois ; elle permet d'animer les peintures, de jouer avec la lumière, de proposer une mise en scène en perspective des animaux — telles les extraordinaires lionnes chassant en groupe, ou ce qui semble bien être une troupe de rhinocéros chargeant.

UN SANCTUAIRE CHAMANIQUE ?

Il est bien difficile de savoir quelle était la fonction de ces peintures, qui ne peuvent être reliées ni à des textes écrits ni à des témoignages oraux. Mais quelques points paraissent établis. Ainsi, la grotte a été peu fréquentée. Il ne s'agissait donc pas d'un sanctuaire destiné à un culte de masse. On n'y trouve guère que les traces des artistes eux-mêmes et les empreintes d'un enfant, peut-être accompagné d'un chien, qui remontent à − 25 000 ans.

D'autre part, à Lascaux, dont la décoration a été réalisée 15 000 ans après celle de Chauvet, les panneaux principaux sont consacrés aux grands herbivores (aurochs, bisons, chevaux et un seul renne), qui sont souvent représentés en couples, alors que les carnivores sont relégués dans les diverticules de la grotte. À Chauvet,

on ne retrouve absolument pas cette distribution des animaux dont Leroi-Gourhan pensait qu'elle traduisait une conception symbolique du monde. Jean Clottes, pour sa part, a évoqué l'hypothèse du chamanisme : les représentations d'êtres mi-hommes, mi-animaux, permettaient de communiquer avec le monde des esprits et des morts. Mais cette proposition a entraîné une levée de boucliers chez de nombreux autres spécialistes. On évoque désormais, avec prudence, la possible célébration d'un site giboyeux, ou un lieu de « communication avec le règne animal et peut-être le monde surnaturel ».

REPRÉSENTATION D'UN CHEVAL. POUR DES RAISONS DE CONSERVATION, LA GROTTE RESTERA FERMÉE AU PUBLIC, QUI POURRA TOUTEFOIS JOUIR D'UNE RECONSTITUTION VIRTUELLE.

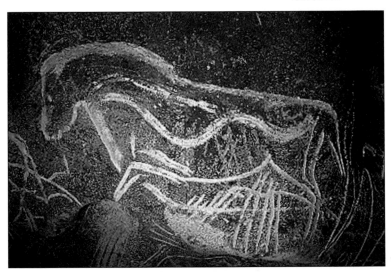

UNE ÉTONNANTE CONCENTRATION

PIÈCE DU PUZZLE

Dans le monde, on connaît à ce jour plus de deux cents grottes préhistoriques ornées ; 85 % d'entre elles se situent dans le sud de la France (surtout en Dordogne, dans le Lot, en Haute-Garonne) et dans le nord de l'Espagne. Cette extraordinaire concentration demeure une énigme. Est-elle due à la présence de cavités naturelles dans ces régions ? Mais on en trouve ailleurs, qui n'ont pas été habitées ou décorées, par exemple dans les Alpes, dans les Balkans… Est-elle due à la stabilité du sol, qui a conservé les grottes intactes, alors que, dans d'autres régions (par exemple l'Italie, où on en trouve une dizaine), elles ont pu souffrir de l'érosion ou des séismes ? Est-elle le vestige d'une civilisation spécifique à cette zone, alors que des groupes humains différents auraient choisi d'autres formes d'art, d'autres supports, comme les statuettes d'ivoire ? Ou bien s'agit-il du hasard des découvertes, l'Europe de l'Ouest étant parcourue par de nombreux spéléologues, ce qui n'est pas encore le cas de régions comme la Sibérie, où l'on a pourtant trouvé deux grottes de style voisin ?

LE MONDE ANTIQUE

LA CIVILISATION EST NÉE AVEC CE QUE NOUS APPELONS L'ANTIQUITÉ, dans les vallées fertiles du Tigre, de l'Euphrate et du Nil cernées par les sables et les pierres. Elle s'est ensuite répandue autour du bassin méditerranéen. Les pyramides d'Égypte, les récits mythiques de la Bible nous racontent ces moments primitifs.

L'Antiquité nous a légué les bases de notre culture. Son histoire et aussi ses légendes ont nourri les chefs-d'œuvre de l'art et de la littérature de l'Occident. Le Déluge, la guerre de Troie, Salomon et la reine de Saba, César et Cléopâtre, la vie et le message du Christ... Autant de récits et de figures qui résonnent encore profondément en nous.

Qui a inventé l'Écriture et le Calcul ?

L'invention de l'écriture et du calcul a bouleversé la société et nous a permis de conserver la mémoire du passé.

TEXTES MATHÉMATIQUES INSCRITS SUR DES TABLETTES SUMÉRIENNES CONSERVÉES AU MUSÉE NATIONAL DE BAGDAD. LES SUMÉRIENS POSÈRENT LES PREMIÈRES BASES DE L'ARITHMÉTIQUE ET DE LA GÉOMÉTRIE.

QU'EST-CE QUE LA CIVILISATION ? EST-CE LA capacité de se situer dans l'Histoire ? Est-ce la maîtrise de la fabrication des outils ? Le terme est-il simplement utilisé pour décrire des groupes humains ayant atteint un certain niveau de compétences, de croyances et de culture ? Les scientifiques et les écrivains ne cessent de débattre de cette question. Même s'il n'existe aucun consensus entre eux, il est hors de doute que l'écriture et le calcul représentent des progrès fondamentaux dans le développement de la civilisation.

L'ÉMERGENCE D'UN SYSTÈME

La plus ancienne civilisation historique est celle de Sumer, en Mésopotamie (aujourd'hui, l'Iraq). Entre 3500 et 3000 av. J.-C., les Sumériens prennent possession de la région qui borde le golfe Persique, où ils drainent les marécages et jettent les bases d'une agriculture sédentaire. Ils développent des échanges commerciaux avec les régions environnantes et mettent sur pied une économie artisanale. Nombre de villages sumériens sont transformés en cités fortifiées. Ce changement reflète une organisation sociale complexe. C'est à l'époque de ce passage à une société urbaine que les Sumériens créent un système d'écriture dans lequel les éléments sémantiques importants sont représentés par des dessins. Ce système rudimentaire évolue progressivement pour aboutir à l'écriture dite cunéiforme (en forme de coin).

Le cunéiforme, qui sera ultérieurement utilisé par d'autres peuples de Mésopotamie, comprend un grand nombre de symboles représentant des concepts et des objets, mais aussi des sons. Les caractères sont inscrits sur des tablettes d'argile à l'aide d'un poinçon.

La naissance de l'écriture autorise de nouveaux modes de communication, particulièrement adaptés aux transactions commerciales et aux autres formes d'échanges entre individus. Elle donne également, pour la première fois, la possibilité d'enregistrer et de transmettre les événements historiques. Jusqu'alors, l'Histoire était le domaine de la mémoire humaine, aussi faillible que l'homme lui-même…

Avant l'invention de l'écriture, l'Histoire appartient en effet à la tradition orale, où chaque génération prend la responsabilité de transmettre l'héritage qu'elle a reçu, et sa propre mémoire, à celles qui lui succéderont. Aussi les récits se déforment-ils progressivement, s'éloignant des versions originales. L'écriture change ce processus en permettant un archivage permanent du passé à l'intention des générations futures.

DU CALCUL À L'ÉCRITURE

L'écriture des Sumériens s'est probablement développée à partir d'un système de calcul beaucoup plus ancien, qui remonte peut-être jusqu'à 8 000 ans av. J.-C. De petits jetons d'argile datant de cette période montrent des symboles (animaux, plantes, jarres) qui semblent bien avoir été utilisés pour tenir des comptes d'exploitations agricoles. Au cours du IVe millénaire av. J.-C., ce système est considérablement amélioré. Les jetons adoptent désormais la forme des objets qu'ils représentent. Ils sont souvent conservés dans des enveloppes d'argile, sortes de tirelires sur lesquelles sont inscrits des symboles semblables à ceux des jetons. Ces marques permettent à l'utilisateur de savoir ce que contient l'enveloppe sans avoir à l'ouvrir.

UNE BARRE D'ARGENT

DEUX MOUTONS

DEUX JARRES D'HUILE

UNE ESCLAVE

JETONS SUMÉRIENS REPRÉSENTANT DES BIENS. ILS ÉTAIENT PLACÉS DANS UNE ENVELOPPE D'ARGILE, QUI ÉTAIT DÉCORÉE DU SCEAU DE SON PROPRIÉTAIRE. CES INSCRIPTIONS SONT DES EXEMPLES DE LA FORME LA PLUS PRIMITIVE D'ÉCRITURE.

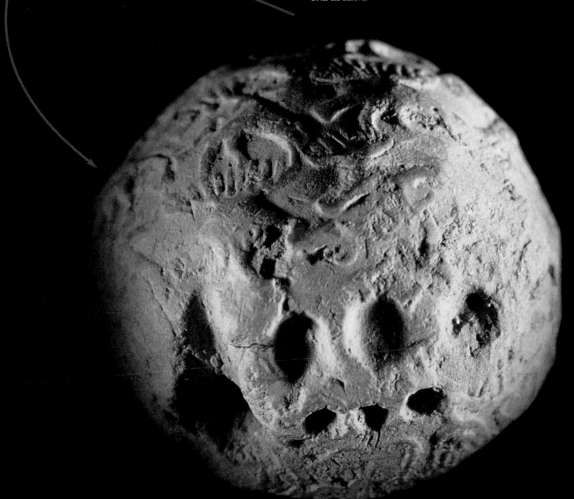

ENVELOPPE D'ARGILE

À DROITE : **SCRIBE SUMÉRIEN ÉCRIVANT SUR UNE TABLETTE D'ARGILE AVEC UN POINÇON. SES COMPAGNONS UTILISENT DES SCEAUX.**
CI-DESSOUS : **LES SCEAUX CYLINDRIQUES GRAVÉS DANS LA PIERRE REPRODUISENT UNE IMAGE INVERSÉE LORSQU'ILS ROULENT SUR L'ARGILE.**

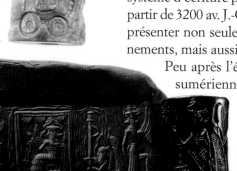

À mesure que les marchandises utilisées par la société sumérienne sont plus nombreuses et se diversifient, on constate une variété croissante de jetons et d'enveloppes. Vers 3100 av. J.-C., il existe au moins 1 200 marques différentes. Avec la complexification du système de marquage des enveloppes, les Sumériens s'aperçoivent qu'il devient inutile de les remplir réellement de jetons symboliques. Jetons et enveloppes sortent progressivement de l'usage et sont remplacés par de simples tablettes d'argile, qui deviennent le principal support permettant de compter et d'enregistrer les denrées et les biens.

L'ÉVOLUTION DU CUNÉIFORME

Les fouilles archéologiques ont montré qu'un système d'écriture plus universel se développe à partir de 3200 av. J.-C. Il permet désormais de représenter non seulement des objets et des événements, mais aussi des idées générales.

Peu après l'émergence de la civilisation sumérienne, d'autres cultures apparaissent dans les vallées du Nil et de l'Indus. Il est évident que ces civilisations ont entretenu des contacts, notamment commerciaux, avec les Sumériens. Les Égyptiens inventent un système d'écriture assez différent, qu'on appelle hiéroglyphique. Comme le cunéiforme, il est constitué de nombreux symboles (mots, syllabes, sons) mais il est beaucoup plus proche du dessin. Cette différence tient à la méthode utilisée pour écrire : la pression du poinçon sur l'argile pratiquée par les scribes sumériens impose plus de stylisation que les techniques de dessin, de peinture et de gravure employées par les scribes égyptiens.

LA PREMIÈRE CIVILISATION HISTORIQUE

Comment s'est opérée la rupture qui a permis l'éclosion de la civilisation sumérienne ? L'opinion des historiens est que la classe dirigeante des prêtres et des seigneurs exploitait la plus grande partie de la population, sans doute des peuples vaincus et réduits en esclavage. Les prêtres prélevaient sur celle-ci d'énormes quantités de grains et de nourriture, qui étaient présentées en offrande aux divinités. Cette richesse leur permettait d'employer des artistes, des architectes, des charpentiers, des tisserands et d'autres artisans habiles. Les profonds changements dans les techniques de construction et de décoration qui en résultèrent permirent l'épanouissement de la civilisation sumérienne.

PAGE DE DROITE : **INSCRIPTION HIÉROGLYPHIQUE PROVENANT** **D'UN BAS-RELIEF DE LA TOMBE DE NÉFERTARI, ÉPOUSE DE RAMSÈS II.**

Qui sont les bâtisseurs de Stonehenge ?

JADIS, UN VISITEUR POUVAIT attribuer la construction de Stonehenge à des pouvoirs surnaturels. Dans la légende du roi Arthur, c'est l'enchanteur Merlin lui-même qui « fait venir les pierres d'Irlande par magie [...] et les érige telles qu'on peut encore les voir dans le cimetière de Salisbury ». Le site a également longtemps été associé à des rituels druidiques. Plus récemment, certains archéologues, impressionnés par la perfection de la construction, ont considéré que le monument ne pouvait être que l'œuvre d'une civilisation particulièrement évoluée, qui aurait colonisé la région. L'antique cité grecque de Mycènes et la Bretagne ont été avancées comme lieux d'origine de ces peuples envahisseurs, car toutes deux conservent également des structures gigantesques constituées de pierres assemblées, ou mégalithes.

Dans les années 1960, le monde de l'archéologie a été surpris de découvrir que, comme

Depuis des millénaires, les voyageurs qui traversent la plaine de Salisbury cherchent à percer le mystère de Stonehenge.

le prouve la datation au carbone 14, le site primitif remonte à 3 000 ans avant notre ère ; il est donc bien antérieur à la période mycénienne. Les recherches ont depuis lors confirmé que Stonehenge a été érigé en plusieurs étapes, pendant 1 500 ans environ. Le monument primitif, Stonehenge I, était constitué d'un talus et d'un grand cercle de 56 fosses peu profondes. Commencé vers 2000 av. J.-C., Stonehenge II est d'une conception beaucoup plus complexe. Il consiste en un double cercle d'énormes blocs. Un peu avant 1500 av. J.-C. (Stonehenge III), les blocs du cercle central sont remplacés par 30 monolithes en grès. Le sommet de certains de ceux-ci est surmonté d'immenses linteaux.

LA CIVILISATION DES GOBELETS

En dépit de certaines théories fantaisistes qui attribuent sa construction à des extraterrestres, les premiers bâtisseurs de Stonehenge

LE SITE DE STONEHENGE SE TROUVE DANS LA PLAINE DE SALISBURY (ANGLETERRE).
CI-CONTRE :
LE COMPLEXE MÉGALITHIQUE, PHOTOGRAPHIÉ ICI AU SOLSTICE D'ÉTÉ, N'A CESSÉ DE SUSCITER MYTHES ET INTERROGATIONS.

appartenaient probablement à la civilisation des gobelets (fin du néolithique). On ne peut que comprendre l'admiration des archéologues, tant il est stupéfiant qu'un peuple primitif, qui ne savait ni écrire ni, du moins à l'origine, fabriquer des outils en métal, ait pu construire une structure aussi complexe.

Stonehenge offre en effet des détails pleins de finesse : ainsi, les blocs verticaux sont renflés (comme les colonnes de nombreux temples grecs) afin de contrebalancer les effets de la perspective quand on les regarde d'en bas. Mais leur majesté tient avant tout à leurs dimensions, qui posent bien entendu la question de leur transport.

Les blocs utilisés pour le premier cercle viennent des monts Prescelly, au pays de Galles, à près de 400 km. Ils ont été transportés par voie d'eau sur des radeaux et, à terre, sur des traîneaux. Récemment, une équipe de la BBC a montré que c'était possible : un groupe de jeunes gens robustes a déplacé des blocs de la même dimension en utilisant un traîneau muni de rondins en guise de roues. Les blocs de grès qui constituent le cercle central pèsent 50 tonnes chacun. Ils ont été tirés, par des équipes qui devaient compter jusqu'à un millier d'hommes, depuis leur lieu d'extraction, à une trentaine de kilomètres, jusqu'au site, où ils furent mis en place dans des fosses profondes. Inclinés, ils étaient ensuite redressés grâce à un système de levier primitif manœuvré avec des cordages.

DES ALIGNEMENTS ASTRONOMIQUES

Quelle était la fonction de Stonehenge ? On a longtemps prétendu que la seule signification du site était religieuse, ce que paraissait confirmer l'absence de vestiges tels que des poteries. L'absence de mobilier funéraire prouve en outre qu'il ne s'agissait pas d'une sépulture. En 1963, l'astronome britannique Gerald Hawkins proposa ce qui est aujourd'hui considéré comme l'hypothèse la plus probable. Il remarqua que, si l'on se place au centre de Stonehenge, certains corps célestes apparaissent au-dessus de blocs déterminés, avec une précision qui interdit toute coïncidence. En tenant compte des modifications qui se sont produites dans le ciel au cours des 5 000 dernières années, il établit par ordinateur un modèle qui confirmait ces alignements de planètes et d'étoiles. Plus spectaculaire encore, il constata que, le jour du solstice d'été, date fondamentale pour les sociétés

L'ŒUVRE DES DRUIDES ?

La théorie qui associe les mégalithes et les cérémonies druidiques a été popularisée pour la première fois par John Aubrey, historien anglais du XVIIe siècle qui a découvert les fosses primitives de Stonehenge. Elle a aussi été répandue par Astérix et par son compagnon Obélix, présenté comme un tailleur de menhirs vivant à l'époque de la conquête romaine... Il est certain que les druides

PIÈCE DU PUZZLE ▼

ont utilisé les grands sites mégalithiques comme Stonehenge ou Carnac, mais les Celtes ne se sont installés dans l'ouest de l'Europe que vers le VIe siècle av. J.-C., soit plus d'un millénaire après la construction des mégalithes. Lorsque la civilisation celtique connaissait son apogée en Grande-Bretagne, vers 300 av. J.-C., Stonehenge était déjà en ruine...

POUR CÉLÉBRER LES SOLSTICES D'HIVER ET D'ÉTÉ, DES ADEPTES ACTUELS DE L'ANCIENNE RELIGION DRUIDIQUE SE RASSEMBLENT SUR UN SITE... QUI NE DOIT RIEN AUX CELTES.

agricoles, le soleil se levait exactement au-dessus d'un des plus hauts blocs. Il semblerait donc bien que Stonehenge, comme les grands sites mégalithiques de Bretagne (alignements de Carnac, cromlech de Gavrinis), ait été un gigantesque calendrier et un observatoire, dont certains archéologues pensent qu'il a également été utilisé pour prédire les éclipses du soleil.

Au-delà de ses buts religieux et astronomiques, sa fonction sociale reste une énigme. Le mystère demeurera longtemps encore, si l'on en croit l'écrivain Henry James : « Vous pouvez poser cent questions à ces ébauches de géants... mais votre curiosité meurt dans le vaste silence ensoleillé qui les recouvre. »

Comment les Pyramides furent-elles construites?

Notre connaissance des techniques utilisées par les anciens Égyptiens progresse, mais leurs prodigieux monuments continuent de nous étonner.

Les pyramides, avec leur base large et robuste, ancrée dans la terre, et leur pointe s'élevant vers les cieux, associent l'ingéniosité technique et la spiritualité. La grande période de construction des pyramides d'Égypte se situe entre 2700 et 2500 av. J.-C. Ces monuments abritent les chambres mortuaires de pharaons et de hauts fonctionnaires. La monarchie égyptienne est en effet fondée sur l'idée de l'immortalité du pharaon et elle s'appuie sur une croyance fervente en une vie après la mort.

La pyramide ne se borne pas à glorifier le pharaon, elle constitue aussi une sorte d'antichambre dans laquelle le défunt attend avant de pénétrer dans l'autre monde. Le tombeau lui-même est constitué de plusieurs chambres, auxquelles on n'accède qu'au terme d'une difficile progression dans une sorte de labyrinthe aux issues souvent murées pour décourager les pillards. Les Égyptiens ont perfectionné un art de l'embaumement qui permettait de conserver les corps ensevelis et ont souvent pourvu les pyramides de tout le confort que le pharaon pouvait désirer pour sa vie future. Les archéologues ont ainsi découvert pas moins de 40 000 récipients de pierre dans une seule tombe, assez pour organiser un immense festin à l'intention des momies. Le pharaon était d'ailleurs souvent enterré avec sa suite, qui pouvait ainsi le servir pour l'éternité.

LES PYRAMIDES DE GIZEH

Les pyramides les plus extraordinaires qui subsistent aujourd'hui se trouvent à Gizeh, tout près du Caire. C'est la seule des Sept Merveilles du monde antique qui soit encore debout. La principale est celle qui fut édifiée durant le règne de Kheops (vers 2600 av. J.-C.). À l'époque de sa construction, elle s'élevait à 147 m, pesait au moins 6,5 millions de tonnes, et couvrait près de 5 ha. Bonaparte a calculé que les 2 300 000 blocs de pierre qui la constituent pourraient former un mur de 3 m de haut et 30 cm de large tout autour de la France. L'échelle démesurée de la pyramide de Kheops n'a d'égale que la précision de sa conception. À la base, chaque côté mesure 230,50 m, et les différences entre les quatre côtés ne dépassent pas 20 cm. L'ajustement des pierres est

LE SPHINX MONTE LA GARDE DEVANT LA PYRAMIDE DE KHEPHREN.

si précis qu'il est impossible de glisser une feuille de papier dans les interstices. Les faces de la pyramide sont parfaitement orientées (avec une erreur de 4 degrés seulement), nord-sud et est-ouest. Au XIXe siècle, la découverte de ces caractéristiques extraordinaires a entraîné la création d'une discipline pseudo-scientifique, la pyramidologie. Elle cherchait à découvrir le pouce de pyramide, une unité de mesure qui aurait permis aux Égyptiens de bâtir avec cette incroyable précision. On a suggéré des nombres comme *pi*, ou la circonférence de la Terre, voire la distance de la Terre au Soleil. Certains ont imaginé que les pyramides étaient de grands textes de pierre consignant tous les détails de l'histoire du monde dans un langage codé…

LA CONSTRUCTION DES PYRAMIDES

Les « pyramidologues » ont fait preuve d'une imagination encore plus fertile pour expliquer comment ces merveilles de pierre avaient été érigées. Au XXe siècle, on a même prétendu que les pyramides avaient été apportées par des extraterrestres… et lancées depuis le ciel vers leur site actuel par des ovnis ! En vérité, l'histoire de leur construction, qui s'étale sur une trentaine d'années pour chacune d'elles, n'est pas moins stupéfiante que ces élucubrations.

Le processus commence par la taille des blocs de pierre, qui proviennent de carrières dont certaines sont distantes de plus de 1 000 km. Ces pierres étaient probablement transportées par radeau sur le Nil, durant la saison des crues — même si l'on n'a pas trouvé de preuve archéologique qu'il y ait eu des radeaux assez grands pour des blocs aussi énormes.

Sur le lieu de construction, les ouvriers nivellent d'abord le sol. Puis une chaussée de pierre est bâtie sur la rive, afin de faciliter le déchargement des matériaux. Sur la courte distance qui sépare le Nil du site, les pierres sont acheminées grâce à des traîneaux de rondins. Une équipe de maçons et de tailleurs de pierre travaille sur les blocs, afin de les amener aux dimensions requises. Une fois taillées, les pierres sont hissées vers leur place définitive. L'opération est d'autant plus difficile que la roue ne sera connue en Égypte que 800 ans plus tard. Certains spécialistes suggèrent que les Égyptiens ont pu construire d'énormes rampes qu'ils prolongeaient à mesure que la construction progressait, suivant une pente constante. D'autres imaginent une rampe hélicoïdale s'enroulant autour de la pyramide. La pierre était poussée jusqu'au sommet de la rampe, puis placée sur un lit de ciment. Au Ve siècle av. J.-C., l'historien grec Hérodote raconte que la pyramide était d'abord construite comme une succession de degrés ; des machines installées sur les degrés permettaient de hisser les pierres de parement destinées à rendre les parois lisses. Selon lui, les parties les plus hautes étaient les premières achevées puis, de proche en proche, les ouvriers redescendaient vers le sol.

Qui a accompli ce travail de forçat ? Hérodote estime les équipes à 100 000 hommes, remplacés tous les trois mois, pendant une période de vingt ans. C'est sans aucun doute exagéré. Un campement découvert à proximité des pyramides pouvait abriter près de 4 000 hommes ; il en existait sans doute plusieurs dans les environs. Des prisonniers de guerre accomplissaient le plus dur du travail, alors que les paysans constituaient une main-d'œuvre spécialisée. Payés en nature, ceux-ci travaillaient durant la saison des crues, lorsque les travaux des champs étaient impossibles. À tous ces ouvriers obscurs, les pyramides ont accordé une certaine forme d'immortalité, comme aux pharaons dont elles étaient la dernière demeure…

LA MALÉDICTION DE LA MOMIE

LE SARCOPHAGE DE TOUTANKHAMON.

Celle légende n'aurait sans doute jamais existé si les archéologues avaient utilisé un peu plus d'insecticide! C'est la conclusion étonnante à laquelle on peut arriver en examinant cette histoire qui a inspiré nombre de livres et de films. En novembre 1922, l'égyptologue britannique lord Carnavon et l'archéologue Howard Carter pénètrent dans la tombe encore inviolée du jeune roi Toutankhamon.

Ils y découvrent un trésor fabuleux. Mais lord Carnavon ne peut profiter longtemps de sa découverte : quelques mois plus tard, il meurt des suites d'une piqûre de moustique. Lors d'une conférence de presse organisée peu de temps après, un occultiste français déclare que la mort de Carnavon est le prix que celui-ci a dû payer pour avoir profané le tombeau.

PIÈCE DU PUZZLE ▼

La légende de la malédiction de la momie est née… Mais elle ne résiste pas à un examen statistique : sur les 22 personnes présentes lors de l'ouverture du tombeau, 6 étaient mortes en 1934, proportion normale, si l'on considère qu'en Égypte les étrangers étaient souvent atteints d'affections liées au climat ou à l'eau. Quant à Carter, il vécut jusqu'à 66 ans.

LORD CARNARVON.

Le Déluge, mythe ou catastrophe réelle?

**Des indices archéologiques et historiques confèrent
une certaine véracité au récit biblique du Déluge.**

**COMME BEAUCOUP
D'AUTRES ARTISTES,
LE PEINTRE
AMÉRICAIN
NATHANIEL CURRIER
A ÉTÉ INSPIRÉ,
EN 1856,
PAR L'HISTOIRE
ÉTONNANTE DE
L'ARCHE DE NOÉ.**

C'EST UNE BANALITÉ DE DIRE QUE PLUS LES témoins d'un événement ont été nombreux à le raconter, plus il est probable qu'il se soit effectivement produit, surtout si les témoignages viennent d'horizons différents.

Ce principe peut s'appliquer sans difficulté à l'archéologie et à l'anthropologie comparée. Si une même histoire apparaît dans les traditions de plusieurs cultures, il y a toutes les chances pour qu'elle reflète un événement historique réel.

Le Déluge est l'un de ces récits archétypaux : l'histoire d'une catastrophe naturelle dont seule réchappe une famille, qui a la charge de repeupler la Terre. La lutte continuelle contre l'inondation des terres arables que menèrent, partout dans le monde, les jeunes civilisations peut expliquer la quasi-universalité du mythe. La Bible, dans le livre de la Genèse, relate un fait de ce type : un homme de grande vertu, Noé, est chargé par Dieu de construire une arche mesurant 150 m de long, 25 m de large et 15 m de haut, capable d'affronter les eaux que la colère divine va répandre sur le monde pour le punir de ses péchés.

On trouve une histoire similaire dans les mythologies de nombreuses autres cultures antiques : en Mésopotamie, en Scandinavie, en Grèce ou encore chez les Indiens d'Amérique. Le récit le plus célèbre a été découvert en 1872, gravé sur les tablettes qui racontent l'épopée de Gilgamesh, à Babylone. Un homme appelé Utnapishtim survit à un déluge envoyé par les dieux pour punir l'humanité.

On a trouvé des fragments du même récit sur des centaines de tablettes en écriture cunéiforme. C'est sans doute la source principale de la Bible. Les deux récits partagent en effet de nombreux détails : l'arche, l'embarquement des animaux, l'échouage du vaisseau dans le même pays montagneux, l'Ourartou, les oiseaux qu'on envoie, par trois fois, pour trouver une terre émergée…

EN FOUILLANT À TRAVERS LES MILLÉNAIRES…

À mesure que s'accumulent les références à une crue massive, les archéologues sont de plus en plus déterminés à trouver une preuve physique du cataclysme. Cette quête atteint son point culminant à la fin des années 1920, lorsque Leonard Woolley met au jour les vestiges de la cité perdue d'Ur, dans le sud de l'Iraq. Il y trouve, en alternance, des couches superposées de ruines et de sédiments fluviaux. Sur un même point, il découvre d'abord un atelier de potier de l'époque babylonienne, puis une strate épaisse d'alluvions argileuses, et enfin un niveau d'occupation humaine primitive. Du résultat de ces fouilles, Woolley conclut que la région a subi plusieurs périodes de crues massives, au terme desquelles la civilisation a repris à chaque fois ses droits. Selon les termes mêmes de Woolley : « Ce ne fut pas un déluge universel. Ce fut une vaste crue, localisée aux vallées du Tigre et de l'Euphrate, qui submergea toute la terre habitable entre la montagne et le désert, c'est-à-dire, pour les hommes qui habitaient cette région, le monde entier. »

Woolley découvre également une grande colline qui pourrait avoir été la seule zone naturelle émergée durant la crue. En la fouillant, il dégage des strates qui révèlent un habitat ininterrompu, et il suggère que l'endroit a servi de refuge lors de l'élévation des flots. C'est sur cette colline solitaire que le mythe du Déluge serait né, lorsque les eaux se sont retirées et que les générations ultérieures ont tenté d'expliquer ce qu'il était advenu de leur monde perdu.

UNE AUTRE SOLUTION

Récemment, des scientifiques ont proposé une autre explication à l'énigme que pose le Déluge. Des analyses géologiques et océanographiques ont montré que le niveau des océans s'était élevé il y a environ 11 000 ans à la suite d'un réchauffement climatique. La Méditerranée ne fut pas épargnée par ce phénomène et, voici 7 500 ans, elle franchit l'isthme qui la séparait d'un grand lac intérieur d'eau douce, devenu depuis lors la mer Noire.

Cet isthme, qu'on connaît aujourd'hui sous le nom de Bosphore, fut envahi par l'eau salée et le niveau du lac s'éleva d'environ 120 m. Les rivages furent inondés, le lac devint salé et stérile. Les survivants émigrèrent, transmettant le souvenir de cette catastrophe sur tout le pourtour du bassin méditerranéen. C'est peut-être là que le mythe du Déluge a trouvé son origine.

LE MONT ARARAT (AGRI DAGI, EN TURC) ÉMERGEANT DE LA BRUME. PLUS HAUT SOMMET DE TURQUIE (5 165 M), IL EST SOUVENT IDENTIFIÉ À LA MONTAGNE OÙ ÉCHOUA L'ARCHE.

À LA RECHERCHE DE L'ARCHE DE NOÉ

La Bible se borne à nommer « monts d'Ararat » le lieu où l'arche de Noé s'échoua lorsque les flots se retirèrent. Des générations d'exégètes se sont donc mises en quête de cette montagne mythique pour retrouver l'arche. Dans l'Ancien Testament, Ararat désigne une région d'Arménie (l'Ourartou assyrien), ce qui correspond aux indications des versions assyriennes de l'histoire du Déluge. L'identification avec le mont Ararat, dans le nord-est de la Turquie actuelle et à la frontière de l'Arménie, semble donc s'imposer.

La montagne a été explorée pour la première fois au début du XIXe siècle, et plusieurs expéditions ont ensuite tenté d'y découvrir une preuve de l'historicité de l'arche de Noé. On y a par exemple trouvé des morceaux de bois d'œuvre d'un type qui ne pousse nulle part sur la montagne mais qu'on connaît en Mésopotamie, et qui semblent avoir été coupés il y a environ 4 000 ans. En 1952, on a fait des découvertes troublantes : une expédition en hélicoptère a permis de photographier une structure émergeant de la glace, près du sommet. En 1974, des photographies prises par satellite ont révélé un autre objet situé sur le flanc nord-est du mont Ararat. Il a été décrit comme « clairement différent de tout ce qui se trouve ailleurs sur la montagne, et d'une taille et d'une forme compatibles avec l'arche ». Mais le dégagement de ces vestiges supposerait des travaux considérables, dans un lieu inaccessible. La preuve décisive se fera donc attendre encore un peu…

PIÈCE DU PUZZLE

La tour de Babel

Les ziggourats de Mésopotamie ont-elles inspiré le mythe de la tour de Babel ?

LORSQUE LE PEINTRE FLAMAND BRUEGEL L'ANCIEN REPRÉSENTE LA TOUR DE BABEL, AU XVIᵉ SIÈCLE, IL NE PEUT AVOIR CONNAISSANCE DES ZIGGOURATS BABYLONIENNES. POURQUOI ? SIMPLEMENT PARCE QU'ELLES N'ONT PAS ENCORE ÉTÉ DÉGAGÉES DU DÉSERT.

PARMI TOUS LES RÉCITS BIBLIQUES, L'ÉPISODE de la tour de Babel est sans doute celui qui tient le plus de l'archétype des contes moraux, car il met en garde contre l'excès d'orgueil. Il raconte en effet comment les descendants de Noé, qui parlent une seule langue, essaient de construire une tour assez haute pour toucher le ciel. En punition de leur présomption, les hommes perdent la possibilité de se comprendre et sont dispersés. Là se trouverait l'origine de la diversité des langues.

Contrairement à d'autres épisodes de la Genèse, le récit trouve son inspiration dans l'Histoire. Le long des rives de la Mésopotamie, dans la zone fertile qui sépare les deux grands fleuves, le Tigre et l'Euphrate, une série de cités-États émerge il y a environ 5 500 ans. Parmi elles, Sumer et Akkad. Les Mésopotamiens sont un peuple inventif, puisqu'ils créent le premier système d'écriture. Leurs monuments les plus impressionnants sont les ziggourats,

structures de pierre spectaculaires parfois hautes de 100 m, faites de plates-formes superposées de dimensions décroissantes. Chaque ziggourat, dédiée à un dieu local, est surmontée d'un temple destiné à servir de séjour à ce dieu lors de ses voyages sur la Terre. La plus grande se trouve à Babylone, sur les rives de l'Euphrate. Elle s'appelle Etemenanki, ce qui signifie « la demeure du ciel et de la terre ». Il ne fait guère de doute qu'elle ait servi de modèle à la tour biblique.

Traditionnellement, on considère que le nom de Babel dérive du mot hébreu qui signifie confus ; mais il vient plus probablement du babylonien *Bab-ilu*, qui signifie « porte du dieu » et qui est à l'origine du nom même de Babylone. On peut donc dire que la légende du mélange des langues, conséquence de la construction de la tour, est elle-même le résultat d'une confusion entre un mot hébreu et un mot babylonien !

L'ARGILE À L'ASSAUT DU CIEL

Les ziggourats étaient bâties en brique, car il y avait peu de bois de construction dans la région, et peu de carrières de pierre. Le récit de la Bible est conforme à cette tradition : il indique que la tour de Babel est édifiée en briques cuites, solidarisées par du bitume, matériau qui servait à la fois de liant et d'enduit. Importé du plateau iranien, il était largement utilisé dans la région. Les preuves archéologiques et les textes suggèrent que la plupart des ziggourats étaient peintes dans des teintes magnifiques, et abondamment décorées de tuiles émaillées et de sculptures dorées. Une inscription babylonienne affirme que la ziggourat d'Etemenanki était en « briques cuites émaillées d'un bleu resplendissant ».

Au total, on connaît près de trente ziggourats datant de 2200 à 500 av. J.-C. Mais, alors que les pyramides d'Égypte continuent de défier les siècles, la plupart des ziggourats ont succombé depuis longtemps aux ravages du temps. Les briques dont elles étaient constituées ont été pillées par les habitants des environs, qui les ont utilisées pour construire leurs maisons ; ce qui restait a subi les effets de l'érosion — pluie, vent, poussière. Ainsi, de la ziggourat d'Etemenanki, il ne reste que la base, cernée de talus et étouffée par les herbes folles.

GRANDEUR ET DÉCADENCE DE LA TOUR

À l'époque de son édification, Etemenanki est l'un des plus extraordinaires monuments que l'homme ait jamais érigés. Les fouilles de l'époque moderne et le souvenir qu'en a transmis la Bible ont permis aux spécialistes de reconstituer quelque peu sa splendeur.

Reconstruite à plusieurs reprises, elle connaît son apogée sous le règne de Nabuchodonosor II (605-562 av. J.-C.). Si l'on en croit les textes antiques, elle mesure alors 91 m de côté (chiffre confirmé par les fouilles archéologiques), autant de haut, et elle comporte sept degrés. À son sommet se trouve un magnifique temple dédié au dieu Mardouk, représenté par une statue recouverte d'or et qui pèse 22 tonnes. L'association de Mardouk avec Etemenanki permet de comprendre pourquoi cette ziggourat est beaucoup plus imposante que la plupart des tours construites dans les autres cités de

DIGNE D'UN ROI

Après la mise à sac de Babylone par le roi d'Assyrie Sennachérib, en 689 av. J.-C., le roi de Babylone Nabopolassar (625-605 av. J.-C.) décide de reconstruire la ziggourat d'Etemenanki. Une inscription en témoigne : « Or, argent et pierres précieuses de la montagne et de la mer ont été placés généreusement dans ses fondations […]. Huiles et parfums ont été mélangés dans les briques […]. J'ai fait faire un portrait de ma personne royale portant le panier de briques, et je l'ai mis dans les fondations. Je me suis incliné devant Mardouk. »

CI-DESSUS :
LA CONSTRUCTION DE LA TOUR DE BABEL, REPRÉSENTÉE PAR LE PEINTRE VÉNITIEN LEANDRO BASSANO (1557-1622).

À GAUCHE :
LES VESTIGES D'UNE ZIGGOURAT CONSTRUITE VERS 2100 AV. J.-C. DOMINENT LE DÉSERT IRAKIEN. CENTRE D'UNE IMMENSE FORTERESSE AU IIe SIÈCLE APR. J.-C., CELLE-CI EST SURMONTÉE D'UNE MAISON ÉRIGÉE VERS 1900 PAR DES ARCHÉOLOGUES AMÉRICAINS QUI VOULAIENT SE PROTÉGER CONTRE LES TRIBUS LOCALES.

Mésopotamie : Mardouk est, à l'origine, le dieu local de Babylone ; puis, lorsque la cité prospère et domine toute la région, il devient le dieu principal de la Mésopotamie. Les cérémonies liées à son culte font appel à de longs textes dans les différentes langues parlées dans la contrée. Pour les visiteurs, le temple devait alors représenter le foyer et la source d'une multitude de langages. C'est peut-être là l'origine du mythe que nous a transmis la Bible.

Après la conquête perse, la prééminence de Mardouk ne suffit pas à protéger la ziggourat de l'abandon. Lorsqu'il visite les ruines, en 331 av. J.-C., Alexandre le Grand, qui se veut le successeur des rois de Babylone, décide de redonner à la ziggourat son faste d'antan. Mais 10 000 hommes suffisent à peine pour dégager le terrain en deux mois. Alexandre doit donc abandonner son projet, comme les bâtisseurs de la tour de Babel avaient été contraints de renoncer à leur idée d'atteindre les cieux…

Moïse et l'Exode

Cet épisode de la Bible est l'un des moments cruciaux de la tradition juive. C'est aussi une consolation pour tous ceux qui ont besoin d'espoir.

LE LIVRE DE L'EXODE RACONTE COMMENT LES Hébreux, sous la conduite de Moïse, parviennent à quitter l'Égypte — où ils ont été réduits en esclavage — après que le pays a été frappé par une série de calamités. Ils franchissent la mer Rouge, qui s'ouvre devant eux mais se referme sur l'armée de Pharaon, qui

CI-CONTRE : **CETTE ŒUVRE DE RAPHAËL (1483-1520) ET DE SON ÉCOLE REPRÉSENTE MOÏSE RECEVANT LES TABLES DE LA LOI.** EN BAS : **SELON UNE THÉORIE ILLUSTRÉE ICI PAR UNE PEINTURE ÉTHIOPIENNE, L'ARCHE D'ALLIANCE AURAIT ÉTÉ EMPORTÉE EN ÉTHIOPIE.**

périt noyée. Puis ils errent pendant quarante ans dans le désert du Sinaï, avant de s'installer dans le pays de Canaan, la Terre promise.

Ce récit a eu une résonance particulière dans certaines cultures. Les esclaves noirs d'Amérique se sont ainsi identifiés à de nouveaux fils d'Israël attendant le voyage vers la Terre promise, comme en témoignent de nombreux gospels.

UN ÉPISODE AUTHENTIQUE ?

Les érudits se divisent sur la question de l'authenticité de l'épisode, car il n'existe aucune preuve permettant de le corroborer : pas de tablettes anciennes, pas d'inscriptions hiéroglyphiques, pas de vestiges archéologiques dans le désert. Ni Moïse ni l'Exode ne sont mentionnés dans les chroniques égyptiennes.

Ce silence historique trouble nombre d'archéologues. Ils font remarquer que, si l'on a trouvé dans le Sinaï des vestiges beaucoup plus anciens, qui remontent au néolithique, un exode de masse et un séjour de quarante ans auraient dû laisser des traces. Cette histoire aurait donc été forgée beaucoup plus tard, pour des motifs politiques, afin d'unir les tribus disparates qui vivaient au pays de Canaan.

Mais d'autres archéologues défendent aussi vivement la thèse de l'authenticité. L'absence de documents historiques s'expliquerait par le fait que les anciens Juifs utilisaient comme support le papyrus, très fragile, plutôt que les

À LA RECHERCHE DE L'ARCHE D'ALLIANCE

La Bible raconte que, durant l'Exode, Moïse reçoit de Dieu les Tables de la Loi, où sont gravés les Dix Commandements. Selon la tradition, elles sont enfermées dans une caisse en acacia plaquée d'or, construite par un artisan nommé Bezalel. L'arche d'Alliance trouvera sa place dans le temple de Salomon, à Jérusalem. Curieusement, la Bible n'y fait plus aucune allusion après la première destruction du Temple, en 586 av. J.-C. La légende de l'arche perdue n'a depuis lors cessé d'exciter les imaginations, jusqu'au film

PIÈCE DU PUZZLE

de Spielberg, *les Aventuriers de l'arche perdue*. Elle aurait été cachée par le prophète Jérémie sur le mont Nébo, sépulture de Moïse. Pour d'autres, elle serait dans un souterrain, près du mont du Temple, à Jérusalem. La version la plus répandue veut qu'elle ait été volée par le fils de la reine de Saba, Ménélik, qui l'aurait emportée en Éthiopie. Elle s'y trouverait toujours, dans une crypte. Dernière hypothèse : c'est pour protéger l'arche que les juifs d'Éléphantine, en Égypte, auraient construit un grand temple à Assouan…

tablettes d'argile. Le silence des sources égyptiennes aurait quant à lui pour raison le fait que la plupart des chroniqueurs, dans toutes les civilisations, tendent à passer sous silence les événements qui ne leur sont pas favorables. Ainsi, la Bible ne parle pas des pyramides : cela ne signifie pas pour autant qu'elles n'existent pas !

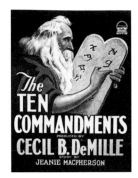

On trouve quelques sources en faveur de l'historicité : Strabon, historien grec du Iᵉʳ siècle av. J.-C., raconte qu'une armée s'est noyée autrefois sur la côte de Canaan, « près de l'Égypte » — mais peut-être tirait-il lui-même cette information de la Bible ? On connaît également la légende phénicienne de Danaos, un héros qui conduit ses compagnons hors d'Égypte après qu'une série de désastres a frappé le pays. Enfin, il se peut que le récit de l'Exode combine le souvenir de multiples oppressions et expulsions subies par le peuple juif à travers les siècles.

UNE DATE ET UN LIEU CONTROVERSÉS

D'après le livre des Rois, l'Exode se produit 480 ans avant la construction du temple de Salomon, c'est-à-dire vers 1446 av. J.-C. Mais le livre de l'Exode indique que les Hébreux construisent pour le pharaon les cités de Pitom et de Ramsès. Cette dernière est probablement Pi-Ramsès, érigée par Ramsès II à la fin du XIIIᵉ siècle av. J.-C. Cette date est d'ailleurs la plus ancienne référence connue au peuple d'Israël : un monument de granite commémore les victoires du pharaon Minephtah, fils de Ramsès II, et parmi elles figure une campagne contre Israël en Canaan, en 1210 av. J.-C.

Du point de vue scientifique, la principale énigme concerne la traversée à pied sec de la mer Rouge par les Hébreux et la submersion des armées égyptiennes. L'une des théories les plus répandues veut que les Hébreux soient passés sur la terre ferme juste avant un raz de marée, phénomène naturel alors fréquent dans la région, en raison de l'instabilité géologique de celle-ci.

Quoi qu'il en soit, les générations d'hommes qui ont trouvé le réconfort dans le récit de l'Exode se souciaient peu d'explications scientifiques : seul comptait le fait que, quelque part de l'autre côté des eaux fendues par miracle, se trouvait une terre promise dans laquelle ils pouvaient placer leurs espoirs.

À GAUCHE : **L'AFFICHE DU FILM** *LES DIX COMMANDEMENTS* **(1923), DE CECIL B. DE MILLE, QUI PORTA POUR LA PREMIÈRE FOIS À L'ÉCRAN L'HISTOIRE DE MOÏSE ET DE L'EXODE.**

LA TRAVERSÉE DE LA MER ROUGE VUE PAR RAPHAËL.

Qui a écrit la Bible ?

Les érudits débattent depuis des siècles pour déterminer qui a écrit le plus célèbre livre de l'humanité.

BIBLE HÉBRAÏQUE DU XIIIᵉ SIÈCLE MONTRANT SALOMON LISANT LA TORAH.

LA BIBLE EST DE TRÈS LOIN LE LIVRE QUI A EU LE plus d'influence sur l'histoire de la civilisation occidentale, et elle continue d'imprégner notre vie quotidienne, morale ou politique.

Aujourd'hui encore, certains États ou courants politiques font référence à elle, et elle inspire nombre de créateurs dans tous les domaines. Les manifestations du rôle fondamental qu'a joué la Bible sont innombrables : on ne pourrait dénombrer tous les manuscrits de l'Ancien et du Nouveau Testament qui furent copiés au Moyen Âge ; les premiers livres imprimés par Gutenberg, vers 1450, furent des bibles et des psautiers ; le plus ancien dictionnaire imprimé en anglais (en 1530) était un glossaire des termes bibliques ; de 1815 à 1992, la Bible a été publiée à six milliards d'exemplaires, en plus de 2 000 langues.

Qui a écrit la Bible ? Nous l'ignorons. La formulation est d'ailleurs trompeuse, puisque la Bible n'est pas un livre unique, mais la compilation de dizaines de textes de natures et d'origines différentes.

Pour l'Ancien Testament, la question porte principalement sur le Pentateuque, c'est-à-dire sur les cinq premiers livres (appelés Torah par les juifs), qui peuvent le moins aisément être attribués à un auteur unique.

L'ANCIEN TESTAMENT

Moïse est-il l'auteur du Pentateuque ? C'est ce qu'affirme la tradition. Dans le passé, des exégètes ont même été persécutés pour avoir affirmé le contraire, alors que le Pentateuque n'évoque jamais cette question. Dès l'époque talmudique (135 av. J.-C. – 500 apr. J.-C.), certains savants ont mis en doute cette affirmation, après avoir remarqué que Moïse pouvait difficilement avoir écrit lui-même le Deutéronome, puisque ce texte relate sa mort et les événements qui l'ont suivie ! Un autre passage fait allusion à un texte qui est psalmodié sur le mont du Temple « de nos jours », alors que le mont du Temple est postérieur de plusieurs siècles à l'époque de Moïse.

À la fin du XVIIᵉ siècle, le philosophe et savant juif Spinoza (1632 - 1677) considérait que le Pentateuque n'avait pas été écrit par Moïse,

mais plutôt par le scribe Ezra, qui aurait utilisé les écrits de Moïse comme base de son travail. Cette théorie a valu à Spinoza d'être excommunié par la synagogue portugaise d'Amsterdam, mais elle constitue le fondement de la critique moderne et a servi de tremplin aux découvertes ultérieures sur les origines de la Bible.

Aujourd'hui, la théorie dominante est appelée « hypothèse documentaire ». Selon elle, le Pentateuque aurait été rédigé par quatre personnages d'origine différente et dont la voix se distingue à travers le texte. Elle explique la présence de doublons, c'est-à-dire d'épisodes répétés à deux endroits, voire davantage, au sein du Pentateuque. Les chercheurs ont constaté que, malgré une grande similitude générale, ces doublons montrent aussi des différences importantes. La plus remarquable concerne le nom sous lequel Dieu est désigné.

Le Seigneur est tantôt désigné par le tétragramme non prononcé YHWH (d'où Yahvé et Jéhovah), tantôt appelé Élohim, qui est le mot hébreu pour Dieu. Les chercheurs en ont donc déduit que le Pentateuque avait été écrit, en réalité, par deux auteurs différents, désignés sous les lettres J (pour Jéhovah) et E (pour Élohim). Par la suite, on a remarqué que, dans les parties attribuées à E, une forte proportion du texte concerne les prêtres et leur fonction : un troisième auteur — sans doute un prêtre — serait donc intervenu dans la rédaction. Il est désigné par la lettre P (pour prêtre). Enfin, le Deutéronome paraissant avoir un style qui lui est propre, il a été attribué à un quatrième auteur, appelé D (pour Deutéronome).

LE NOUVEAU TESTAMENT

Le mystère entoure également les auteurs des Évangiles, livres qui racontent la naissance de Jésus, son baptême, son enseignement, sa crucifixion et sa résurrection. Le terme Évangile signifie « bonne nouvelle », et c'est à la partie de la vie de Jésus durant laquelle il annonce l'avènement du royaume de Dieu que ces livres sont principalement consacrés. Bien que chacun des quatre Évangiles soit attribué à un

apôtre, le mystère demeure quant à l'identité de leurs véritables auteurs.

L'Évangile selon saint Matthieu, présenté comme le premier, est aussi un manuel de règles de vie et d'instructions pour les chrétiens. Rédigé à la fin du Iᵉʳ siècle, il est remarquable par sa constance de ton. À l'époque de sa composition, la communauté chrétienne était parcourue par ce que Burton L. Mack a appelé « le fantastique envol des mythes chrétiens primitifs et du tempérament apocalyptique ». Malgré cet environnement, l'Évangile selon saint Matthieu se veut une biographie très prosaïque de Jésus. Quel auteur du Iᵉʳ siècle, les pieds si solidement sur terre, a donc pu l'écrire ? Une chose semble certaine : ce n'est pas Matthieu lui-même ; en revanche, l'auteur a pu utiliser comme source les paroles de Jésus préalablement recueillies par l'apôtre ; tout ce que nous savons de lui est qu'il se considérait comme « un scribe entraîné pour le royaume de Dieu ».

L'Évangile selon saint Marc a sans doute été rédigé avant tous les autres, bien qu'il vienne après celui de Matthieu dans le Nouveau Testament. Très biographique, il ressemble à une compilation d'histoires et de citations attribuées à Jésus. Quelques exégètes pensent que Marc a probablement rédigé son livre à Rome, où il aurait résumé les enseignements de saint Pierre. Mais d'autres considèrent Marc comme un personnage légendaire, et l'Évangile qui lui est attribué comme anonyme.

L'Évangile selon saint Luc a été composé durant le dernier tiers du Iᵉʳ siècle. Ce texte insiste sur l'importance et sur le rôle du Saint-Esprit durant la vie de Jésus, ainsi que sur la compassion de celui-ci envers les pauvres et les déshérités. En Jésus, Luc voit l'incarnation du Saint-Esprit. Par ailleurs, il insiste sur le rôle que les femmes sont appelées à jouer dans la chrétienté. Il semble établi que Luc, médecin et ami de saint Paul, a réellement écrit le troisième Évangile. Toutefois, certains exégètes le contestent, pour des raisons historiques. Selon eux, le nom de ce compagnon de saint Paul aurait été ajouté après coup à l'Évangile pour lui donner la même légitimité qu'à ceux de Matthieu et de Marc. On attribue également à Luc les Actes des Apôtres.

LE CAS DE JEAN

Alors que les trois premiers Évangiles — ceux de Matthieu, Marc et Luc — sont souvent désignés comme les « Évangiles synoptiques », car ils ont beaucoup d'éléments en commun et constituent un ensemble cohérent, l'Évangile selon saint Jean est d'une nature bien différente. C'est un récit beaucoup plus mystique, une interprétation de la vie et des enseignements de Jésus. Jean présente les événements historiques et les interprète en termes métaphoriques et mystiques.

Qui a écrit l'Évangile selon saint Jean ? Peut-être l'apôtre Jean lui-même, bien que certains exégètes pensent que ce texte est plus probablement l'œuvre d'un de ses disciples. On a coutume de le dater de 90 apr. J.-C. environ. C'est encore l'opinion la plus répandue, mais on évoque également des dates un peu plus anciennes.

CE MANUSCRIT FLAMAND, DATANT DE 1440 ENVIRON, MONTRE LES ÉVANGÉLISTES AU TRAVAIL.

L'Apocalypse, dernier livre du Nouveau Testament, et trois Épîtres sont également attribuées à saint Jean.

Malgré ces questions relatives à sa rédaction, le Nouveau Testament continue de dégager une puissance extraordinaire qui ne peut que toucher et étonner tous ceux, croyants ou non, qui le lisent et l'étudient.

QUI ÉTAIENT J, E, P ET D ?

Qui furent donc les auteurs du Pentateuque que les chercheurs ont désignés par une simple initiale ? L'examen de la partie du texte qui est attribuée à chacun permet d'approcher leur personnalité. Chaque auteur donne son propre point de vue sur les événements qu'il relate ; en étudiant la manière dont il les appréhende, on en apprend un peu sur lui.

E et D, par exemple, seraient des prêtres de la tribu de Lévi, originaires de la ville de Silo (E est peut-être

PIÈCE DU PUZZLE

même un descendant de Moïse).

P est probablement un prêtre de la tribu d'Aaron, qui vivait à Jérusalem avant le sac de la ville par les Babyloniens, en 587 av. J.-C.

Enfin, il est très probable que J soit de la tribu de Juda et qu'il ait vécu au IXᵉ siècle av. J.-C. Contrairement aux trois autres auteurs, il n'était sans doute pas prêtre. Du fait qu'il s'intéresse particulièrement aux personnages féminins, on a même émis l'hypothèse qu'il s'agissait d'une femme.

Quelles sont les racines de la Culture Grecque ?

Penseurs et artistes de la Grèce antique ont joué un rôle considérable dans notre civilisation. Mais de quelle culture avaient-ils eux-mêmes été les héritiers ?

CE VASE PEINT DU VIᵉ SIÈCLE AV. J.-C. MONTRE LE COMBAT DE THÉSÉE CONTRE LE MINOTAURE. CE MONSTRE MI-HOMME, MI-TAUREAU, ÉTAIT NÉ DES AMOURS DE PASIPHAÉ, FEMME DU ROI MINOS, ET D'UN TAUREAU BLANC ENVOYÉ PAR POSÉIDON. LA GRÈCE ANTIQUE FUT UN EXTRAORDINAIRE FOYER DE CRÉATION DE MYTHES QUI JOUAIENT UN RÔLE MAJEUR DANS LA COHÉSION DE LA SOCIÉTÉ. EN BAS : LE MINOTAURE SUR UNE MONNAIE GRECQUE.

IMPRESSIONNÉS PAR LA GRANDEUR DE la culture hellénique classique, nous sommes tentés d'imaginer les figures de Sophocle, de Socrate ou d'Archimède apparaissant soudain dans le monde à la manière des dieux mythologiques, comme Athéna surgissant tout armée du crâne de son père, Zeus. Jusqu'à la fin du XIXᵉ siècle, les historiens connaissaient peu de chose sur les origines de la civilisation grecque. Hérodote, Thucydide et les autres historiens de l'Antiquité parlaient d'un « âge des héros » qui aurait précédé l'âge classique, mais il est difficile d'extraire la vérité historique de la brume des légendes et des fables.

Qui étaient ces héros ? Selon la légende, un peuple mythique habitait la Crète, grande île au large de la Grèce. Il était gouverné par le roi Minos, l'un des fils de Zeus. Les Minoens étaient si puissants que les Grecs devaient leur remettre, tous les neuf ans, un tribut de sept jeunes filles et de sept jeunes gens destinés à être sacrifiés au Minotaure, créature brutale, mi-homme, mitaureau, qui vivait dans un immense labyrinthe souterrain. À partir de 1900, des fouilles effectuées en Crète sous la direction de l'archéologue britannique sir Arthur Evans permirent de découvrir d'immenses palais labyrinthiques, qui datent des IIᵉ et IIIᵉ millénaires av. J.-C. Furent également mises au jour de grandes peintures murales représentant des cérémonies complexes où étaient engagés des taureaux. Les érudits

CETTE AMPHORE ÉTRUSQUE, CONSERVÉE AU MUSÉE ARCHÉOLOGIQUE DE FLORENCE, ATTESTE LA DIFFUSION DES MODÈLES GRECS DANS TOUT LE BASSIN MÉDITERRANÉEN.

MASQUE D'OR (1500 AV. J.-C.) DÉCOUVERT À MYCÈNES. SCHLIEMANN PENSAIT À TORT QU'IL S'AGISSAIT DU PORTRAIT D'AGAMEMNON. CI-DESSOUS : **RECONSTITUTION DU PALAIS DE CNOSSOS, EN CRÈTE.**

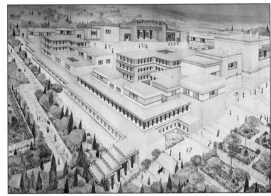

pensent aujourd'hui que le mythe du Minotaure est une interprétation de ces pratiques.

Une légende veut que Persée, autre fils de Zeus, construisît une cité fortifiée formidable à Mycènes, sur le continent, avec le concours de géants qui n'avaient qu'un œil, les Cyclopes. Les Mycéniens étaient alors considérés comme le peuple le plus puissant de Grèce. Un de leurs rois légendaires, Agamemnon, conduisit à la victoire les troupes grecques coalisées lors de la guerre de Troie. Homère célébra la bravoure au combat de ceux qu'il nommait les Achéens ; après la chute de Mycènes, due à l'invasion d'un peuple guerrier, les Doriens (v. 1200 av. J.-C.), leur histoire a pris, dans l'*Iliade*, une dimension épique.

L'APPORT DE L'ARCHÉOLOGIE

À la fin du XIXᵉ siècle, de nombreuses découvertes archéologiques ont permis d'éclairer les mythes qui se sont fixés, à partir d'événements plus anciens, à l'époque archaïque (VIIIᵉ-VIᵉ siècles av. J.-C.). Dans les années 1870, des fouilles conduites par Heinrich Schliemann ont prouvé qu'une civilisation proche de la culture minoenne s'était épanouie en Grèce continentale entre 2800 et 1200 av. J.-C. Schliemann l'a appelée « mycénienne » en référence à Mycènes, l'une des principales forteresses, avec celle de Troie, qu'il avait découvertes. Certains historiens ont même suggéré que la culture minoenne était à l'origine de la riche floraison de la culture mycénienne entre le XVᵉ et le XIIᵉ siècle av. J.-C.

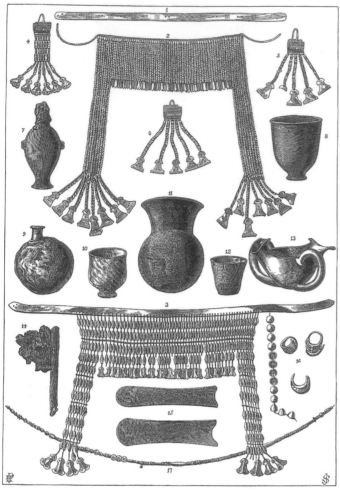

Il semble que les Minoens étaient pacifiques, car l'on trouve peu de fortifications militaires en Crète. Leurs richesses venaient du commerce maritime. Malgré de fréquents contacts avec leurs voisins d'Asie Mineure, de Palestine et d'Égypte, ils ont ignoré l'écriture longtemps après que ces nations l'eurent adoptée. Ils ont cependant créé leur propre système de notation, sous la forme de dessins (pictogrammes) qui se transformèrent progressivement en véritables signes (linéaire A), vers 1600 av. J.-C.

L'écriture constitue justement l'un des principaux liens entre les Minoens et les Mycéniens, car les seconds adaptèrent le linéaire A pour élaborer, vers 1450 av. J.-C., un nouveau système, le linéaire B. On a trouvé en Crète des tablettes en linéaire B qui datent de l'époque de la destruction des palais minoens : on pense donc généralement que les Mycéniens ne se sont pas contentés d'emprunter leur écriture aux Minoens, mais qu'ils se sont également emparés de leur île. Cette théorie correspond assez bien à ce que nous savons des Mycéniens :

c'était un peuple guerrier, dont l'aristocratie militaire était enterrée dans des tombeaux colossaux, tel l'impressionnant trésor d'Atrée, à Mycènes. Érigé entre 1300 et 1250 av. J.-C., celui-ci mesure 15 m de diamètre et 13 m de haut. Sa porte est surmontée d'un linteau de pierre qui pèse près de 120 tonnes.

QUI ET QUAND ?

Même si l'on en sait davantage aujourd'hui sur l'âge du bronze (IIIe millénaire), reste à comprendre d'où venaient les populations qui ont introduit l'écriture en Grèce, et comment elles s'y sont installées. Cela s'est-il passé à l'occasion d'invasions ou au cours de lentes migrations ? À quelle époque le pays a-t-il finalement été occupé par les ancêtres d'Hippocrate et d'Aristote ? En examinant les sites de l'âge du bronze qui montrent des signes évidents de destructions et de reconstructions successives, avec des niveaux d'avancement technique et culturel différents, certains archéologues ont situé l'époque de l'infiltration des premiers envahisseurs

DANS LES VESTIGES DE MYCÈNES, ON TROUVE DE NOMBREUSES TOMBES DITES À CHAMBRE, QUI CONTENAIENT JADIS DE RICHES OFFRANDES FUNÉRAIRES. PARMI CES TOMBES, LE TRÉSOR D'ATRÉE (À GAUCHE), A ÉTÉ ÉDIFIÉ ENTRE 1300 ET 1250 AV. J.-C. AVEC D'AUTRES CONSTRUCTIONS COLOSSALES. IL A SANS DOUTE INSPIRÉ HOMÈRE (VIIIᵉ SIÈCLE AV. J.-C.) LORSQU'IL A COMPOSÉ L'*ILIADE*.

LE MÉDECIN HIPPOCRATE (EN HAUT, SUR UNE MINIATURE BYZANTINE DU XIVᵉ SIÈCLE) ET LE PHILOSOPHE ARISTOTE (EN BAS), DEUX FIGURES TUTÉLAIRES DE LA PENSÉE GRECQUE.

indo-européens vers 2200 av. J.-C. Mais d'autres contestent cette datation, en rappelant, selon le mot de l'un d'eux, que « l'incendie d'un palais peut aussi bien être dû à un cuisinier maladroit qu'à un ennemi sans merci ». Ils considèrent donc qu'il n'existe pas de preuve formelle d'une rupture dans l'évolution de la civilisation grecque depuis les premières traces de peuplement, vers 6000 av. J.-C., jusqu'à la fin de l'époque mycénienne. Une autre école avance la date de 3000 av. J.-C. pour l'arrivée d'envahisseurs en Grèce continentale, et situe, grâce à des indices linguistiques, leur aire d'origine en Asie Mineure, où s'était développé un peuple indo-européen, les Hittites, qui connut un grand rayonnement militaire, économique et culturel. Aujourd'hui encore, « l'âge des héros » reste donc largement enveloppé de ténèbres.

LA THÉORIE AFRO-ASIATIQUE

Notre conception de la civilisation grecque est-elle elle-même un mythe? Un Américain, Martin Bernal, prétend que la Grèce a été conquise et civilisée par des Égyptiens vers le XVIᵉ siècle av. J.-C., et que sa civilisation a de profondes racines dans les cultures africaine et asiatique. Bernal affirme que ces influences ont été sous-estimées ou occultées au XVIIIᵉ siècle par racisme. Selon lui, les anciens Grecs croyaient qu'ils devaient leurs institutions, leur science et leur philosophie à des peuples venus non pas du nord (ceux-ci étaient destructeurs si l'on se réfère aux invasions doriennes à la fin du IIᵉ millénaire) mais de l'Orient et particulièrement d'Égypte. L'objectif de son livre *l'Athéna noire* est « d'abaisser l'arrogance culturelle de l'Europe ». Sa thèse n'en est pas moins très contestable…

LA DÉESSE ATHÉNA, PROTECTRICE D'ATHÈNES.

PIÈCE DU PUZZLE

Jason et la Toison d'or

CETTE ŒUVRE DU PEINTRE ITALIEN LORENZO COSTA (1460-1535) REPRÉSENTE L'ARRIVÉE DE JASON ET DES ARGONAUTES SUR LES CÔTES DE COLCHIDE.

L'HISTOIRE DE JASON ET DE SES COMPAGNONS, LES Argonautes, est l'une des plus anciennes quêtes légendaires que nous ait léguées la mythologie grecque.

Jason est le fils d'Éson, roi d'Iolcos, en Thessalie. Son oncle Pélias, qui a usurpé le trône à la mort d'Éson, l'envoie conquérir la Toison d'or (la laine d'un bélier fabuleux gardée par un dragon), dans l'espoir qu'il mourra au cours de l'expédition. Le mythe des Argonautes raconte donc les aventures de Jason, embarqué sur le navire *Argo* avec un équipage de 52 héros grecs — dont Héraclès, Castor et Pollux, Orphée… — vers la Colchide, qui représente alors les confins orientaux du monde connu. La magicienne Médée, fille du roi de Colchide, épouse Jason et l'aide à s'emparer de la Toison. Au terme d'un long périple, celui-ci revient à Iolcos et reconquiert son trône.

Faut-il chercher une vérité derrière la légende des Argonautes ? Les descriptions réalistes de rivières, de batailles et de terres inconnues sont-elles le vestige d'expéditions réelles ? Il est vrai qu'une lecture attentive des mythes antiques permet souvent de glaner des bribes d'information sur des faits historiques, même si ceux-ci ont été déformés par une représentation poétique et idéalisée.

LES AVENTURES DE JASON

Les textes et les témoignages archéologiques ont montré que la Grèce possédait une longue tradition maritime, et qu'à l'époque mycénienne, dès le XVIe siècle av. J.-C. — et même plus tôt —, la Méditerranée et la mer Noire étaient parcourues de navires grecs.

La plupart des experts situent l'expédition de Jason vers 1300 av. J.-C. À cette époque, la construction de navires était courante en Grèce. L'insistance avec laquelle est affirmée la supériorité de l'*Argo* montre en tout cas le lien qui unissait les Grecs à la mer, incarnée par son maître indomptable, le dieu Poséidon.

On peut penser que, comme d'autres explorateurs, les Argonautes démontaient leur bateau lorsqu'ils touchaient terre et le transportaient en pièces détachées jusqu'au prochain rivage, où ils le remontaient. Il est aussi probable que Jason et ses compagnons n'ont pas été que des héros en

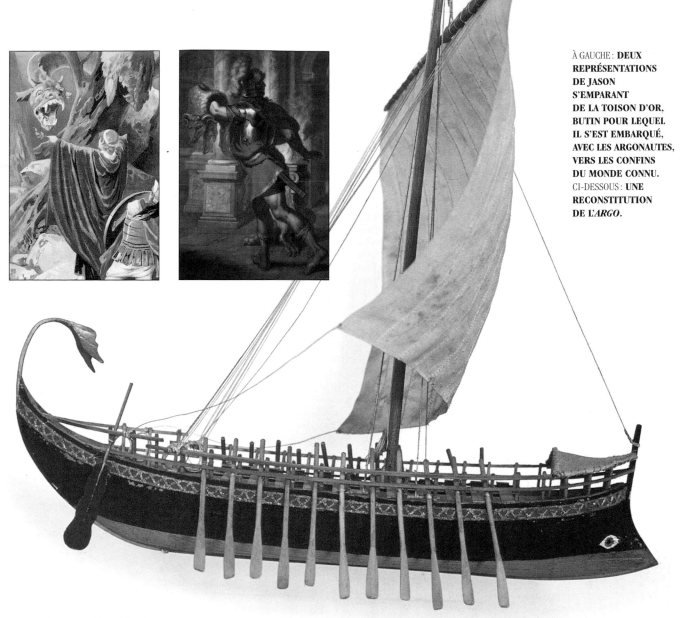

À GAUCHE : **DEUX REPRÉSENTATIONS DE JASON S'EMPARANT DE LA TOISON D'OR, BUTIN POUR LEQUEL IL S'EST EMBARQUÉ, AVEC LES ARGONAUTES, VERS LES CONFINS DU MONDE CONNU.** CI-DESSOUS : **UNE RECONSTITUTION DE L'*ARGO*.**

quête d'un trophée fabuleux. Les marins étaient alors plus motivés par l'espoir d'un butin que par l'esprit d'aventure. On sait par ailleurs que les rivières de Colchide passaient, à l'époque, pour charrier de l'or : c'est sans doute ce précieux métal qui était le réel objectif de l'expédition.

Plus que leur quête et le récit de leurs combats, c'est la navigation intrépide des Argonautes qui est pour nous riche d'enseignements. Si l'on se fie aux observations astronomiques qui émaillent le récit, il est évident que Jason ne s'abandonne pas au hasard des flots. Il a, au contraire, une connaissance précise des techniques de navigation, bien que son périple se situe il y a plus de 3 000 ans !

LE PREMIER EXPLORATEUR

Les aventuriers se dirigent cap à l'est, jusqu'au bout de la mer Noire, vers ce qui est aujourd'hui la Géorgie. En découvrant que la mer Noire, loin d'être un simple golfe ouvrant sur un océan infini — comme le pensaient jusqu'alors les marins grecs —, est en réalité fermée par les

immenses sommets du Caucase, Jason permet aux Grecs de mieux se situer par rapport aux pays d'Asie.

Selon plusieurs historiens, la route du retour les emmène sur les grands fleuves russes, et vers le nord jusqu'en Scandinavie, puis en Grande-Bretagne, puis en direction du sud le long des côtes d'Europe, et enfin, à travers le détroit de Gibraltar (alors appelé « colonnes d'Héraclès »), en Méditerranée. D'autres chercheurs ont proposé un itinéraire à travers l'Europe centrale : vers l'ouest, sur le Danube puis sur des cours d'eau de moindre importance, jusqu'en Adriatique, où ils auraient mis le cap vers le sud, en direction de la mer Ionienne et de la Grèce.

Alors que les sites de Mycènes, de Cnossos et de Troie sont connus depuis le XIXᵉ siècle, les archéologues désespéraient de jamais découvrir la cité mythique d'Iolcos. Depuis l'an 2000, non loin de Volos, en Thessalie, les ruines d'un palais d'au moins 3 600 m² datant de 1400 à 1300 av. J.-C. ont été mises au jour. Elles confèrent une vraisemblance nouvelle à l'existence du royaume de Jason…

L'Atlantide a-t-elle existé?

L'ATLANTIDE EST SOUVENT DÉCRITE COMME LE LIEU D'UNE CIVILISATION TECHNIQUEMENT TRÈS AVANCÉE ET D'UN GRAND RAFFINEMENT ARTISTIQUE. EST-CE L'ÉCHO D'UN SOUVENIR HISTORIQUE OU LE FRUIT D'IMAGINATIONS FERTILES?

LE MYSTÈRE DE L'ATLANTIDE, île engloutie quelque part au fond des mers, a fasciné les hommes pendant des siècles. Pourtant, peu d'entre nous savent que ce mythe n'a pas été forgé par un extravagant rêveur, mais par le père de la pensée occidentale, le philosophe grec Platon (vers 427-347 av. J.-C.). Les premières références connues à l'Atlantide apparaissent en effet dans deux de ses dialogues, le *Critias* et le *Timée.* Par la bouche de Critias, son grand-oncle, Platon décrit une vaste île paradisiaque, riche en minerais et dotée de jardins luxuriants, qui se trouvait quelque part au-delà du détroit de Gibraltar, plus de 9 000 ans auparavant. La cité insulaire, qui avait conquis les régions environnantes grâce à la puissance de sa flotte, était protégée par Poséidon, dieu de la mer. Lorsque les habitants de l'île furent touchés par la corruption et commencèrent à honorer d'autres dieux, Poséidon

L'île merveilleuse, protégée par Poséidon, le dieu de la mer, a-t-elle été engloutie par les flots?

les punit en un jour et une nuit funestes, et fit disparaître l'Atlantide dans les profondeurs de la mer.

UN THÈME PHILOSOPHIQUE?

Dans son enseignement, Platon utilise fréquemment les allégories et les fables, et certains érudits — à commencer par l'un des élèves de Platon, Aristote — ont soupçonné l'Atlantide de n'être qu'une image philosophique destinée à avertir les nations des méfaits de l'orgueil. Des historiens ont pensé au contraire que l'Atlantide avait vraiment existé et ils ont cherché dans l'Antiquité un événement qui pourrait correspondre au cataclysme destructeur dont parle Platon. Cette quête a connu son point culminant aux XVe et XVIe siècles, à l'époque des grandes découvertes. Chaque nouveau territoire était alors un candidat potentiel… Lorsque les premiers navigateurs débarquent en Amérique, beaucoup identifient le nouveau continent à l'Atlantide, même si rien n'indique qu'il ait jamais été submergé…

Plus tard, les États-Unis ont eux aussi fourni leur contingent de passionnés. Le parlementaire Ignatius Donnelly publie, en 1882, *Atlantide : le monde antédiluvien*, qui situe la cité perdue sur une île entre l'Ancien et le Nouveau Monde. C'est ainsi, selon lui, que s'expliqueraient les ressemblances entre les civilisations précolombiennes et la culture égyptienne (existence de pyramides, usage de hiéroglyphes…). Leur origine commune serait l'Atlantide, dont les habitants se seraient enfuis, vers l'ouest et vers l'est, lors de sa destruction.

D'INNOMBRABLES THÉORIES

Depuis la fin du XIXe siècle, bien d'autres théories se sont succédé, qui ont localisé l'île merveilleuse un peu partout, depuis le Tibet jusqu'à l'Amazonie ou aux Bahamas.

Volcanologues et sismologues ont analysé les indices à la recherche d'un cataclysme capable de détruire une civilisation entière. Or, vers 1500 av. J.-C., une terrible explosion volcanique a secoué l'île de Kallistê (aujourd'hui Santorin), la plus méridionale des Cyclades, dans la mer Égée. L'éruption était aussi puissante que des centaines de bombes atomiques et elle a déposé des cendres sur une zone de près de 600 000 km². Kallistê était un poste avancé au large de la Crète, qui se trouvait alors à son apogée, et les archéologues ont dégagé en Crète les ruines de splendides cités qui semblent correspondre aux descriptions de Platon. L'éruption aurait entraîné d'immenses raz de marée qui auraient touché la Crète, détruisant la plupart de ses ports et sa magnifique capitale, Cnossos, qui était alors la plus grande cité de la Méditerranée. La Crète ne recouvra jamais sa puissance et sombra rapidement dans l'oubli. Cette histoire, il est vrai, ressemble étonnamment à celle de l'Atlantide…

Un autre élément pourrait conforter l'hypothèse crétoise. Dans l'un des dialogues de Platon, en effet, Critias prétend qu'il a entendu l'histoire de l'île racontée par son arrière-grand-père, qui la tenait lui-même d'un prêtre égyptien. Or les Égyptiens n'étaient pas de grands navigateurs, mais ils commerçaient beaucoup avec les Crétois, et connaissaient les richesses de leur île. Lorsque, après l'éruption,

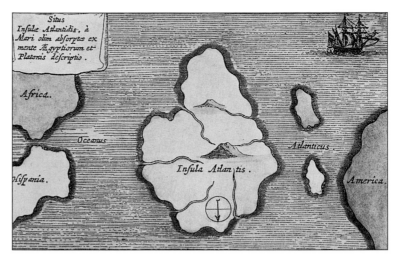

EN HAUT : **UNE CARTE DE 1678 SITUE L'ATLANTIDE ENTRE L'AFRIQUE ET L'AMÉRIQUE.**
À GAUCHE : **L'ATLANTIDE FIGURE SUR CETTE CARTE DU VOYAGE DE PYTHÉAS (NAVIGATEUR GREC DU IVe SIÈCLE AVANT J.-C.), DRESSÉE PAR LE BERLINOIS IGNACE LELEWEL, EN 1831.**

les navires crétois eurent disparu des ports égyptiens, il leur sembla sans doute que la Crète tout entière s'était évanouie. C'est peut-être là l'origine lointaine de la légende de l'Atlantide.

En 2001, cependant, des chercheurs français ont soutenu que celle-ci était une île du détroit de Gibraltar engloutie dans les eaux à la fin de la dernière glaciation, soit… 9 000 ans avant Platon, comme celui-ci l'avait écrit. Quoi qu'il en soit de cette nouvelle théorie, l'Atlantide conservera toujours sa valeur de mythe…

Qui étaient les Amazones ?

« ON DIT QU'IL EXISTAIT AUTREFOIS, dans la partie occidentale de la Libye, aux confins du monde habité, une race qui était commandée par les femmes et qui suivait un mode de vie sans ressemblance avec celui qui prévaut parmi nous. Car, selon la coutume, les femmes pratiquaient les arts de la guerre et devaient servir dans l'armée pour une période déterminée, durant laquelle elles conservaient leur virginité. Puis, quand leurs années de service sur le champ de bataille étaient achevées, elles venaient parmi les hommes pour la procréation des enfants, mais elles conservaient dans leurs mains la responsabilité des magistratures et de toutes les affaires de l'État. » Cette citation de Diodore de Sicile, historien

Peut-on penser que ces farouches guerrières ont existé ? Sont-elles un peu plus qu'un fantasme ?

grec du Ier siècle av. J.-C., raconte avec bonheur l'attrait qu'a pu exercer la légende des Amazones depuis l'époque la plus reculée. La plupart des érudits sont convaincus que la longévité de cette histoire, qui est considérée comme la quintessence du mythe grec, tient essentiellement à son impact sur l'imagination des hommes.

UN MONDE INVERSÉ

Les hommes trouvent plaisir à renverser les rôles sociaux et les conventions. Les Grecs vivaient dans une société dominée par les mâles, où l'héritage et la transmission du nom se faisaient par la lignée masculine. La légende des Amazones présente une image inversée de ce monde, où les guerriers et les magistrats sont des femmes, tandis que les hommes sont réduits à une vie domestique ou de servitude.

Pour être crédible, le récit devait se dérouler aux marges du monde connu par les Grecs. À l'origine, ces derniers situaient le peuple des Amazones dans la région du Caucase, sur la côte orientale de la mer Noire. Lorsque la colonisation étendit les horizons grecs jusqu'en Géorgie et en Crimée, où aucune Amazone ne fut rencontrée, la légende fut révisée, et le domaine des Amazones repoussé beaucoup plus loin à l'est.

Il fallut donc imaginer de quoi concilier l'ancien mythe et ces données récentes. On fit appel à Héraclès : le héros aurait voyagé jusqu'au royaume des Amazones, aurait remporté un combat sur leur reine Hippolyte et se serait emparé de sa ceinture d'or, ce qui constituait le neuvième de ses douze travaux ; puis il aurait banni le reste de la tribu vers l'Orient.

Les conteurs primitifs firent preuve d'une imagination féconde pour expliquer comment un peuple de femmes pouvait se reproduire ! Dans de nombreuses versions, la société des Amazones était constituée exclusivement de femmes ; dans d'autres, qui tiennent à entretenir une vraisemblance biologique, les hommes étaient soumis plutôt qu'absents. Certains auteurs prétendent aussi que les Amazones s'accouplaient avec des divinités ou des héros, comme Thésée, le vainqueur du Minotaure.

UN MODÈLE POUR LES FÉMINISTES ?

Y a-t-il un fond de vérité dans cette légende ? Des civilisations anciennes ont existé dans lesquelles les femmes étaient traitées comme les égales des hommes (la société nomade des Kourganes, en Russie, par exemple), et il est possible que le mythe dérive de descriptions de ces pratiques, déformées et exagérées par des voyageurs. Bien qu'il n'y ait aucune preuve archéologique des coutumes décrites par des historiens comme Diodore, on connaît certaines cultures dans lesquelles les femmes jouaient un rôle militaire. Un tombeau découvert dans le sud de l'Ukraine contient par exemple plusieurs squelettes de femmes enterrées avec des armes, ce qui suggère une participation aux combats. En dernière analyse, l'importance historique des Amazones tient moins à leur modèle réel, s'il a existé, qu'aux comportements qu'elles ont inspirés. Tout au long des siècles, des femmes ont pris les armes : gladiatrices romaines, croisées

DES GUERRIÈRES À CHEVAL

Si l'on en croit certaines versions de la légende, les Amazones furent le premier peuple à monter à cheval pour combattre. Myrène, fondatrice légendaire de la cité de Smyrne (Izmir),

PIÈCE DU PUZZLE ▼

conduisait une cavalerie de 30 000 femmes.

Des indices archéologiques témoignent de l'ancienneté de ces pratiques : les os incurvés d'une femme découverts dans une tombe du Kazakhstan semblent attester une vie passée sur le dos d'un cheval. On a aussi suggéré qu'une tribu primitive de femmes cavalières serait à l'origine du mythe des centaures.

SUR CETTE GRAVURE ALLEMANDE DU XVIIIᵉ SIÈCLE, DES AMAZONES À CHEVAL SE BATTENT CONTRE DES SOLDATS GRECS.

du Moyen Âge, innombrables combattantes des barricades pendant la Révolution française. Au XXᵉ siècle, la légende des Amazones a servi de référence aux combats féministes. Elle a ainsi quitté le champ des mythes pour entrer dans l'Histoire.

SCÈNE DE BATAILLE. DÉTAIL DU « SARCOPHAGE DES AMAZONES » CONSERVÉ AU MUSÉE ARCHÉOLOGIQUE DE FLORENCE.

Le Cheval de Troie, légende épique ou ruse historique?

Un archéologue amateur a découvert la cité de Troie, mais y a-t-il le moindre indice qu'une bataille y ait été remportée par les Grecs?

L'*ILIADE*, OÙ HOMÈRE FAIT LE RÉCIT DE LA guerre de Troie, est l'une des plus importantes épopées antiques. Des générations d'écoliers sont restées captivées par ses héros magnifiques, ses combats sanglants, la description éclatante de la victoire des Grecs et de la défaite des Troyens. C'est indiscutablement une œuvre magistrale, mais se fonde-t-elle sur la réalité? Longtemps, la plupart des auteurs ont affirmé son authenticité. Le grand historien grec Thucydide soutient qu'il y a réellement eu une guerre de Troie, mais il est né en 460 av. J.-C., soit plus de 800 ans après les événements supposés. En dernière analyse, Homère demeure notre seule véritable source, mais personne ne sait qui il était, ni d'où il venait, ni par quel biais il connaissait tous les détails de l'histoire de

Troie. S'il a existé, le poète vivait entre 900 et 700 av. J.-C., c'est-à-dire quatre siècles au moins après les faits qu'il relate. Les érudits se sont donc demandé si la cité de Troie n'était pas elle-même un mythe. Personne ne savait où elle se trouvait, et beaucoup la soupçonnaient de n'être que le fruit de l'imagination des Grecs, un symbole destiné à glorifier la puissance d'Athènes.

LA QUÊTE DE SCHLIEMANN

Un homme d'affaires allemand est à l'origine de l'une des plus fabuleuses découvertes archéologiques de tous les temps. Après avoir amassé une fortune considérable dans le commerce international, Heinrich Schliemann s'emploie à trouver les preuves qui établiraient la véracité de l'épopée homérique. Il recherche

L'HISTOIRE DU CHEVAL DE TROIE APPARTIENT À LA CULTURE OCCIDENTALE, MAIS EST-ELLE AUTHENTIQUE? CERTAINS HISTORIENS SUGGÈRENT QU'ELLE S'INSPIRE PEUT-ÊTRE D'UNE MACHINE DE SIÈGE UTILISÉE PAR LES GRECS POUR CONQUÉRIR LA CITÉ DE TROIE.

d'abord le palais d'Ulysse, puis la cité de Troie. En 1871, utilisant les textes grecs pour guider ses fouilles et aidé par près de cent ouvriers, il commence à dégager la colline d'Hisarlik, sur la côte turque de la mer Égée. La foi de Schliemann dans les textes d'Homère le sert : en creusant, il découvre neuf villes superposées, dont la plus ancienne remonte à la fin de l'âge du bronze, vers 2500 av. J.-C.

Le 14 juin 1873, la veille de son départ, Schliemann met au jour l'un des plus importants trésors archéologiques jamais découverts. Il contient près de 8 700 coupes, anneaux, bracelets d'or et de pierreries. Il l'appelle le Trésor de Priam, du nom du roi de Troie que met en scène *l'Iliade*. En réalité, la couche dans laquelle le trésor est enfoui correspond à une époque antérieure de près d'un millénaire à celle de Priam. Cette découverte a cependant montré de manière convaincante qu'une ville a effectivement existé sur le site de Troie…

Reste que la présence d'une ville ne prouve pas qu'elle a été en guerre contre les Grecs. Les archéologues ont depuis lors découvert de hautes murailles tout autour de la cité qui suggèrent l'existence d'une société militaire, mais sans aucun indice qu'une armée ait jamais campé à l'extérieur, alors qu'Homère évoque des forces assiégeantes considérables, de près de 110 000 hommes. En fait, les historiens sont persuadés que, s'il y eut une guerre, elle n'a pas pu durer dix ans, comme l'affirme *l'Iliade*. Il s'agit là des exagérations propres au genre épique car, à cette époque, les armées comptaient tout au plus quelques milliers d'hommes, et les campagnes ne se prolongeaient pas au-delà de quelques mois.

NI CHEVAL NI HÉLÈNE ?

Reste la célèbre légende du cheval de Troie, animal de bois gigantesque à l'intérieur duquel les Grecs s'étaient glissés et grâce auquel ils parvinrent à pénétrer dans la cité : croyant qu'il s'agissait d'un don des dieux, les Troyens le firent entrer dans leurs murs… On n'a trouvé aucun vestige d'un tel engin lors des fouilles, et rien ne prouve que cette histoire se fonde sur un épisode réel. Elle peut toutefois s'inspirer de machines de siège monumentales, dont l'usage à l'époque de la guerre de Troie n'est pas exclu. Le rôle d'Hélène — la belle princesse grecque dont l'enlèvement par le prince troyen Pâris provoqua la guerre de Troie — est lui aussi

À LA RECHERCHE D'HOMÈRE

Un éditeur anglais, Walter Bagehor, a écrit un jour : « Un homme qui n'a pas lu Homère est un homme qui n'a pas vu l'océan. » On sait toutefois peu de chose sur le plus grand poète de l'Antiquité. Jusqu'au milieu du Vᵉ siècle av. J.-C., les Grecs situaient sa naissance sur l'île de Chio, en face de la côte occidentale d'Asie Mineure. Ses épopées y étaient en effet chantées par les Homérides, confrérie d'aèdes qui se proclamaient ses descendants directs. À mesure que croissait la célébrité du poète, d'autres villes voulurent se l'approprier, à commencer par Athènes elle-même. Les références locales qui parsèment *l'Iliade* situent plutôt les origines de son auteur dans l'est de la mer Égée. En outre, des éléments linguistiques

PIÈCE DU PUZZLE

(grammaire, style, métrique) et des descriptions de techniques de combat particulières à cette période indiquent que son œuvre a été composée vers le VIIIᵉ siècle av. J.-C. Ajoutons que certains érudits contestent à Homère la paternité de *l'Odyssée*, le récit du périple d'Ulysse après la guerre de Troie.

CE BUSTE D'HOMÈRE EST EXPOSÉ À ROME. LE POÈTE, AVEUGLE SELON LA TRADITION, A PROBABLEMENT RECUEILLI ET EMBELLI DES RÉCITS QUI SE TRANSMETTAIENT DE GÉNÉRATION EN GÉNÉRATION.

sujet à caution. Selon Homère, sa beauté a suffi pour que des milliers de navires se lancent à sa recherche, mais aucun document historique de l'Antiquité ne mentionne son nom…

Les défenseurs du texte d'Homère estiment que la trame générale est exacte, même si certains événements, recueillis par le poète au terme de plusieurs siècles de transmission orale, peuvent avoir été transformés. Les conteurs auraient progressivement modifié l'histoire, en l'adaptant aux thèmes et aux héros traditionnels qu'ils avaient à leur répertoire. C'est ainsi que se serait élaborée la version qu'Homère a fixée le premier et qui est devenue celle que nous connaissons depuis l'Antiquité.

Mythe, réalité ? Là encore, nous ne pouvons trancher avec certitude, mais nous continuerons, comme les Grecs, d'être émerveillés par l'un des plus fascinants récits de tous les temps.

Qui était la Reine de Saba ?

Que savons-nous de la mystérieuse souveraine qui visita la cour de Salomon et conquit le cœur du roi par sa sagesse et sa beauté ?

CETTE MINIATURE ÉTHIOPIENNE MONTRE LE ROI SALOMON (À GAUCHE, VÊTU DE BLEU) LORS D'UN BANQUET EN L'HONNEUR DE LA REINE DE SABA (ASSISE EN HAUT À DROITE). PENDANT DES SIÈCLES, ON S'EST EFFORCÉ DE LOCALISER LE ROYAUME DE SABA. AUJOURD'HUI, LE YÉMEN L'EMPORTE INDISCUTABLEMENT SUR L'ÉTHIOPIE ET L'ARABIE SAOUDITE.

POUR ENFLAMMER L'IMAGINATION DU MONDE 25 versets ont suffi à la reine de Saba ! Tout ce que nous connaissons d'elle se trouve dans l'Ancien Testament, au chapitre 10 du premier livre des Rois et au chapitre 9 du second livre des Chroniques. Aucune de ces sources cependant ne nous fournit les détails qui pourraient satisfaire notre curiosité quant à son apparence, son histoire, ou même son nom. Elle n'existe que comme un séduisant fantôme de l'Histoire.

Si l'on considère que le récit de la Bible est véridique, voici les éléments dont nous disposons : entendant parler du glorieux roi Salomon, le très sage et très puissant souverain des Hébreux qui régnait au Xᵉ siècle av. J.-C., la reine de Saba se met en route pour Jérusalem, afin de le rencontrer. Elle arrive accompagnée d'une très longue caravane de centaines de chameaux transportant des aromates, de l'or et des pierres précieuses. Une fois à la cour, elle pose au roi de difficiles questions auxquelles il sait répondre. Impressionnée par la sagesse de Salomon, la reine lui offre des présents magnifiques. En retour, Salomon lui donne tout ce qu'elle souhaite. Après cet échange de cadeaux, la reine retourne dans son pays.

Certains savants ont suggéré que ce voyage avait pour but d'établir des routes commerciales entre les deux pays, et d'obtenir pour le royaume de Saba le droit d'utiliser les ports des Hébreux sur la Méditerranée. Mais la Bible demeure muette sur les motifs de la visite royale, et aucune recherche archéologique n'a pu apporter d'éclaircissement à ce sujet. En outre, aucun autre texte antique ne fait allusion à cette mystérieuse reine.

Une riche tradition folklorique permet toutefois de combler certaines de ces lacunes, même si rien ne permet d'établir qu'elle se fonde sur des faits historiques. La reine de Saba a été un sujet iconographique courant au Moyen Âge, où elle est parfois représentée comme une sorcière ou comme un personnage mystique. Elle est également souvent associée, pour des raisons obscures, à des animaux : une sculpture française de l'époque gothique la représente comme la reine pédauque (la reine aux pieds palmés), tandis qu'une sculpture allemande la transforme en oie. Dans les textes juifs et musulmans, elle est souvent associée à un oiseau magique, la huppe, et elle arbore parfois des pieds velus…

LE MYSTÉRIEUX ROYAUME DE SABA

Même si nous ne savons que peu de chose de la reine de Saba elle-même, les archéologues ont pu découvrir nombre d'informations sur son royaume, l'un des États qui bordaient la mer

Rouge, au sud de la péninsule Arabique. La Bible y fait allusion à plusieurs reprises, et son nom dériverait d'un descendant de Sem, un des fils de Noé.

Le royaume de Saba était une terre fertile et florissante, irriguée grâce à un grand barrage construit près de la capitale, Marib. Il tirait la plupart de ses richesses du commerce de l'encens, des pierres précieuses ainsi que des épices qui poussaient sur les flancs verdoyants de ses montagnes. Les Sabéens, qui connaissaient parfaitement les dangereux espaces désertiques, monopolisèrent le commerce dans la région grâce à leurs immenses caravanes.

Géographiquement isolés, les Sabéens purent éviter toute invasion jusqu'au IVe siècle av J.-C. et furent épargnés par les armées d'Alexandre le Grand. Leur royaume était bien connu des historiens et des écrivains classiques comme Hérodote ou Pline.

Reste toutefois un mystère: il faut attendre le VIIIe siècle av. J.-C. pour voir apparaître les premières allusions à Saba, soit deux siècles après la visite de la reine à Salomon. L'histoire du royaume avant cette époque reste cachée sous le voile des légendes !

ÉCHOS D'ÉTHIOPIE

PIÈCE DU PUZZLE

Une des facettes les plus étonnantes du mythe de la reine de Saba concerne le fils qu'elle aurait eu du roi Salomon, Ménélik. Si l'on en croit un récit du XIVe siècle, Salomon séduit la reine en employant une ruse : il donne un banquet en son honneur, mais l'avertit de ne rien prendre sans sa permission. Indisposée par la nourriture épicée, la reine prend un peu d'eau sans en demander l'autorisation. Le roi l'accuse d'avoir violé leur pacte et lui demande donc une faveur en retour. Lorsque la reine quitte Salomon, après s'être convertie au judaïsme, elle porte leur fils, Ménélik… Ce voyage expliquerait la présence en Éthiopie (région colonisée par les Sabéens) d'une communauté de juifs noirs, les Falachas (aujourd'hui majoritairement installés en Israël). Devenu adulte, Ménélik prend le titre d'empereur d'Éthiopie. Une légende dit que Salomon l'aurait autorisé à emporter l'Arche d'alliance et que celle-ci serait enterrée à ses côtés, à Aksoum. La figure de Ménélik a toujours joué un rôle dans l'intronisation des empereurs d'Éthiopie. Le dernier, Hailé Sélassié, proclama : « Je suis le fils de David, de Salomon et d'Ibna Hakim [le fils du sage, autre nom de Ménélik]. »

Les inestimables manuscrits de la Mer Morte

Il est généralement admis que nombre de ces manuscrits ont été écrits par la secte juive des esséniens. Mais dans quel dessein ?

LORSQU'ON LES TROUVA, LES 800 ROULEAUX ÉTAIENT CONSERVÉS DANS DES JARRES D'ARGILE (CI-DESSUS). LE « MANUEL DE DISCIPLINE » DES ESSÉNIENS (CI-DESSOUS) EST L'UN DE CES MANUSCRITS. CERTAINS DE CES ROULEAUX PRÉCIEUX ET FRAGILES SONT EXPOSÉS AU SANCTUAIRE DU LIVRE QU'ABRITE LE MUSÉE D'ISRAËL, À JÉRUSALEM.

LA DÉCOUVERTE DES MANUSCRITS DE LA MER Morte est la plus importante qui ait jamais été faite à l'époque moderne. Elle a entraîné autant de controverses que de progrès dans notre connaissance de la spiritualité juive à l'époque du Christ. Bien que les premiers textes aient été découverts voilà plus d'un demi-siècle, ils ne seront édités qu'en 2002.

La première série de manuscrits a été découverte par un berger bédouin, en 1947, à proximité de l'actuelle rive israélienne de la mer Morte, dans la région de Qumran. Alors qu'il mène ses chèvres boire, Mohammed ed-Dhib jette une pierre dans une grotte. Quelque chose résonne, piquant la curiosité du berger. Il revient le lendemain pour en savoir plus et trouve des jarres d'argile contenant sept rouleaux de parchemin écrits en hébreu et enveloppés d'un tissu de lin. Ce sont les premiers des centaines de rouleaux et de fragments (certains en araméen) qui seront découverts dans la région. Ils sont aujourd'hui communément désignés sous le nom de manuscrits de la mer Morte.

AUSTÈRES ESSÉNIENS

Bien que le débat sur les auteurs des manuscrits soit toujours ouvert, on admet généralement qu'ils sont l'œuvre des esséniens, une secte juive ascétique qui s'est exilée dans le désert au IIe siècle av. J.-C. pour s'éloigner des juifs des villes, qui, selon eux, pratiquent un judaïsme corrompu. L'austérité des esséniens est telle qu'ils font vœu de célibat et mettent tous leurs biens en commun.

On a émis plusieurs hypothèses pour expliquer le fait que les rouleaux ont été déposés dans des grottes. Certaines servaient peut-être d'habitat aux esséniens, auquel cas les manuscrits pourraient être les vestiges de bibliothèques privées. Des historiens pensent, quant à eux, que les grottes constituaient une bibliothèque collective pour les esséniens qui vivaient à proximité. Cependant, les manuscrits semblent avoir été distribués au hasard entre les onze grottes : peut-être y furent-ils cachés à la hâte, quand éclata la guerre judéoromaine de 68-70.

Les textes découverts à Qumran peuvent être répartis en deux ensembles distincts : ceux qui ont été écrits par les esséniens eux-mêmes, et ceux qui ont été acquis par la secte. Les premiers sont les plus intéressants, car ils révèlent la vie du groupe et les croyances de ses membres. Le « Manuel de discipline », découvert dans la première grotte par le berger bédouin, inclut un exposé de l'origine et des croyances des esséniens, un guide d'initiation à l'usage des néophytes, une liste de règles communautaires, une discussion de leur valeur théologique et un hymne de louange à Dieu.

La « Règle de la guerre », elle aussi propre aux esséniens, décrit une guerre de quarante ans qui s'achève avec la fin du monde, lorsque les Fils de la Lumière (c'est-à-dire la communauté de Qumran) écrasent leurs ennemis, les Fils de l'Ombre. Le manuscrit peut se lire, par endroits, comme un manuel militaire, mais il constitue aussi un exemple de littérature

millénariste destinée à préparer les esséniens, de manière extrêmement pratique, à une inévitable apocalypse.

LES MANUSCRITS NON ESSÉNIENS
Parmi les manuscrits qui ne sont pas de la main des esséniens, on trouve un grand nombre d'extraits de la Bible ; ils ne représentent pas moins du quart des 800 manuscrits, preuve de l'adhésion de la communauté de Qumran à l'Écriture sainte. Le livre des Psaumes est le plus répandu (36 exemplaires), suivi du Deutéronome et du livre d'Isaïe (respectivement 29 et 21 exemplaires).

La présence de ces œuvres bibliques à Qumran nous informe sur les principaux centres d'intérêt des esséniens. Les quatre derniers livres du Pentateuque, qui ont établi la loi judaïque, ont probablement contribué à fonder les règles de vie enseignées par le « Manuel de discipline ». Les Psaumes pourraient avoir servi de base à diverses formes nouvelles de culte.

Les manuscrits de la mer Morte éclairent également de manière frappante les origines du christianisme. Des érudits n'hésitent pas à reconnaître en certains personnages du « Manuel de discipline » et de la « Règle de la guerre » le frère de Jésus — Jacques, parfois désigné comme le Maître de Justice, et qui fut sans doute le fondateur de la secte —, Jean-Baptiste ou encore saint Paul. On a aussi évoqué des allusions à la Crucifixion. Cependant, ces identifications sont en contradiction avec toutes les données archéologiques et scientifiques, qui permettent de dater nombre de manuscrits d'avant la naissance du Christ. Reste qu'on retrouve certaines idées, voire certaines phrases de ceux-ci dans le Nouveau Testament, preuve sans doute que le christianisme est en partie l'héritier des sectes juives qui annonçaient, aux IIe et Ier siècles av. J.-C., la venue imminente du Messie et la fin du monde.

LES GROTTES OÙ ONT ÉTÉ DÉCOUVERTS LES MANUSCRITS SONT GÉNÉRALEMENT SITUÉES À FLANC DE FALAISE ET DIFFICILES À ATTEINDRE. ELLES ABRITENT SOUVENT DES SERPENTS ET DES SCORPIONS, CE QUI REND LEUR EXPLORATION DANGEREUSE. C'EST POURQUOI LA PLUPART N'ONT PAS ÉTÉ VISITÉES PENDANT DES SIÈCLES, CE QUI A PERMIS LA CONSERVATION DE LEUR PRÉCIEUX CONTENU.

Le Christ a-t-il vraiment existé ?

IL N'EXISTE AUCUNE SOURCE purement historique qui permette de retracer la vie du Christ. La quasi-totalité des informations dont nous disposons proviennent des Évangiles. Or ceux-ci ne se présentent pas comme une biographie du Christ, mais comme des ouvrages apologétiques, destinés à transmettre son enseignement et à servir de base à la diffusion de la foi chrétienne auprès des populations de l'Empire romain.

Mais les Évangiles canoniques (officiellement reconnus par l'Église) ne sont pas notre seule source. Les Évangiles apocryphes (dont la valeur n'est pas reconnue par l'Église) transmettent certains éléments sans doute authentiques de la vie du Christ. Les Épîtres de saint Paul, de peu postérieures à la mort de Jésus, sont aussi d'un grand intérêt. On peut encore citer l'historien juif Flavius Josèphe (Iᵉʳ siècle apr. J.-C.), qui écrivit en latin une histoire des Juifs dans laquelle on trouve deux allusions au Christ. Enfin, trois auteurs latins du Iᵉʳ et du début du IIᵉ siècle, Suétone, Tacite et Pline le Jeune, témoignent, sinon de l'existence de Jésus, du moins du fait que des hommes se réclamaient de son enseignement dès les années 40.

NAISSANCE ET ENFANCE DU CHRIST

La date de naissance de Jésus demeure, aujourd'hui encore, un sujet de controverse. En effet, elle a été fixée au VIᵉ siècle par un moine, Denys le Petit, qui se fondait sur des calculs réalisés au siècle précédent par un évêque d'Alexandrie, Cyrille. On estime généralement, d'après les

Qui était le Christ ? Quelle a été sa vie ? Ces questions demeurent une énigme pour l'historien.

comparaisons que l'on peut faire avec d'autres tables chronologiques, que Denys s'est trompé, et que Jésus est né entre – 6 et – 3. Quant aux circonstances de sa naissance, elles sont surprenantes : il serait né dans une étable, à Bethléem, en Judée (le pays de David, dont le Christ descend par sa mère), et non à Nazareth, en Galilée, là où habitent pourtant ses parents. L'arrivée des Rois mages, le massacre des Innocents (ayant appris que le futur roi des Juifs venait de naître, le roi Hérode a ordonné de tuer tous les bébés mâles), la fuite de la Sainte Famille en Égypte ont une valeur plus symbolique qu'historique.

Les Évangiles proclament explicitement que Jésus est le fils de Dieu et — au moins selon Matthieu et Luc —, que sa mère est vierge. Il s'agit là d'articles de foi, dont l'authenticité ne peut être discutée sur le plan historique. En revanche, les savants débattent beaucoup de la question de savoir si Jésus était fils unique : en effet, les Évangiles mentionnent ses « frères ». Trois hypothèses ont été proposées : le terme frère désignant en fait une parenté large, il pourrait s'agir de cousins ; ou bien Joseph, l'époux de la Vierge Marie, aurait eu des enfants d'un premier mariage (c'est l'explication donnée par l'Évangile apocryphe de Pierre) ; enfin, Joseph et Marie auraient eu d'autres enfants après la naissance de Jésus.

LES MIRACLES ET LA « BONNE NOUVELLE »

Parvenu à l'âge de trente ans environ, Jésus est baptisé dans le Jourdain par le prophète Jean-Baptiste, qui le désigne comme le Messie. Selon des découvertes archéologiques récentes, cet événement se serait déroulé à Wadi el-Kharrar, sur la rive orientale du fleuve. Pendant quelques années, Jésus délivre son enseignement auprès des Juifs (il annonce la Bonne Nouvelle de l'avènement du royaume de Dieu). Il est rapidement entouré de disciples, parmi lesquels on trouve les douze apôtres. Sa parole s'appuie sur des actes symboliques très forts (il tend la main aux lépreux, aux pauvres comme aux riches, aux prostituées…), sur des exorcismes (il éloigne le démon) et sur des miracles : transformation de l'eau en vin aux noces de Cana, multiplication des pains et des poissons au bord du lac de Tibériade, guérison des malades, résurrection de Lazare. Les spécialistes, aujourd'hui, s'accordent à dire que, derrière une interprétation littérale des miracles, on peut aussi voir une allégorie des principes fondateurs de la religion chrétienne : eucharistie (c'est-à-dire transformation du pain et du vin en corps et sang du Christ, au cours de la messe), puissance des sacrements, résurrection des morts…

Les quatre Évangiles ne racontent pas les mêmes épisodes. Le plus détaillé, mais aussi le plus anecdotique, est celui de Luc. Celui de Jean se singularise par l'importance qu'il donne à la parole de Jésus, bien plus qu'à ses actes, et par l'absence de nombreux épisodes que relatent les trois autres évangélistes. Tous quatre s'accordent, en revanche, sur le récit de la crucifixion du Christ, dont la responsabilité est imputée aux prêtres juifs plus qu'au gouverneur romain Ponce Pilate ; sur sa résurrection, le troisième jour après sa mort, et, enfin, sur son ascension aux cieux, quarante jours plus tard.

LE CHRIST ÉTAIT-IL ESSÉNIEN ?

Avec la découverte des manuscrits de la mer Morte, en 1947, la théorie — déjà avancée par Ernest Renan à la fin du XIXe siècle — selon laquelle Jésus appartenait à la secte des esséniens est revenue au premier plan. Certains textes découverts dans les grottes de Qumran, notamment le « Manuel de discipline », semblent en effet développer une morale et une théologie proches de la doctrine chrétienne. Mais il faut se garder des simplifications. Jésus s'inscrit dans un courant prophétique qui annonce depuis près d'un siècle l'avènement prochain du royaume de Dieu ; son enseignement se situe à un moment favorable, car l'occupation romaine attise l'attente d'un Messie qui délivrerait le peuple juif. C'est sans doute ce qui explique le succès du christianisme auprès des Juifs de Palestine, mais cela ne suffit pas à rendre compte de son expansion rapide, en quelques décennies, à travers tout l'Empire romain, dans des populations étrangères à la culture hébraïque. Si l'existence historique du Christ ne fait plus guère de doute, la véritable énigme que pose son enseignement est bien celle-là.

EN BAS, À GAUCHE : **LE CHRIST ARMÉ TERRASSANT LE PAGANISME ET LE MAL. MOSAÏQUE DU BAS-EMPIRE ROMAIN (ORATOIRE DE SAN ANDREA, À RAVENNE, Ve SIÈCLE).** CI-DESSOUS : **STATUE DE L'EMPEREUR AUGUSTE, SOUS LE RÈGNE DUQUEL JÉSUS SERAIT NÉ.**

VIRGILE, PROPHÈTE DU CHRIST ?

Dans les *Églogues*, série de poèmes publiée une trentaine d'années avant la naissance du Christ, Virgile annonce la venue d'un enfant divin qui inaugure une nouvelle ère. Cette vision s'inscrit dans une tradition poétique ancienne, mais elle peut avoir été inspirée par les mouvements prophétiques qui agitent alors l'Orient méditerranéen. Plus prosaïquement, Virgile veut

PIÈCE DU PUZZLE ▼

sans doute flatter le nouveau maître de Rome, Octave Auguste, qui espère alors fonder une dynastie et régénérer l'État romain. C'est en tout cas ce texte mineur qui vaut à Virgile d'être considéré comme un prophète par les savants chrétiens du Moyen Âge. Malgré leur caractère profane, ses œuvres seront copiées dans les monastères et étudiées dans les écoles cathédrales.

Le suaire de Turin est-il un faux ?

LE SUAIRE DE TURIN EST-IL L'IMAGE DU CHRIST, TEL QU'IL fut enterré après la Crucifixion, ou une fausse relique fabriquée au Moyen Âge ? Indices troublants et expertises scientifiques paraissent se contredire…

L'histoire du suaire est bien connue dès le début du XIVᵉ siècle, lorsqu'il apparaît dans l'Aube, au prieuré de Lirey, auquel il aurait été offert par la famille de Montfort. On sait par ailleurs qu'il existait, à Constantinople, une relique vénérée comme le linceul du Christ, et qu'elle fut ravie par les croisés lors du pillage de la ville en 1204. On a donc imaginé qu'Othon de La Roche — un Montfort devenu duc d'Athènes après la conquête de l'Empire byzantin par les croisés — l'aurait rapportée en Occident au début du XIIIᵉ siècle, sans toutefois en avoir la preuve. Le suaire, donné ultérieurement au duc de Savoie, a été transporté en 1578 de Chambéry à Turin, où il est désormais enfermé dans un reliquaire d'argent. Cependant, les sceptiques n'ont cessé de remettre en cause son authenticité.

UNE IMAGE MYSTÉRIEUSE

Les défenseurs du suaire se fondent sur des indices troublants. L'image imprimée sur le tissu montre un homme avec ce qui semble être des blessures au flanc et surtout aux poignets, marques possibles d'une crucifixion réelle. Or, dans l'iconographie médiévale, les blessures du Christ sont traditionnellement représentées sur les mains : cette localisation est donc étonnante si le suaire est un faux du Moyen Âge.

L'image du suaire se présente comme un négatif photographique et montre à la fois la face et le dos d'un homme. Nombre de détails anatomiques sont restés invisibles jusqu'à ce que le suaire soit photographié et qu'on en tire une version « positive ». Récemment, un scientifique israélien a réalisé des tests qui ont révélé des traces de pollens spécifiques à la Palestine du Iᵉʳ siècle, donc à l'époque du Christ.

Si le suaire est authentique, comment l'image a-t-elle été créée ? Les spécialistes ont proposé un certain nombre de solutions. Pour les uns, elle a été produite par transfert des huiles utilisées pour embaumer le corps. Pour d'autres, les gaz qui se sont dégagés par les pores ont produit une réaction chimique. Un dernier groupe suggère que Jésus a émis une sorte de radiation qui a agi sur le tissu comme le

UNE IMAGE DU SUAIRE TRAITÉE PAR ORDINATEUR. LA DATATION AU CARBONE 14 A MONTRÉ QUE LE LINCEUL N'ÉTAIT VIEUX QUE DE 725 ANS, MAIS CERTAINS EXPERTS RÉFUTENT CES CONCLUSIONS.

fait la lumière sur une pellicule photographique. Aucune de ces théories n'a pu convaincre les scientifiques les plus sceptiques, qui se sont efforcés de soumettre le suaire à des tests rigoureux. Finalement, en 1988, des chercheurs de l'université d'Arizona ont daté un fragment de tissu au carbone 14. Le résultat est sans appel : le suaire date de 1275 environ, c'est-à-dire peu de temps avant son apparition à Lirey. Ces résultats ont été confirmés par des études réalisées dans trois laboratoires différents. Le suaire serait donc une supercherie.

UNE RÉPONSE DÉFINITIVE ?

Le verdict n'a pas été accepté par tous. Un prêtre français, Bruno Bonnet-Eymard, a prétendu que c'était la datation au carbone 14 qui avait été falsifiée. D'autres, tels Holger Kersten et Elmar R. Gruber (*la Conspiration de Jésus*, 1992), ont même laissé entendre que le Vatican avait faussé les résultats de l'étude car le suaire prouverait que Jésus était vivant lors de son ensevelissement et jusqu'à sa sortie du tombeau, le troisième jour. La Résurrection ne serait donc qu'un leurre !

Ces théories sont bien fumeuses, et des énigmes demeurent. Certes, au XIIIe siècle, la fabrication et le commerce de fausses reliques étaient extrêmement courants. Le suaire a-t-il pu être fabriqué à des fins mercantiles ? C'est l'hypothèse la plus raisonnable. Mais la technique employée pour le réaliser reste inconnue, et il faut bien admettre que la figure qu'il représente est étonnamment réaliste pour une œuvre du Moyen Âge. Le mystère qui entoure le suaire de Turin n'est sans doute pas près d'être dissipé…

TACHE DE SANG

TRACE DE ROUILLE

MARQUE DE BRÛLURE

CETTE PEINTURE DU XVIe SIÈCLE (EN HAUT) **MONTRE COMMENT LE SUAIRE AURAIT ENVELOPPÉ LE CORPS DU CHRIST.** À GAUCHE : **CES VUES AU MICROSCOPE PERMETTENT D'EXAMINER DIVERSES TRACES SUR LE SUAIRE.**

L'ŒUVRE DE LÉONARD DE VINCI ?

Des chercheurs ont considéré que, si le suaire est un faux, l'artiste qui l'a réalisé ne pouvait être qu'un génie. Dans la quête du créateur du suaire, le nom de Léonard de Vinci a été évoqué. Le film *The Silent Witness* (*le Témoin silencieux*, 1982) conclut que Léonard de Vinci est le seul qui ait pu créer un tel objet. Lynn Picknett et Clive Prince, dans un livre consacré à cette question (1994), envisagent

PIÈCE DU PUZZLE

l'hypothèse selon laquelle Léonard de Vinci aurait transformé un faux plus ancien. Autre possibilité : un tout autre homme que Jésus se trouvait-il dans le suaire ? Certains croient que le linceul contenait le corps d'un croisé qui aurait été crucifié par les musulmans, en une sorte de parodie blasphématoire de la mort du Christ. Cela expliquerait les blessures qui évoquent la Crucifixion.

Comment Rome
a-t-elle conquis le monde ?

Les Romains croyaient que leur ville avait été créée par des dieux et des héros. Mais quelle est l'origine historique de la grandeur de leur cité ?

CETTE GRAVURE DU XIXᵉ SIÈCLE ÉVOQUE ROME À SON APOGÉE. LE FORUM OCCUPAIT L'EMPLACEMENT D'UN MARCHÉ QUI AVAIT ÉTÉ LE CENTRE DE LA VILLE DEPUIS LE VIIIᵉ SIÈCLE AV. J.-C. À DROITE : BAS-RELIEF REPRÉSENTANT DES SOLDATS ROMAINS ENGAGÉS DANS UNE BATAILLE.

LA ROME ANTIQUE SE GLORIFIAIT DE SES origines mythiques. Selon la légende, la ville fut fondée en 753 av. J.-C. par des frères jumeaux, Romulus et Remus, fils du dieu Mars et d'une vestale nommée Rhéa Silvia, descendante d'Énée et d'Aphrodite (la Vénus des Grecs). Jetés dans le Tibre par un usurpateur, les deux frères échouent sur le rivage et sont allaités par une louve. Après maints rebondissements, ils rétablissent leur grand-père maternel, Numitor, sur le trône d'Albe. Au cours d'une dispute au sujet du lieu où édifier leur ville, Romulus tue son frère. Il établit au bord du Tibre la cité qui tire son nom du sien, dans une zone protégée par sept collines qui lui permettent d'échapper aux fièvres des marais voisins.

Sept siècles plus tard, le grand poète Virgile rapporte une autre légende dans son épopée *l'Énéide*. Le prince troyen Énée, fils d'Anchise et d'Aphrodite, quitte Troie, la ville qui l'a vu naître, lorsqu'elle est conquise par les Grecs. Le périple aventureux d'Énée le conduit jusqu'aux Enfers, où il reçoit de son père la vision prophétique du fabuleux destin de Rome. La version de Virgile confortait le rêve que Rome entretenait sur son origine divine. Elle permettait d'ailleurs de soutenir les prétentions de son nouveau maître, Auguste, à dominer tout le monde connu.

DERRIÈRE LA LÉGENDE

En réalité, la naissance de Rome est beaucoup plus humble. Vers 1000 av. J.-C., des bergers s'installent dans le Latium (la région romaine) : il s'agit de populations de langue indo-européenne probablement venues des plaines du Danube, comme leurs voisins les Osques, les

Sabins ou les Volsques. Vers le VIIIᵉ siècle av. J.-C., les villages primitifs se constituent en communautés plus importantes, dont Rome devient le centre.

C'est à cette époque que la cité tombe sous le joug des Étrusques, un peuple qui domine le nord-ouest de la péninsule italienne. Leurs rois gouvernent la cité latine. Leur culture et leur langue marquent durablement la civilisation romaine, tout comme l'influence grecque, apportée également par les Étrusques. C'est alors que se constitue notamment la religion romaine, qui emprunte de très nombreux éléments au panthéon grec et à sa mythologie.

En 509 av. J.-C., les Romains renversent le dernier roi étrusque et fondent une république qui durera cinq siècles.

LES CONQUÊTES DE LA RÉPUBLIQUE

Dans ses premiers temps, le régime républicain préserve le mode de vie rural traditionnel. Contrairement à leurs voisins, les Romains sont un peuple laborieux qui résiste à l'attrait du luxe et du confort. Discipline, vie simple, respect de la religion officielle et domestique : telles sont les valeurs que Rome encourage, tout en empêchant le retour au pouvoir personnel par le recours systématique à l'élection de tous les magistrats, pour une durée toujours limitée (par exemple, le pouvoir suprême est partagé entre deux consuls qui sont élus pour un an seulement). Cette politique rigoureuse explique que Rome ait pu progressivement prendre le contrôle de toute l'Italie.

À l'occasion d'un conflit au sujet de la Sicile, Rome engage un long combat contre Carthage, cité d'origine phénicienne qui domine alors toute la Méditerranée occidentale. Au terme des trois guerres puniques, qui voient une série de succès et de revers de part et d'autre (264-146 av. J.-C.), Rome parvient à vaincre sa rivale et à prendre le contrôle de l'Afrique du Nord et de l'Espagne. L'expansion de Rome ne cessera plus jusqu'au Iᵉʳ siècle apr. J.-C. : la Grèce, l'Asie Mineure, la Gaule, la Syrie, l'Égypte, la Bretagne (l'actuelle Angleterre) sont envahies et occupées.

DE LA RÉPUBLIQUE À L'EMPIRE

La République romaine est d'abord contrôlée par l'aristocratie (les patriciens). Mais les hommes libres qui ne sont pas nobles (la plèbe) obtiennent, au terme de longues luttes, d'élire

BAIN ROMAIN À PLOMBIÈRES (VOSGES). CETTE GRAVURE SUR BOIS DU MILIEU DU XVIᵉ SIÈCLE MONTRE QUE D'ANCIENS ÉTABLISSEMENTS ROMAINS ÉTAIENT ENCORE UTILISÉS DURANT LA RENAISSANCE.

leurs propres magistrats. Les guerres de conquête favorisent toutefois le retour au premier plan des patriciens, qui contrôlent le Sénat et donnent à la République ses principaux généraux. La conquête engendre la conquête : inquiets de la présence des généraux victorieux à Rome, les sénateurs préfèrent les envoyer mener de lointaines campagnes.

Tout le Iᵉʳ siècle av. J.-C. n'est qu'une suite de conflits entre le Sénat et les grands généraux, qui cherchent à imposer leur pouvoir. De fabuleuses richesses affluent vers Rome, ouvrant un abîme entre les riches et les pauvres. En outre, les institutions républicaines, adaptées à la conduite d'une cité, ne conviennent plus lorsqu'il s'agit de gouverner un État qui s'étend de l'Égypte à la mer du Nord. La prise de pouvoir de Jules César tourne court en 44 av. J.-C. Le dictateur à vie tombe sous les coups de conjurés. Ses assassins pensent avoir sauvé la République. Ils ont en réalité ouvert la voie à une nouvelle guerre civile, qui s'achève par le triomphe du fils adoptif de César, Octave. Celui-ci maintient les formes extérieures du gouvernement républicain, tout en organisant une véritable monarchie, dont la religion officielle célèbre le culte de l'empereur (c'est pourquoi Octave prend le nom d'Auguste en 27 av. J.-C.).

Le petit village de bergers latins a désormais conquis le monde, qu'il dominera durant quatre siècles.

César & Cléopâtre

LA MORT DE CES DEUX AMANTS, VÉRITABLES SUPERSTARS DE l'Antiquité, a sans aucun doute contribué à leur célébrité. L'assassinat de César et le suicide de Cléopâtre sont des événements historiques dont les causes et les circonstances se perdent en partie derrière la légende popularisée par Shakespeare et tant d'autres artistes.

JULES CÉSAR ET CLÉOPÂTRE ONT ÉTÉ IMMORTALISÉS PAR LA PIERRE… ET PAR LA LÉGENDE.

Ni César ni Cléopâtre n'étaient particulièrement séduisants. Selon l'historien latin Suétone, César avait les joues rondes et perdait ses cheveux, tandis que la beauté de la reine d'Égypte, selon les mots de Plutarque, « n'était en rien parfaite ni même remarquable ». Mais tous les deux possédaient un grand charme et un véritable don pour le pouvoir. On connaît le mot de Blaise Pascal : « Le nez de Cléopâtre : s'il eût été plus court, toute la face de la terre aurait changé. »

Quand il rencontre Cléopâtre, en 48 av. J.-C., Caius Julius César est l'homme le plus puissant du monde, le maître de Rome. Le 14 février 44, à son retour d'une expédition militaire en Orient, il se proclame dictateur à vie. Plusieurs sénateurs s'inquiètent alors des risques qu'encourt la République, menacée par le pouvoir croissant de César. Ils s'interrogent également sur les relations entre le dictateur et Cléopâtre, qui tente de régner seule sur l'Égypte. Un enfant naît de leur union, Césarion ou Ptolémée XV. Bien qu'on l'associe aujourd'hui naturellement à l'Égypte, Cléopâtre appartient à une dynastie grecque descendant d'un des généraux d'Alexandre le Grand, les Ptolémées. Mais ces derniers, qui gouvernent l'Égypte depuis trois cents ans, se sont identifiés aux anciennes traditions égyptiennes et ont progressivement adopté la politique hégémonique des pharaons.

C'est pourquoi de nombreux sénateurs s'élèvent contre une union entre Rome et l'Égypte, qui représente la dernière grande puissance indépendante du bassin méditerranéen. Le principal rival de César, Cassius, conduit donc une conspiration destinée à abattre le dictateur.

MEURTRE AU SÉNAT

Le Sénat ayant prévu de se réunir le 15 mars pour débattre de questions ordinaires, les conspirateurs choisissent cette date, les ides de mars dans le calendrier romain, pour agir. En faisant courir le bruit que César veut se faire proclamer roi, ils parviennent à recruter certains de ses compagnons les plus proches, comme Brutus, auquel le dictateur voue une affection particulière car il a eu une longue liaison avec sa mère et pense être son père. Soixante personnes sont impliquées dans le complot. Vingt d'entre elles — des sénateurs — devront participer directement à l'assassinat, afin d'affirmer une responsabilité collective qui leur permettrait de transférer le pouvoir au Sénat.

Cependant, ce jour-là, César tient compte de présages néfastes et des conseils de sa femme, qui lui demande de rester chez lui : tous deux ont fait des rêves prémonitoires troublants la nuit précédente. Mais Cassius obtient d'un ami de César qu'il le persuade de venir au Sénat. Lorsqu'il quitte son domicile, quelqu'un, dont on ignore le nom, lui glisse une note dans la main, mais César ne la lira jamais. Le déroulement de cette journée dramatique nous est connu par le récit de

LA RENCONTRE D'ANTOINE ET DE CLÉOPÂTRE, REPRÉSENTÉE PAR LE PEINTRE NEROCCIO DI BARTOLOMMEO DE LANDI (1447-1500).

LES ARTISTES, ICI ALEXANDRE CABANEL, ONT ÉTÉ INSPIRÉS PAR LA BEAUTÉ LÉGENDAIRE DE CLÉOPÂTRE. EN RÉALITÉ, LA REINE D'ÉGYPTE ÉTAIT UN PEU PLUS « ORDINAIRE »…

plusieurs historiens comme Plutarque, Salluste ou Suétone. César arrive au Sénat vers 11 heures du matin. Il est en train de parcourir une pétition qui vient de lui être remise quand il est entouré par les conspirateurs. Au signal convenu, l'un d'eux saisit la toge de César, et le premier meurtrier désigné (un tribun de la plèbe nommé Casca) frappe un coup. Mais César est à peine égratigné. Tentant de se défendre, il se découvre aux autres conjurés, qui l'assaillent sauvagement. Sur les vingt-trois blessures qu'il reçoit, une seule sera fatale. Couvert de sang, César ne prononce pas une parole jusqu'à ce que Brutus le frappe à son tour. Il s'écrie alors, étonné puis résigné : « Toi aussi, mon fils ? » Comme on le découvrira plus tard, la note qu'il tenait à la main dénonçait la conspiration : s'il l'avait lue avant de se rendre au Sénat, le cours de l'Histoire aurait été changé.

CLÉOPÂTRE VAINCUE

À la même époque, Cléopâtre consolide son pouvoir. Deux ans après l'assassinat de César, elle prend pour amant Marc Antoine, l'un des trois hommes, avec Octave et Lépide, qui gouvernent Rome (triumvirat). Elle fait assassiner son dernier rival de la dynastie des Ptolémées, et les deux amants s'abîment dans une vie de plaisirs. Sans répudier sa femme romaine, Antoine épouse la reine d'Égypte. Cet engouement pour Cléopâtre sème l'inquiétude à Rome, où l'on craint la constitution d'une nouvelle puissance en Orient. L'héritier de César, Octave, prend alors les armes contre l'Égypte, et la flotte d'Antoine et de Cléopâtre est anéantie à la bataille d'Actium. Octave assiège Alexandrie, où Antoine se suicide. Pour son triomphe à Rome, Octave veut emmener la reine comme prisonnière, mais Cléopâtre déjoue les plans de son vainqueur en se suicidant : selon Plutarque, elle n'hésite pas à se faire mordre par un aspic dissimulé dans un panier de figues. Symbole de la royauté en Égypte, l'aspic apporte à ce récit une touche mythique mais il n'y a pas de preuve formelle, bien que des témoins aient prétendu avoir vu deux marques sur le bras de la reine. Si la disparition de Cléopâtre demeure mystérieuse, elle fut aussi romanesque et royale que sa vie…

CLÉOPÂTRE… À HOLLYWOOD

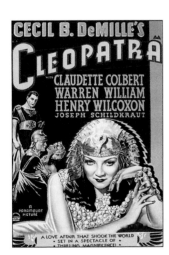

Peu soucieux d'authenticité, Hollywood a façonné diverses images romantiques de la reine d'Égypte. Elle a été incarnée par quelques-unes des plus célèbres actrices de la grande époque hollywoodienne.

La première est Theda Bara, dans la version muette de 1917. En 1934, Cecil B. De Mille produit une version somptueuse, dans laquelle Claudette Colbert joue une Cléopâtre coquette et impertinente. À ce que l'on raconte, Cecil B. De Mille, craignant que la scène finale du suicide n'effraie l'actrice, s'approcha d'elle en arborant un énorme serpent enroulé autour de lui. « Oh ! ne vous approchez pas avec cet animal ! » le supplia-t-elle. « Eh bien, répondit De Mille, que pensez-vous de celui-ci ? » et il lui montra un tout petit serpent, de la taille de l'aspic égyptien avec lequel la

PIÈCE DU PUZZLE ▼

reine se donna la mort. « Cette petite bête ? Donnez-la-moi ! » s'écria-t-elle. Et l'actrice joua la scène à la perfection. La version de 1962, sans doute la

plus célèbre aujourd'hui, fut pourtant un relatif échec commercial. Malgré un budget énorme, qui fait du film une fête pour les yeux, il y manque beaucoup d'authenticité historique. Mais l'actrice Elizabeth Taylor (ci-dessus) y interprétait sans doute l'un de ses plus beaux rôles.

Les Gaulois étaient-ils des barbares ?

Les Gaulois étaient-ils les barbares querelleurs mais courageux que décrit César, ou avaient-ils atteint un niveau de civilisation avancé au moment de la conquête romaine ?

UN CHEF GAULOIS TEL QU'ON SE LE REPRÉSENTAIT AU XIXᵉ SIÈCLE. L'IMAGE DU FAROUCHE GUERRIER CELTE AUX LONGUES MOUSTACHES ET COIFFÉ D'UN CASQUE AILÉ A ÉTÉ RÉPANDUE PAR LES LIVRES D'HISTOIRE DE LA IIIᵉ RÉPUBLIQUE.

COLPORTÉE PAR LES ÉCRIVAINS GRECS ET LATINS, l'image de Gaulois hirsutes, guerriers intrépides habitant dans des huttes et vivant de la chasse, a été reprise et amplifiée par les historiens français du XIXᵉ siècle, qui voulaient y voir la marque du génie national face à l'envahisseur romain. Elle est aujourd'hui largement révisée, notamment grâce à d'importantes découvertes archéologiques. Mais que sait-on vraiment des Gaulois, de leurs coutumes, de leur culture ?

L'origine des Celtes est mal connue. Il s'agit d'un ensemble de peuples caractérisés par une même langue indo-européenne, par des croyances religieuses, par des structures sociales et politiques identiques, et par la maîtrise de la métallurgie du fer. Les premiers indices de la présence des Celtes, autour du Rhin et en Bohême, apparaissent au IXᵉ siècle av. J.-C., mais ce n'est qu'au cours du Vᵉ siècle av. J.-C. qu'ils commencent à s'installer en Gaule, où ils imposent progressivement leur domination aux populations indigènes. Au IVᵉ siècle av. J.-C., les Celtes occupent toute l'Europe centrale et occidentale, du Danube au centre de l'Espagne, aux îles Britanniques et au nord de l'Italie. Ils s'emparent de Rome en 390 av. J.-C., pillent le temple grec de Delphes en 278 av. J.-C., et s'installent en Asie Mineure. De ces incursions sans lendemain les Grecs et les Romains garderont longtemps le souvenir d'un peuple destructeur, barbare et intrépide. Pourtant, la Gaule est progressivement conquise par Rome : le nord de l'Italie est totalement soumis en 191 av. J.-C. ; la vallée du Rhône est transformée en province romaine en 121 av. J.-C. Enfin, César tire prétexte de l'appel à l'aide lancé par une tribu gauloise, les Éduens, contre le chef germain Arioviste, pour entamer la conquête du reste de la Gaule, en 58 av. J.-C. Le chef arverne Vercingétorix convainc les Gaulois de s'unir, mais sa défaite à Alésia en 52 av. J.-C., marque leur soumission définitive à Rome.

LES CROYANCES DES GAULOIS

La religion gauloise reste encore mystérieuse car elle se transmettait « de bouche de druide à oreille de druide ». Tout ce que nous en savons vient des historiens grecs et romains, de quelques inscriptions, de statues tardives (les Gaulois n'ont commencé à représenter leurs dieux sous une apparence humaine qu'après la conquête romaine) et de rares sanctuaires.

Outre les éléments de la nature — sources, arbres, montagnes —, les Gaulois rendaient un culte à nombreux dieux : Sucellus, que César désigne comme le père de la nation gauloise ; Teutatès, divinité guerrière assimilée à Mars par les Romains ; le dieu-bûcheron Ésus, cité par Lucain dans son poème *la Pharsale;* Lug, dieu dispensateur de richesses à qui Lyon doit son nom *(Lug-dunum)* ; Taranis, divinité du tonnerre ; Éponna, déesse protectrice des chevaux, des marchands et des voyageurs, mais aussi celle qui conduit les âmes vers l'autre monde ; Cernunnos, le dieu-cerf. Le point capital de la religion gauloise est la croyance en l'immortalité de l'âme ; on lui attribue souvent la vaillance des combattants, qui méprisent la mort.

La place centrale des druides est l'une de nos certitudes. Ceux-ci forment une classe de prêtres instruits, notamment en astronomie et en médecine. Selon l'écrivain grec Diogènc Laërce, ils sont chargés d'apprendre aux jeunes nobles à « honorer les dieux, ne rien faire qui soit mal, s'exercer au courage ». Les druides sont étroitement associés aux bois sacrés, où se trouvent les chênes sur lesquels ils cueillent le gui au début du mois de novembre. Selon Pline l'Ancien, ils utilisent pour ce faire une serpe d'or — mais, comme on n'a trouvé aucune serpe de ce type, les spécialistes sont extrêmement sceptiques à ce sujet ! Tous les ans, les druides se réunissent dans la forêt des Carnutes, pour y rendre la justice, qu'il s'agisse de procès entre particuliers ou de litiges entre peuples gaulois. (On ne doit pas les confondre avec les bardes, qui chantent les exploits des chefs, ni avec les devins, chargés des sacrifices religieux et pratiquant la médecine.)

Les Gaulois craignaient-ils que le ciel leur tombe sur la tête ? Cette question a une origine bien connue : lorsque des Gaulois s'établissent sur le Danube, le roi de Macédoine Alexandre le Grand leur demande ce qu'ils craignent. Ils répondent alors fièrement : « Nous ne craignons que la chute du ciel. » Mais rien ne permet de savoir s'il s'agissait de la bravade d'un chef ou d'une croyance largement répandue…

RAFFINEMENT ET CRUAUTÉ

Contrairement à une idée reçue, les Gaulois ne sont pas un peuple de chasseurs vivant dans des huttes de branchages. Ce sont avant tout des éleveurs et des agriculteurs. Bétail, céréales, légumes sont les grandes richesses du pays, qui produit aussi du sel et des métaux — en particulier du fer, et de l'or dans les Cévennes et le Limousin. Mais la civilisation gauloise est aussi urbaine. Les grandes places fortes à vocation militaire — appelées *oppida* par les Romains — sont

CI-DESSUS :
L'OPPIDUM D'ALÉSIA, OÙ VERCINGÉTORIX, ASSIÉGÉ, DUT RENDRE LES ARMES À CÉSAR.

CI-DESSOUS :
LE SPECTACULAIRE VASE TROUVÉ DANS UNE TOMBE PRINCIÈRE, À VIX (CÔTE-D'OR). CET IMMENSE CRATÈRE DE BRONZE, HAUT DE 1,64 M ET PESANT 208 KG, EST L'ŒUVRE D'ARTISTES GRECS. IL TÉMOIGNE DES ÉCHANGES QUI EXISTAIENT DÈS LE VIᵉ SIÈCLE AV. J.-C. ENTRE LA GAULE ET LE MONDE MÉDITERRANÉEN.

CETTE STATUE
EN BRONZE
DE L'ÉPOQUE
GALLO-ROMAINE
(FIN DU Ier SIÈCLE
AV. J.-C. - DÉBUT DU
Ier SIÈCLE APR. J.-C.),
TROUVÉE À
BOURAY-SUR-JUINE
(ESSONNE),
REPRÉSENTE SANS
DOUTE LE DIEU
CERNUNNOS.
CELUI-CI PORTE
LE COLLIER
TRADITIONNEL
GAULOIS,
LE TORQUE.

aussi des centres artisanaux et commerciaux, comme l'ont montré les fouilles entreprises à Bibracte, à Alésia ou à Ensérune. Les artisans y produisaient des objets de toute sorte, mais c'est surtout la qualité de leurs armes et de leurs bijoux qui fait leur réputation : en effet, la métallurgie et l'orfèvrerie gauloises attestent un haut niveau de technicité et de raffinement. On connaît également la valeur de leurs embarcations, qui ont suscité l'admiration de César, et l'excellente réputation des toiles et des étoffes produites en Gaule.

Les Gaulois étaient-ils donc un peuple aussi civilisé que les Grecs et les Romains ? Malgré la richesse de leur culture et la beauté des objets qu'ils nous ont laissés, il faut bien reconnaître que, par ailleurs, les témoignages ne manquent pas sur des coutumes qui semblaient déjà particulièrement cruelles et barbares aux autres peuples de l'Antiquité. On sait que de nombreux sanctuaires étaient ornés de têtes coupées — celles d'adversaires, ou de guerriers de la tribu morts au combat. Les vainqueurs attachaient la tête de leurs ennemis morts à l'encolure de leur cheval avant de les clouer aux murs de leur maison. Selon l'historien grec Diodore de Sicile (Ier siècle av. J.-C.), ils gardaient les crânes des personnages illustres dans un coffre, d'où ils les sortaient pour les montrer à leurs visiteurs…

Les Gaulois pratiquaient-ils les sacrifices humains ? La question a souvent été débattue. Ceux-ci avaient sans doute lieu mais, selon le témoignage de César lui-même, on n'y recourait qu'exceptionnellement, « par suite soit de guerre, soit d'épidémie », pour apaiser les dieux. En règle générale, les druides se contentaient de sacrifier des animaux (chevaux, chiens, bœufs, moutons), ou d'offrir des plantes aux dieux. Cependant, César évoque

L'INTRÉPIDITÉ DES GAULOIS

Selon les auteurs grecs et latins, le courage des  Gaulois était légendaire. Jules César, qui avait intérêt à exalter la vaillance des ennemis qu'il avait vaincus, les décrit comme braves jusqu'à mépriser la mort, mais querelleurs et mal organisés. C'est aussi le portrait qu'en dresse le géographe grec Strabon : « Le caractère commun de toute la race gauloise, c'est qu'elle est irritable et folle de guerre, prompte au combat, du reste simple et sans malignité. Si on les irrite, les Gaulois marchent ensemble droit à l'ennemi, et l'attaquent de front, sans s'informer d'autre chose. Aussi, par la ruse, on en vient aisément à bout ; on les attire au combat quand on veut, où l'on veut, peu importe les motifs ; ils sont toujours prêts, n'eussent-ils d'autre arme que leur force et leur audace. Toutefois, par la persuasion, ils se laissent amener sans peine aux choses utiles ; ils sont capables de culture et d'instruction littéraire. Forts de leur haute taille et de leur nombre, ils s'assemblent en grande foule, simples qu'ils sont et spontanés, prenant volontiers en main la cause de celui qu'on opprime. »

en ces termes le peu de prix que les Gaulois accordaient à la vie humaine : « En certains endroits, il y avait des idoles, sortes de mannequins d'osier dans lesquels on entassait des hommes, le plus souvent des criminels, et on y mettait le feu. Ils estimaient plus agréable aux dieux le supplice des individus convaincus de vol, de brigandage ou de quelque autre crime, mais ils brûlaient des innocents lorsque les coupables manquaient. »

CI-DESSUS, À GAUCHE : **FRAGMENT D'UN CALENDRIER GAULOIS GRAVÉ SUR BRONZE (V. 100 APR. J.-C.). LES DRUIDES POSSÉDAIENT UN SAVOIR REMARQUABLE EN ASTRONOMIE.**

CI-CONTRE : **DÉTAIL D'UN TORQUE EN OR PROVENANT D'UNE TOMBE PRINCIÈRE DÉCOUVERTE À VIX, EN CÔTE-D'OR.**

La destruction de Pompéi

L'éruption du Vésuve qui a enseveli Pompéi en 79 apr. J.-C. a été une immense catastrophe pour les contemporains, mais c'est grâce à elle que nous connaissons si bien la vie quotidienne des Romains.

L'ANTIQUE CITÉ DE POMPÉI A ÉTÉ ENSEVELIE SOUS LES CENDRES EN 79 APR. J.-C. CI-DESSUS: LES VESTIGES DE LA VILLE ET LE DÉTAIL D'UNE FRESQUE. QUELQUES-UNES DES VICTIMES ONT ÉTÉ SAISIES DANS LA CENDRE VOLCANIQUE, CE QUI A PERMIS AUX ARCHÉOLOGUES D'EN FAIRE DES MOULAGES DE PLÂTRE (CI-DESSOUS).

POUR LA PLUPART D'ENTRE NOUS, LE NOM DU Vésuve évoque la destruction de Pompéi et l'image émouvante d'une ville opulente ensevelie sous les cendres. Mais deux autres cités, Herculanum et Stabies, ont également été détruites au même moment. On estime que 3 600 personnes sont mortes à Pompéi, à Herculanum et dans les localités avoisinantes, sur la baie de Naples. La différence entre les dévastations subies par Pompéi et celles d'Herculanum est considérable. Elle tient à la fois à la géographie et au climat. Alors que Pompéi est située au sud du Vésuve, Herculanum se trouve à l'ouest et est en outre construite entre deux rivières

descendant des flancs de la montagne : un site propice, tant pour la vue que pour le climat (la situation de la ville était enviée par toute la région), mais qui exposait ses habitants au danger.

Le jour de l'éruption, le vent dominant venait du nord-est ; lorsque le sommet du Vésuve a littéralement explosé, Pompéi s'est trouvée noyée sous une pluie de cendres et de lapilli, alors qu'Herculanum était balayée par des flots de boue descendant du volcan.

LA TERREUR SOUS DEUX FORMES

La lave n'a pas coulé sur Pompéi, mais la ville a été ensevelie sous une couche de cendres et de pierres épaisse d'au moins trois mètres. La cendre qui a recouvert les corps a conservé leur empreinte, ce qui a permis aux archéologues d'en faire des moulages saisissants de vérité et de vie. On peut ainsi voir les habitants de Pompéi statufiés dans leur dernière position. On pense généralement qu'ils ont pour la plupart été asphyxiés par des gaz mortels. Beaucoup paraissent s'être effondrés en s'enfuyant.

En 1794, le volcan a détruit la ville de Torre del Greco ; en 1944, c'est le village de San Sebastiano qui a été la cible de sa colère. Depuis, le Vésuve est au repos, mais la région connaît toujours une intense activité tellurique. Chaque jour qui passe rend le volcan plus dangereux et potentiellement plus destructeur, car la pression de la lave augmente constamment. En outre, la région environnante compte désormais 2 millions d'habitants. Une éruption du Vésuve entraînerait inévitablement une catastrophe sans commune mesure avec celle qui a frappé Pompéi. Les hommes se montreront-ils toujours incapables de retenir les leçons de l'Histoire ?

À GAUCHE : **DANS LES VILLAS DE POMPÉI, DE NOMBREUSES FRESQUES ONT RÉSISTÉ À LA PLUIE DE CENDRES. ICI, UNE SCÈNE D'INITIATION AUX MYSTÈRES DIONYSIAQUES.** CI-DESSOUS : **L'ÉRUPTION QUI DÉTRUISIT POMPÉI REPRÉSENTÉE PAR LE PEINTRE JEAN-BAPTISTE GENILLON.**

Un père, appuyé sur son avant-bras, essaie de ramper jusqu'à ses enfants ; en bas de la rue, un homme est assis dans l'encoignure d'une maison, les mains sur le nez et la bouche.

Cependant, selon les travaux d'Alberto Inconorato, un archéologue italien de l'université de Naples, qui ont été publiés en 2001, toutes les victimes n'ont pas été asphyxiées : l'étude de 80 squelettes donne à penser qu'une grande partie d'entre elles ont été tuées instantanément par une vague de chaleur (plus de 500 °C) et de poussière, ce qui expliquerait, chez certaines, l'absence de signes d'agonie, de fuite ou de volonté de se protéger.

La fin de Pompéi fut presque douce, comparée à celle d'Herculanum. Des flots de boue volcanique, constituée de terre, de cendres brûlantes et de pierre ponce, ont dévalé le lit des rivières et submergé la ville sur une hauteur de plus de deux mètres. Alors qu'à Pompéi les habitants ont été surpris par la soudaineté de l'éruption, les citoyens d'Herculanum ont eu plus de temps pour s'échapper, mais les retardataires et les hésitants ont été brûlés vifs par la boue et réduits à l'état de squelettes.

À QUAND LA PROCHAINE EXPLOSION ?

On a compté plus d'une trentaine d'explosions violentes depuis celle qui a dévasté Pompéi. Celle de 1631 a tué au moins 3 500 personnes.

LE TÉMOIGNAGE DE PLINE LE JEUNE

L'écrivain Pline le Jeune, qui a été témoin de l'éruption, la décrit ainsi à son ami l'historien Tacite : « On pouvait entendre les hurlements déchirants des femmes, les pleurs des enfants et les cris des hommes. Certains appelaient leurs enfants, d'autres leurs parents, d'autres encore leurs époux, et tous cherchaient à se reconnaître par la voix. L'un se lamentait sur son sort, l'autre sur celui de sa famille. Certains, par crainte de la mort, appelaient la mort, d'autres levaient les mains vers les cieux, mais la plupart étaient convaincus qu'il n'existait plus de dieux désormais, et que la dernière nuit éternelle venait de s'étendre sur le monde. [...] Le feu tomba à quelque distance de nous : alors, nous fûmes à nouveau plongés dans une épaisse obscurité, et une lourde pluie de cendres tomba sur nous ; nous étions obligés de nous lever à tout moment pour secouer la cendre qui s'amoncelait sur nous, sans quoi elle nous eût écrasés et ensevelis. »

PIÈCE DU PUZZLE

Pourquoi Rome a-t-elle succombé?

Rome ne s'est pas faite en un jour et elle ne s'est pas écroulée plus rapidement. D'une certaine façon, l'Empire avait commencé à décliner dès sa naissance…

ROME AVAIT CONSCIENCE DE L'IMPORTANCE DU FASTE POUR MAINTENIR LA COHÉSION DE L'EMPIRE. CI-DESSUS : CETTE GRAVURE DU XIXᵉ SIÈCLE MONTRE NÉRON (54-68) ASSISTANT À UN COMBAT DE GLADIATEURS. CI-DESSOUS : UNE PIÈCE ROMAINE PORTANT L'EFFIGIE DE NÉRON.

L'HISTOIRE ATTRIBUE LA CHUTE DE ROME À LA conjonction de nombreux facteurs, dont le moindre n'est pas la pression exercée par les peuples barbares sur ses frontières. Depuis sa fondation, Rome n'a cessé de repousser les attaques d'une infinité d'envahisseurs et, au IIᵉ siècle apr. J.-C., elle semble ne plus devoir redouter d'ennemis. C'est la paix romaine (*pax romana*), qui ne durera pas longtemps. Quand arrivent de nouvelles vagues de Barbares (Vandales, Francs, Ostrogoths, Wisigoths…) poussés par les Huns venus de Mongolie, Rome est affaiblie et connaît des difficultés qui rendent sa défense beaucoup plus aléatoire.

L'Empire, qui s'étend du nord de l'Angleterre aux frontières de l'Iran, a connu des fluctuations territoriales au cours des siècles, mais il est resté centré sur la Méditerranée, que les Romains appellent *mare nostrum* (notre mer). Ses dimensions le rendent difficile à gouverner et à protéger efficacement, et il est régulièrement entraîné dans d'interminables guerres civiles par des généraux ambitieux et mégalomanes.

LA FIN D'UN ÂGE D'OR

Jusqu'à la fin du IIᵉ siècle, la succession à peu près régulière des empereurs a assuré la stabilité de l'État. Mais cet âge d'or s'achève avec la mort de l'empereur Marc Aurèle (161-180), qui laisse le trône à son fils Commode, un fou débauché et cruel dont l'assassinat entraîne l'Empire dans la guerre civile. Les légions annoncent leurs candidats à la succession, et c'est finalement Septime Sévère qui l'emporte grâce à la supériorité de ses bataillons. Son règne (193-211) est marqué à la fois par le déclin de la ville de Rome, qui n'est plus le centre du pouvoir impérial, et par le despotisme militaire. Les nombreuses campagnes de Septime Sévère permettent toutefois de raffermir les frontières mais, après sa mort, à Eburacum (aujourd'hui York, en Angleterre), les empereurs qui lui succèdent se font plus remarquer par leur cruauté et leur vie dissolue que par leurs exploits guerriers.

Avec l'assassinat du dernier Sévère, en 235, s'ouvre une nouvelle période de troubles. Les empereurs, qui sont portés au pouvoir par les légions, passent leurs courts règnes à combler celles-ci de largesses et à combattre leurs rivaux. Mais tous meurent sur le champ de bataille ou assassinés. Ces luttes fragilisent la puissance de l'Empire, vident le trésor et laissent les frontières mal défendues. En Occident, les Barbares franchissent le Rhin, envahissent la Gaule et pénètrent jusqu'en Espagne et en Italie ; à l'Est, ils dévastent les Balkans, tandis que l'ennemi perse s'empare de l'Arménie et de la Mésopotamie.

Après 270, Rome parvient à restaurer son unité, à vaincre les rebelles et à chasser les Barbares. Cependant, l'armée s'affaiblit et se délite. Les troupes, solidement attachées à leurs bases provinciales et en grande partie constituées de mercenaires, renâclent à servir ailleurs : l'empereur doit donc à la fois maintenir son autorité

CES RUINES D'UN
TEMPLE DE JUPITER,
EN TUNISIE,
ILLUSTRENT LA
PERMANENCE DU
SOUVENIR DE ROME
À TRAVERS LES
SIÈCLES ET L'ESPACE
MÉDITERRANÉEN.

sur elles et combattre sans cesse aux frontières. Pour résoudre cette contradiction, Dioclétien (284-305) partage l'Empire en deux zones, gouvernées chacune par un Auguste et un César. Maximien, maître de l'Occident, installe sa capitale à Milan et à Trèves, afin d'être plus proche de la frontière du Rhin et du Danube.

Ainsi débute l'éclatement de l'Empire. Cette évolution est consacrée en 330, avec la fondation par Constantin, sur les rives du Bosphore, de Constantinople. En 395, l'Empire romain est partagé entre l'Empire d'Orient, qui a cette ville pour capitale et qui durera plus de mille ans, et l'Empire d'Occident, qui a pour capitale Rome.

LE DÉCLIN DE L'OCCIDENT ROMAIN

Dans la partie occidentale de l'Empire, l'effondrement de l'organisation militaire et financière a plus de conséquences encore que la pression des Barbares. Les impôts augmentent et, quand les dépenses militaires excèdent les revenus, l'administration impériale diminue le titre des monnaies pour masquer le déficit. L'inflation qui en résulte sape la confiance des populations et fragilise le pouvoir. L'abandon progressif de Rome au profit de Milan (puis de Ravenne) en Occident, et de Constantinople en Orient, ravale l'ancienne capitale au rang de ville de province. Petit à petit, le ralentissement de l'industrie et

du commerce pousse l'aristocratie, accablée d'impôts et d'obligations militaires, à se retirer dans ses grands domaines, au service desquels se met le peuple des campagnes, appauvri. Les anciennes cités sont peu à peu désertées. Seules subsisteront bientôt celles où s'est installé un évêque. Ainsi, au cours du IVe siècle, la société urbaine qui caractérisait la civilisation romaine laisse la place à une société rurale et chrétienne, qui s'épanouira durant tout le Moyen Âge.

À LA FIN DU
Ve SIÈCLE,
L'EMPIRE ROMAIN
EST PARTAGÉ ENTRE
DIVERS PEUPLES
BARBARES.

LE SAC DE ROME

À la fin du IVe siècle, de nombreux Barbares se sont convertis au christianisme. La poussée des Huns conduit les Vandales, les Wisigoths, les Ostrogoths, les Suèves et d'autres peuples encore à chercher refuge à l'intérieur des frontières de l'Empire. Rome leur permet de s'installer et les emploie comme mercenaires. Bientôt, l'armée romaine est dirigée par des généraux barbares, qui font et défont à leur gré les empereurs d'Occident. En 402, le général vandale Stilicon, à la tête de l'armée romaine, parvient à repousser les Wisigoths hors d'Italie. L'assassinat de Stilicon par l'empereur Honorius signe la ruine de Rome : les Wisigoths d'Alaric, qui ne rencontrent aucune résistance, arrivent sous les murs de la ville, qu'ils affament avant de la mettre à sac en 410. L'événement a un retentissement considérable. Les Wisigoths ruinent définitivement le prestige impérial, et la ville devient une proie facile pour d'autres Barbares, plus brutaux encore.

L'année 476 est généralement donnée comme celle de la chute de l'Empire romain. C'est en effet cette année-là que le général barbare Odoacre dépose le dernier empereur d'Occident, Romulus Augustule. L'événement passe toutefois presque inaperçu, car il ne fait qu'officialiser une situation de fait.

LA VILLE ÉTERNELLE

Rome connaît ensuite une longue période de ruine et d'effacement, jusqu'à ce que les papes l'imposent comme centre spirituel de l'Occident, au Moyen Âge. Jusqu'à la Renaissance, les monuments antiques sont démolis et leurs

UN PRÉSAGE DANS LE CIEL ?

Certains historiens estiment que la rivalité entre le christianisme et le paganisme traditionnel a contribué à la chute de l'Empire romain. S'il en est ainsi, c'est que les graines étaient semées depuis l'édit de Milan, par lequel l'empereur Constantin le Grand avait garanti la tolérance religieuse aux chrétiens. Mais celui-ci s'était-il converti ?

Selon la légende, la nuit précédant une bataille décisive contre son rival Maxence, le 27 octobre 312, Constantin voit en rêve dans le ciel, au-dessus du pont Milvius, une croix en or portant le monogramme du Christ. Sur la croix sont gravés les mots *In hoc signo vinces* (« Tu vaincras par ce signe »). Le lendemain, les soldats de Constantin arborent la croix sur leur bouclier et remportent une victoire écrasante sur Maxence. Convaincu qu'il doit son succès au Christ, l'empereur accorde aux chrétiens, en 313, la liberté d'exercer leur culte. Il n'est

PIÈCE DU PUZZLE ▼

cependant pas certain que Constantin se soit converti et, s'il l'a fait, ce n'est que sur son lit de mort. Le christianisme ne deviendra la religion officielle de l'Empire qu'une soixantaine d'années après sa mort, sous le règne de Théodose.

Il se peut que la « vision » de Constantin, qui a été si souvent représentée par les artistes, soit en fait la très rare conjonction de Vénus, Mars, Jupiter et Saturne dans le ciel du 27 octobre. Soucieux d'encourager ses troupes inquiètes, Constantin aurait trouvé ce moyen pour transformer en prophétie de victoire un signe qui aurait pu être interprété comme un funeste présage…

SUR LE SITE DE L'ANTIQUE BYZANCE, CONSTANTIN Ier (CI-DESSUS) INAUGURE EN 330 UNE VILLE NOUVELLE DONT IL VEUT FAIRE LA DEUXIÈME ROME ET QU'IL NOMME CONSTANTINOPLE (AUJOURD'HUI ISTANBUL). EN HAUT, À GAUCHE : LA DÉPOSITION DE ROMULUS AUGUSTULE TELLE QU'ON L'IMAGINAIT AU XIXe SIÈCLE.

pierres réemployées pour construire palais et églises. Puis, grâce à des artistes tels que Brunelleschi, à Florence, et un peu plus tard, Michel-Ange, l'Occident redécouvre la puissance de l'architecture et de l'art romains.

En ce début du XXIe siècle, la Ville éternelle est engagée dans un effort considérable pour rénover ses monuments. Lorsque les échafaudages et les chantiers auront disparu, Rome pourra prétendre à nouveau au titre de *caput mundi* (capitale du monde) grâce à la splendeur de son héritage culturel.

Les Extraterrestres ont-ils visité le monde antique ?

**De mystérieux dessins gravés dans le sol péruvien
et d'étranges crânes de cristal sont-ils les indices
que certaines civilisations du passé ont rencontré des extraterrestres ?**

POUR CRÉER LEURS DESSINS, LES NAZCAS ONT D'ABORD CREUSÉ DES FOSSÉS ÉTROITS, RENDANT AINSI VISIBLE LA COUCHE PLUS CLAIRE DU SOUS-SOL. PUIS LES FOSSÉS ONT ÉTÉ SOULIGNÉS PAR DU GRAVIER SOMBRE. ERICH VON DANIKEN A INTERPRÉTÉ CETTE FIGURE D'OISEAU COMME ÉTANT UNE PISTE POUR VAISSEAUX INTERSTELLAIRES.

L'IDÉE QUE DES EXTRATERRESTRES VENUS SUR la Terre auraient influencé le développement des civilisations anciennes est assurément fantastique. Quels sont les éléments qui permettent de l'étayer ? Des lecteurs de la Bible ont rapproché les visions d'Ézéchiel de certaines descriptions d'ovnis : des roues enflammées transportant des « êtres vivants » dans le ciel. Les phénomènes décrits par la Bible et par d'autres textes anciens exprimeraient-ils la réaction de peuples primitifs devant des machines et une technologie qu'ils ne pouvaient comprendre ? Ce n'est pas totalement invraisemblable : il suffit d'imaginer ce que serait l'incrédulité des hommes du début du XXᵉ siècle face aux prouesses techniques d'aujourd'hui.

LA PAMPA DE NAZCA

Dans un désert plat situé entre Nazca et Palpa, au Pérou, les Indiens Nazcas ont laissé en héritage, gravées dans le sol, une série de figures d'oiseaux, d'animaux fabuleux et de symboles étranges. Un écrivain suisse, Erich von Daniken, s'est intéressé à ce site d'environ 60 km de périmètre. Le réseau de lignes parfaitement droites ressemble de si près aux pistes d'un aéroport

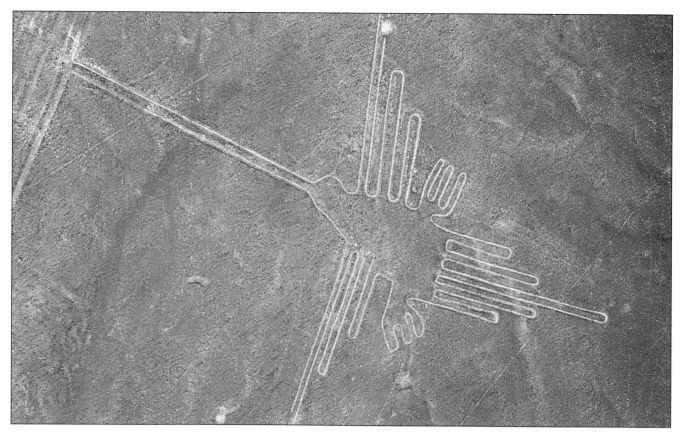

moderne que Daniken a affirmé qu'il s'agissait en fait d'une base spatiale interstellaire.

Bien que les figures (dont certaines mesurent plusieurs centaines de mètres) soient tracées sur un sol tendre — totalement inutilisable pour l'atterrissage répété d'avions ou de vaisseaux spatiaux —, cette hypothèse est renforcée par le fait qu'il est impossible de les distinguer depuis le sol, en raison de leurs très grandes dimensions. C'est ce qui explique d'ailleurs qu'elles n'aient été repérées dans toute leur ampleur qu'en 1939, lorsqu'un expert en hydraulique, Paul Kosok, les survola en avion.

Certains de ceux qui ont étudié ces lignes ont conclu qu'il était quasiment impossible de les dessiner avec tant de précision depuis le sol. Mais d'autres ont proposé une explication à peine plus convaincante que l'hypothèse d'une visite des extraterrestres : alors qu'ils ne le sont plus aujourd'hui, les dessins auraient été visibles à l'époque de leur réalisation depuis les hauteurs les plus proches.

Au début des années 1970, l'auteur de *Nazca : voyage vers le Soleil*, Jim Woodman, a émis l'hypothèse farfelue que les Nazcas auraient pu voir les lignes d'en haut… en volant. Ils n'avaient besoin pour cela que d'un ballon à air chaud simplement constitué de cordages et de tissus. Woodman construisit un tel ballon en s'inspirant de pièces de tissu découvertes sur des sites nazcas antérieurs à la conquête espagnole. Le 28 novembre 1975, son engin s'éleva au-dessus de la plaine. Mais l'expérience ne démontrait pas que les anciens habitants du Pérou maîtrisaient l'aérostation. Il reste maintenant aux archéologues à trouver une preuve incontestable que les anciens Péruviens étaient capables de voler, des siècles avant les frères Montgolfier…

La plupart des motifs représentés sur le sol de Nazca se retrouvent sur les tissus et les poteries, ce qui indique qu'ils avaient bien une signification pour les habitants de cette région. Il est possible que ces immenses dessins aient été conçus pour être vus du ciel… par les dieux des Nazcas.

LES CRÂNES DE CRISTAL

Ces crânes, qui sont apparus à la fin du XIX⁰ siècle, ont eux aussi suscité bien des spéculations. Deux d'entre eux appartiennent, l'un au British Museum, l'autre à la Smithsonian Institution de Washington, qui les ont achetés dans les années 1890. Leur précédent propriétaire était un antiquaire français, M. Baubin.

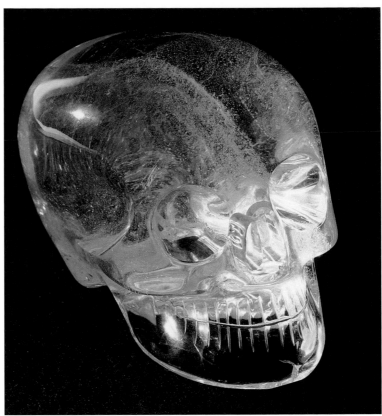

L'exemplaire le plus controversé appartient à une famille canadienne de Kitchener, dans l'Ontario, les Mitchell-Hedges.

Anna Mitchell-Hedges a toujours prétendu qu'elle l'avait découvert en 1924, lors d'une expédition archéologique menée avec son père en Amérique centrale, mais certains chercheurs ne cachent pas leurs doutes sur cette histoire.

L'énigme posée par ces crânes tient au fait que, selon la plupart des experts, seuls des outils du XX⁰ siècle, notamment des mèches recouvertes de diamant, ont pu attaquer un matériau aussi dur que le cristal de quartz. On a donc rapidement attribué ce prodige au travail d'extraterrestres… Des scientifiques de Hewlett-Packard qui les ont examinés dans leur laboratoire n'ont pas su expliquer comment de tels objets auraient pu être sculptés par des civilisations anciennes sans nos outils d'aujourd'hui. Deux hypothèses paraissent plausibles : soit les crânes ont été lentement polis et travaillés avec un matériau abrasif comme le sable, pendant des générations, sans doute pour des motifs religieux ; soit un groupe d'artisans allemands du XIX⁰ siècle, particulièrement ingénieux, a maîtrisé secrètement des techniques de fabrication inconnues. C'est l'explication la plus raisonnable, mais, faute de preuve irréfutable, elle reste purement hypothétique…

LES CRÂNES DE CRISTAL, RÉPUTÉS TRÈS ANCIENS ET APPARUS AU XIX⁰ SIÈCLE, POSENT LE PROBLÈME DE LEUR FABRICATION. IL ÉTAIT EN EFFET IMPOSSIBLE DE SCULPTER LE QUARTZ AVANT L'INVENTION DE LA MÈCHE DE DIAMANT, AU XX⁰ SIÈCLE. EN OUTRE, AUCUNE MARQUE D'OUTIL N'EST VISIBLE.

LE MOYEN ÂGE

LA RENAISSANCE ET L'ÉPOQUE CLASSIQUE REGARDAIENT LE MOYEN ÂGE comme une période de ténèbres et d'obscurantisme. Les invasions barbares, l'oppression des seigneurs sur les serfs, les guerres, les persécutions religieuses, la peste et autres épidémies semblaient être le décor quotidien dans lequel vivaient alors les hommes. Depuis, notre vision de cette époque charnière qui couvre un millénaire — elle est généralement datée de 476 à 1492 — s'est profondément modifiée.

C'est durant ces siècles que se sont constitués les grands cadres religieux, politiques, artistiques et intellectuels des sociétés occidentales ; que sont nées la plupart des nations d'Europe et que le monde islamique a connu son apogée. Les bâtisseurs de cathédrales, les cathares, Guillaume Tell, Marco Polo, Jeanne d'Arc… incarnent la richesse et l'immense diversité du Moyen Âge.

CES SEPT STATUES
QUI SEMBLENT
MONTER LA GARDE
CONSTITUENT LE
PLUS BEL ENSEMBLE
DE *MOAI*
AUJOURD'HUI
CONSERVÉ SUR L'ÎLE
DE PÂQUES.

Les énigmatiques statues de l'île de Pâques

Les immenses sculptures qui peuplent les landes désolées de l'île ont-elles enfin livré leur secret ?

LES STATUES GIGANTESQUES QUI PARSÈMENT L'ÎLE DE Pâques ont toujours fait rêver les voyageurs. Quelle civilisation les a érigées, dans quel dessein, avec quels moyens techniques ? Combien y en avait-il à l'origine ? Étaient-elles telles que nous les voyons aujourd'hui ? Autant de questions posées, autant de mystères pour lesquels la science actuelle peut proposer, sinon des réponses définitives, du moins des hypothèses plausibles.

L'île de Pâques est située au milieu de l'océan Pacifique, totalement isolée du reste de la Polynésie et de l'Amérique du Sud, qui se trouve à 3 000 km à l'est. C'est un territoire minuscule (162 km² seulement), apparemment inhospitalier, qui dépend du Chili. Lorsque les navigateurs néerlandais y accostent pour la première fois, sous la conduite de l'amiral Jacob Roggeveen, le jour de Pâques 1722 — d'où le nom de l'île —, ils y trouvent quelque 5 000 habitants d'origine malayo-polynésienne, qui vivent d'agriculture et de pêche.

UN SPECTACLE INOUÏ

Le spectacle qui s'offre aux Européens est alors stupéfiant. Tout le long des côtes de l'île et sur les pentes du Rano-Raraku, un volcan éteint, se trouvent de grandes plates-formes, les *ahu*, sur lesquelles sont érigées d'immenses sculptures de forme humaine, les *moai*, dont les plus hautes peuvent atteindre 20 m. Ces statues au regard vide, au long visage énigmatique et aux grandes oreilles semblent guetter des envahisseurs à l'horizon.

Beaucoup plus nombreuses à l'origine, elles sont aujourd'hui environ 500, installées sur près de 300 *ahu*. La plupart ont souffert de l'érosion, mais aussi des guerres tribales et des destructions causées par les missionnaires chrétiens au

LES *MOAI* AVAIENT À L'ORIGINE DES YEUX EN CORAIL BLANC ET EN TUF ROUGE. SEULS QUELQUES EXEMPLAIRES (CI-DESSUS, LE *TAHAI*) LES ONT CONSERVÉS. L'EXPLORATEUR FRANÇAIS LA PÉROUSE DÉBARQUA SUR L'ÎLE DE PÂQUES EN 1786. LE RÉCIT DE SES VOYAGES, RICHEMENT ILLUSTRÉ (À DROITE), A RÉPANDU DANS TOUTE L'EUROPE L'IMAGE DE CES MYSTÉRIEUSES SCULPTURES.

XIX⁰ siècle. Nombre d'entre elles, qui avaient été renversées, n'ont été redressées que récemment.

Il ne fait pas de doute que les *ahu*, ces grandes plates-formes, avaient une fonction religieuse et permettaient de célébrer le culte de diverses divinités représentées par les *moai*. Cependant, on ne dispose d'aucun renseignement précis, ni sur les cérémonies ni sur la mythologie des premiers habitants de l'île.

Pour l'ethnologue Alfred Métraux, grand spécialiste français de l'île de Pâques, les *moai* seraient le témoignage d'une société très hiérarchisée, dans laquelle une classe de prêtres aurait pu jouer un rôle dirigeant. Selon des hypothèses non vérifiées — et sans doute à jamais invérifiables —, l'île aurait été occupée pour la première fois entre le V⁰ et le VII⁰ siècle de notre ère. L'origine des premiers habitants fait l'objet de débats : Polynésie ou Amérique du Sud ? En l'absence de documents écrits et compte tenu de la perte ou de la déformation des traditions orales qui auraient pu permettre d'établir des liens avec les mythologies de ces deux continents, il est difficile de trancher.

En tout cas, la population installée sur l'île de Pâques semble bien être rapidement devenue trop nombreuse pour les maigres ressources de celle-ci, qui se seraient ainsi peu à peu épuisées. L'île, surpeuplée, aurait alors sombré dans les désordres sociaux, et certains *moai* auraient été volontairement renversés au cours de révoltes contre la classe des prêtres. Ces événements se seraient peut-être produits avant l'arrivée de nouveaux envahisseurs polynésiens.

Il semble en effet à peu près certain que l'île a été colonisée, vers le XIV⁰ siècle, par une nouvelle vague d'occupants venus de Polynésie. Les Polynésiens et la population primitive de l'île auraient cohabité un certain temps, avant de s'affronter par les armes, probablement au XVII⁰ siècle. Les anciens habitants auraient alors été massacrés, et seuls auraient subsisté les Polynésiens.

DU VOLCAN À LA CÔTE

Les statues monolithiques proviennent toutes des flancs du Ranao-Raraku. Elles ont été sculptées dans la pierre volcanique selon une technique assez élaborée : les tailleurs de pierre dégageaient d'abord un grand bloc, qu'ils travaillaient sur place avant de le transporter vers sa plate-forme de destination. Les grands yeux, en corail blanc et tuf volcanique rouge, étaient ajoutés lorsque le *moai* était terminé.

Toutes les hypothèses ont été avancées, des plus sérieuses aux plus farfelues, pour expliquer comment les statues ont pu être déplacées sur plusieurs kilomètres, le long de pentes parfois raides. Comme toujours, certains ont évoqué l'intervention d'extraterrestres, soit en tant que créateurs des *moai*, soit comme modèles pour les sculpteurs.

Les extraterrestres n'ont bien entendu rien à voir avec l'île de Pâques ! Ce sont les habitants qui ont sculpté eux-mêmes les statues et qui les ont déplacées à la force des bras en les faisant rouler sur des troncs d'arbres. Contrairement à ce que laisse supposer le paysage actuel, en grande partie désertique, l'île de Pâques a autrefois été très boisée ; elle disposait donc de la matière première nécessaire pour fabriquer des traîneaux. À leur arrivée, les *moai* étaient basculés sur l'*ahu* à partir d'un tumulus et à l'aide d'un système de leviers. Quant à la forme allongée des visages, elle s'apparente à celle que l'on trouve souvent dans les arts premiers.

À côté des immenses *moai*, les ethnologues et les archéologues ont trouvé d'autres témoignages de la civilisation dite des *ahu*. Les habitants de l'île de Pâques utilisaient des sculptures de dimensions plus modestes pour établir une relation directe avec les dieux : représentations masculines réalistes (*moai-tangata*) ou décharnées (*moai-kavakava*),

représentations féminines (*moai-papa*), statuettes d'oiseaux ou de lézards. Les officiants
portaient à leur cou certaines de ces figurines
durant les cérémonies religieuses. On connaît
également des objets en étoffe végétale, dont la
signification a malheureusement été perdue, et
l'on a découvert des tablettes recouvertes de
motifs qui évoquent des idéogrammes, les *ron-
gorongo*. Alfred Métraux pensait qu'il ne s'agissait que de symboles sacrés, qui servaient peut-
être de repères mnémotechniques pendant les
cérémonies, mais des chercheurs y ont vu et
déchiffré partiellement une véritable écriture.

UN *MOAI*,
AUJOURD'HUI
EFFONDRÉ,
À L'INTÉRIEUR
DU CRATÈRE DU
RANO-RARAKU.

LES STATUES
SE TROUVENT
À LA FOIS SUR
LES CÔTES DE L'ÎLE
ET (CI-CONTRE)
SUR LES PENTES
DU VOLCAN
RANO- RARAKU,
AUJOURD'HUI
ÉTEINT.

UNE ORIGINE ASIATIQUE OU AMÉRICAINE ?

L'origine du peuple qui a érigé les immenses sculptures monolithiques de l'île de Pâques a fait l'objet de nombreux débats parmi les scientifiques. L'île, que ses habitants appellent Rapa Nui ce qui signifie « Nombril du monde », est actuellement occupée par des populations d'origine polynésienne, mais il s'agit probablement d'un peuplement récent, qui ne remonterait pas avant le XIVᵉ siècle. Selon des historiens actuels, ces envahisseurs, venus en pirogue de Polynésie, se seraient heurtés aux tribus qui occupaient l'île, peut-être depuis le Vᵉ siècle de notre ère. L'ethnologue

norvégien Thor Heyerdahl était, lui, convaincu que la Polynésie et l'île de Pâques avaient été colonisées par des hommes venus d'Amérique du Sud, alors que la théorie la plus répandue jusqu'aux années 1940 était celle d'un peuplement venant d'Asie du Sud-Est, par la Malaisie et l'Indonésie.

En 1947, Heyerdahl et cinq compagnons s'embarquèrent à Callao, au Pérou, sur un radeau de bois qu'ils avaient construit selon le modèle des embarcations polynésiennes et appelé *Kon Tiki*, en hommage à un dieu solaire présent dans diverses

PIÈCE DU PUZZLE

légendes péruviennes. Il fallut cent un jours aux six navigateurs pour traverser l'océan Pacifique et parcourir 8 000 km jusqu'aux îles Tuamotu. Heyerdahl a ainsi prouvé que le Pacifique n'était pas un obstacle infranchissable, même pour des hommes ne disposant que d'embarcations rudimentaires. Tirant argument des ressemblances entre les statues de l'île de Pâques et celles, contemporaines, de la culture de Tihuanaco, au Pérou, l'ethnologue norvégien pensa établir que la population primitive de l'île était d'origine sud-américaine. Mais l'ADN a

remis en cause cette théorie… Des analyses effectuées sur des squelettes datant de 1100 à 1868 ont montré que, tout au long de cette période, les habitants de l'île avaient connu trois mutations génétiques particulières qu'on retrouve dans toutes les populations polynésiennes, mais qui sont absentes de toutes les populations d'Amérique du Sud. Il se peut en revanche que les Polynésiens, excellents navigateurs, aient touché les côtes d'Amérique du Sud, d'où ils ont peut-être rapporté les modèles de leurs statues, le mythe de l'homme-oiseau et… la patate douce !

L'expansion du Christianisme

CONSTANTIN LE GRAND, QUI RÉGNA DE 306 À 337, A ASSIS LA DOMINATION SPIRITUELLE DE L'ÉGLISE SUR L'EMPIRE ROMAIN. APRÈS LUI, LE CHRISTIANISME SERA LA RELIGION OFFICIELLE DE L'ÉTAT.

Comment la foi d'un petit groupe d'hommes partis de Palestine a-t-elle pu se répandre dans le vaste monde et avoir une telle influence sur l'histoire des hommes ?

L'ÉGLISE, ÉTABLIE DEPUIS PRÈS DE DEUX MILLE ans, est la plus ancienne institution du monde occidental. L'influence qu'elle a eue sur le cours de l'Histoire est incalculable. Nous sommes habitués à l'omniprésence de l'Église — des cathédrales à l'image du pape saluant la foule depuis sa « papamobile ». Mais comment en est-elle arrivée là ?

DE JÉRUSALEM À ROME

L'Église naît à Jérusalem, peu après la Crucifixion, lorsque les disciples du Christ se dispersent à travers le monde pour répandre la bonne parole. Dès le milieu du Iᵉʳ siècle, l'apôtre Pierre est installé à Rome, et les communautés chrétiennes se multiplient dans les ports de la Méditerranée orientale. Le terme catholique, qui signifie universel en grec, est introduit par saint Ignace, évêque d'Antioche, vers 110. L'expansion du christianisme est rapide. Les Romains, qui ne croient plus en la religion officielle, sont en effet ouverts à toutes sortes de croyances venues d'Orient, et le christianisme n'en est qu'une parmi beaucoup d'autres. Pourtant, dès le règne de Néron (54-68), les chrétiens sont victimes de persécutions, car ils refusent de pratiquer, même pour la forme, le culte officiel des dieux romains et de l'empereur. Les martyrs, qui servent d'exemple, renforcent l'union des communautés chrétiennes, désormais structurées autour d'un évêque, et amplifient la diffusion de cette religion nouvelle à travers l'Europe.

Les persécutions, qui n'ont pas atteint leur but, cessent en 312, lorsque l'empereur Constantin Ier remporte la victoire contre Maxence au pont Milvius : ayant vu en songe une croix avec les mots « Par ce signe, tu vaincras », il avait fait marquer les boucliers de ses soldats d'une croix qui, pense-t-il, lui a assuré le succès.

En 313, Constantin et Licinius, maître de la partie orientale de l'Empire, publient l'édit de Milan, qui ouvre une période de tolérance religieuse. L'édit a un impact considérable à la fois sur l'Église et sur l'Empire romain. En faisant du christianisme une religion officielle (d'abord à côté de la religion traditionnelle romaine, puis seul à partir de 381), il encourage

LA VISION DE CONSTANTIN EST SANS DOUTE CELLE QUI A EU LE PLUS DE CONSÉQUENCES HISTORIQUES. CETTE FRESQUE DE LA FIN DU XIVe SIÈCLE EST DUE AU FLORENTIN AGNOLO GADDI.

sa diffusion dans toutes les couches de la population. Parallèlement, l'Église se moule dans les structures politiques de l'Empire: chaque cité possède un évêque, les provinces ecclésiastiques sont calquées sur les provinces romaines.

Durant le règne de Constantin et de ses successeurs, la ligne de démarcation entre l'Église et l'État reste assez floue. Les empereurs se considèrent à la fois comme les héritiers de la tradition des Césars et de celle des apôtres. Ils s'impliquent donc fortement dans les affaires religieuses, qu'il s'agisse de la nomination des évêques, de doctrine ou de liturgie. Ainsi, quand la controverse sur la nature divine du Christ, née en Égypte, devient trop violente, Constantin convoque un concile, à Nicée, pour résoudre cette importante question de dogme. Deux cent vingt évêques se joignent à l'empereur, le 20 mai 325, pour en débattre. Il en résulte la formule du Credo selon laquelle le Fils est de même nature que le Père. Même si le débat est apaisé par ce compromis, il ne cessera tout à fait que longtemps après la mort de Constantin.

La mainmise du pouvoir politique sur l'Église est une constante de l'histoire du Moyen Âge. À Byzance, les empereurs poursuivent la tradition de Constantin et interviennent sans cesse sur les questions de doctrine: aux VIIIᵉ et IXᵉ siècles, plusieurs d'entre eux tentent ainsi d'interdire le culte des icônes. Nombre de fidèles, les moines et plusieurs impératrices s'opposent à l'enlèvement des représentations de saints dans les églises, et la crise, qui débouche sur le rétablissement du culte des images en 843, réduit considérablement les capacités d'intervention des empereurs sur l'Église d'Orient. Ce qui explique qu'ils n'aient rien pu

faire contre le schisme qui sépare, depuis 1054, les Églises catholique et orthodoxe. En Occident, les souverains (Charlemagne, puis les grands empereurs du Saint Empire romain germanique, ou, plus tard, les rois de France) s'opposent à maintes reprises au pape. Après l'écroulement de l'Empire romain, en 476, le pape se considère en effet comme le dépositaire de l'unité du monde chrétien et de la légitimité politique, qu'il entend déléguer aux empereurs et aux rois. Plus que les questions de doctrine, ce sont les désignations aux postes d'évêques et d'abbés qui sont source de conflits entre le pape et les souverains.

L'INQUISITION

À côté de la persuasion, l'Église n'hésite pas à utiliser la force pour convertir les païens ou ramener les hérétiques en son sein. Ainsi, à l'origine, c'est pour lutter contre l'hérésie cathare que le pape Innocent III institue l'Inquisition, destinée à « extirper les fausses croyances ». Les hérétiques avaient la possibilité de confesser leurs erreurs et de se repentir — mais un homme qui retombait dans l'hérésie était considéré comme relaps et ne pouvait bénéficier d'aucune indulgence. À défaut de confession, le suspect était présenté à l'inquisiteur. La bulle *Ad Extirpanda*, publiée par le pape Innocent IV en 1252, permettait de torturer une seule fois le suspect, suivant la procédure dite de la question. Mais les inquisiteurs ne tenaient pas compte de cette limitation. À partir du XVᵉ siècle, en Espagne et au Portugal, les coupables étaient exhibés lors d'une cérémonie appelée autodafé, durant laquelle ils devaient faire acte de foi pour gagner le salut éternel. Ils étaient ensuite remis au bras séculier (la justice laïque temporelle), pour être exécutés, le plus souvent sur le bûcher.

C'est surtout en Europe du Sud, et tout particulièrement dans la péninsule Ibérique, que l'Inquisition s'est développée à la fin du

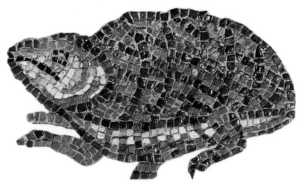

INITIALEMENT DESTINÉE À TRAQUER LES HÉRÉSIES DANS LES ORDRES MONASTIQUES, L'INQUISITION DEVINT UN INSTRUMENT DE TERREUR AU SERVICE DE L'AUTORITÉ DE L'ÉGLISE. CE TABLEAU DE GOYA (EN HAUT, À GAUCHE) MONTRE LE SPECTACLE HORRIBLE DES PROCÈS DE L'INQUISITION. FONDÉE EN 1199 PAR LE PAPE INNOCENT III, ELLE FUT RENFORCÉE EN 1231 PAR GRÉGOIRE IX (CI-DESSUS : SUR UNE MOSAÏQUE DE SAINT-PIERRE DE ROME). UNE BULLE D'INNOCENT VIII (CI-DESSOUS) DONNE EN 1484 MISSION AUX INQUISITEURS DE LUTTER CONTRE LA SORCELLERIE.

Moyen Âge. Elle commit rapidement des excès qui poussèrent certains papes à limiter ses compétences. Cependant, le Grand Inquisiteur de Castille Tomás de Torquemada, nommé en 1483, fit encore exécuter deux mille hérétiques, souvent lors de macabres cérémonies publiques. Beaucoup étaient des juifs qui avaient été forcés d'abjurer, mais continuaient de pratiquer leur religion en secret. En Espagne, l'Inquisition ne fut officiellement supprimée qu'en 1820.

LA RÉFORME ET LA CONTRE-RÉFORME

Au XVIᵉ siècle, la Réforme naît du mécontentement de nombreux fidèles et théologiens face à la corruption d'une Église qui s'est éloignée de la pureté du christianisme primitif. Elle s'appuie sur les travaux des savants humanistes qui, rejetant les traductions fautives des textes saints, sont revenus aux versions originales. Son promoteur, Martin Luther, est un moine.

Auparavant, des mouvements avaient tenté de réformer l'Église en s'appuyant sur de nouveaux ordres monastiques (tels les ordres mendiants du XIIIᵉ siècle, les Dominicains et les Franciscains, qui insistaient sur le vœu de pauvreté), tout en revendiquant un lien étroit avec la papauté. Par contraste, la Réforme protestante s'oppose à l'institution de l'Église et au pape, à qui elle dénie toute légitimité du point de vue religieux. La seule autorité que reconnaissent les protestants est la Bible, et c'est vers elle qu'ils se tournent pour répondre à leurs questions.

À côté du luthéranisme, de nombreux autres mouvements protestants ont vu le jour. Le calvinisme est le plus répandu en France, mais on peut également citer l'anglicanisme, proclamé par le roi d'Angleterre Henri VIII en 1538, les Églises baptistes et évangélistes, si nombreuses aux États-Unis. Le protestantisme est donc une notion vague, qui recouvre des réalités extrêmement différentes. Certaines Églises réformées (telle l'Église anglicane) sont d'ailleurs plus proches du catholicisme que des autres formes de protestantisme. Cependant, toutes les Églises réformées s'accordent sur trois points fondamentaux : le salut par la foi (et non par les œuvres), l'autorité de la Bible et le rôle essentiel du Saint-Esprit pour comprendre l'écriture sainte, pour

MARTIN LUTHER AFFICHE SES THÈSES SUR LA PORTE DE L'ÉGLISE DU CHÂTEAU DE WITTENBERG, EN 1517 (CI-DESSUS, À DROITE). **DÉTAILS D'UNE GRAVURE DU XVIIIᵉ SIÈCLE MONTRANT LES TORTURES INFLIGÉES PAR L'INQUISITION** (DANS LA MARGE).

faire jaillir la Parole vivante du texte antique. Elles n'ont, d'autre part, conservé que deux sacrements, le baptême et la communion.

En réponse à la Réforme, l'Église catholique mena une Contre-Réforme (ou Réforme catholique), dont les principes furent précisés lors du concile de Trente (1545-1563). À côté de l'Écriture, dont elle reconnaît la nécessaire autorité sur les questions religieuses, l'Église catholique proclame également la valeur de la tradition — et notamment de la papauté. Les principes réfutés par les protestants, comme l'existence de sept sacrements, sont réaffirmés par le concile, qui s'élève aussi contre la corruption et l'enrichissement des prêtres. L'Église rappelle également que, pour gagner son salut, le chrétien doit accomplir de bonnes œuvres lors de son passage sur terre : elle réfute ainsi le principe de la prédestination. De ce difficile examen de conscience, l'Église catholique sort renforcée du point de vue doctrinal, même si une partie importante de l'Europe lui échappe désormais.

L'ÉGLISE AUJOURD'HUI

L'évolution doctrinale de l'Église ne s'est jamais arrêtée. Le concile Vatican II (1962-1965) a ainsi entrepris une vaste mise à jour de l'Église face au monde moderne tout en orientant le catholicisme dans la voie du dialogue avec les autres religions (œcuménisme). L'histoire du christianisme révèle que la plus ancienne institution d'Occident, considérée par ses membres comme sanctifiée par Dieu, a commis des fautes, reconnues en mars 2000 par le pape Jean-Paul II dans le message de repentance pour les péchés passés de l'Église, parmi lesquels on trouve notamment la quatrième croisade et l'Inquisition : « Nous ne pouvons pas ne pas reconnaître que les Évangiles ont été trahis par certains de nos frères, particulièrement pendant le IIᵉ millénaire », a-t-il proclamé.

L'agitation actuelle de l'Église est toutefois bénigne en regard de celles qu'elle a connues dans le passé. Les débats persistent sur de nombreuses questions — contraception, mariage des prêtres, lutte contre le matérialisme de la société, place de l'Église auprès des pauvres… —, mais le christianisme doit surtout faire face à la désaffection de ses fidèles, principalement en Occident.

Le message du Christ, porté dans le monde entier par quelques apôtres, saura-t-il longtemps répondre aux inquiétudes de l'humanité ? C'est la capacité de l'Église à relever de tels défis qui déterminera son influence sur le monde durant les siècles à venir.

DANS SON HOMÉLIE DU 12 MARS 2000, LE PAPE JEAN-PAUL II PROCLAMAIT : « EN CETTE ANNÉE DU PARDON, L'ÉGLISE, RENFORCÉE PAR LA SAINTETÉ QU'ELLE REÇOIT DU SEIGNEUR, S'AGENOUILLE DEVANT DIEU ET IMPLORE LE PARDON POUR LES PÉCHÉS, PASSÉS ET PRÉSENTS, DE SES FILS. »

Les Croisades

À la fin du XIe siècle, l'élan formidable qui soulève les chrétiens pour délivrer Jérusalem entraîne la création d'États féodaux en Palestine. Aujourd'hui, les historiens se demandent comment qualifier au mieux les croisades : œuvre chrétienne ou entreprise de colonisation ? L'événement qui déclenche les croisades est la conquête de Jérusalem par les Turcs seldjoukides, en 1070. En 1095, le pape Urbain II proclame qu'une « race impie » a pris le contrôle des Lieux saints du christianisme. Ainsi commence un combat qui durera près de deux siècles. Urbain II fixe le départ des croisés en août 1096, mais une première expédition de 12 000 personnes, totalement inorganisées, prend le départ dès le mois de mars sous la conduite de Pierre l'Ermite. Cette « croisade des pauvres gens » souffre d'impréparation et doit piller les pays qu'elle traverse pour se nourrir. Décimée, elle s'avance jusqu'à Nicée, où elle est massacrée par les Turcs. L'expédition principale, composée de 30 000 croisés, dont beaucoup de nobles, arrive en 1097 sous les murs de Constantinople. Après une série de succès, elle entre à Jérusalem le 15 juillet 1099.

UNE COLONISATION ?
En quelques années, les croisés fondent plusieurs États en Palestine et au Liban, sous l'autorité de Godefroi de Bouillon. Pour assurer leur

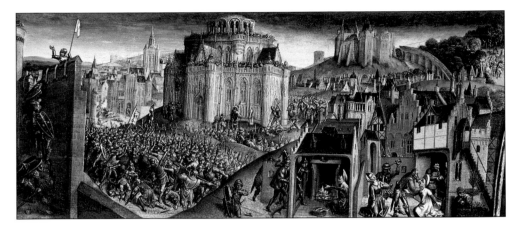

sécurité, ils créent un réseau de forteresses. Ils importent les institutions féodales de l'Occident et se mélangent peu aux populations locales, se contentant de prélever les impôts en nature et en argent.

Des historiens expliquent l'enthousiasme des chevaliers à l'idée de partir en Terre sainte par l'appât du gain et du pouvoir. C'est sans doute vrai en partie au XIIe siècle, mais le premier élan est avant tout religieux. En réalité, peu de croisés s'installent durablement en Palestine. Il n'y a donc pas de colonisation au sens moderne du terme. Reste que les croisades permettent l'installation de marchands qui assurent pendant plus d'un siècle la fortune des villes d'Italie.

LA 2e ET LA 3e CROISADE
De nouveaux succès des musulmans poussent saint Bernard à prêcher en 1144 une nouvelle croisade. Mais les croisés, affaiblis par la faim et la maladie, ne réussissent qu'à mener quelques escarmouches, et l'expédition se disperse sans résultat.
En 1187, le sultan égyptien Saladin conquiert Jérusalem, mais permet aux juifs et aux chrétiens de demeurer dans la ville s'ils sont désarmés. Une troisième croisade est alors organisé, sous la conduite du roi de France Philippe Auguste, de l'empereur germanique Frédéric Barberousse et du roi d'Angleterre Richard Cœur de Lion. Saladin propose un traité qui ouvre Jérusalem aux pèlerins chrétiens.

LES DERNIÈRES CROISADES
La 4e croisade est détournée de son but initial. Les croisés, principalement français, prennent Constantinople en 1204. La ville, la plus riche du monde à l'époque, est mise à sac. Cette croisade aboutissant à la destruction d'un État chrétien scandalise l'Europe. L'élan des croisades n'est pourtant pas totalement brisé, grâce à l'engagement personnel de souverains comme l'empereur germanique Frédéric II, qui conduit la 6e croisade et obtient la restitution de Jérusalem, ou le roi de France Saint Louis, qui s'attaque à l'Égypte (7e croisade), puis à la Tunisie (8e croisade). La mort de Saint Louis, sous les murs de Tunis, marque la fin des croisades.

EN HAUT : **LA PRISE DE JÉRUSALEM, PEINTE PAR UN ARTISTE DE L'ÉCOLE FLAMANDE DU XVe SIÈCLE.**
À GAUCHE : **LE COMBAT ENTRE RICHARD CŒUR DE LION ET SALADIN, DEVANT JÉRUSALEM, SUR UN MANUSCRIT MÉDIÉVAL.**

L'étonnante expansion de l'Islam

Pourquoi les Arabes ont-ils abandonné leur désert pour conquérir le monde ? La puissance de la foi est-elle une explication suffisante ? Les historiens s'interrogent encore.

CI-DESSUS : **COPIE (DU XIXᵉ SIÈCLE) DE LA CARTE DU MONDE DRESSÉE PAR LE VOYAGEUR ARABE IDRISI AU XIIᵉ SIÈCLE. DURANT TOUT LE MOYEN ÂGE, LE MONDE ARABE CONNUT UNE FLORISSANTE CIVILISATION URBAINE.**

CI-DESSOUS : **LA GRANDE MOSQUÉE DE KAIROUAN, EN TUNISIE. FONDÉE EN 670, ELLE FUT RECONSTRUITE AUX XVIIᵉ ET XVIIIᵉ SIÈCLES.**

LORSQUE NAÎT LE PROPHÈTE Muhammad (Mahomet), vers 570, l'Arabie est un désert peuplé de Bédouins et de marchands caravaniers. La principale ville commerçante, La Mecque, est aussi un centre religieux, car c'est là que les différentes tribus se retrouvent pour adorer la Pierre noire qui — dira le Coran — fut apportée par l'ange Gabriel à Abraham.

Au cours de ses voyages en tant que conducteur de caravanes, Mahomet apprend quelques rudiments des religions chrétienne et juive. Puis, vers l'âge de quarante ans, il commence à avoir des visions. Il se considère désormais comme un prophète chargé de délivrer la vraie religion aux Arabes. Son message, retranscrit par ses disciples, est réuni dans le Coran. À sa mort, en 632, un grand nombre de tribus sont déjà gagnées à la nouvelle religion et prêtes, selon sa consigne, à convertir le monde.

DE PRODIGIEUSES VICTOIRES

En quelques années, les Arabes remportent d'extraordinaires succès militaires. Dès 633 ils pénètrent en Palestine ; en 636, ils remportent sur les Byzantins la grande victoire du Yarmuk, qui leur ouvre les portes de la Syrie ; en 638, ils conquièrent Jérusalem ; l'Égypte leur est définitivement soumise en 645.

Parallèlement, des détachements arabes mènent la conquête de l'immense Empire perse sassanide : la Mésopotamie est soumise entre 637 et 641 ; en 640, c'est le tour de l'Arménie ; le plateau iranien, cœur de l'Empire perse, est occupé entre 642 et 649. Après un temps d'arrêt durant le califat du gendre de Mahomet, Ali (656-661), la conquête reprend : malgré une forte résistance des Berbères, l'Afrique du Nord byzantine et Carthage tombent entre 670 et 698. En 705, tout le Maghreb est soumis : franchissant le détroit de Gibraltar en 711, le chef berbère Tariq ibn Ziyad s'empare en deux ans du royaume wisigoth d'Espagne. Vers l'est, les Arabes occupent l'Afghanistan. Ils atteignent les rives de l'Indus en 713.

PLUSIEURS COUPS D'ARRÊT

Le seul véritable obstacle est l'Empire byzantin. Dès 660, la frontière entre Byzance et le califat omeyyade, dont la capitale est Damas, s'établit à l'est de l'Anatolie. Les califes concentrent leurs efforts sur Constantinople, qui est assiégée en 668-669, puis chaque été entre 673 et 677, et enfin en 717. La ville résiste cependant à ses assaillants et acquiert dès lors, chez les Arabes, la réputation d'être imprenable.

La date de 717 est importante. Elle marque le coup d'arrêt de l'avance arabe. À l'est, les Chinois bloquent l'entrée du Turkestan oriental. À l'ouest, après avoir pris Narbonne (715) et Carcassonne (725), les Arabes sont battus par Charles Martel à Poitiers (732) et doivent se replier en deçà des Pyrénées. Malgré des succès ponctuels contre Byzance, l'empire a désormais atteint son expansion maximale. Il faudra attendre la conversion de nouveaux peuples conquérants (Turcs, Mongols), après le XIᵉ siècle, pour que l'Islam reprenne l'offensive.

POURQUOI UN TEL SUCCÈS ?

Les raisons d'une expansion si fulgurante continuent de diviser les spécialistes. Il est évident que les Arabes ont profité de l'épuisement de Byzance et de l'Empire perse sassanide, dont la lutte séculaire venait de s'achever : au début du VIIᵉ siècle, le roi perse Khosrô II avait conquis Jérusalem et pénétré en Égypte, mais l'empereur byzantin Héraclius Iᵉʳ avait rapidement repris l'initiative, repoussé l'armée perse et saccagé la capitale des Sassanides, Ctésiphon. À la faveur de la défaite, les vassaux des Perses tentèrent de reprendre leur autonomie : ce fut notamment le cas de tribus arabes encore païennes, qui fournirent de précieux renforts aux troupes musulmanes.

Par ailleurs, on a longtemps avancé que les provinces orientales de l'Empire byzantin (Syrie et surtout Égypte), qui s'opposaient au pouvoir de Constantinople sur des questions religieuses, avaient accueilli les Arabes en libérateurs. Sans doute est-ce exagéré, mais il est établi que leurs habitants sont restés indifférents à la conquête et n'ont guère résisté, ce qui ne fut pas le cas en Afrique du Nord.

Cela étant, qu'est-ce qui a poussé les Arabes à quitter le désert ? Oublions l'idée colportée autrefois selon laquelle les Arabes seraient un peuple « naturellement » belliqueux ; ou l'allégation, avancée au début du XXᵉ siècle, selon laquelle ils auraient été obligés d'émigrer en raison de l'assèchement de la péninsule. Cette théorie est aujourd'hui abandonnée, car on n'a pas constaté de modification du climat en Arabie au cours de la période historique. On ne peut pas non plus expliquer la conquête par des considérations économiques (on a parfois dit que les commerçants arabes voulaient gagner de nouveaux marchés). Enfin, la supériorité militaire des Arabes et l'extraordinaire mobilité de leurs armées, légères et très structurées (les archers forment une unité, la cavalerie une autre...), peuvent expliquer leurs victoires, mais non leur mise en mouvement.

En réalité, le principal moteur de la conquête arabe fut religieux. La prise de butin, l'occupation de territoires n'étaient qu'accessoires dans un projet visant à répandre la « vraie religion » sur le monde. Mahomet promettait en effet le paradis au combattant qui mourrait pour sa foi au cours d'une guerre sainte (djihad). La conquête a permis aussi de maintenir la cohésion de la communauté constituée autour du Prophète et soudée par les principes de l'islam. Les successeurs de Mahomet — les califes — et les cadres de l'armée, tous issus des tribus de Médine et de La Mecque, formaient un groupe de fidèles attachés à la personne du Prophète. Ils incarnaient ainsi la permanence de son message. C'est pourquoi certains historiens considèrent que, dans le contexte particulier de l'islam naissant, la guerre de conquête était partie intégrante du message de Mahomet. Elle devait permettre d'attacher le croyant à sa communauté et à son Dieu. Ainsi s'expliqueraient la force et l'intrépidité des conquérants arabes.

Le roi Arthur a-t-il existé ?

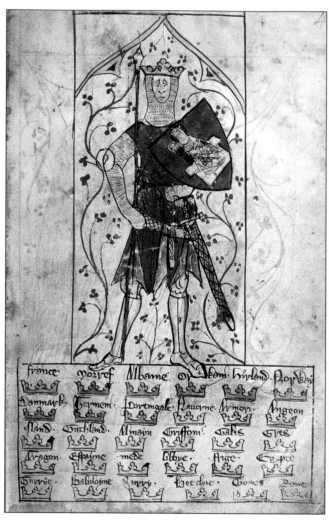

COMME IL N'EXISTE PAS DE PREUVE certaine de l'existence du roi Arthur, certains historiens en ont conclu qu'il ne s'agissait que d'un personnage légendaire. Mais, s'il n'a jamais vécu, pourquoi des hommes ont-ils cru le contraire pendant des siècles ?

La réponse commence avec un livre. Entre 1135 et 1139, un clerc et chroniqueur anglo-normand, Geoffroi de Monmouth, écrit un ouvrage en latin auquel il donne le titre d'*Histoire des rois de Bretagne* (c'est-à-dire de Grande-Bretagne). Il représente pour la première fois Arthur en monarque au comportement héroïque. Dès sa parution, le livre est violemment critiqué par l'historien Guillaume de Newburgh, qui qualifie Geoffroi de « père des mensonges » et le blâme d'avoir « répandu des fables

CETTE REPRÉSENTATION MÉDIÉVALE DU ROI ARTHUR GLORIFIE LE SUZERAIN DES TRENTE ROYAUMES DE GRANDE-BRETAGNE.

sous le nom honorable d'Histoire ». Cependant, certains indices archéologiques tendent à donner quelque crédit aux récits de Geoffroi. Celui-ci dit par exemple qu'Arthur est né dans la forteresse de Tintagel, sur la côte nord de la Cornouailles ; or les archéologues ont effectivement découvert les vestiges d'une forteresse sur ce site.

UN GUERRIER DES TEMPS OBSCURS

Avant Geoffroi de Monmouth, le seul nom d'Arthur était déjà apparu çà et là dans d'anciennes chroniques, mais les premiers textes qui parlent quelque peu de lui datent du VIIe siècle. L'*Histoire des Bretons*, du moine gallois Nennius (IXe siècle), le décrit comme un chef de guerre (*dux bellorum*) qui a vaincu les envahisseurs Saxons à la bataille du mont Badon, un site qui n'a jamais été identifié avec certitude. L'œuvre du moine Gildas, *l'Invasion et la Conquête de la Bretagne*, qui date de 540 environ, ne fait aucune référence à Arthur mais situe cette bataille vers 500. Elle est d'ailleurs également mentionnée dans les *Annales de Cambrie* (Xe siècle), qui relatent par ailleurs la bataille de Camlann, où Arthur aurait trouvé la mort.

À partir de ces éléments très minces, on peut imaginer qu'Arthur est un guerrier chrétien du Ve siècle, d'origine celte, qui défend son pays contre les envahisseurs Saxons dans la période troublée qui suit l'évacuation de la Grande-Bretagne par les Romains. Incapables de refouler l'invasion, les successeurs d'Arthur se réfugient dans les montagnes du pays de Galles, où se constituent progressivement des légendes qui transforment un guerrier en héros, puis en souverain. Geoffroi de Monmouth se serait inspiré de ces légendes orales, qu'il avait probablement entendues dans son pays de Galles natal. L'*Histoire des rois de Bretagne* décrit la femme d'Arthur, l'ensorcelante Guenièvre, son neveu le traître Mordred et le puissant enchanteur Merlin. Elle évoque également la croyance populaire selon laquelle Arthur n'est pas mort et qu'il reviendra pour délivrer son pays des occupants. À une époque où la plupart des gens ne font guère la distinction entre l'Histoire et la légende, les souverains britanniques du Moyen Âge utilisent les symboles arthuriens pour encourager le patriotisme et renforcer leur propre prestige.

La légende d'Arthur se répand rapidement sur le continent et connaît une vogue extraordinaire jusqu'à la fin du Moyen Âge. En France, les romans de Chrétien de Troyes, les lais de Marie de France, les grands romans en prose du XIIIe siècle (notamment le *Lancelot* et le *Tristan*)

enrichissent cette légende d'une multitude de personnages, d'épisodes et de thèmes littéraires comme l'amour de Lancelot et Guenièvre, la Table ronde, la quête du Saint-Graal. En 1469, le premier imprimeur anglais, William Caxton, publie la *Mort d'Arthur*, de Thomas Malory, qui réunit en un immense récit toutes les aventures des chevaliers d'Arthur. À partir du XIXᵉ siècle, la légende, redécouverte, inspire de nouveau auteurs et artistes comme le poète anglais Tennyson, le compositeur allemand Richard Wagner ou, récemment, des réalisateurs de cinéma comme Robert Bresson et John Boorman.

SUR CETTE MINIATURE DU XVᵉ SIÈCLE, LE ROI ARTHUR EST ENTOURÉ DES CHEVALIERS DE LA TABLE RONDE, LORS DE L'APPARITION DU SAINT-GRAAL.

LE MYSTÉRIEUX RIOTHAMUS

La quête du vrai roi Arthur se poursuit. Des indices historiques tendent à confirmer le récit de Geoffroi selon

ÉDOUARD Iᵉʳ ÉTAIT-IL L'HÉRITIER D'ARTHUR ?

Des historiens doutent de l'existence du roi Arthur, mais il n'en a pas toujours été ainsi. Au Moyen Âge, sans prétendre qu'ils descendaient directement de lui, des rois d'Angleterre ont revendiqué une filiation culturelle et politique. C'est à la cour d'Henri II Plantagenêt et d'Aliénor d'Aquitaine que furent écrits plusieurs des textes mettant en scène Arthur, et le roi Édouard Iᵉʳ (à droite) s'appuya sur son **PIÈCE DU PUZZLE** exemple pour proclamer ses droits sur l'Écosse.

lequel Arthur aurait quitté la Grande-Bretagne pour combattre sur le continent. On a ainsi trouvé mention, dans quelques documents, d'un roi des Bretons appelé Riothamus (« souverain suprême ») qui aurait conduit une armée en Gaule vers 470, au plus fort des invasions barbares. Peut-être le souvenir de cette expédition a-t-il contribué à la légende d'Arthur ?

À moins que les archéologues et les historiens ne découvrent des preuves définitives de son existence, le roi Arthur demeurera longtemps une figure énigmatique. Son personnage héroïque, qui résulte sans doute de l'assemblage, au fil du temps, d'éléments historiques épars, est en tout cas à l'origine d'un des mythes littéraires les plus fascinants que nous ait légués le Moyen Âge.

LE ROI ARTHUR, ICI REPRÉSENTÉ À CHEVAL DANS UN MANUSCRIT FRANÇAIS DU XIVᵉ SIÈCLE, A LONGTEMPS INSPIRÉ LES ÉCRIVAINS ET LES ARTISTES.

Les Cathares

Quelle réalité recouvre l'image traditionnelle, émouvante, des derniers cathares assiégés par les troupes royales dans la forteresse de Montségur ?

LES CATHARES FURENT VICTIMES D'UNE RÉPRESSION FÉROCE DE LA PART DE L'ÉGLISE ET DES TROUPES ROYALES.
CI-DESSUS :
CETTE MINIATURE DU DÉBUT DU XIVᵉ SIÈCLE REPRÉSENTE SIMON DE MONTFORT ASSISTANT À UN BÛCHER, LORS DE LA CROISADE CONTRE LES ALBIGEOIS (1209).

CE QU'ON APPELLE AUJOURD'HUI L'HÉRÉSIE cathare apparaît au début du XIIᵉ siècle dans plusieurs régions d'Europe, avant de se développer dans le midi de la France. Les cathares croient en l'existence de deux principes créateurs qui s'opposent — le Bien (Dieu) et le Mal (Satan) — et en la réincarnation. Ils ne connaissent qu'un sacrement, le *consolament*, qui sert à la fois de baptême et d'extrême-onction. Enfin, leurs prêtres doivent respecter un certain nombre de commandements : ne pas tuer, ne pas juger, ne pas invoquer le nom de Dieu, ne pas avoir de relations sexuelles, ne pas manger d'animaux…

LA LUTTE CONTRE LES CATHARES

L'intervention de moines cisterciens pour combattre cette hérésie ne permet pas d'en venir à bout. Paradoxalement, c'est l'échec de la quatrième croisade vers Constantinople, en 1204, qui entraînera l'extermination des cathares. Le pape Innocent III considère en effet que, si cette croisade a échoué, c'est parce que l'Occident est gangrené par l'hérésie. À plusieurs reprises, il demande donc au roi de France Philippe Auguste d'intervenir contre les cathares. Mais celui-ci refuse, à la fois parce qu'il est occupé à combattre le roi d'Angleterre et l'empereur d'Allemagne, et parce qu'il n'accepte pas l'ingérence du pape dans la gestion de son royaume.

L'assassinat du légat d'Innocent III à Toulouse, le 14 janvier 1208, fournit le prétexte d'une croisade contre les cathares, qui est placée sous la direction d'un chevalier d'Île-de-France, Simon de Montfort. Béziers est prise d'assaut le 22 juillet, et sa population massacrée (c'est là qu'aurait été prononcée cette phrase célèbre : « Tuez-les tous, Dieu reconnaîtra les siens ! »). La bataille de Muret, le 12 septembre 1213, s'achève sur une défaite écrasante du comte de Toulouse Raimond VI. Cependant, à partir de 1216, celui-ci mène la reconquête de ses États. Simon de Montfort est tué en 1218. Malgré les bûchers, la croisade ne suffit pas à arrêter l'expansion de l'hérésie. Les églises cathares se reconstituent un peu partout. Il faudra l'intervention personnelle du roi de France Louis VIII, qui soumet définitivement le comté de Toulouse en 1226-1229, l'instauration de l'Inquisition dans le Midi en 1233, et enfin la prise des dernières forteresses cathares — Montségur tombe en 1244 — pour que l'hérésie commence à reculer. Mais le dernier cathare ne sera brûlé qu'en 1321…

QUI ÉTAIENT LES CATHARES ?

Les travaux les plus récents ont permis de mieux cerner la population touchée par l'hérésie. Si l'on en juge d'après les archives conservées, le catharisme concerne au maximum 10 % des habitants des villes, peut-être un peu plus dans certaines zones rurales. Les cathares sont presque tous des notables : chevaliers, juristes, marchands et riches hommes d'affaires pratiquant le prêt à intérêt — interdit par l'Église —, et quelques artisans. On trouve également parmi eux un grand nombre d'officiers royaux, ce qui tend à prouver que le catharisme n'est pas un mouvement national ou de résistance au pouvoir royal.

Selon l'un des principaux historiens de l'hérésie, Jean-Louis Biget, la fin du catharisme s'explique à la fois par le ralliement des élites au pouvoir royal et par l'apparition des ordres mendiants des Dominicains et des Franciscains, qui proposent un idéal de vie spirituelle qu'ils mettent eux-mêmes en pratique tout en s'adaptant aux réalités économiques du temps. Ils acceptent ainsi le prêt à intérêt et un profit raisonnable, qui leur rallie la bourgeoisie marchande, au sein de laquelle le catharisme recrutait largement.

LES ALÉAS D'UNE LÉGENDE

La légende d'un Midi toulousain totalement gagné par l'hérésie remonte au XIIᵉ siècle. Ses auteurs ? Les religieux, qui veulent justifier le recours à l'Inquisition et la croisade contre les albigeois (autre nom des cathares). Parmi eux, Geoffroy d'Auxerre, qui rédige une vie de saint Bernard, et Pierre des Vaux-de-Cernay, biographe de Simon de Montfort. La légende est ensuite propagée par une chanson de geste du XIIIᵉ siècle, qui rencontre un grand succès dans les cours du Nord, *la Chanson de la croisade*. Les polémistes catholiques entretiendront constamment cette confusion, notamment à l'époque de la Réforme : les cathares sont alors donnés comme les ancêtres des protestants.

On comprend donc qu'au XIXᵉ siècle les historiens romantiques présentent le catharisme comme le symbole de la lutte de la nation occitane contre l'oppression de l'Église et de la monarchie, en établissant un parallèle plus que contestable entre la riche poésie des troubadours et la religion cathare. Le comté de Toulouse des XIIᵉ et XIIIᵉ siècles est, quant à lui, décrit comme une sorte de confédération de républiques urbaines où règne la liberté sous toutes ses formes — religieuse, économique, morale.

Vers 1900, le catharisme est annexé par les mouvements spiritualistes et ésotéristes qui se développent alors. Le fondateur de la secte des

Rose-Croix « catholiques », Joséphin Péladan, identifie la forteresse de Montségur avec le Montsalvach du *Parsifal* de Wolfram von Eschenbach, qui sert aussi de décor à l'opéra de Richard Wagner. Un lien est désormais établi entre les cathares et le Graal. Il sera exploité par le nazisme, qui considérera le catharisme comme une religion païenne issue de traditions germaniques…

Depuis les années 1960, les cathares sont avant tout présentés comme les victimes d'une politique « jacobine » avant l'heure qui veut estomper les différences et les identités régionales : une présentation qui viendra conforter les courants autonomistes occitans.

CATHARES, ALBIGEOIS ET PARFAITS

PIÈCE DU PUZZLE ▼

L'emploi du terme *cathares* ne s'est, en fait, généralisé que dans les années 1950. Entre eux, les cathares s'appelaient « bons hommes », et la plupart des chroniqueurs du temps les nommaient albigeois. Jamais ils ne se disaient « purs » ou « parfaits », ce qui aurait été une preuve d'orgueil impardonnable.

Le terme *parfaits* vient d'une mauvaise traduction de la formule des procès de l'Inquisition, *perfecti heretici*, qui signifie simplement « hérétiques accomplis ». Au Moyen Âge, le nom de cathares n'était employé que par des hérétiques allemands, qui le faisaient dériver du grec *catharos*, qui signifie pur.

CI-DESSUS : **PEYREPERTUSE,
L'UNE DES PRINCIPALES
FORTERESSES CATHARES.
PERCHÉE SUR UN
PITON ROCHEUX,
À 797 M D'ALTITUDE,
ELLE EST AUSSI LA PLUS
IMPRESSIONNANTE.**
CI-CONTRE : **VUE ACTUELLE
DE MONTSÉGUR.
LES RUINES DU CHÂTEAU,
AUXQUELLES ON ACCÈDE
À PIED PAR UN SENTIER
MULETIER, SONT UN
HAUT LIEU TOURISTIQUE.
LA DERNIÈRE PLACE
FORTE DES ALBIGEOIS
CAPITULA EN 1244,
APRÈS UN SIÈGE
DE ONZE MOIS.**

Robin des Bois, bandit ou héros ?

« Robin était un fier hors-la-loi », chantent les ballades anglaises du Moyen Âge. Était-il le bandit au grand cœur qu'elles dépeignent ? A-t-il même existé ? Et pourquoi sa légende s'est-elle transmise à travers les siècles ?

LA LÉGENDE DE ROBIN DES BOIS A ENFLAMMÉ LES IMAGINATIONS DEPUIS LE XIIIe SIÈCLE. CETTE ILLUSTRATION DE LA FIN DU XIXe LE REPRÉSENTE DANS LE COSTUME QUE LUI PRÊTE LA TRADITION.

METTRE EN DOUTE L'HONORABILITÉ DE ROBIN des Bois (Robin Hood en anglais) est presque un scandale, tant nous apprécions cette figure emblématique de la défense des pauvres et des opprimés. Dans les pays anglo-saxons, les historiens qui cherchent à déboulonner la statue du héros sont quasiment considérés comme des complices de l'affreux shérif de Nottingham ! Leur mission est pourtant de démêler le vrai du faux…

Au XIXe siècle, des érudits qui ont grandi en écoutant les histoires chevaleresques remises à la mode par Walter Scott estiment que les aventures de Robin des Bois manquent de bases historiques sérieuses. L'un d'eux, Francis James Child, déclare ainsi en 1882 que Robin des Bois n'est qu'un personnage de ballade populaire. Des recherches ultérieures montreront pourtant que la légende recèle peut-être certains éléments de vérité.

La première version complète de l'histoire de Robin des Bois est datée du XVe siècle. Il s'agit d'une ballade intitulée *Lyttle Geste of Robyn Hode*. On y trouve déjà les personnages qui nous sont familiers : le shérif de Nottingham, Robin, Petit Jean, et le reste de la joyeuse troupe qui vole aux riches pour donner aux pauvres. Dans la plupart des références anciennes à Robin des Bois (les premières remontent à 1350), ses exploits se déroulent dans la forêt de Barnesdale, dans le Yorkshire. C'est pourquoi les historiens se demandent si, de fait, un « prince des voleurs » n'a pas existé dans cette région au XIIIe siècle. Vers 1228-1230, les archives seigneuriales mentionnent un Robert Hood, décrit comme un fugitif qui « a volé pour le plus grand nombre ». Mais Robert Hood était un nom assez courant en Angleterre, ce qui limite la portée de cette découverte…

DE NOMBREUX CANDIDATS

Si l'on souhaite connaître la date des exploits de Robin des Bois, la principale difficulté tient aux contradictions qui existent entre les différentes références historiques : les ballades les situent au cours de quatre règnes différents, de celui de Richard Cœur de Lion (1189-1199) à celui d'Édouard II (1307-1327). On retient généralement l'époque du roi Richard Cœur de Lion, qui a laissé son frère Jean Sans Terre gouverner le royaume durant la troisième croisade. Mais on a aussi établi un lien entre Robin des Bois et la révolte qui eut lieu en 1265 contre le roi Henri III, sous la conduite du comte de Leicester

Simon de Montfort. Le chroniqueur anglais Walter Bower raconte que, après la rébellion contre Henri, « le fameux voleur Robin Hood [...] prit la tête de ceux qui avaient été déshérités et bannis à la suite de la révolte ». L'assertion de Walter Bower est mise en doute par les historiens modernes, qui font observer que l'arc long, si fréquent dans la plupart des versions de la légende, n'était guère utilisé sous le règne d'Henri III (1216-1272).

Le candidat le plus plausible est un paysan de Wakefield, dans le Yorkshire, qui a probablement pris part à un soulèvement contre le duc de Lancastre en 1322. Les archives de la ville mentionnent un Robert Hood, condamné pour avoir transgressé les « lois de la forêt », résisté au seigneur du lieu, et pour ne pas avoir pris part à la guerre contre les Écossais. Il semble également que la maison de Robert Hood ait été confisquée pour cette raison, ce qui expliquerait que l'homme se soit réfugié dans la forêt. Cela situerait la légende au cours du règne d'Édouard II, lequel, par ailleurs, a eu à son service un valet nommé Robert Hood...

UN CONCENTRÉ FOLKLORIQUE

Malgré les efforts déployés par les historiens, il est sans doute impossible de retrouver les éléments historiques qui ont donné naissance à la légende tant ils ont été transformés au cours des siècles par les œuvres littéraires ! Marianne, qui donne à l'histoire sa dimension sentimentale, nous semble indissociable de Robin. Pourtant, elle n'est apparue qu'au XVIe siècle, tout comme le frère Tuck. Dans certaines versions, Robin des Bois apparaît moins comme le défenseur des faibles et des opprimés que comme un héros national qui combat les envahisseurs normands

aux côtés des Anglo-Saxons. Certains « exégètes » ont même prétendu que Robin et ses compagnons constituaient en fait une communauté homosexuelle forcée de vivre loin des villes, hors de portée des lois et de l'Église...

Ce qui ne fait pas de doute, c'est que les aventures de Robin des Bois, archétype du héros hors la loi, rassemblent tous les thèmes des ballades consacrées à ce type de personnage, devenant ainsi un concentré de folklore local. Cette histoire peut se transformer si facilement que, en 1773, le lexicographe Samuel Johnson a prétendu être capable d'écrire une aventure de Robin des Bois assez vraisemblable pour que ses lecteurs jurent la connaître depuis toujours !

Ceux qui aiment la légende de Robin des Bois, avec sa galerie de personnages hauts en couleur, se moquent de savoir si elle a évolué à travers les siècles. L'amour de la justice est puissant : les héros qui l'incarnent deviennent plus grands, plus universels et plus distrayants que la réalité qui les a engendrés...

CI-DESSUS :
À L'ÉCRAN, ERROL FLYNN DEVIENT, EN 1938, LE PLUS CÉLÈBRE INTERPRÈTE DE ROBIN DES BOIS.
EN BAS, À GAUCHE :
CETTE ILLUSTRATION DU PEINTRE AMÉRICAIN N. C. WYETH MONTRE LA PREMIÈRE RENCONTRE ENTRE LE HORS-LA-LOI ET MARIANNE, LORS D'UN TOURNOI ROYAL.

UNE PLÉIADE DE ROBIN

Beaucoup d'autres rebelles et hors-la-loi ont été identifiés à Robin des Bois. Parmi eux, Robert Thwing, qui a entraîné ses compagnons dans le pillage des monastères pour distribuer du grain aux pauvres, et Robert Fitzooth, un prétendant au comté de Huntington ayant vécu

PIÈCE DU PUZZLE

entre 1160 et 1247 environ. Celui-ci est un candidat plausible, car des documents postérieurs donnent justement ces dates comme étant celles de la naissance et de la mort de Robin des Bois. À l'encontre de cette thèse, le fait qu'aucun autre document ne mentionne un noble révolté portant le nom de Fitzooth...

Le trésor des Templiers existe-t-il ?

L'histoire dramatique de l'ordre du Temple nourrit, depuis des siècles, bien des légendes où se mêlent les thèmes de la puissance, de la richesse et de l'hérésie.

L'HISTOIRE DES TEMPLIERS EST BIEN CONNUE, et ses grandes étapes n'ont rien de mystérieux. Un chevalier champenois, Hugues de Payns, fonde en 1118 l'ordre des « pauvres chevaliers du Temple de Salomon », sur le modèle des Hospitaliers de Saint-Jean-de-Jérusalem. Sa mission : protéger les pèlerins qui se rendent en Terre sainte, mais aussi défendre les États chrétiens de Palestine contre leurs voisins musulmans. Il s'agit donc d'un ordre religieux et militaire, qui met en pratique les principes de la « chevalerie céleste » prônée par saint Bernard. Il a une double vocation, guerrière et contemplative, qui doit, pour Hugues de Payns, constituer une nouvelle voie vers la sainteté.

L'ordre est officiellement reconnu par le concile de Troyes, en 1128, grâce au soutien de saint Bernard. Il se caractérise par une structure très hiérarchisée. À sa tête, le grand maître agit avec le consentement du chapitre ou du conseil secret. Tous les frères chevaliers, qui portent le manteau blanc frappé de la croix, lui doivent une stricte obéissance. Les Templiers ont le culte du secret, ce qui nourrira bien des fantasmes.

Comme les autres ordres, le Temple se dote d'une infrastructure qui assure la circulation des biens entre l'Occident, où il puise les sommes indispensables à sa mission, et l'Orient, où il combat. Dans toute l'Europe, il crée des commanderies, exploitations agricoles installées sur des terres offertes par de pieux donateurs ou par les chevaliers eux-mêmes : l'essentiel des profits engendrés par les dons et le travail de la terre est conservé sur place ; une partie est envoyée en Orient pour les besoins de l'ordre.

UN « ÉTAT DANS L'ÉTAT »

La perte de la Terre sainte, en 1291, pose la question de la vocation des ordres militaires. Les 15 000 Templiers choisissent de rentrer en Europe, et l'ordre songe à devenir une sorte de force internationale au service du pape. Il devient donc une puissance militaire dangereuse pour le roi de France, Philippe le Bel, qui s'emploie depuis le début de son règne à imposer son autorité à la papauté. Ayant échoué à contrôler le Temple, puis à le faire fusionner avec les Hospitaliers, il décide d'en finir avec cet « État dans l'État ». Le roi est sincèrement convaincu de la dépravation des Templiers ; il ne lui reste plus qu'à les déshonorer pour obtenir leur condamnation.

CI-DESSOUS : **LES REMPARTS DE LA COUVERTOIRADE, (AVEYRON), L'UNE DES NOMBREUSES PLACES FORTES DES TEMPLIERS, DANS LE SUD DE LA FRANCE.** EN HAUT À DROITE : **L'EXÉCUTION DE JACQUES DE MOLAY, DERNIER GRAND MAÎTRE DU TEMPLE, SUR ORDRE DE PHILIPPE LE BEL, EN 1314. MINIATURE ILLUSTRANT UN MANUSCRIT DU XVe SIÈCLE, *LE CAS DES NOBLES HOMMES*, DE BOCCACE.** EN HAUT À GAUCHE : **SCEAU DES TEMPLIERS (1255).**

L'arrestation des Templiers est menée avec une efficacité redoutable : Philippe le Bel prend sa décision au début du mois de septembre 1307 ; le 14, il écrit à tous ses baillis et sénéchaux, qui sont chargés d'organiser les opérations ; dans la seule journée du 13 octobre, tous les membres de l'ordre sont arrêtés.

LES PROCÈS DES TEMPLIERS

Peu avant les procès, qui se déroulent entre 1307 et 1314, se répand une rumeur selon laquelle le nouveau Templier, pour être intronisé, doit renier par trois fois Jésus-Christ, cracher trois fois sur la croix, se dénuder et se laisser sodomiser si un autre frère le désire. Les archives ne montrent pourtant rien de tel. L'homosexualité, en particulier, fréquemment incriminée par les adversaires des Templiers, est fermement condamnée par la règle.

La procédure judiciaire est longue. Après les interrogatoires menés par les inquisiteurs en 1307 (le grand maître Jacques de Molay, après avoir reconnu sous la torture la plupart des faits qui lui sont reprochés, se rétractera en 1314), le pape Clément V autorise, en 1308, des enquêtes épiscopales contre les membres de l'ordre et, en 1309, une enquête pontificale concernant l'ordre dans son ensemble. En 1310, 54 Templiers sont brûlés à Paris. En 1312, le pape supprime l'ordre, dont les biens sont transférés aux Hospitaliers. L'exécution de Jacques de Molay, conduit au bûcher le 18 mars 1314, marque la fin des Templiers et le début de leur légende. Malgré les rumeurs fantaisistes qui ont encore cours, l'ordre n'a pas survécu après le XIVe siècle. Les dangereuses sectes qui se réclament aujourd'hui de son héritage sont très éloignées de l'esprit de saint Bernard et d'Hughes de Payns.

LE MYSTÈRE DU TRÉSOR DES TEMPLIERS

Parmi les mythes historiques qui traversent les siècles, celui du trésor des Templiers est un des plus durables. Il se fonde sur un faux du XVIIIe siècle, dans lequel Jacques de Molay indique à son neveu que les richesses de l'ordre sont conservées à l'entrée du tombeau des grands maîtres, et sur une légende très controversée, selon laquelle, dans la nuit précédant l'arrestation des Templiers, trois chariots auraient quitté Paris en direction de la côte normande. Certes, l'ordre était très riche, mais ses biens étaient presque exclusivement constitués de terres et de bâtiments. Il ne pratiquait pas le

prêt à intérêt, mais seulement le système de la lettre de change : aussi l'argent était-il rapidement remis en circulation ou réinvesti. Il est donc peu probable qu'il ait existé d'importants trésors en numéraire. Mais la quête s'est poursuivie, revivifiée par les auteurs romantiques du XIXe siècle. On est allé jusqu'à prétendre que les Templiers conservaient l'arche d'alliance, ou encore le Graal, et que, maîtres en alchimie, ils étaient capables de transformer le plomb en or !

La rumeur la plus insistante veut que le trésor se trouve au château de Gisors. En 1946, le guide du château aurait réalisé des fouilles secrètes et découvert une chapelle souterraine contenant des statues, des sarcophages et une trentaine de coffres, étrangement disparus depuis. Autre rumeur : en 1963, à l'initiative d'André Malraux, l'armée aurait entrepris des recherches et découvert « quatre coffres énormes » pleins d'or ! En tout état de cause, les amateurs de mystères continuent leur recherche chimérique du « véritable » trésor des Templiers.

LES ROIS MAUDITS

La théorie selon laquelle le grand maître du Temple, Jacques de Molay, aurait lancé une malédiction contre Philippe le Bel et ses descendants depuis son bûcher a été popularisée par *les Rois maudits*, de Maurice Druon. En réalité, l'élimination de l'ordre intervient dans un contexte de profond désarroi, causé par des catastrophes climatiques et des épidémies, tandis que l'Église, devenue une machine financière, traverse une grave crise de conscience. Le conflit violent opposant Philippe le Bel et le pape Boniface VIII, puis la mort sans descendance mâle des trois fils du roi, enfin la guerre de Cent Ans semblent confirmer qu'une « malédiction » s'est abattue sur le royaume de France. Toutefois, la légende ne paraît prendre corps qu'au XVe siècle.

CETTE PEINTURE MURALE DE LA CHAPELLE DES TEMPLIERS, À CRESSAC (CHARENTE), EST L'UNE DES RARES REPRÉSENTATIONS CONTEMPORAINES DE LA PRÉSENCE DES TEMPLIERS EN TERRE SAINTE.

Les secrets des bâtisseurs de Cathédrales

Comment et pourquoi toute la chrétienté occidentale s'est-elle mobilisée pour construire ces immenses vaisseaux ? Quelles ont été les techniques mises en œuvre par leurs architectes ?

LA CATHÉDRALE DE REIMS EST GÉNÉRALEMENT CONSIDÉRÉE COMME L'UN DES CHEFS-D'ŒUVRE DE L'ARCHITECTURE GOTHIQUE DU XIIIᵉ SIÈCLE. CI-DESSUS : **LA NEF.**

QU'EST-CE QU'UNE CATHÉDRALE ? LE TERME désigne l'église où siège un évêque. Il existe donc une cathédrale par diocèse. Les plus remarquables ont été construites à l'époque gothique, entre 1140 et la fin du XIVᵉ siècle.

À quoi doit-on le grand mouvement de construction des cathédrales gothiques ? Sans aucun doute à un immense élan de ferveur religieuse, à la puissance nouvelle des évêques, dégagés de la tutelle des princes laïques, à l'expansion urbaine et à l'essor économique que connaît l'Europe après l'an mille. Mais aussi à un homme, Suger, qui est à la fois abbé de Saint-Denis et conseiller du roi Louis VI le Gros. Il reconstruit l'église abbatiale de Saint-Denis en perfectionnant la technique de la croisée d'ogives qui permet d'aménager d'immenses baies par lesquelles la lumière — symbole de la présence divine — inonde les fidèles. Ce modèle ne tarde pas à se répandre en France, et bientôt dans toute l'Europe chrétienne. Son succès tient, bien sûr, à sa réussite esthétique et à la parfaite concordance entre l'architecture et le message religieux qu'elle veut transmettre, mais aussi à des considérations politiques. En effet, les premières cathédrales gothiques construites entre 1140 et 1180 sont presque toutes situées dans des régions étroitement liées à la monarchie capétienne. Elles témoignent donc aussi de la puissance croissante du roi.

L'ORGANISATION DES CHANTIERS

Contrairement à ce que l'on croit souvent, la construction d'une cathédrale peut être assez rapide : vingt-cinq ans à Chartres, trois ans seulement pour la basilique Saint-Urbain de Troyes (de dimensions certes plus modestes). Il est toutefois vrai que bien des édifices restent longtemps en travaux : la durée du chantier dépend, le plus souvent, des fonds disponibles. Or, d'où vient l'argent ? En partie des dons des fidèles, mais surtout de la fortune personnelle des évêques et des chanoines, ainsi que des revenus des domaines du diocèse. L'argent disponible commence généralement à manquer après dix ou quinze ans. Il n'est donc pas rare que l'on doive réduire la taille de la nef ou renoncer à la construction d'une tour, d'autant qu'une profonde crise économique s'installe en Europe à la fin du XIIIᵉ siècle. Certaines cathédrales sont

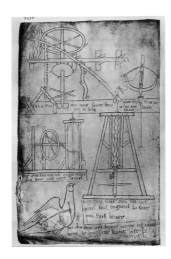

ENGINS ET MACHINES SERVANT À LA CONSTRUCTION DES CATHÉDRALES TELS QUE NOUS LES ONT TRANSMIS LES CARNETS DE L'ARCHITECTE VILLARD DE HONNECOURT (VERS 1230).

La grande nouveauté est l'arc-boutant, qui soutient les murs de l'extérieur, permettant ainsi de réduire l'épaisseur des piliers et d'aménager d'immenses baies où viennent s'inscrire les vitraux, qui racontent la Bible ou la vie des saints en baignant l'intérieur de la cathédrale d'une lumière chatoyante et changeante.

Pour construire ces immenses vaisseaux, à des hauteurs jusqu'alors inégalées, les maçons imaginent sans cesse de nouvelles techniques : scies, échafaudages, systèmes de contrepoids. Les carnets de Villard de Honnecourt, conservés à la Bibliothèque nationale de France, sont un témoignage irremplaçable de ces innovations, mais aussi des méthodes de construction mises en œuvre. Les spécialistes actuels constatent que les cathédrales obéissent à un principe de rationalité, qu'il s'agisse de leur plan très strict ou de la répartition des tâches, dans le temps et entre les différents corps de métier. Ces édifices existent aussi grâce à l'apparition d'un nouvel intervenant, inconnu des chantiers romans : le maître d'œuvre, ou architecte, qui conçoit et coordonne l'ensemble du projet, sur un programme défini par le clergé. Comme la plupart des artistes médiévaux, les architectes de cette époque sont le plus souvent restés anonymes et c'est là que réside le plus remarquable secret de la construction des cathédrales.

également modifiées, au XVe siècle, pour être adaptées au nouveau style « flamboyant » alors à la mode.

DES TECHNIQUES INNOVANTES

Comment les maçons du Moyen Âge sont-ils parvenus à ériger ces cathédrales colossales et aux proportions si harmonieuses sans le secours des techniques que nous connaissons aujourd'hui ? Les architectes rivalisent en effet d'audace : la nef de Notre-Dame de Paris s'élève à 35 m, celle de Reims à 38, celle d'Amiens à 42, celle de Beauvais à 48 m (elle s'effondrera en 1284). Plusieurs grandes innovations techniques permettent ces prouesses incroyables. L'arc brisé et la croisée d'ogives, qui reportent le poids de la voûte sur les piliers et non sur les murs, sont apparus dès l'époque romane, mais c'est l'art gothique qui les utilise à la perfection.

OUTILS DES MAÇONS ET DES TAILLEURS DE PIERRE REPRÉSENTÉS SUR LE VITRAIL DE SAINT SILVESTRE, DANS LA CATHÉDRALE DE CHARTRES.

L'ORIGINE DES FRANCS-MAÇONS

La franc-maçonnerie est-elle née à l'ombre des chantiers des cathédrales ? De fait, au Moyen Âge, les métiers sont organisés en corporations, et la maçonnerie ne fait pas exception à la règle. À côté de l'édifice qu'ils construisent, les maçons disposent d'un petit local où ils se réunissent pour tracer des plans et ranger leurs outils : on l'appelle la loge. Par ailleurs, au XIVe siècle, les maçons

anglais se dotent d'une histoire légendaire, inspirée de l'*Histoire scolastique*, du Français Pierre Comestor, et d'un abrégé de l'histoire du monde, *le Polychronicon*. Transmise dans les *Old Charges* (*Anciens Devoirs*), elle raconte comment les secrets de la maçonnerie, qui remontent à la création du monde, trouvent leur plus parfaite manifestation dans la

PIÈCE DU PUZZLE ▼

tour de Babel et le temple de Salomon. Le mathématicien grec Euclide y joue aussi un rôle important. Parallèlement, les maîtres établissent des règles de morale et de discipline. Comme dans toutes les professions, les nouveaux compagnons doivent prêter serment sur la Bible lors de leur entrée dans la corporation, ce que l'on a longtemps considéré comme

une forme primitive d'initiation. Cette filiation entre les maçons du Moyen Âge et la franc-maçonnerie est remise en cause aujourd'hui. On considère généralement que les premiers francs-maçons, apparus en Angleterre au XVIIIe siècle, ont voulu établir l'ancienneté de l'institution en se rattachant à une tradition médiévale et, au-delà, à la construction du temple de Salomon.

Guillaume Tell est-il l'inventeur de la Suisse ?

CERTAINES LÉGENDES SONT SI REPRÉSENTATIVES DE LA fierté d'une nation qu'elles semblent accrochées à son identité comme la vigne à son terroir. En Suisse, un tilleul a longtemps marqué l'endroit où, selon la tradition, le fils de Guillaume Tell se tint bravement, une pomme sur la tête.

L'histoire de Guillaume Tell est généralement considérée comme l'acte de naissance de la Suisse, le moment fondateur où le pays acquiert son indépendance en luttant contre les Habsbourg. Se fonde-t-elle sur des événements réels ? Sans doute pas. La légende, connue aujourd'hui dans le monde entier, a été magnifiée par Friedrich von Schiller, dans son drame romantique daté de 1804, *Guillaume Tell,* un des classiques du théâtre allemand.

L'histoire se déroule à la fin du XIIIe siècle, dans les cantons forestiers d'Uri, de Schwyz et d'Unterwald. Pendant des siècles, les vallées des Alpes ont été gouvernées de loin, dans le cadre du Saint Empire, par les comtes de Habsbourg, qui se sont aliéné les populations locales par leur autorité tatillonne et autocratique. Le bailli d'Uri, Hermann Gessler, est l'un des représentants tyranniques du pouvoir impérial. Il exige par exemple que tous les citoyens saluent son chapeau placé en haut d'un mât sur la place du marché et représentant son autorité lorsqu'il est absent de la cité.

SCÈNE RÉELLE OU LÉGENDAIRE ? LE PAYSAN GUILLAUME TELL VISE LA POMME POSÉE SUR LA TÊTE DE SON FILS, SOUS LE REGARD DE GESSLER ET DES CITOYENS D'URI, UN DES CANTONS FORESTIERS « PRIMITIFS » DE LA SUISSE.

TELL, LE PAYSAN COURAGEUX

La légende rapporte que Guillaume Tell est un de ces paysans originaires

LA MORT DE GESSLER. **LITHOGRAPHIE EN COULEURS D'OSMAR SCHINDLER (1920).**

Les chercheurs font désormais remonter la genèse de la légende à la fin du XVe siècle, mais il est probable qu'elle puise à des sources orales plus anciennes encore. La première référence écrite à Guillaume Tell apparaît dans quatre strophes d'une ballade datée de 1477, la *Chanson de l'origine de la Confédération.* On y trouve une mention de l'arbalète et des flèches ; mais aucune allusion à Gessler, au chapeau ou au mât. D'autres documents cependant font apparaître ces éléments, par exemple le *Livre blanc de Sarnen.* Dans cette chronique publiée entre 1467 et 1474, il est question d'un bailli impérial nommé Gessler et d'un archer très adroit appelé Thall (et non Tell), mais elle n'établit aucun lien entre ces personnages et l'indépendance de la Suisse.

Comment cette petite anecdote a-t-elle acquis une telle importance pour les Suisses ? Les historiens ne peuvent que la rapprocher de nombreuses autres légendes européennes où apparaît la notion de défi relevé par un homme habile au tir. On la retrouve dans les traditions orales d'Allemagne, du Danemark, de Norvège, d'Islande et d'Angleterre. Il se peut donc que, dans le contexte particulier de l'indépendance suisse, les premiers chantres de la révolte des montagnards aient adapté l'un de ces contes traditionnels pour mieux servir la cause qu'ils défendaient. C'est ainsi que se forge, parfois, l'unité des nations...

des cantons forestiers, rudes travailleurs faisant peu de cas des édits de Gessler. Un jour, alors qu'il passe près du mât avec son jeune fils, il refuse de faire le salut obligatoire ; immédiatement, il est saisi par les soldats. Le gouverneur, alerté, se rend sur la place du marché, où une foule s'est déjà rassemblée. Le fils de Guillaume Tell, inconscient du danger, vante l'habileté de son père à l'arbalète, et Gessler, saisissant cette chance d'humilier l'insoumis, met Tell au défi de montrer son adresse en prenant pour cible une pomme placée sur la tête du jeune garçon.

Tell tente de convaincre Gessler de choisir une autre épreuve. Sans succès. S'emparant de son arbalète, il la charge de deux flèches et prévient Gessler : « Si ma première flèche touche mon cher fils, la seconde sera pour toi. Et sois assuré qu'elle ne manquera pas son but. » Tell réussit à atteindre la pomme, mais il est promptement emmené en prison. Il s'en échappe bientôt, attire le bailli dans une embuscade et le tue. Cet exploit est considéré comme étant à l'origine de l'indépendance suisse.

LES RACINES DU MYTHE

L'authenticité de ce récit a été mise en doute dès le XVIe siècle, lorsque certains historiens suisses ont suggéré qu'il avait pu être inventé pour attiser la haine des voisins autrichiens. Schiller lui-même a admis avoir pris des libertés avec l'Histoire en assignant à Guillaume Tell un rôle central dans l'indépendance de la Suisse. Au milieu du XIXe siècle, la légende subit un coup fatal lorsque l'historien Joseph Kopp, après avoir exploité les archives des cantons forestiers primitifs, conclut que Guillaume Tell n'a jamais existé.

UNE VISION ROMANTIQUE DE LA LÉGENDE

Tell s'avance avec son arbalète.

PIÈCE DU PUZZLE

« Règle ton compte avec le ciel, Gessler ; c'en est fait de toi, ton heure a sonné. Je vivais innocent et paisible, je ne dirigeais mes traits que contre les animaux des bois, le meurtre n'avait pas souillé ma pensée ; tu es venu jeter l'épouvante dans ma vie tranquille, tu as changé en poison la douceur de mes pieuses pensées, tu m'as habitué aux choses monstrueuses. Celui qui peut tirer sur la tête de son enfant peut aussi atteindre le cœur de son ennemi.

[...] J'ai passé toute ma vie à manier l'arc, à m'exercer selon les règles du chasseur ; j'ai souvent, au tir, atteint le milieu de la cible et gagné le prix ; aujourd'hui, je veux faire mon coup de maître et remporter le plus beau prix qu'il puisse y avoir dans l'étendue des montagnes. » Friedrich von Schiller, *Guillaume Tell,* 1804 (traduction française de 1848).

Gengis Khan
ou
l'épopée mongole

Comment un simple chef de tribu a-t-il pu imposer son impitoyable domination sur toute l'Asie et faire trembler le monde ?

LE GRAND KHAN ÉCRIVAIT : « LE SUPRÊME PLAISIR EST DE VAINCRE SES ENNEMIS, DE LES POURSUIVRE, DE PILLER LEURS RICHESSES, DE VOIR CEUX QUI LEUR SONT CHERS BAIGNER DANS LES LARMES, DE MONTER SUR LEURS CHEVAUX ET DE SERRER LEURS FEMMES ET LEURS FILLES CONTRE SA POITRINE. » CI-DESSUS : **CE PORTRAIT DE GENGIS KHAN EST PEINT SUR SOIE.**

LES MONGOLS SONT UN GROUPE DE TRIBUS nomades qui émergent, en tant que nation constituée, au début du XIIᵉ siècle. Leurs ancêtres, venus des forêts du nord de la Sibérie, se sont alors installés sur les hauts plateaux de la Mongolie actuelle. À cette époque, les Mongols sont un peuple assez prospère de chasseurs, trappeurs, pêcheurs et éleveurs. Le pays qu'ils contrôlent est divisé en trois États dominés par des tribus d'origine turque : à l'ouest, les Naymans et les Merkits ; au centre, les Keraïts ; et à l'est, les Tatars.

C'est à un seul homme, né vers 1167, Temüdjin (qui se fera connaître sous le nom de Gengis Khan, « souverain universel »), qu'il appartiendra de fédérer les tribus nomades pour en faire l'instrument de son ambition. Son père, Yesügey, est un chef respecté qui est parvenu à réunir sous son autorité un nombre respectable de tribus mongoles. À l'âge de neuf ans, Temüdjin quitte la tente paternelle pour vivre dans le clan de sa future épouse. Lorsque Yesügey est empoisonné par les Tatars, les tribus

mongoles se disputent ses possessions, et Temüdjin est destitué. Il est réduit à se nourrir de plantes sauvages et de racines, ce qui est considéré comme avilissant par les Mongols.

Pourtant, Temüdjin parvient peu à peu à reconstituer le territoire de son père. Jeune homme violent mais valeureux, il accomplit de nombreux exploits contre les tribus voisines. La jeunesse mongole commence alors à se rassembler autour de lui et à lui offrir ses services ; l'armée de Temüdjin bat miraculeusement ses adversaires, dont la supériorité numérique est pourtant écrasante (selon les chroniqueurs de l'époque, ils comptent 17 000 combattants de plus que le camp de Temüdjin). Dès lors, la puissance militaire et politique de ce dernier ne cesse de croître. Il est assez fort pour s'attaquer aux tribus turques, en commençant par les Tatars, pour venger son père. En 1206, au cours d'une diète qui rassemble les chefs des diverses tribus, il fonde l'État mongol et il est proclamé chef suprême des peuples mongols.

LA LOI DE LA SELLE

Ces premières conquêtes ne sont qu'un avant-goût de ce que Gengis Khan va bientôt accomplir. Pendant le reste de sa vie, il gouvernera son peuple sans descendre de selle, massacrant, réduisant en esclavage, soumettant sans répit région après région. La première victime est la Chine du Nord, alors gouvernée par la dynastie Jin. En 1213, les cavaliers mongols franchissent la Grande Muraille et s'emparent de toute la zone située au nord du fleuve Jaune. Renonçant à conquérir le sud du pays, ils marchent vers l'ouest, bousculant les armées et mettant les villes à sac. Ils connaissent rarement la défaite, et le bruit de leurs exploits arrive jusqu'en Europe et au Bassin méditerranéen, où il suscite l'inquiétude et parfois l'espoir, notamment dans les États francs de Palestine, où l'on croit qu'une armée conduite par un roi chrétien s'est levée en

Orient pour venir délivrer la Terre sainte et chasser les musulmans. La confusion tient sans doute au fait qu'il existe alors des communautés chrétiennes, les nestoriens, en Perse et en Chine. Certains juifs pensent quant à eux qu'il s'agit peut-être d'une des tribus perdues d'Israël.

En 1220, les Mongols attaquent les villes de Merv et de Samarkand, et massacrent leur population. Cinq ans plus tard, après avoir étendu son empire sur l'Iran, l'Afghanistan et jusqu'aux rives de l'Indus, Gengis Khan, avec ses troupes, rentre sur ses terres d'origine.

Il meurt le 25 août 1227. La cause de sa mort est inconnue. On évoque parfois les conséquences d'une chute de cheval. Tenace jusqu'au bout, il donne alors ses dernières instructions : retarder l'annonce de son décès jusqu'à ce que les garnisons soient en place, afin d'éviter tout mouvement de révolte ou de pillage.

L'HÉRITAGE DE GENGIS KHAN

La mort de son souverain ne laisse pas l'empire en déshérence. Il a en effet établi plusieurs années auparavant un code légal, le yasak, qui définit les règles du gouvernement mongol, en combinant ses propres conceptions et les lois traditionnelles. Le code prévoit notamment que le clergé des pays conquis est exempté de l'impôt et de la conscription. Est-ce un signe du respect que Gengis Khan éprouvait pour ses ennemis, qu'il n'hésitait pourtant pas à massacrer et à torturer, ou de sa volonté d'asseoir

CETTE IMAGE DE GENGIS KHAN ET DE SES FILS EST EXTRAITE D'UN MANUSCRIT DATANT DE 1318.

ainsi plus aisément sa puissance ? Quelles qu'en soient les raisons, la plus grande partie des responsables de l'administration mongole est issue des peuples conquis. Les musulmans, les juifs, les chrétiens y occupent des fonctions élevées. Le Premier ministre est un Chinois, et Kubilay Khan, petit-fils de Gengis Khan, accueillera Marco Polo dans son administration.

Après la mort de Gengis Khan, son troisième fils, Ogoday, devient le khan suprême des Mongols. La nation prospère sous le commandement de ce chef capable et puissant, qui construit la cité de Karakorum. Il étend l'empire vers l'Europe en soumettant les principautés russes de Moscou et de Kiev. En 1241, ses armées pénètrent en Pologne, conquièrent tous les territoires à l'est du Danube et envahissent la Croatie. L'Europe occidentale s'attend alors à une attaque, mais Ogoday meurt en novembre 1241, et ses armées se retirent.

L'avancée des Mongols vers l'ouest a atteint son point maximal. À la mort d'Ogoday, son fils Güyük lui succède, mais il décède peu après. Le conseil des princes désigne alors le plus âgé des petits-fils de Gengis Khan, Möngke. La discorde et la guerre civile s'installent entre les tribus, alimentées par l'hostilité des fils de Güyük envers Möngke. Ayant découvert un complot, Möngke fait décapiter la plupart des princes. Par son règne brillant et ses conquêtes, il peut être considéré comme le dernier souverain du plus grand empire que la Terre ait jamais porté. Après sa mort, en 1259, l'Empire mongol devient une fédération assez lâche d'États, dont certains connaissent un essor brillant : ainsi Kubilay Khan conquiert-il la Chine du Sud jusqu'au Tonkin.

CE DESSIN DE L'ÉPOQUE MING MONTRE UN ARCHER MONGOL SUR SON CHEVAL. LA PUISSANCE ET LA RAPIDITÉ DES CAVALIERS MONGOLS ONT ÉTÉ LA CLEF DE LA STRATÉGIE MILITAIRE DES KHANS.

SELON MARCO POLO, QUI FUT L'HÔTE DE KUBILAY KHAN, PETIT-FILS DE GENGIS KHAN, CE DERNIER « ÉTAIT UN HOMME DE GRAND MÉRITE, DE GRANDE INTELLIGENCE ET VAILLANCE ». SUR CETTE MINIATURE DU XIIIᵉ SIÈCLE, LA TENTE ROYALE DU KHAN EST GARDÉE PAR PLUSIEURS DE SES FAVORIS.

LA PUISSANCE MILITAIRE DES MONGOLS

PIÈCE DU PUZZLE ▼

Les armées mongoles surpassaient rarement en nombre celles de leurs ennemis, mais leur organisation et leur sens tactique étaient inégalés. Sans peur et sans merci, elles plaçaient leurs prisonniers en première ligne pour qu'ils subissent l'assaut initial. Ainsi, comme l'écrivit à l'époque l'ambassadeur pontifical Jean Du Plan Carpin, « ils détruisaient les habitants d'un pays avec ceux d'un autre ». Une des manœuvres préférées de Gengis Khan consistait à utiliser ses cavaliers pour prendre les ennemis sur le flanc et disloquer leurs formations. Puis il les attaquait subrepticement par l'arrière. Durant les longues campagnes, les armées mongoles comptaient plus de chevaux que de guerriers : les cavaliers disposaient d'une monture fraîche chaque jour. Leur incroyable rapidité semait le désarroi dans les rangs adverses. Autre atout des Mongols : des bateaux démontables leur permettaient de franchir les cours d'eau qui arrêtaient d'ordinaire la progression des armées.

Marco Polo
était-il un imposteur?

Ce personnage aux aventures trépidantes a-t-il vraiment voyagé en Extrême-Orient?

KUBILAY KHAN FUT SI SÉDUIT PAR SES VISITEURS QU'IL FINANÇA LEURS VOYAGES À TRAVERS LA CHINE. EN HAUT: **LE KHAN PRÉSENTE SON SCEAU D'OR AUX FRÈRES POLO (MINIATURE DE 1413).** EN BAS: **PAGE DE TITRE DE LA PREMIÈRE ÉDITION ALLEMANDE DU *LIVRE DE MARCO POLO* (1477).**

L'AVENTURE DE MARCO POLO AU CŒUR DE LA Chine est considérée depuis longtemps comme le plus important voyage d'exploration réalisé au Moyen Âge. Son récit est devenu notre principale source d'informations sur les coutumes et la géographie humaine de l'Asie à la fin du Moyen Âge. Marco Polo a décrit avec une grande richesse de détails et de couleurs une immense région du monde alors quasiment ignorée, et ses voyages font honneur à l'esprit de découverte des Européens. Pourtant, la question est régulièrement posée: Marco Polo est-il vraiment allé en Chine?

LES VOYAGES D'UN AVENTURIER

Deux marchands vénitiens, Niccolò et Maffeo Polo, font un premier voyage en Asie entre 1260 et 1269. À cette occasion, ils rencontrent à Pékin le grand khan des Mongols, qui leur confie un message pour le pape. Marco, le fils de Niccolò, a tout juste dix-sept ans lorsqu'il les accompagne dans leur seconde expédition en Chine (alors appelée Cathay). Ils partent en 1271. Selon Marco, les trois voyageurs naviguent jusqu'en Palestine, puis se rendent à dos de chameau jusqu'au détroit d'Ormuz, puis en Asie centrale sur l'ancienne route de la soie, avant de pénétrer, en 1275, dans la magnifique capitale de l'empereur mongol Kubilay Khan:

Cambaluc (Pékin). Le khan, qui semble s'ennuyer, accueille ses visiteurs avec enthousiasme et leur fait admirer ses terres récemment conquises sur la Chine. Il est tellement séduit par le charme de Marco Polo, qui prétend parler plusieurs langues, qu'il lui demande d'inspecter ses nouvelles possessions et de lui faire part de ses remarques. Le voyage durera dix-sept ans, pendant lesquels Marco notera ses observations et ses rencontres à travers le pays.

Vers la fin de l'expédition, Marco Polo devient administrateur à Yangzhou, dans l'est de la Chine. Les Polo, à qui le séjour pèse de plus en plus, demandent avec insistance à Kubilay de les laisser repartir, mais ils ne seront autorisés à retourner en Europe qu'en 1292. Trois ans plus tard, ils débarquent à Venise, où Marco fait immédiatement sensation avec ses histoires fabuleuses sur un monde inconnu. Lors de la guerre entre Gênes et Venise, en 1298, il est fait prisonnier. Il raconte alors ses souvenirs à son compagnon de cellule, Rusticien de Pise, auteur de romans de chevalerie. Exagérant le récit de son ami, Rusticien rédige en français ce qui va devenir un immense succès littéraire dans toute l'Europe, le *Livre de Marco Polo*, également appelé le *Devisement du monde*, ou le *Livre des merveilles du monde*.

MARCO POLO CONTRE LES SCEPTIQUES

Il va de soi que personne ne peut alors vérifier ses dires. Les sceptiques eurent tôt fait de noter certaines omissions surprenantes concernant les mœurs et coutumes de l'Extrême-Orient. Marco oublie de parler de la manière très ritualisée de boire du thé; l'utilisation des baguettes lui échappe; il néglige même d'évoquer l'écriture chinoise et sa calligraphie si particulière. Que dire du silence sur la Grande Muraille, qui pourtant ne peut manquer d'impressionner un voyageur? Bien plus, Marco Polo, qui parle couramment quatre langues, ne

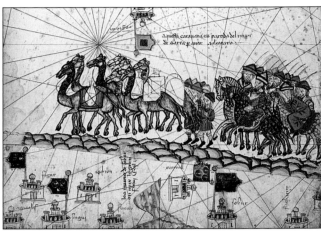

semble pas avoir appris le chinois durant son séjour. Il n'existe d'ailleurs aucun document d'archive qui atteste la visite des Polo en Chine, bien qu'ils prétendent y être restés dix-sept ans en occupant une charge officielle !

Que l'on mêle ces omissions à quelques erreurs, que l'on saupoudre le tout de vagues notions de géographie, et l'on obtiendra ce que les sceptiques appellent des « balivernes ».

Pourtant, comment expliquer les vérités que contient aussi le livre de Marco Polo ? Certains ont vu en lui un homme doué pour entendre et répéter des histoires. Il n'aurait pas dépassé les bureaux de son père à Constantinople et se serait contenté de traîner dans les environs, interrogeant les voyageurs qui revenaient d'Orient. Avant les Polo, plusieurs Européens s'étaient aventurés en Chine : Jean Du Plan Carpin et Guillaume de Rubroek s'y étaient rendus en ambassade. Marco aurait donc pris de copieuses notes sur leurs expériences, à partir desquelles il aurait élaboré le récit de ses propres « voyages ».

L'hypothèse n'est pas absurde, mais la description des grandes villes de Chine, du comportement charmant de Kubilay Khan et des milliers d'autres observations sont trop personnelles pour être de seconde main. Il est évident aussi que nombre d'« oublis » sont dus au traitement de faveur dont Marco a bénéficié : toujours en compagnie des nobles et des vainqueurs mongols, il n'a pas prêté attention à certains aspects de la société chinoise.

Il est plus que probable que Marco Polo a bien accompli le voyage qu'il raconte et que Rusticien a un peu embelli certains points qui ne paraissaient pas essentiels. L'exagération y a sans aucun doute trouvé sa place, mais n'est-ce pas ce qui nous permet de rêver ?

MARCO POLO ET LES PÂTES

PIÈCE DU PUZZLE ▼

La légende selon laquelle Marco Polo aurait rapporté les pâtes de Chine en Italie semble avoir été rendue populaire par l'article d'un magazine paru dans les années 1920, mais elle n'a aucun fondement réel. Comme la géométrie, les pâtes ne manquent pas d'inventeurs ! Les Chinois savouraient des nouilles de riz depuis des siècles ; les Arabes, non contents de manger des pâtes, les confectionnaient aussi afin de conserver la farine lors des longues migrations dans le désert. Les Italiens n'ont rien à envier aux précédents : ils faisaient leurs délices de raviolis bien avant le voyage de Marco Polo. On peut même en faire remonter l'origine au VIIIe siècle av. J.-C., lorsque les Étrusques commencèrent à faire des nouilles et des lasagnes, s'inspirant d'une recette de galettes grecque !

Dracula,
entre l'Histoire et la légende?

C'EST L'ÉCRIVAIN BRAM STOKER (CI-CONTRE) QUI POPULARISA LE MYTHE DE DRACULA, MAIS LA FIGURE DU VAMPIRE EST ENCORE PLUS SOUVENT ASSOCIÉE À L'ACTEUR HONGROIS BÉLA LUGOSI, QUI L'A INCARNÉE AU CINÉMA EN 1931 (PAGE DE DROITE). DEPUIS LORS, LE COMTE DRACULA A FAIT DE NOMBREUSES APPARITIONS À L'ÉCRAN, Y COMPRIS SUR LE MODE PARODIQUE, DANS *LE BAL DES VAMPIRES* (1967), DE ROMAN POLANSKI.

DANS LA MÉNAGERIE MONDIALE DE l'horreur, le vampire occupe une place de choix. Parmi toutes les créatures que les hommes ont inventées au cours de l'Histoire pour se faire peur, aucune n'a sans doute aussi bien réussi sa mission ni connu un tel succès ! Vêtu d'une cape noire, ses canines acérées scintillant dans la lumière de la pleine lune, le vampire — un mort vivant qui sort de son cercueil, à la nuit tombée, pour boire le sang de ses victimes — a peuplé les contes populaires pendant des siècles avant de se répandre dans le monde entier à travers les livres et les films.

Les traditions de la Grèce antique, de l'Égypte et de l'Inde anciennes connaissaient le vampirisme. Cependant, le mythe actuel du vampire — qui a une aversion pour l'ail, la lumière du jour, les crucifix — dérive de légendes populaires originaires de Roumanie (Transylvanie) et, plus largement, d'Europe orientale. Selon certaines traditions religieuses locales, ceux qui meurent sans la bénédiction de l'Église — par exemple les enfants non baptisés, les sorciers, les excommuniés — sont condamnés à devenir des *moroi*, c'est-à-dire des cadavres qui marchent. Les *moroi* ont le pouvoir de prendre la forme d'un loup ou d'une chauve-souris et doivent boire le sang des vivants, jusqu'à ce qu'ils obtiennent le pardon divin.

La créature de la nuit que nous connaissons sous le nom de Dracula a été immortalisée par la légende et la littérature. Elle tire son nom d'un prince brutal, caché dans les recoins les plus sombres de l'Histoire.

Pourquoi les histoires de vampires sont-elles aujourd'hui toutes inspirées de la tradition roumaine ? Pour la simple raison que Bram Stoker, l'auteur de *Dracula*, texte fondateur de toute la littérature « vampiriste » moderne, a directement puisé à cette source. Aujourd'hui, Dracula est l'incarnation du vampirisme. L'histoire du comte qui complote pour étendre ses ailes sur le monde, depuis son château de Transylvanie, connut un énorme succès de librairie dès sa parution, en 1897. Depuis plus d'un siècle, elle a donné naissance à des dizaines de films, de livres, de bandes dessinées et de séries télévisées. Pourquoi a-t-elle rencontré une audience si large et si durable ? Peut-être parce qu'elle est fondée, au moins en partie, sur une histoire vraie.

UN PRINCE NOMMÉ VLAD

Vers 1431, en Valachie (province roumaine au sud de la Transylvanie et des Carpates), l'épouse du prince Vlad Dracul (Dracul signifiant le Diable) lui donne un fils, le futur Vlad IV.

Vlad IV n'est pas un vampire, mais l'un des princes les plus brutaux qu'ait connus l'Europe médiévale, comme le laisse à penser son surnom : Vlad l'Empaleur. Vlad vit à une époque particulièrement agitée, où l'Europe chrétienne doit lutter contre l'expansion de l'Empire ottoman. Jeune homme, il

SES OPPOSANTS DURENT SOUFFRIR LES PIRES TOURMENTS, MAIS VLAD IV DRACUL FUT UN ADMINISTRATEUR EFFICACE, QUI DÉVELOPPA LE COMMERCE ET RENFORÇA LA VALACHIE. SANS LA FASCINATION QU'EXERCE LE MYTHE DE DRACULA, LE NOM DE CE PRINCE MÉRITERAIT À PEINE UNE NOTE EN BAS DE PAGE DANS LES OUVRAGES D'ÉRUDITION. CE PORTRAIT, CONTEMPORAIN DU PRINCE, LUI PRÊTE UN REGARD QUI, AVEC LE RECUL, NE PEUT QUE DONNER FROID DANS LE DOS…

est fait prisonnier par les Turcs et assiste à un supplice dont il se fera rapidement une spécialité : l'empalement. Un pieu de bois ou de métal transperce le corps de la victime avant d'être planté dans le sol ; puis le condamné est laissé sur place, où il agonise dans d'atroces souffrances. La méthode, quoique simple, est particulièrement sauvage et n'est pas sans rappeler le mythe des vampires : selon la tradition, la seule méthode efficace pour venir à bout d'un vampire ne consiste-t-elle pas à lui planter un pieu dans le cœur ?

En 1448, les Turcs placent Vlad sur le trône de Valachie, mais le nouveau prince se rebelle et se réfugie dans un monastère. Huit ans plus tard, il revient au pouvoir et engage une lutte sans

Depuis qu'existent des histoires de vampires, on a cherché à leur trouver des bases rationnelles. Les dernières tentatives pour expliquer le vampirisme du point de vue médical s'orientent vers une maladie rare, connue sous le nom de porphyrie. Cette affection héréditaire aboutit à l'accumulation dans le sang d'un des composants de l'hémoglobine, la porphyrine, qui entraîne notamment divers symptômes cutanés. Dans les années 1980, des chercheurs ont décrit une forme très rare de cette maladie, dont les manifestations sont troublantes : les patients développent des dents pointues, une hypersensibilité à la lumière et un besoin de sang. Des cas inexpliqués de cette variante de la porphyrie seraient-ils à l'origine des histoires de vampires qui ont circulé dans le monde entier des milliers d'années avant la publication de *Dracula* ? La réponse, comme tout ce qui concerne ces créatures, reste plongée dans la nuit et le mystère !

PIÈCE DU PUZZLE

merci contre les Turcs. Il devient alors célèbre dans toute la région pour ses exploits : il marche jusqu'à la mer Noire, impose sa domination sur les forteresses chrétiennes le long du Danube, et punit brutalement les ennemis qu'il a faits prisonniers. Un jour, parce que deux émissaires turcs refusent d'ôter leurs turbans devant lui, il ordonne qu'on les leur cloue sur le crâne.

TERREUR SUR LA TRANSYLVANIE

Il n'est pas étonnant que Vlad ait à peine mieux traité son propre peuple que ses ennemis. Il pouvait s'emparer de villes amies sans aucune sommation, assassinant et torturant des milliers de ses sujets, les brûlant, les faisant bouillir ou parfois les écorchant vifs ! En 1460, il fait empaler 30 000 habitants d'une ville de Transylvanie qu'il vient de prendre. Des gravures le représentent dînant au milieu de dizaines de corps empalés pendant qu'un serviteur découpe les cadavres de ses victimes avec une hache.

Lorsque les troupes de Vlad sont vaincues par les Turcs, son peuple se révolte enfin. Un texte, *l'Histoire du voïvode Dracul*, qui tend à prouver que le prince est secrètement allié aux Turcs, est largement diffusé dans l'Empire germanique et en Hongrie. Vlad IV est alors jeté en prison par le roi de Hongrie, Mathias. Il y demeurera douze ans. Le prisonnier réussit à séduire les gardes, qui lui apportent des souris et de petits animaux pour qu'il puisse se livrer, dans sa cellule, à son plaisir favori : les empaler sur de petits pieux.

Libéré en 1474, Vlad parvient brièvement à reconquérir son trône en 1476. Mais, deux mois plus tard, il est tué au combat par les Turcs, et sa tête, conservée dans du miel, est envoyée au sultan en guise de trophée. Comme le vampire qu'il a inspiré, le vrai Dracula achève sa vie sous les coups impitoyables de ses ennemis. Ironie de l'Histoire, il est aujourd'hui le thème d'un parc de loisirs situé à proximité de son château fort : le voici devenu un argument touristique…

SUR CETTE GRAVURE DE 1499 (EN HAUT), **VLAD DRACUL FESTOIE AU MILIEU DE CORPS EMPALÉS. LE PRINCE RÉSIDAIT SOUVENT DANS LE CHÂTEAU FORT DE BRAN** (CI-DESSOUS).

Jeanne d'Arc, mystique ou combattante?

GRÂCE AUX MINUTES DE son procès, nous en savons plus sur Jeanne d'Arc que sur le Christ, Socrate ou Alexandre. Redécouvert dans les années 1840, ce document exceptionnel trace le portrait d'une jeune fille pleine de contradictions, à la fois mystique et femme d'action, paysanne parlant d'égale à égal avec l'héritier du trône, féminine mais habillée en homme. Jusqu'à la fin, elle demeure impassible devant ses accusateurs, mais est impressionnée par l'apparat majestueux des juges. Intrépide au combat, elle redoute la mort après sa capture. Bref, son héroïsme est magnifié par son humanité.

Jeanne naît en 1412, en pleine guerre de Cent Ans, un interminable conflit dynastique qui oppose la France des Valois à l'Angleterre des Plantagenêts. Dans les années 1420, après le traité de Troyes — par lequel le roi de France Charles VI reconnaît pour héritier le roi d'Angleterre —, le dauphin légitime, le futur Charles VII, ne contrôle que la partie du territoire située au sud de la Loire. Le reste est sous la domination des Anglais, alliés au duc de Bourgogne. À Domrémy, village de Lorraine situé à la frontière des deux zones contrôlées l'une par les Bourguignons, l'autre par le Dauphin, Jeanne vit l'existence simple d'une bergère. Selon les récits de l'époque, elle a treize ans lorsqu'elle entend pour la première fois les voix de saint Michel et de sainte Marguerite qui, quatre ans

À dix-sept ans, elle sauve le royaume de France. Deux ans plus tard, elle est brûlée vive. Qui était donc Jeanne d'Arc, et pourquoi Charles VII n'a-t-il rien fait pour la sauver?

plus tard, lui ordonneront d'aller voir le Dauphin et de « bouter les Anglais hors de France ». En 1428 en effet, les Anglais semblent prendre un avantage décisif dans le conflit : ils progressent vers Orléans, d'où ils pensent pouvoir étendre leur domination sur tout le sud du pays.

LA BATAILLE D'ORLÉANS
Avec 4 000 hommes et 1 500 Bourguignons en renfort, les Anglais investissent la ville. Jeanne, habillée en soldat, persuade le Dauphin de lui confier le commandement d'une armée de secours. Selon toute probabilité, Charles VII, qui est peu sûr de lui et doute de sa légitimité, a perdu tout espoir de l'emporter. Or il semble que Jeanne ait réussi à le convaincre qu'il est, en tant que fils de Charles VI, l'héritier incontestable du trône de France.

Cette jeune fille de la campagne, qui n'a jamais eu la moindre expérience militaire, parvient pourtant à galvaniser les hommes aguerris qu'elle conduit. Elle pénètre dans Orléans le 8 mai 1429. Deux jours plus tard, elle s'attaque aux défenses anglaises qui entourent encore la ville : quoique blessée, elle continue à combattre jusqu'à la victoire. Pour les partisans du Dauphin, ce courage surhumain ne peut être que celui d'un ange, pour les Bourguignons, c'est celui d'une sorcière. Au terme d'une chevauchée triomphale, Jeanne conduit Charles VII à Reims, où il est sacré roi.

POUR L'ÉGLISE, UNE HÉRÉTIQUE

Après son impressionnant exploit à Orléans, Jeanne convainc Charles VII de lui confier une nouvelle armée pour libérer Paris. C'est durant cette campagne qu'elle est capturée par les Bourguignons, à Compiègne. Les Anglais l'achètent alors 10 000 livres et, après l'avoir conduite à Rouen, la remettent à l'Église pour qu'elle soit jugée. C'est l'une des ironies dont l'Histoire est friande : Jeanne d'Arc, héroïne nationale, a été condamnée par des juges français. L'Église, représentée par l'évêque Cauchon, considère en effet la prétention de Jeanne à dialoguer directement avec Dieu comme une hérésie et, en cette période très proche encore du grand schisme d'Occident, qui a mis à mal son autorité (plusieurs papes étaient alors en concurrence), elle souhaite faire un exemple.

Le procès dure quatre mois. Les juges ont bien entendu partie liée avec les Anglais, qui n'ont aucun intérêt à voir Jeanne remise en liberté. Elle-même semble n'avoir qu'une conscience limitée de son destin et plaide auprès de ses geôliers pour être libérée. En prison, elle écrit que ses voix lui ont annoncé qu'elle serait sauvée mais, dans un accès poignant de doute, elle avoue ne pas savoir s'il s'agit de son salut dans ce monde ou dans l'au-delà.

En vérité, Jeanne d'Arc n'a jamais revendiqué le martyre ni la sainteté (elle sera pourtant canonisée par le pape Benoît XV en 1920) pas plus qu'elle n'a prétendu pouvoir accomplir des miracles : lorsqu'un puissant duc, souffrant, l'appelle pour savoir comment il pourrait recouvrer la santé, elle lui répond qu'elle n'en a aucune idée et qu'il doit seulement se repentir de son comportement honteux.

Les derniers moments de Jeanne sont révélateurs du conflit qui l'habite, entre sa foi invincible et sa peur panique de la mort. Quelques

jours à peine avant son exécution, elle se résout ainsi à abjurer l'hérésie, à dénoncer la mission que lui aurait confiée Dieu et à renoncer à ses habits masculins (elle portait des vêtements d'homme et avait les cheveux courts). Mais elle se ressaisit bientôt, revient sur son abjuration et reparaît dans son vêtement habituel. Désormais considérée comme relapse (retombée dans l'hérésie), Jeanne ne peut plus échapper à la condamnation à mort. Elle est, selon la formule consacrée, « remise au bras séculier ». Deux jours plus tard, âgée de dix-neuf ans, elle est amenée sur la place du marché de Rouen, où elle est brûlée vive.

On s'est toujours demandé pourquoi Charles VII n'avait rien tenté pour sauver Jeanne d'Arc. Il semble qu'il y ait eu plusieurs raisons à cela : l'abattement du jeune roi, qui doute à nouveau de son destin ; l'impossibilité de faire intervenir la hiérarchie catholique, parce que Charles VII cherche alors à imposer l'indépendance de l'Église de France vis-à-vis de la papauté ; la jalousie de certains chefs militaires, qui n'ont aucun intérêt à voir reparaître celle qu'ils considèrent comme une aventurière ; enfin, la difficulté même d'une intervention militaire en pleine zone ennemie... Cependant, une fois sa victoire définitivement assurée, en 1453, Charles VII, sans doute mû par le remords, obtient de l'Église la révision du procès. Jeanne d'Arc est réhabilitée en 1456.

L'ÉPOQUE MODERNE

LES SOUVENIRS SONT SOUVENT TROMPEURS, SURTOUT LORSQU'ILS SONT passés au filtre des générations et se sont amplifiés pour servir l'image des héros. L'époque moderne a été fertile en événements mystérieux, en personnages hors du commun, mais aussi en rumeurs. De la Renaissance à la fin du XVIIIe siècle, les découvertes et les grandes inventions furent innombrables. Les énigmes historiques aussi : prophètes, sorciers, envoûteurs, empoisonneurs ont prospéré derrière les ors et le luxe du Grand Siècle…

Christophe Colomb a-t-il vraiment découvert l'Amérique ? Comment deux cents conquistadors ont-ils vaincu les Incas ? Qui était Shakespeare ? La bête du Gévaudan était-elle vraiment un loup ? Mozart et Napoléon ont-ils été assassinés ? Louis XVII est-il mort au Temple ?… La recherche scientifique permet aujourd'hui de répondre avec une certaine vraisemblance à un grand nombre de questions qui semblaient insolubles voici quelques décennies.

Qui a inventé l'Imprimerie ?

Gutenberg est-il l'inventeur de la presse à imprimer et des caractères mobiles, ou a-t-il emprunté une voie ouverte par d'autres avant lui ?

À DROITE : **LA PRESSE À IMPRIMER MISE AU POINT PAR L'ALLEMAND GUTENBERG (V. 1400-1468). JUSQU'AU XVe SIÈCLE, IL N'EXISTAIT QUE DES LIVRES MANUSCRITS ET QUELQUES SPÉCIMENS DE FEUILLES IMPRIMÉES À PARTIR DE PLANCHES DE BOIS GRAVÉES.**

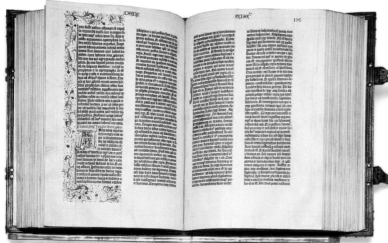

LA BIBLE DE GUTENBERG, LE PREMIER LIVRE IMPRIMÉ AVEC DES CARACTÈRES MOBILES, EN 1455.

LE TEXTE, EN LATIN, EST ÉCRIT EN LETTRES GOTHIQUES. CET EXEMPLAIRE A ÉTÉ ENLUMINÉ ET DÉCORÉ À LA MAIN.

L'IMPRIMERIE EST CONSIDÉRÉE COMME L'UNE DES inventions les plus importantes du IIe millénaire, de celles qui ont eu le plus d'influence sur l'histoire, la culture et la vie des hommes. Elle a permis la communication de masse et, sans elle, ni la Réforme, ni les avancées scientifiques et culturelles de la Renaissance, ni la diffusion des idées de progrès et de liberté au XVIIIe siècle n'auraient été possibles. Mais d'où vient-elle vraiment ? Peut-elle être attribuée à l'esprit génial d'un artisan allemand du XVe siècle, Johannes Gensfleisch, dit Gutenberg, ou doit-on chercher ses racines beaucoup plus tôt, peut-être même avant le Moyen Âge et hors du monde occidental ?

LES SCEAUX

Les civilisations anciennes de Mésopotamie utilisaient déjà des sceaux pour laisser sur l'argile l'empreinte d'inscriptions simples. À partir du Ier siècle apr. J.-C., les tissus imprimés apparaissent dans toute l'Europe et en Asie. En Grèce, puis dans l'Empire romain, diverses tentatives pour réaliser des estampes échouent en raison de la fragilité du support utilisé, le papyrus. Pendant des siècles, tandis que le parchemin supplante peu à peu le papyrus, l'Occident devra se contenter de textes manuscrits, et c'est à l'Orient qu'il reviendra de donner au monde l'art d'imprimer des textes.

Dès le IIᵉ siècle apr. J.-C., les Chinois utilisent des caractères gravés sur des plaques de bois pour reproduire en nombre des textes sacrés et des prières. Qu'avaient les Chinois que ne possédaient ni les Grecs ni les Romains ? Le papier… Plus solide que le papyrus, il pouvait en effet supporter la pression des plaques de bois. Vers le Xᵉ siècle, la Chine utilisait déjà des caractères mobiles et réutilisables, dont les multiples combinaisons, à l'intérieur d'un châssis, permettaient de composer des textes, éventuellement associés à des images gravées. Cependant, la complexité de l'écriture chinoise, qui comporte un nombre considérable de caractères, semble avoir entraîné l'abandon progressif du système, de sorte qu'à l'époque de Marco Polo, à la fin du XIIIᵉ siècle, il était déjà pratiquement tombé en désuétude.

L'INGÉNIOSITÉ EUROPÉENNE

Jusqu'au XIIᵉ siècle, la production des livres manuscrits est l'apanage de l'Église et de ses monastères. Puis des ateliers privés se développent, qui fournissent les universités et les laïques. C'est alors que le papier commence à remplacer le parchemin. À la fin du XIVᵉ siècle, la xylographie permet de graver des images souvent agrémentées de légendes ou de petits textes. Le bois est encré à la main ; on y appose une feuille de papier sur laquelle on exerce une pression afin de transférer l'image. Le procédé, très lent, est encore imparfait. Au cours du XVᵉ siècle, des artisans ingénieux s'inspirent des presses à raisin et y adaptent un plateau sur lequel le bois gravé peut être placé à l'horizontale, ce qui permet d'exercer une pression régulière sur la feuille. Mais le bois est un matériau fragile qui supporte mal de fortes pressions : il s'écrase ou casse souvent. Certains ont alors l'idée de remplacer le bois par du métal et d'employer des encres moins fluides. D'autres pensent à utiliser des caractères mobiles (d'abord en bois, puis en métal), rendus solidaires par un cadre.

Cette évolution semble s'être produite simultanément en plusieurs points de la région rhénane, mais le perfectionnement de la presse à imprimer et des caractères mobiles semble bien être l'œuvre d'un artisan de Mayence, Johannes Gutenberg, qui l'aurait définitivement mise au point en 1436 ou 1437. Certains érudits sont sceptiques quant à cette attribution, car il n'existe pas de documentation incontestable, mais de nombreux témoignages contemporains tendent à la corroborer. Le premier livre connu qui soit sorti des presses de Gutenberg est la Bible. D'emblée, l'imprimeur est parvenu à réaliser un chef-d'œuvre absolu, modèle de rigueur et de sobriété. L'invention de Gutenberg, qui a ouvert la voie à l'humanisme et à la Réforme protestante, a aussi permis la diffusion de la lecture, du savoir et des idées dans d'autres couches sociales. Elle a ainsi révolutionné l'histoire du monde.

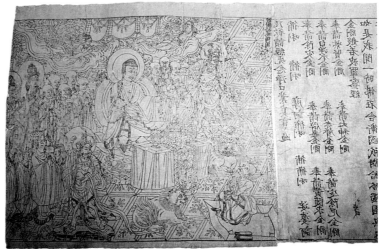

CE TEXTE CHINOIS, DATÉ DE 868, POURRAIT ÊTRE CONSIDÉRÉ COMME UN DES PREMIERS TEXTES IMPRIMÉS. VERS LE Xᵉ SIÈCLE, LES CARACTÈRES MOBILES ÉTAIENT D'UN USAGE COURANT EN CHINE. CI-DESSOUS : UN TIMBRE D'ARGILE (2280 AV. J.-C.) SERVANT À ESTAMPER DES INSCRIPTIONS SUR LES BRIQUES.

COSTER, LE PRÉTENDANT

PIÈCE DU PUZZLE ▼

Comme toujours dans le cas d'une grande invention, des controverses ont porté sur la paternité de l'imprimerie. Bien qu'il soit aujourd'hui tombé dans les oubliettes de l'Histoire, un Hollandais originaire de Haarlem, Laurens Janszoon, dit Coster (ou Koster), s'est prétendu son véritable inventeur. Il était effectivement l'un des grands imprimeurs du XVᵉ siècle et il a sans doute lui aussi conçu des caractères gravés et réutilisables. Son nom est beaucoup moins connu que celui de Gutenberg, mais il est impossible d'ignorer le rôle de Coster dans le processus qui a abouti à l'invention de l'imprimerie.

Qui a découvert l'Amérique?

Christophe Colomb est considéré comme l'homme qui a découvert le Nouveau Monde, mais nombreux sont les historiens qui ne sont pas de cet avis, preuves solides à l'appui.

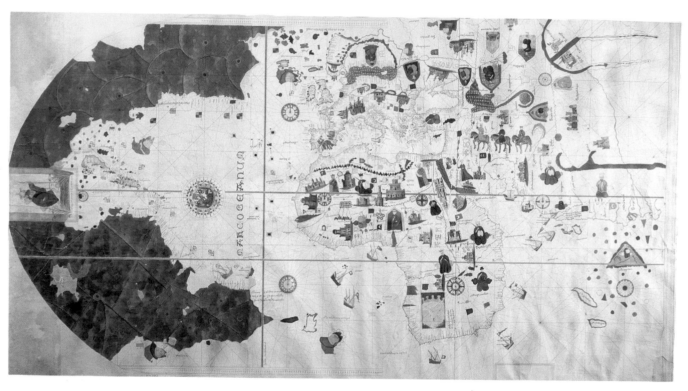

CETTE CARTE DE 1493 (EN HAUT) **EST LA PLUS ANCIENNE REPRÉSENTATION DU NOUVEAU MONDE DÉCOUVERT PAR CHRISTOPHE COLOMB.** CI-DESSUS : **PORTRAIT DU NAVIGATEUR PAR GHIRLANDAIO.** À DROITE : UNE **RECONSTITUTION D'UN NAVIRE VIKING.**

PENDANT DES DÉCENNIES, DES HISTORIENS ONT accumulé les indices pour prouver que de nombreux explorateurs ont précédé Christophe Colomb, parfois de plusieurs siècles. Le Norvégien Leif Eriksson passe ainsi pour avoir fait ce voyage cinq siècles avant Colomb. Certains « érudits » ont avancé des hypothèses audacieuses faisant état de contacts très anciens, dès l'Antiquité, entre le Bassin méditerranéen et l'Amérique. Hypothèses qui s'appuient sur de prétendues ressemblances anthropologiques : les Olmèques et les Mayas comme les Égyptiens n'ont-ils pas construit des pyramides et utilisé des hiéroglyphes ? Autant d'indices curieux ; sans oublier que certaines plantes se retrouvent des deux côtés de l'Atlantique, en Amérique centrale et en Afrique du Nord.

RENCONTRES LÉGENDAIRES

D'autres ont estimé que les Phéniciens — qui furent certes des navigateurs d'exception — devaient être les premiers visiteurs des Amériques, puisqu'ils s'aventurèrent jusqu'aux Açores. D'ailleurs, n'avaient-ils pas, selon Hérodote, réalisé la première navigation autour de l'Afrique, pour le compte du pharaon Néchao II, vers 600 av. J.-C. ? Mais en réalité, les marins de l'Antiquité étaient dans la quasi-impossibilité, techniquement, de se lancer en haute mer.

Dans plusieurs civilisations d'Amérique centrale, des légendes relatent l'arrivée, par la mer, d'hommes fabuleux semblables à des dieux. À l'inverse, on trouve dans de nombreuses cultures de l'Ancien Monde des récits de voyages

vers une terre située de l'autre côté de l'Océan. Les Chinois l'appellent Fu-Sang et racontent le voyage effectué en 458 par cinq moines bouddhistes cherchant un paradis au-delà de la mer. La terre qu'ils découvrent présente des similitudes avec l'ancienne cité de Teotihuacán, dans le centre du Mexique : ses habitants maîtrisent l'écriture, habitent dans des villes sans murailles et cultivent un fruit qui ressemble à l'agave.

Il n'est pas impossible que des moines irlandais, à la recherche de la solitude promise par les îles lointaines, aient traversé l'Atlantique dans leurs curraghs, des petits bateaux simplement constitués de peaux de bœuf cousues sur une structure en bois, et qu'on manœuvrait à la rame et avec une simple voile carrée. C'est ce que raconte la *Navigation de saint Brendan*, un récit daté du IXe siècle mais qui remonte sans doute à une tradition plus ancienne. Des traités rédigés à partir de 825 montrent que les Irlandais connaissaient bien l'Atlantique. En 1976, l'écrivain et explorateur Timothy Severin a effectué la traversée entre l'Irlande et Terre-Neuve à bord d'un curragh : preuve que la réputation des Irlandais n'était pas usurpée !

On a aussi prétendu que les Templiers faisaient venir de l'or et de l'argent de la péninsule du Yucatán, en Amérique centrale. Cette hypothèse farfelue ne repose bien entendu sur rien de sérieux.

L'ODYSSÉE DES NORMANDS

La seule preuve irréfutable de la venue d'explorateurs en Amérique du Nord avant Christophe Colomb concerne les Vikings. Ces grands navigateurs qui ont semé la terreur à travers toute l'Europe commencent à coloniser l'Islande à la fin du IXe siècle. En 982, Erik le Rouge, exilé pour trois ans, vogue à l'ouest vers la côte gelée d'une terre inconnue, et accoste à proximité de grasses prairies et de fjords étincelants. À son retour, il ne cesse de vanter cette « Terre verte » (Groenland) vers laquelle il retourne en 986, accompagné de 25 navires qui transportent plus de quatre cents colons. Seuls 14 navires parviendront à bon port.

Le second fils d'Erik, Leif Eriksson, poursuit les expéditions de son père. En 999, il achète le bateau d'un marchand qui s'était approché des côtes de Terre-Neuve, Bjarni Herjolfsson, et part en direction du sud-ouest avec 35 hommes. Ils abordent sur une île montagneuse et couverte de glaciers (Helluland), puis passent le Markland (Terre des bois), avant de débarquer sur un cap. Les hommes s'installent au bord d'un lac, où ils passent l'hiver en se régalant de saumons et de raisins. Quand le printemps arrive, ils remplissent leurs navires de raisin et de bois, et quittent ce qu'ils appellent le Vinland (Terre des vignes).

UNE HYPOTHÈSE ÉTAYÉE

Pendant quelques décennies, d'autres voyageurs scandinaves continuent de faire la traversée vers le Vinland, tels Thorvald, le frère de Leif, et le marchand islandais Thorfinn Karlsefni. Le fils de Thorfinn, Snorri, est sans doute le premier Européen né en Amérique. Les Vikings poursuivent leurs explorations le long de la côte et commercent avec les populations indigènes, qu'ils appellent *skraelings* (barbares). Mais les relations entre les deux peuples s'enveniment, et les Vikings retournent au Groenland. La dernière tentative de colonisation s'achève brutalement en 1014, lorsque la fille illégitime d'Erik, Freydis, assassine plusieurs membres de l'expédition qu'elle conduit. Il semble bien que les Vikings renoncent alors à s'installer au Vinland.

L'histoire du Vinland, préservée par la tradition orale, est fixée par écrit deux siècles plus tard dans la *Saga des Groenlandais* et la *Saga d'Erik le Rouge*. Malgré les doutes émis par certains érudits, la plupart des archéologues sont d'accord avec la localisation des principaux sites mentionnés dans les sagas : Helluland serait la baie de Baffin, et le Vinland se trouverait sur la côte nord de Terre-Neuve. La découverte à l'Anse aux Meadows, dans les

LA CARTE DU VINLAND

Une carte du Vinland, qui appartient aujourd'hui à l'université Yale, aux États-Unis, fut réalisée en Allemagne près de cinquante ans avant la découverte de l'Amérique par Christophe Colomb. On y reconnaît l'Europe occidentale ainsi que le Groenland et une autre grande île, le Vinland, qui correspond sans doute à Terre-Neuve. Depuis la publication de cette carte en 1965, les controverses se sont succédé. Un laboratoire de Chicago a analysé l'encre et découvert qu'elle contient une substance du XXe siècle… dérivée du titane. On a donc conclu à un faux. Mais, il y a quelques années, des chercheurs de l'université de Californie ont prétendu que cette substance est présente dans d'autres cartes médiévales. La controverse a donc repris de plus belle.

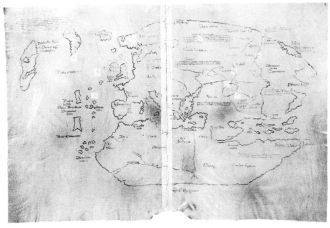

CETTE CÉLÈBRE CARTE DU VINLAND (CI-DESSUS) A ÉTÉ À L'ORIGINE D'UNE VIVE CONTROVERSE. QU'ELLE SOIT OU NON AUTHENTIQUE, ELLE NE REMET PAS EN CAUSE L'IDÉE SELON LAQUELLE LES VIKINGS ONT DÉCOUVERT L'AMÉRIQUE BIEN AVANT CHRISTOPHE COLOMB.

années 1960, d'un campement composé de six maisons en bois similaires aux habitations norvégiennes du Groenland a renforcé cette hypothèse. La datation au carbone 14 permet de les faire remonter aux environs de l'an mille. Le seul problème concerne le raisin : il n'existe en effet pas de vignes à Terre-Neuve. Il se peut que le raisin dont parlent les sagas soit en fait des groseilles ou des canneberges, qui abondent dans la région.

Des contacts sporadiques eurent lieu sans doute jusqu'au XIIe, voire jusqu'au XIVe siècle, entre le Groenland et le Vinland. Mais le refroidissement du climat, à la fin du Moyen Âge, les rendit de plus en plus difficiles, et ils avaient cessé à l'époque des grandes découvertes. L'Europe avait perdu tout contact avec le Nouveau Monde.

L'effondrement de l'Empire inca

Pourquoi le puissant Empire inca a-t-il été anéanti en quelques semaines seulement, par à peine deux cents conquérants espagnols ?

EN QUELQUES DÉCENNIES, LES INCAS CONQUIRENT UN IMMENSE EMPIRE, PLACÉ SOUS L'INVOCATION DU SOLEIL. LES RUINES DU MACHU PICCHU (CI-DESSUS) **TÉMOIGNENT DE SA PUISSANCE.** EN HAUT : **MASQUE FUNÉRAIRE EN OR APPARTENANT À LA CULTURE CHIMÚ, SOUMISE PAR LES INCAS.**

L'HISTOIRE DES INCAS RECÈLE POUR NOUS beaucoup plus de mystères que celle des civilisations de l'Amérique centrale — maya puis aztèque —, car ils ignoraient l'écriture. Ce que nous savons d'eux nous vient des récits des conquérants espagnols et de la tradition orale.

Vers la fin du XIIIᵉ siècle, la tribu indienne des Quechuas s'installe à Cuzco, dans une vallée encaissée des Andes péruviennes, à 3 500 m d'altitude. Son premier souverain (ou *Inca*) est Manco Cápac, personnage mythique qui aurait construit une forteresse dédiée au Soleil, au confluent de deux ruisseaux. Onze autres souverains lui succèdent. On ignore à peu près tout des premiers d'entre eux, mais c'est, semble-t-il, Roca qui fait de l'Empire inca une puissance militaire, au XIVᵉ siècle, en organisant une véritable armée. Vers 1400, les Incas ne contrôlent encore qu'un territoire restreint, dans un rayon de 40 km environ autour de Cuzco. La violente attaque de la tribu des Chancas, en 1438, manque même de détruire l'Empire. Mais, en quelques années, l'Inca Pachacuti, son frère Cápac Yupanqui et son fils Topa Inca

Yupanqui étendent leur territoire jusqu'au lac Titicaca, abattent le puissant Empire chimú et conquièrent Quito, dans le nord de l'Équateur actuel. Parvenu au pouvoir en 1493, le fils de Túpac Yupanqui, Huayna Cápac, parvient à soumettre la dernière tribu qui s'oppose aux Incas, les Karas. À sa mort, en 1528, il lègue un immense territoire qui va de la Colombie au Chili. Le Tahuantinsuyo, ou « Empire des quatre provinces », est alors un État puissant et parfaitement organisé, dont la capitale, Cuzco, est le centre névralgique et sacré.

L'ORGANISATION DE L'EMPIRE

Dévasté au cours de la guerre avec les Chancas, Cuzco est reconstruite suivant un plan rigoureux : les rues, toutes rectilignes et pavées — avec au centre une rigole couverte pour l'évacuation des eaux —, se coupent perpendiculairement ; chaque carrefour constitue une place où se dressent les demeures des nobles, en pierre peinte et sculptée. La ville est protégée par plusieurs lignes de murailles et par une grande forteresse.

C'est de Cuzco qu'est gouverné l'Empire, très hiérarchisé. Les familles sont regroupées en unités *(ayllu)*, placées sous la responsabilité d'un chef. Ces unités sont elles-mêmes agencées de façon pyramidale, et le chef de chaque échelon est en rapport direct avec ceux des niveaux supérieur et inférieur. La population est régulièrement recensée, afin que le pouvoir impérial puisse déterminer les tâches affectées à chaque classe d'âge ou décider d'éventuels transferts de populations. Les Incas choisissent leurs représentants locaux dans les anciennes familles dirigeantes des régions conquises. Les garçons sont envoyés à Cuzco, où ils apprennent les règles administratives et la langue quechua.

Comment les Incas, qui ignorent l'écriture, peuvent-ils communiquer ? Ils utilisent un

contre son adversaire. Le 15 novembre 1532, Pizarro attaque Atahualpa, qui est fait prisonnier avant d'être exécuté, le 29 août 1533. Comme l'armée d'Atahualpa a battu Huáscar et est entrée dans Cuzco, les Incas se trouvent sans souverain. Encouragées par Pizarro, les tribus soumises se révoltent, et l'Empire se disloque. Un autre élément ne doit pas être négligé : les maladies jusqu'alors inconnues en Amérique et que les Espagnols ont apportées avec eux. Plus de 200 000 Indiens ont ainsi succombé en quelques années. Enfin, l'écroulement de l'Empire inca est aussi une conséquence d'un système où tout découle du Fils du Soleil. Une fois le souverain prisonnier ou tué, toute l'organisation impériale ne peut que s'effondrer…

système de cordelettes nouées (*quipu*) permettant de réunir les informations à chaque niveau hiérarchique pour les transmettre jusqu'à Cuzco.

Le culte du Soleil s'impose partout, accompagné de sacrifices humains. Les divinités locales sont, en général, maintenues, mais reléguées à un niveau inférieur, et leurs statues sont gardées en otage à Cuzco.

Le système social n'a pu fonctionner que grâce à un exceptionnel réseau de communications. Le territoire est quadrillé de routes bien entretenues qui permettent à l'armée de se déplacer rapidement et le long desquelles sont implantés des bâtiments (*tampu*) qui font office de logements pour les soldats et de réserves de nourriture.

UNE CONQUÊTE FULGURANTE

Les premiers Espagnols, attirés par la rumeur selon laquelle il existerait là un pays aux richesses fabuleuses, explorent la côte en 1524, mais ils ne peuvent pénétrer à l'intérieur du pays. En avril 1532, une petite troupe d'à peine 200 hommes, conduite par le conquistador Francisco Pizarro, prend pied à Túmbez, au nord du Pérou. Le 15 novembre 1533, Pizarro entre en vainqueur à Cuzco. Pourquoi un effondrement si rapide ? Certes, l'Empire inca a été vaincu par la supériorité technique des Espagnols, qui disposent de chevaux et d'armes à feu, mais ce sont surtout les conflits qui le déchirent et la rébellion de nombreuses tribus récemment soumises qui expliquent sa chute.

Une guerre civile a en effet éclaté entre les deux fils de Huayna Cápac, Atahualpa au Nord et Huáscar au Sud. Ce dernier n'offre guère de résistance aux Espagnols, espérant les utiliser

LES FILS DU SOLEIL

Selon les mythes incas les plus anciens, la divinité solaire qui organise le monde, Viracocha, fait sortir de la grotte originelle quatre couples armés et parés d'or. Ils s'installent sur Guanacaure, une colline proche de Cuzco, où ils sèment des pommes de terre. L'un des hommes, Ayar Cachi, ayant démontré sa force en fendant des collines avec sa fronde, les trois autres se débarrassent de lui. Le deuxième, Ayar Uchu, est **PIÈCE DU PUZZLE** tué par un groupe d'Indiens. À la mort du troisième, Manco Cápac reste le seul chef. Selon une autre légende, plus tardive, le dieu Soleil, Inti, envoie sur la Terre deux de ses enfants, Manco Cápac et Mama Ocllo Huaca, qui sont mari et femme. Ils surgissent du lac Titicaca avec un bâton d'or, qui, en s'enfonçant dans le sol, désigne le site de Guanacaure. Manco Cápac et Mama Ocllo enseignent alors l'agriculture aux hommes et le tissage aux femmes.

L'OBSERVATOIRE SOLAIRE DU MACHU PICCHU (CI-CONTRE) **TÉMOIGNE DE LA PLACE CENTRALE QU'OCCUPAIT LE CULTE DU SOLEIL DANS LA RELIGION INCA.**

La quête de l'Eldorado

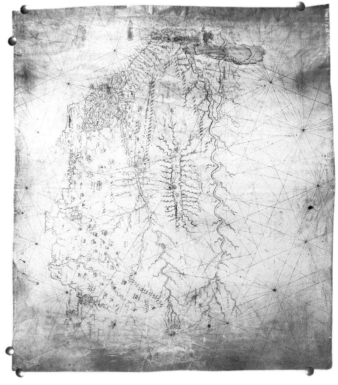

LES FABULEUSES RICHESSES DE L'AMÉRIQUE ont pu faire croire à l'existence d'un pays où il suffisait de se baisser pour ramasser de l'or. L'Eldorado n'est-il qu'un fantasme ou se fonde-t-il sur une réalité historique ?

« Qui possède l'or peut acquérir tout ce qu'il désire dans le monde. Vraiment, avec l'or, il peut gagner l'entrée de son âme au paradis. » Par ces mots écrits voilà plus de 500 ans, Christophe Colomb exprime sans doute le sentiment de dizaines de conquistadors espagnols. Bien sûr, chercher à faire fortune est une passion qui transcende les époques et les lieux, mais la recherche de l'Eldorado en est sans doute la manifestation la plus éclatante. Elle se déroule au début du XVIᵉ siècle, lorsque les Espagnols entreprennent la conquête du continent qu'ils viennent de découvrir : l'Amérique.

El Dorado (« le Doré » en espagnol) est le nom d'un cacique (chef indien) qui, selon la légende, régnait sur une contrée fabuleusement riche. Ce nom vient d'un curieux rituel religieux : El Dorado recouvrait son corps de poudre d'or, pendant que ses sujets jetaient de l'or et des pierres précieuses dans le lac Guatavita (dans l'actuelle Colombie). Pour achever le rituel, le cacique devait plonger dans le lac pour se débarrasser de la poudre d'or. Les trésors abandonnés dans l'eau reposeraient ainsi, pour toujours, au fond du lac.

Les histoires relatives à El Dorado apparaissent au début du XVIᵉ siècle. Stimulés par ces récits, des aventuriers espagnols quittent l'Europe pour l'Amérique du Sud, où ils concentrent leurs recherches sur la région de Bogotá, en Colombie.

RÊVES ET COLONISATION

Les Espagnols espèrent découvrir un royaume où les palais seraient entièrement construits en or, où même les ustensiles de cuisine seraient faits de ce précieux métal… Certes, les conquistadors font main basse sur l'or des Indiens Muiscas (Chibchas), et en rapportent des quantités énormes qui éveillent chez leurs compatriotes toujours plus de désirs de conquête, mais

L'EXPLORATEUR ANGLAIS SIR WALTER RALEIGH (CI-DESSUS) DRESSA UNE CARTE DU SITE SUPPOSÉ DE L'ELDORADO, EN 1600 (À DROITE).

aucun d'eux ne rencontre El Dorado. Des centaines d'aventuriers meurent d'épuisement ou, croulant sous le poids de leur butin, se noient dans les rivières qu'ils traversent.

Le mythe d'El Dorado suscite la convoitise d'autres nations européennes. En 1602, le roi de France Henri IV ordonne l'établissement d'une colonie en Guyane. Les Hollandais les imitent. Les Anglais font plusieurs tentatives : entre 1602 et 1609, John et Charles Lee cherchent à établir la présence anglaise sur les rives de l'Oyapock, à la frontière brésilienne. Si la plupart de ceux qui se risquent dans le pays supposé d'El Dorado sont espagnols, ils ne sont pas les seuls. Ainsi, l'explorateur anglais sir Walter Raleigh, ancien favori de la reine Élisabeth Iʳᵉ, monte une expédition pour découvrir le site. C'est d'ailleurs parce que sa seconde tentative échoue, en 1617, qu'il sera exécuté l'année suivante par le roi Jacques Iᵉʳ Stuart.

UNE ILLUSION TENACE

Les explorateurs n'ont cessé de chercher l'Eldorado, mais aucun n'a pu découvrir les trésors qu'il était censé receler. Pourquoi autant d'hommes se sont-ils lancés dans cette périlleuse entreprise, malgré l'échec de leurs prédécesseurs ? L'attirance pour un ailleurs lointain et fabuleux était-elle plus forte encore que l'appât du gain ? L'histoire d'El Dorado a tout l'éclat et le mystère d'un roman d'aventures. Comment n'aurait-elle pas fasciné des personnages aussi téméraires qu'ambitieux ?

LES SEPT CITÉS DE CIBOLA

LE CACIQUE EL DORADO ÉTAIT RECOUVERT DE POUDRE D'OR, PREUVE DE L'IMMENSE RICHESSE DE SON PAYS.

La soif de l'or a suscité d'autres mythes que celui de l'Eldorado. La légende des sept cités de Cibola est très connue. Elle prend naissance avec le conquistador espagnol Alvar Núñez Cabeza de Vaca, qui a entrepris la conquête de la Floride en 1527. Après divers malheurs, l'explorateur et ses derniers compagnons errent à travers les États américains actuels du Texas, du Nouveau-Mexique et de l'Arizona, où ils prétendent avoir vu les sept cités de Cibola et leurs fabuleuses richesses.

En 1536, lorsque Cabeza de Vaca rejoint Mexico, son histoire excite l'intérêt du pouvoir. En 1540, le vice-roi de Nouvelle-Espagne, Antonio de Mendoza, organise une expédition de reconnaissance, commandée par Marcos de Niza, qui affirmera lui aussi avoir aperçu les sept cités. Le gouverneur de la province de Nouvelle-Galice, Francisco Vasquez de Coronado, est alors appelé pour lui apporter son soutien militaire. Accompagné d'une petite troupe, il marche vers le nord, en Arizona, jusqu'à ce qu'il rencontre l'une des sept cités — qui n'est qu'une communauté d'Indiens Zunis vivant dans des huttes en briques… Ne se laissant pas décourager, il envoie un groupe d'hommes à la recherche des autres cités. À défaut des richesses espérées, ils découvrent un trésor naturel : le Grand Canyon du Colorado.

Amèrement déçu, Coronado retourne en 1542 à Mexico, où il est fraîchement reçu. Peut-être médita-t-il jusqu'à la fin de sa vie sur l'emplacement des cités perdues de Cibola…

PIÈCE DU PUZZLE

Nostradamus, prophète ou charlatan ?

Le « prophète du Jugement dernier » était un astrologue et un médecin respecté, mais ses pouvoirs étaient-ils réels ?

LE MÉDECIN ET ASTROLOGUE MICHEL DE NOSTRE-DAME, MIEUX CONNU SOUS LE NOM DE NOSTRADAMUS, TEL QUE LE REPRÉSENTAIT L'IMAGERIE POPULAIRE.

CINQ SIÈCLES APRÈS LA NAISSANCE DE Nostradamus, ses prédictions demeurent le sujet de nombreuses recherches, analyses et conjectures. Avec la fin du XXᵉ siècle, les prophéties millénaristes de cet astrologue ont donné lieu à maints débats houleux dans divers pays.

Il est vrai que, quelle que soit leur popularité, les prédictions de celui qu'on a appelé le « prophète du Jugement dernier » sont généralement l'objet d'interprétations erronées ou largement exagérées. Une grande part de l'engouement autour de sa capacité à prévoir le futur est fondée sur des spéculations. Même si certaines de ses prophéties sont remarquablement précises, la plupart sont très vagues, et l'interprétation qu'en donnent les commentateurs d'aujourd'hui profite à coup sûr de leur vision rétrospective.

QUI ÉTAIT NOSTRADAMUS ?

Nostradamus est considéré comme un homme supérieurement intelligent par ses pairs longtemps avant qu'il ne commence à prédire l'avenir. Né à Saint-Rémy-de-Provence le 14 décembre 1503, Michel de Nostre-Dame est élevé par ses grands-parents, des juifs contraints de se convertir au christianisme, qui lui enseignent l'hébreu et le latin. Le jeune garçon part étudier en Avignon, avant d'entrer à la faculté de médecine de Montpellier. Tout au long de sa scolarité, le jeune homme se fait remarquer pour sa mémoire phénoménale. À Montpellier et à Aix-en-Provence, il gagne l'admiration de tous pour ses talents de médecin lors d'une longue épidémie de peste. Les techniques médicales qu'il met en œuvre sont remarquablement différentes de celles de ses contemporains et permettent de guérir des centaines, voire des milliers de malades. Il refuse notamment de saigner ses patients, contrairement aux pratiques de l'époque. Il faut dire que la médecine en est encore à ses balbutiements, et que, pour les patients comme pour les observateurs, la plupart des interventions qui réussissent s'apparentent sans doute plus à de la magie qu'à de la science !

Après avoir quitté Montpellier, le déjà célèbre médecin se marie et a plusieurs enfants. Par un coup du destin, sa femme et ses enfants meurent, victimes de la peste, sans qu'il puisse rien faire pour les sauver. Quelques années après la disparition de sa famille, Nostradamus écrit son premier livre de prophéties. Cet ouvrage rencontre immédiatement un immense succès, et le nouveau prophète publiera au total dix livres de prédictions, les *Centuries astrologiques*, de

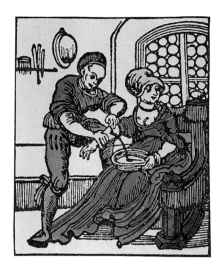

SUR CETTE GRAVURE DU XVIᵉ SIÈCLE, UN CHIRURGIEN PROCÈDE À LA SAIGNÉE : IL OUVRE UNE VEINE DU BRAS AFIN DE PERMETTRE AU « MAUVAIS SANG » DE S'ÉCHAPPER. FAIT INHABITUEL À SON ÉPOQUE, NOSTRADAMUS S'ÉLEVA CONTRE CETTE PRATIQUE.

RENCONTRE AVEC UN GARDIEN DE PORCS

PIÈCE DU PUZZLE ▼

On raconte que, durant un bref séjour en Italie, Nostradamus rencontra un jeune gardien de porcs ; il s'arrêta, s'inclina et s'adressa à lui en l'appelant « Sa Sainteté ». À l'époque, les témoins de cette surprenante marque de respect restèrent interdits. Bien après la mort du devin (1566), certains furent encore plus abasourdis d'apprendre que le bénéficiaire de cet acte de courtoisie avait été élu pape à Rome, en 1585. En effet, le jeune homme n'était autre que Felice Peretti, le futur pape Sixte Quint !

cent quatrains chacune. Son succès littéraire et ses travaux d'astrologie suscitent l'intérêt de la cour et, quoique d'aucuns le qualifient d'agent du démon, il devient le médecin attitré du roi Charles IX. Dès lors, on se presse encore davantage pour demander ses services. La reine mère, Catherine de Médicis, s'entiche à son tour de lui ; elle l'appelle à la cour pour qu'il prédise son avenir et celui de ses fils. Nostradamus devient alors, pour plusieurs siècles, le modèle du devin, l'inspirateur de nombreux recueils de prophéties et d'almanachs vendus dans toute la France par des colporteurs.

LES INTERPRÉTATIONS ACTUELLES

Pourquoi tant d'émoi autour de Nostradamus ? En fait, sa langue est si complexe et obscure qu'elle permet toutes les interprétations. On a ainsi prétendu qu'il avait prédit la Seconde Guerre mondiale et l'extermination des juifs par Hitler, l'attentat contre le pape Jean-Paul II ou, selon son célèbre exégète Jean-Charles de Fontbrune, l'invasion de l'Europe par une armée musulmane que seul pourra arrêter le roi d'Espagne… Les spécialistes les plus sérieux admettent que presque tous les recueils de prédictions de Nostradamus sont rédigés de manière si vague que leur lecture peut s'appliquer rétrospectivement à la plupart des événements qui se sont produits dans le monde depuis lors, pour peu qu'on ait un peu d'imagination. Quant à prévoir l'avenir… celui qui voudra croire à ses propres désirs et à ses fantasmes trouvera dans l'une ou l'autre des *Centuries* des éléments susceptibles de les conforter. Cela se rapproche de la technique rédactionnelle des horoscopes dans certains journaux : ils sont assez équivoques pour pouvoir s'appliquer à la vie de tous les lecteurs.

L'exemple de la prophétie concernant l'année 1999 est édifiant à cet égard : « L'an mille neuf cent nonante-neuf sept mois, Du ciel viendra un grand Roy d'effrayeur Ressusciter le grand Roy d'Angolmois, Avant et après Mars regner par bon heur. » Plusieurs auteurs, notamment l'Américain Stewart Robb, en ont déduit que l'Apocalypse se produirait en 1999…

Nostradamus était sans doute un excellent médecin, mais était-il un bon prophète ? Il nous faudra attendre pour le savoir, car il n'a pas prévu la fin du monde avant l'année 3797 ! Dans l'intervalle, les partisans du devin auront encore maintes occasions de projeter leurs propres espoirs et leurs croyances dans ses prophéties. De tous les livres et articles publiés sur les *Centuries*, on ne retire guère qu'une seule certitude : leurs interprétations révèlent plus les peurs et les fantasmes de notre époque que la pensée profonde de Nostradamus, qui nous échappera sans doute à jamais…

CETTE PEINTURE DE HANS MEMLING (v.1433-1494), EXPOSÉE AU-DESSUS DE L'AUTEL DE LA CATHÉDRALE DE GDANSK, REPRÉSENTE L'UN DES GRANDS THÈMES DE L'ICONOGRAPHIE MÉDIÉVALE : L'APOCALYPSE ; LE COMBAT ENTRE LE BIEN ET LE MAL ÉTANT L'UN DES ÉVÉNEMENTS ANNONCIATEURS DU RETOUR DU CHRIST.

L'assassinat d'Henri IV

**Il fut l'un des rois les plus aimés des Français.
La légende fait de lui le père de la « poule au pot tous les dimanches ».
Et pourtant, il est mort assassiné…**

HENRI IV, REPRÉSENTÉ ICI PAR LE PEINTRE FRANS POURBUS (1569-1622), A RESTAURÉ L'UNITÉ POLITIQUE DE LA FRANCE, TOUT EN RECONNAISSANT SA DIVERSITÉ RELIGIEUSE.

L'ARRIVÉE D'HENRI IV SUR LE TRÔNE DE France, en 1589, est la conséquence d'une série de hasards. Le jeune prince, né en 1553 et devenu roi de Navarre en 1572, n'est qu'un lointain descendant de Saint Louis. Il faut que les quatre fils du roi Henri II meurent les uns après les autres pour qu'Henri de Navarre, un protestant, devienne l'héritier du trône. La France est alors plongée dans les guerres de Religion. La perspective de voir un roi d'origine protestante sur le trône de France enflamme les catholiques, qui constituent la Sainte Ligue. En 1589, l'assassinat d'Henri III, dernier fils d'Henri II, par un moine de la Ligue, Jacques Clément, est le premier cas de régicide en France. Henri de Navarre devient roi de France en 1589 sous le nom d'Henri IV. Une longue période de guerre civile s'instaure avant qu'il ne se fasse baptiser en 1593, puis sacrer en 1594.

Le roi mène, avec ses ministres Pasquier et Sully, une politique de pacification religieuse — il promulgue l'édit de Nantes, qui garantit la liberté de culte aux protestants tout en reconnaissant le catholicisme comme religion d'État — et de relèvement économique et financier, en favorisant l'agriculture et le commerce. Son assassinat, alors que son fils, le futur Louis XIII, n'a que cinq ans, plonge la France dans une nouvelle période d'instabilité.

Derrière le meurtre d'Henri IV, on ne tarda pas à voir la main des Jésuites. Mais qu'en est-il vraiment ?

L'INFLUENCE DES JÉSUITES

La Compagnie de Jésus a été créée en 1540 par Ignace de Loyola, un jeune noble basque qui a été pénétré de sa vocation lors du siège de Pampelune, en 1521. La Compagnie diffère des autres ordres religieux tant dans son organisation que dans ses objectifs. Fortement centralisée et hiérarchisée, elle est soumise au pouvoir absolu d'un général élu à vie, qui peut nommer et déposer à son gré les responsables provinciaux. Les Jésuites sont entièrement indépendants des évêques, et ne relèvent que de l'autorité papale : ils sont donc considérés comme les agents d'une Église centralisée, autoritaire et opposée à l'indépendance des Églises nationales. Enfin, ils sont

L'ASSASSINAT D'HENRI IV PAR RAVAILLAC (PEINT EN 1860 PAR CHARLES-GUSTAVE HOUSEZ) FUT-IL L'ŒUVRE DES JÉSUITES ? IL LEUR A EN TOUT CAS TOUT DE SUITE ÉTÉ ATTRIBUÉ…

avant tout les missionnaires de la Réforme catholique et les acteurs de la « reconquête des âmes » après la rupture protestante. Aussi leurs objectifs de prédilection sont-ils l'enseignement et l'évangélisation de nouveaux continents.

Il est indéniable qu'on retrouve les idées des Jésuites dans les textes qui ont inspiré la Sainte Ligue. En outre, opposée à toute concession aux protestants, celle-ci a conduit la guerre civile contre Henri III puis contre Henri IV, avec le soutien du pape et du roi Philippe II d'Espagne. Bien qu'Henri IV ait abjuré définitivement le protestantisme en 1593, il reste en France un parti d'opposition catholique au roi.

Tout au long de son règne, Henri IV est la cible d'attentats, qu'on attribue généralement aux Jésuites ou au moins à leur influence. Ainsi, en 1593, un fanatique nommé Barrère tente de l'assassiner avec un poignard, alors qu'il vient d'être entendu en confession par un jésuite, le Père Valade. En décembre 1594, un nouvel attentat échoue, perpétré par Jean Châtel, un ancien élève du collège jésuite de Clermont, qui a été fermé sur ordre de l'Université de Paris en juillet 1594. Le 7 janvier 1595, le père Guignard, autre jésuite, est pendu en place de Grève : on a découvert chez lui des textes qui appellent à assassiner le roi.

Une grande partie de la classe dirigeante (nobles ralliés au roi, juges des parlements) considère alors la Compagnie de Jésus comme une « société détestable et diabolique, corruptrice de la jeunesse et ennemie du roi et de l'État ». L'assassinat d'Henri IV par Ravaillac, à Paris, le 14 mai 1610, est donc immédiatement interprété comme un nouveau coup des Jésuites.

LA THÉORIE DU RÉGICIDE

C'est le juriste Étienne Pasquier qui, le premier, dénonce, dans le *Catéchisme des Jésuites*, le danger que fait courir au royaume la Compagnie de Jésus, « Corps monstrueux » dont l'objectif est « l'établissement d'une tyrannie sur tous ». On accuse les Jésuites d'avoir encouragé — directement, ou au moins par leurs idées — les différents attentats commis contre le roi. En 1594, Antoine Arnauld avertit Henri IV ainsi : « Leur esprit tout ensanglanté de la mort du feu roi [Henri III]… ne se donne repos, ni jour, ni nuit, ainsi va toujours rêvant, toujours tournant, toujours travaillant, pour parvenir à ce dernier point [la mort du roi], qui est le comble de tous les souhaits et de tous les désirs des Jésuites. » Le coup de poignard de Ravaillac, en 1610, relance les accusations. Sont désignés en particulier le dialogue *De Jure regni apud Scotos*, de Buchanan, et surtout le traité d'un jésuite espagnol, Mariana, *De Rege et regis institutione* (Du roi et de l'institution royale). Publié en 1599, cet ouvrage justifie le régicide contre des souverains tyranniques et néfastes pour la foi catholique en prenant l'exemple de l'assassinat d'Henri III par Jacques Clément. En réalité, les textes des Jésuites sont bien plus des spéculations théoriques que de véritables appels au meurtre. Mais ils ont créé un climat qui a sans doute eu une influence sur l'esprit faible de Ravaillac.

PIÈCE DU PUZZLE ▼

LA MAIN DE L'ESPAGNE, OU DE LA REINE ?

François Ravaillac est un fanatique illuminé. Sans doute, son acte a-t-il été inspiré par des sermons et des libelles où transparaît l'idée qu'il est légitime d'assassiner un roi tyrannique et hostile à la religion. Mais, peut-être aussi a-t-il été encouragé — voire manipulé — par des milieux favorables au roi d'Espagne, ou proches de la reine Marie de Médicis.

On sait en effet que, lorsqu'il a été assassiné, Henri IV préparait une intervention militaire contre l'Empire germanique, allié à l'Espagne (les deux puissances étaient gouvernées par les Habsbourg). Or, la reine était peu attachée au roi, qui la trompait constamment, et elle était par ailleurs favorable à l'autorité spirituelle et temporelle du pape, et à une union des souverains catholiques contre les protestants. Il se peut donc que l'assassinat du roi ait été organisé pour empêcher l'entrée en guerre de la France contre les troupes catholiques de l'Empire germanique.

PORTRAIT DE RAVAILLAC D'APRÈS UNE GRAVURE DU XVIᵉ SIÈCLE.

Les Sorcières de Salem

Que s'est-il passé pour qu'eût lieu dans ce bourg puritain du Massachusetts l'un des plus terribles épisodes de la persécution contre les hérétiques ?

SUR CETTE GRAVURE DU XIXᵉ SIÈCLE, L'ESCLAVE TITUBA, REPRÉSENTÉE COMME UNE SORCIÈRE, MENACE SES ACCUSATRICES. DANS SES « AVEUX », ELLE RACONTE UNE HORRIBLE HISTOIRE, OÙ INTERVIENNENT DES FOURMIS ROUGES ET NOIRES ET UN CHIEN À TÊTE DE FEMME. ELLE RÉITÉRERA SA CONFESSION QUAND LES HABITANTS DE SALEM CESSERONT D'ACCORDER DU CRÉDIT AUX PLEURS DES JEUNES FILLES.

MENÉS PAR UN TRIBUNAL SPÉCIALEMENT constitué à cet effet par le gouverneur William Phips, les procès de celles qu'on a appelées les sorcières de Salem furent l'aboutissement de mesquines animosités rurales amplifiées par la ferveur religieuse qui régnait dans la Nouvelle-Angleterre du XVIIᵉ siècle. Les historiens ont montré que les apparitions de démons, les envoûtements et les terreurs qui ont envahi Salem en 1692 sont explicables si l'on se réfère aux rôles d'impôt, aux documents ecclésiastiques, aux registres commerciaux et de résidence, et si on les associe aux superstitions des puritains.

L'affaire commence dans les premiers mois de 1692, dans la cuisine du pasteur du village, Samuel Parris. De très jeunes filles se sont réunies pour consulter une boule de cristal, afin de connaître le nom de leurs futurs maris. L'esclave de la famille Parris, une Antillaise nommée Tituba, surveille leurs activités divinatoires. Durant la séance, l'une des jeunes filles croit voir un cercueil. Peut-être Tituba dit-elle quelque chose qui les effraie, peut-être un chien aboie-t-il… quoi qu'il en soit, toutes les jeunes filles sont terrifiées et elles commencent à se comporter bizarrement. L'excitation ne retombe pas durant la nuit, et le pasteur est alerté. Il conclut à des manifestations de sorcellerie.

LA GRANDE CHASSE AUX SORCIÈRES

Les procès en sorcellerie sont à l'époque une pratique qui n'a rien d'exceptionnel : avant 1692, on en compte plus de 200, et 25 cas de condamnations à mort dans toute la Nouvelle-Angleterre. Mais les procès de Salem sont remarquables par leur ampleur. En dix mois seulement, 165 jeunes personnes sont accusées, 150 emprisonnées et torturées, et 19 exécutées. Les chefs de la communauté pressent les jeunes filles qui ont vu des spectres de nommer leurs persécuteurs. Elles commencent par refuser, puis se résolvent finalement à désigner deux vieilles femmes impopulaires. L'une d'elles est l'esclave Tituba, qui confesse immédiatement être une sorcière. On ignore les raisons exactes qui la poussent à faire cet aveu, mais c'est ce qui déclenche la suite des événements.

Sur les indications des jeunes filles, dont la répugnance initiale s'est transformée en un zèle infatigable, la communauté déclare de plus en plus d'hommes et de femmes coupables de sorcellerie, jusqu'à l'ancien pasteur de la ville, George Burroughs, que l'on va chercher dans le Maine pour l'arrêter.

Le premier procès s'ouvre le 2 juin. L'aubergiste Bridget Bishop est reconnue coupable et pendue. Les accusations se multiplient : on compte 5 pendaisons en juillet, 5 en août, 8 en septembre. Finalement, un chef religieux de la province, Increase Mather, publie un texte condamnant le caractère illégal des procès. Les juges ont en effet permis aux jeunes filles d'apporter des « preuves spectrales » : chaque fois qu'un esprit les visite (et ce n'est pas rare), la cour leur demande de l'identifier, et cela suffit comme preuve. Mather explique que, si le spectre est l'œuvre de Satan — ce que tout le

monde ne peut qu'admettre —, la cour prend pour argent comptant l'apparence du diable ; or celui-ci est précisément capable de revêtir une identité trompeuse pour berner les chrétiens. Le gouverneur Phips, convaincu par les arguments de Mather, dissout le tribunal et gracie les derniers accusés en mai 1693. La chasse aux sorcières est terminée.

UNE VILLE DIVISÉE

Comment tout cela a-t-il pu arriver ? Est-ce à cause de la cruauté des jeunes filles ? Ou de la ferveur religieuse de leurs parents, dont le puritanisme nourrit une étrange fascination pour le mysticisme, la magie noire et le monde occulte ?

Salem Village dépendait de la « ville » Salem Town, en bas de la route, où se trouvait le cœur de la municipalité et où les villageois devaient payer leurs impôts. Mais cela ne leur convenait pas, et ils réclamaient sans relâche leur autonomie. Ce genre de discorde était fréquent dans la Nouvelle-Angleterre du XVIIᵉ siècle, mais il y avait également des divisions au sein même du village de Salem. Les habitants de la partie est, des artisans pour la plupart, étaient moins intéressés par l'autonomie. La route, en effet, traversait leur quartier, ce qui leur permettait d'avoir davantage de contacts avec la ville. En revanche, ceux de la partie ouest étaient principalement des fermiers et ils se méfiaient de leurs voisins de l'est…

À ce conflit s'en ajoutait un autre. Après bien des débats, le village de Salem avait été autorisé à se doter d'une église, mais, lorsque celle-ci fut construite, les villageois ne s'entendirent pas sur le choix du pasteur. Quatre pasteurs pressentis durent repartir sans avoir obtenu l'accord unanime des habitants, divisés sur cette question, comme sur beaucoup d'autres, entre résidants de l'est et de l'ouest.

La chasse aux sorcières a en partie ses racines dans cette vieille inimitié rurale : parmi les 32 adultes qui furent témoins à charge durant les procès, 30 vivaient à l'ouest ; parmi les 14 femmes accusées de sorcellerie qui vivaient dans le village, 12 venaient de l'est. Bien entendu, les choses ne sont pas si simples. Beaucoup d'accusés vivaient dans d'autres localités des environs et n'avaient aucune part dans cette mésentente. Il serait faux d'imaginer que les accusateurs voulaient consciemment éliminer des rivaux. Les habitants de l'ouest du village, qui étaient très superstitieux, furent effrayés par le comportement inexplicable des jeunes filles. L'esprit encombré de croyances dans la sorcellerie, ils avaient comme tous les Puritains, l'obsession de débusquer le Malin dans toutes ses manifestations : ce puritanisme exalté est l'une des composantes des procès. Les préjugés, les intérêts de voisinage et le fanatisme furent le ferment d'une campagne de persécution qui conduisit 19 innocents à la mort.

UNE JEUNE FILLE « TÉMOIGNE » LORS D'UN PROCÈS. DE TELLES SÉANCES CONDUISIRENT À LA CONDAMNATION ET SOUVENT À LA PENDAISON D'INFORTUNÉES « SORCIÈRES ». LA FOLIE QUI S'ÉTAIT EMPARÉE DE SALEM CESSA LORSQUE INCREASE MATHER PUBLIA UN SERMON CONDAMNANT LES PROCÈS DE CE GENRE. EN 1693, LE FILS D'INCREASE, LE RÉVÉREND COTTON MATHER, QUI AVAIT ENCOURAGÉ LES DÉLATIONS, PUBLIA UN RÉCIT DES PROCÈS EN SORCELLERIE INTITULÉ *LES PRODIGES DU MONDE INVISIBLE*.

Les possédées de Loudun

Possession démoniaque ou hystérie collective? Où se situe le mystère : du côté du Diable ou... dans nos frustrations?

LE XVIIᵉ SIÈCLE A ÉTÉ FRIAND DE SORCELLERIE, D'ENVOÛTEMENTS ET DE POSSESSIONS DÉMONIAQUES. CI-CONTRE : AU TERME D'UNE INCROYABLE SÉRIE D'INJUSTICES ET DE MASCARADES, LE PRÊTRE URBAIN GRANDIER EST EXÉCUTÉ À LOUDUN, EN 1634. EN BAS : LA VILLE DE LOUDUN, EN 1699, PROCHE DE CE QU'ELLE DEVAIT ÊTRE LORS DE L'AFFAIRE.

L'AFFAIRE DES POSSÉDÉES DE LOUDUN se produit dans un contexte très particulier. En France, le début du XVIIᵉ siècle voit en effet une étonnante recrudescence des procès en sorcellerie et des cas de possession démoniaque.

En 1632, sœur Jeanne des Anges, supérieure d'un couvent d'ursulines de Loudun, une petite ville située au nord de Poitiers, est victime d'hallucinations. Elle croit voir des âmes qui souffrent au purgatoire. Très vite, l'ensemble du couvent sombre dans un véritable délire collectif. Dix-sept sœurs sont victimes de convulsions et profèrent des obscénités. Sœur Jeanne des Anges accuse alors un curé de la ville, Urbain Grandier, de les avoir envoûtées.

UN PRÊTRE SÉDUCTEUR

Homme très séduisant, Grandier a beaucoup de succès auprès des femmes. Bien qu'il ne se soit jamais rendu dans le couvent des ursulines, sa réputation ne laisse pas indifférentes les pensionnaires. On raconte même qu'une jeune fille qui loge au couvent est enceinte de ses œuvres. Un parent de celle-ci, le chanoine Mignon, se répand donc en accusations contre lui et va jusqu'à dire qu'il a eu des relations sexuelles avec elle dans l'église de Loudun. La rumeur s'étend rapidement.

Il se trouve que Grandier a beaucoup d'ennemis. Formé chez les jésuites, il professe un profond mépris pour les autres ordres, notamment les Capucins et les Franciscains. Il a publié plusieurs libelles assez insolents envers l'Église (un traité sur le célibat des prêtres) et envers le pouvoir (un pamphlet contre Richelieu, *la Cordonnière de Loudun*). On lui reproche

ses maîtresses. Enfin, le Premier ministre, le cardinal de Richelieu, connaît Grandier et l'apprécie d'autant moins qu'il considère Loudun comme une ville peu sûre, en raison de la présence de nombreux protestants. Or, l'affaire des possédées se produit quelques années seulement après la prise de La Rochelle, toute proche, et la soumission des protestants (1628-1629) dans une région à laquelle le Cardinal porte un intérêt particulier en tant qu'évêque de la ville voisine de Luçon. La dimension politique de l'affaire ne doit donc pas être sous-estimée.

UN PROCÈS HORS NORMES

Un parent de sœur Jeanne des Anges, Martin Laubardemont, se trouve alors à Loudun ; il y est venu pour démolir le château, sur ordre de Richelieu. Or il a déjà mené une action contre des sorcières, à Bordeaux, en 1625. Le bailli de Loudun, ami de Grandier, et l'évêque de Poitiers, qui lui est hostile, s'étant déclarés incompétents, c'est Laubardemont qui est chargé de mener l'enquête sur Grandier, en 1633. Perquisitions et interrogatoires ne donnent tout d'abord aucun résultat, mais les Capucins pratiquent, dans une atmosphère théâtrale (les sœurs sont même parfois montrées sur des tréteaux dans les églises), des exorcismes collectifs au cours desquels les démons qui habitent les sœurs ne cessent de dénoncer Grandier comme l'instigateur des désordres du couvent.

L'une des sœurs se rétracte, mais cela est immédiatement considéré par les accusateurs comme une nouvelle manœuvre du Diable. On refuse à Grandier d'être confronté aux sœurs au milieu de trois autres prêtres, comme il le demande : celles-ci ne l'ayant jamais vu, il espère se disculper si elles ne le désignent pas. Jeanne des Anges va jusqu'à fournir le pacte signé entre le prêtre et le Diable. Il lui a été apporté par le démon qui l'habite, Asmodée, après qu'il en a pris copie... dans le cabinet de Lucifer lui-même !

En dépit de ses protestations contre cette mascarade, Urbain Grandier est condamné au bûcher le 18 août 1634. Jusqu'au dernier moment, et malgré la torture, il refusera d'avouer autre chose que des péchés de chair. Étrangement, la mort du curé de Loudun ne met pas fin aux convulsions des religieuses. En 1635, Jeanne des Anges présente même des stigmates, c'est-à-dire les marques de la crucifixion du Christ, aux mains et aux pieds. Bien que ces stigmates soient des faux grossièrement réalisés avec de la

peinture rouge, la convulsionnaire continue d'attirer les foules. En 1636, les exorcistes parviennent enfin à expulser le démon qui la possède. Elle devient alors une mystique, presque une sainte. Au cours d'une véritable tournée qui la mène à travers toute la France, elle sera même présentée à Richelieu et à Louis XIII en 1638.

UN CAS D'ÉCOLE POUR LA PSYCHANALYSE

L'affaire des possédées de Loudun est un véritable cas d'école pour la psychanalyse. Il s'agit en effet d'un phénomène d'hystérie collective causée par les frustrations individuelles et renforcée par un effet de groupe. Il faut en chercher l'origine dans le climat mystique qui règne alors dans l'Église de la Contre-Réforme (Thérèse d'Ávila vient d'être canonisée, en 1622), et en particulier dans cette région de contact entre catholiques et protestants. Mais les frustrations sexuelles jouent aussi un grand rôle : Jeanne des Anges prétend que l'abbé Grandier se glisse tous les soirs dans le lit des sœurs pour les posséder...

Il faut sans doute rechercher dans l'histoire personnelle de cette religieuse une partie de ses motivations inconscientes. Physiquement disgraciée, elle a très tôt été destinée au couvent par sa famille, qui a renoncé à lui chercher un époux. Son élection comme mère supérieure à vingt-sept ans prouve son emprise sur ses sœurs. Enfin, elle semble manifester un besoin particulier d'être approuvée par les autres. La possession devient alors pour elle un moyen de sortir de l'anonymat où l'ont reléguée ses parents, en attirant l'attention sur elle. Dès lors, Jeanne des Anges se met elle-même en scène dans de véritables représentations théâtrales...

L'ARRIÈRE-PLAN PSYCHANALYTIQUE DE L'AFFAIRE DES POSSÉDÉES DE LOUDUN EST AU CŒUR DU FILM DE KEN RUSSELL, *LES DIABLES* (1971).

Qui a écrit les pièces de Shakespeare ?

SUR CETTE ILLUSTRATION D'ERIC FRASER, SHAKESPEARE ET SAINT GEORGES, PATRON DE L'ANGLETERRE, SONT SÉPARÉS PAR LA DATE DE NAISSANCE DE L'ÉCRIVAIN. SHAKESPEARE JOUAIT SOUVENT DANS SES PIÈCES, QUI ÉTAIENT REPRÉSENTÉES DANS LES THÉÂTRES ÉLISABÉTHAINS (PAGE DE DROITE).

UN ACTEUR DE PROVINCE DONT LE bagage équivalait à peine à celui d'un lycéen d'aujourd'hui aurait composé des œuvres remarquables d'érudition et de profondeur. Ce fils d'un gantier, né en 1564 dans la petite ville de Stradford-upon-Avon, aurait écrit des pièces qui montrent une connaissance intime de la vie de cour, des habitudes de la monarchie, de l'histoire de l'Angleterre, et même des choses de la guerre. Alors que sa vie était bornée par la médiocrité de la naissance et de la fortune, cet homme aurait forgé un art qui continue de vivre au-delà des siècles.

L'HOMME DE STRATFORD

Or la question reste posée : est-ce bien l'acteur originaire de Stratford qui a écrit les pièces que le monde entier attribue aujourd'hui à William Shakespeare ? Depuis plus de deux siècles, des sceptiques — encouragés par l'absence d'informations biographiques — passent au crible ses pièces, ses sonnets et les annales de l'Angleterre élisabéthaine pour y trouver la preuve qu'un autre auteur se cache derrière lui.

Il faut, pour le comprendre, remonter au début des années 1780. Le révérend James Wilmot se rend alors à Stratford et dans ses environs pour y chercher des renseignements sur la vie de celui qu'on proclame le plus grand écrivain anglais. À sa surprise, Wilmot ne trouve pas le moindre élément qui permette de relier le Shakespeare de Stratford à l'auteur des pièces. Les renseignements disponibles se limitent à quelques documents légaux, sur lesquels sont conservées six signatures de Shakespeare, tracées d'une main hésitante, à peine

Les comédies et les drames attribués à Shakespeare sont l'œuvre d'un brillant orfèvre des mots... mais qui en fut vraiment l'auteur ?

lisibles... et qui sont pourtant les seuls spécimens que l'on possède de son écriture. Aucun indice, sinon sur sa pierre tombale, qu'il ait jamais écrit le moindre poème, pas plus que *Hamlet* ou *le Roi Lear*. Au cours des années suivantes, de petits groupes d'érudits, d'écrivains, d'acteurs et de journalistes annoncent qu'ils ont découvert le « véritable » auteur des œuvres attribuées à Shakespeare. Les tentatives pour détrôner l'homme de Stratford se concentrent sur deux écrivains : Christopher Marlowe — poète et dramaturge assassiné dans des circonstances mystérieuses en 1593, peu avant la parution des écrits de Shakespeare — et le grand philosophe Francis Bacon.

GROS PLAN SUR LE COMTE D'OXFORD

Au XIXᵉ siècle, un nouveau nom est avancé : Edward De Vere, comte d'Oxford à l'époque de Shakespeare. Ceux qui défendent cette thèse, et qu'on appelle les Oxfordiens, relèvent en effet une série d'indices troublants. Un certain nombre de sonnets de Shakespeare laissent entendre à mots couverts que l'identité de leur auteur a été dissimulée ; ces poèmes sont dédiés à un mystérieux W. H., initiales inversées de Henry Wriothesley, comte de Southampton, que le comte d'Oxford souhaitait ardemment voir épouser sa fille, Elizabeth. De plus, une bible qui a appartenu au comte d'Oxford contient divers passages soulignés auxquels il est fait allusion dans les pièces de Shakespeare. On note aussi que les sonnets contiennent des allusions à la bisexualité de Shakespeare et à un scandale qui a terni son nom — or, Oxford a été accusé d'avoir des relations avec de jeunes garçons. En outre, après la mort de celui-ci,

À LONDRES, LA PLUPART DES PIÈCES DE SHAKESPEARE FURENT REPRÉSENTÉES AU THÉÂTRE DU GLOBE, ÉRIGÉ EN 1598.

SIGNES ET SYMBOLES

Les indices avancés par les Oxfordiens pour prouver que le comte d'Oxford a écrit les pièces de Shakespeare peuvent sembler très secondaires ou fantaisistes, mais ce n'est rien en comparaison de ceux qui ont été proposés par les avocats des autres candidats à l'identification ! Par exemple, les défenseurs de Francis Bacon (ci-contre) se sont mis en quête de manuscrits perdus, de documents secrets, et ont même décortiqué les pièces pour y débusquer des codes cachés, des messages chiffrés et des anagrammes. En essayant de décrypter le mot « honorificabilitudinitatibus », que Shakespeare emploie dans une œuvre intitulée *Peines d'amour perdues*, ils ont cru trouver une phrase latine : « *hi ludi F. Bacon nati tuiti orbi* », qui se traduirait à peu près par « ces pièces nées de F. Bacon sont sauvegardées pour le monde ».

PIÈCE DU PUZZLE ▼

en 1604, on constate une longue interruption dans la publication des pièces de Shakespeare. Douze ans plus tard, à la mort du poète, on n'a trace d'aucun hommage public, ni à Londres ni à Stratford, chose étrange pour un homme déjà célèbre. Enfin, le monument qui fut à l'origine érigé à Stratford en son honneur semble l'avoir d'abord représenté en marchand de grains ; ce n'est que plus tard qu'on aurait transformé la statue pour le montrer une plume à la main.

Les Oxfordiens prétendent que le comte d'Oxford a choisi le nom de plume de William Shake-speare parce que, dans l'Angleterre d'Elizabeth Ire, il était mal vu pour un noble d'écrire des pièces. Le choix de ce nom n'aurait rien à voir avec l'acteur homonyme de Stratford, mais renverrait à la lance *(spear)* tenue par Athéna Pallas, déesse grecque de la sagesse et protectrice de l'art théâtral. Ces experts ont établi des parallèles entre la vie d'Oxford et nombre de pièces de Shakespeare ; ainsi, le personnage de Polonius, dans *Hamlet*, aurait une certaine ressemblance avec lord Burghley, le beau-père d'Oxford…

LA CONTRE-ATTAQUE DES STRATFORDIENS

Bien que nombre d'écrivains et de penseurs de premier plan, parmi lesquels Sigmund Freud, aient été convaincus que le comte d'Oxford était le véritable auteur des pièces, il y a très peu de spécialistes sérieux pour défendre encore cette thèse. La plupart des preuves concernant le comte relèvent de la conjecture ou de coïncidences. Ce n'est pas parce qu'Oxford a été accusé d'homosexualité qu'il est forcément l'auteur des *Sonnets* ; le fait qu'*Hamlet* puisse présenter des parallèles, dans le détail, avec les familiers d'Oxford ne signifie pas nécessairement que celui-ci l'ait écrit. Les partisans de l'homme de Stratford (les Stratfordiens) ont au moins autant de preuves que le comte d'Oxford n'a pas pu écrire les pièces que n'en ont les Oxfordiens de la thèse inverse ! Premier indice : les carnets de Ben Jonson, auteur dramatique et poète contemporain de Shakespeare, donnent bien celui-ci comme auteur des pièces. Plus important peut-être, douze pièces de Shakespeare ont été publiées après la mort d'Oxford.

Il n'existe aucune preuve indiscutable que l'acteur Shakespeare n'a pas écrit les pièces qui lui sont attribuées. Le doute vient de l'absence de témoignages historiques. On peut

LA PREMIÈRE ÉDITION DES ŒUVRES DE SHAKESPEARE PARAÎT EN 1623. BIEN QU'IL S'AGISSE AUJOURD'HUI D'UN OBJET DE COLLECTION, CE N'EST PAS UN CHEF-D'ŒUVRE DE L'ÉDITION, MÊME EN REGARD DE LA QUALITÉ MÉDIOCRE DES LIVRES DE L'ÉPOQUE ÉLISABÉTHAINE. ON Y RELÈVE PLUSIEURS OMISSIONS, DES ERREURS DE PONCTUATION ET DE FRÉQUENTES CONFUSIONS ENTRE LA PROSE ET LES VERS. LA GRAVURE DU FRONTISPICE EST DE DROESHURT. C'EST L'UN DES PLUS FIDÈLES PORTRAITS DE SHAKESPEARE.

s'émerveiller qu'un tel homme ait pu écrire des œuvres si érudites, mais rien ne permet non plus de le nier : Ben Jonson avait le même niveau d'éducation, et pourtant il a écrit des pièces encore plus savantes ; Molière n'a pas suivi davantage d'études, mais cela ne l'a pas empêché de composer des chefs-d'œuvre de finesse et d'intelligence. Il y aura toujours des sceptiques antistradfordiens pour douter qu'un acteur provincial ait pu écrire les drames les plus puissants de la littérature anglaise, et pour proposer un nouveau nom, allongeant ainsi une liste qui ne compte pas moins de cinquante candidats.

Mazarin
a-t-il épousé
Anne d'Autriche ?

SUR CE TABLEAU DE RICHARD PARKES BONINGTON (1802-1828), MAZARIN SEMBLE IMPOSER SON AUTORITÉ À LA REINE ANNE D'AUTRICHE. EN RÉALITÉ, TOUS DEUX ŒUVRÈRENT DE CONSERVE POUR LA GRANDEUR DU JEUNE ROI LOUIS XIV.

C'est l'une des grandes énigmes de l'histoire de France : le cardinal Giulio Mazarini devait-il son pouvoir à l'amour de la régente Anne d'Autriche ? Quelle était la nature de leurs relations ?

LORSQUE LE ROI LOUIS XIII MEURT, EN MAI 1643, peu après son Premier ministre le cardinal de Richelieu, le royaume de France semble entrer dans une nouvelle période d'incertitude. Le fils de Louis XIII, le jeune Louis XIV, n'a en effet que cinq ans et, selon la loi fondamentale du royaume, il ne sera majeur qu'à treize ans. La régence est donc confiée à la mère du jeune roi, Anne d'Autriche.

Princesse de la famille de Habsbourg, contre laquelle Richelieu a mené une guerre sans merci depuis de nombreuses années, la régente n'a aucune expérience politique. Elle a toujours été tenue à l'écart des affaires du royaume par son mari, et l'on pense même qu'elle a favorisé — sinon organisé — la conjuration contre Richelieu qui a abouti à l'exécution du favori de Louis XIII, Cinq-Mars, en juin 1642.

La surprise des anciens opposants est donc grande lorsqu'ils apprennent que, à peine confirmée comme régente par le parlement, la reine a nommé Premier ministre un fidèle de Richelieu, le cardinal d'origine italienne Giulio Mazarini, dit Jules Mazarin.

« VOUS L'AIMEREZ BIEN, MADAME »

Mazarin est un pur enfant de Rome. Né en 1602 dans une bonne famille, il devient secrétaire pontifical sous le pape Urbain VIII. C'est dans cette fonction qu'il rencontre Richelieu à Lyon, le 28 janvier 1630. Au cours d'un entretien de deux heures, les deux hommes ont un véritable coup de foudre intellectuel. Mazarin joue alors un rôle non négligeable dans l'apaisement du conflit qui oppose la France et l'Espagne en Italie. C'est à l'occasion d'une mission diplomatique à Paris que Richelieu l'aurait présenté à Anne d'Autriche en disant : « Vous l'aimerez bien, Madame, il ressemble à Buckingham. » (Le duc de Buckingham, qu'immortalisera Alexandre Dumas dans *les Trois Mousquetaires*, est l'un des soupirants qu'on a prêtés à la reine.)

Mazarin est alors au service à la fois du pape et du roi de France, ou plutôt de son Premier ministre, Richelieu, avec lequel il entretient une correspondance soutenue. Ce dernier lui reconnaît trois grandes qualités, « l'esprit, l'adresse et la chaleur ». Selon l'un de ses biographes, l'historien Pierre Goubert, il est d'une intelligence « de premier plan, rapide, travailleuse et qui surclassait tout ce qu'on pouvait observer à son époque ». C'est sa fidélité aux intérêts de la France qui lui vaut d'être naturalisé par Louis XIII, en 1639, et d'être appelé à Paris. Il devient alors le plus proche conseiller de Richelieu, mais n'a de fonction officielle au sein du Conseil du roi qu'après la mort du cardinal, entre décembre 1642 et mai 1643.

MAZARIN FUT, DE SON VIVANT, L'UN DES HOMMES LES PLUS DÉCRIÉS DE L'HISTOIRE DE FRANCE. CI-CONTRE: CETTE CARICATURE DATANT DE LA FRONDE LE MONTRE OBLIGÉ DE FUIR LE ROYAUME.

La faveur soudaine que la régente accorde à Mazarin, dès sa nomination, surprend : on soupçonne Anne d'Autriche d'avoir été trop sensible au charme du cardinal.

La politique menée par la reine et son Premier ministre suscite très vite l'opposition de plusieurs groupes : les princes (Condé et le frère de Louis XIII, Gaston d'Orléans, en tête), les magistrats du parlement de Paris, puis une grande partie de la noblesse. Cette révolte désordonnée contre l'absolutisme royal (la Fronde) dure de 1648 à 1651. Elle se traduit notamment par la publication de centaines de chansons et de pamphlets contre Mazarin — les « mazarinades » — dans lesquels le Premier ministre et Anne d'Autriche sont constamment traînés dans la boue.

UN MARIAGE SECRET ?

Quelle est la nature du lien unissant la reine et son ministre ? Il est difficile de trancher. Certains historiens considèrent que Mazarin a joué de l'affection que lui vouait la reine pour assurer son pouvoir, en profitant notamment de la dévotion d'Anne d'Autriche pour son fils, dont elle voulait faire, selon ses propres termes, « le plus grand roi du monde ».

On a de nombreuses preuves qu'un attachement très fort unissait Mazarin et Anne d'Autriche. Leur correspondance secrète est à cet égard éloquente, tant la passion perce sous la retenue, rendue indispensable par les risques d'interception du courrier. Par exemple, on lit, de la main de Mazarin : « Je ne pourrai jamais espérer de repos éloigné de vous », ou « Mon Dieu ! que je serais heureux, et vous satisfaite, si vous pouviez voir mon cœur, ou si je pouvais vous écrire ce qu'il en est, et seulement la moitié des choses que je me suis proposées. Vous n'auriez pas grand peine, en ce cas, à tomber d'accord que jamais il n'y a eu une amitié approchante à celle que j'ai pour vous. »

Y a-t-il eu admiration réciproque, amitié, amour platonique ou consommé, voire mariage comme le prétendent certains historiens ? La vigueur des sentiments exprimés par la reine et par Mazarin, et diverses allusions épistolaires donnent à penser que leur relation a aussi été charnelle. Rien d'étonnant à cela si l'on pense que la reine a été mariée à quatorze ans à un homme qui l'a délaissée, et que Mazarin est connu pour ses succès de jeunesse auprès des femmes. Même les historiens les plus sceptiques, comme Pierre Goubert, reconnaissent que, lorsqu'elle attend le retour de Mazarin, en janvier 1651 à Poitiers, Anne d'Autriche montre une impatience qui surprend tous les témoins…

Alors, comment qualifier la relation qui unit la reine et son ministre ? Confiance inébranlable entre deux êtres convaincus d'œuvrer pour la paix et pour le jeune Louis XIV ? À coup sûr. Inclination, voire amour ? C'est très probable. Mariage secret ? Sûrement pas, car cela était quasiment impossible pour un cardinal, même si, comme Mazarin, il n'était pas ordonné prêtre. L'histoire de ces deux personnages montre en tout cas que la passion et la prise en compte de la grandeur de l'État ne sont pas incompatibles.

PORTRAIT DE LOUIS XIV ENFANT PAR CLAUDE DERUET (1641).

Qui se cachait derrière le Masque de fer?

**Pourquoi son visage était-il dissimulé ?
Quel était le secret de ce prisonnier qui, sur ordre de Louis XIV,
fut enfermé jusqu'à sa mort dans des forteresses imprenables ?**

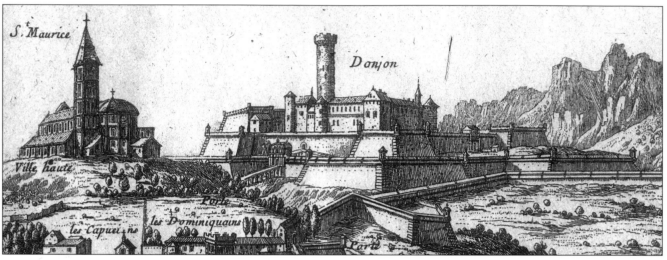

C'EST DANS LA FORTERESSE DE PIGNEROL (CI-DESSUS), **DANS LE PIÉMONT, QU'EST NÉE LA LÉGENDE DU MASQUE DE FER.**

PLUSIEURS CANDIDATS ONT ÉTÉ PROPOSÉS, depuis le XVIIIe siècle, par les auteurs à la recherche de l'identité du Masque de fer. Tous les historiens s'accordent aujourd'hui à éliminer les noms fantaisistes qui ont connu un certain succès par le passé : Molière, qui ainsi ne serait pas mort en scène en 1673, mais aurait été emprisonné sur ordre des Jésuites, mécontents de *Tartuffe;* le comte de Vermandois, fils naturel de Louis XIV, qui aurait été incarcéré pour crime de lèse-majesté — en fait, il meurt au siège de Courtrai, en 1683 ; le fils adultérin du roi d'Angleterre Charles II ; le chevalier Louis de Rohan, condamné pour avoir comploté contre Louis XIV ; le duc de Beaufort, petit-fils naturel d'Henri IV, châtié pour avoir pris part à la Fronde — en vérité, il a été décapité par les Turcs au siège de Candie, en 1669 !

La version la plus répandue, dans la littérature comme au cinéma, veut que l'homme au Masque de fer soit en fait un frère ou un demi-frère de Louis XIV, qui lui ressemblait à s'y méprendre et que le roi aurait voulu faire disparaître en le cachant derrière un masque, de fer puis de velours.

LE FRÈRE DU ROI ?

La thèse selon laquelle l'homme au Masque de fer serait le frère aîné de Louis XIV est ancienne. Son auteur est sans doute le fils de Louvois, Barbezieux, secrétaire d'État à la Guerre. Celui-ci reprit à son compte diverses rumeurs colportées par les protestants d'Angleterre sur les amours d'Anne d'Autriche, mère de Louis XIV, avec le duc de Buckingham. Après la mort de Barbezieux, en 1701, sa fille raconta que l'on avait fixé un masque de fer sur le visage du fils issu de ce couple adultérin. La légende fut reprise par Voltaire en 1771, dans les *Questions sur l'Encyclopédie*. Mais cette version peut avoir une autre origine : en 1679, Marc de La Morelhie aurait découvert un rapport d'autopsie de Louis XIII indiquant que le roi ne pouvait pas avoir d'enfants. Après qu'il en eut rendu compte au lieutenant général de la police Nicolas de La Reynie, La Morelhie fut emprisonné et disparut à tout jamais… Selon l'historien et romancier Maurice Duvivier, le véritable père de Louis XIV serait un certain François de Cavoye. L'un de ses fils légitimes, qui ressemblait trop au roi, aurait été arrêté et condamné à porter un masque de fer…

C'est pendant la Révolution qu'apparaît l'idée que le Masque de fer est en réalité le frère jumeau de Louis XIV et le légitime héritier du trône. Elle a pour auteur l'abbé de Soulavie et a été reprise avec talent, dans les années 1960, par Marcel Pagnol. Mais, pas plus que la précédente, cette version ne s'appuie sur une quelconque preuve.

UN SIMPLE VALET ?

Lorsque Louvois, alors ministre de la Guerre de Louis XIV, informe M. de Saint-Mars, geôlier de la forteresse-prison de Pignerol, que l'homme au Masque de fer doit y être incarcéré le 19 juillet 1669, il lui signale que « ce n'est qu'un valet ». Tout indique, effectivement, qu'il ne s'agit pas d'un gentilhomme : le mobilier de la cellule est modeste ; le prisonnier est entretenu avec seulement 165 livres par mois, une somme incompatible avec le train de vie d'un aristocrate. Tout laisse à penser que l'homme au Masque de fer est un certain Eustache Danger ou d'Angers, un simple valet, mais qui connaît sans doute un secret d'État. La correspondance entre Saint-Mars et ses ministres de tutelle, Louvois puis Barbezieux, permet de reconstituer avec précision les tribulations du détenu.

Enfermé à Pignerol en 1669, celui-ci est mis en 1675 au service d'un autre prisonnier célèbre de la forteresse, le surintendant des Finances Fouquet, qui a commis le double crime d'avoir

volé le roi et d'avoir voulu le surpasser en magnificence dans son château de Vaux-le-Vicomte. Mais les deux hommes sont séparés en 1680, lorsque Saint-Mars s'aperçoit qu'ils ont communiqué avec un troisième prisonnier de marque, Lauzun, ancien fiancé de la nièce de Louis XIV. Selon toute probabilité, comme le rapporte l'un des biographes de Louis XIV, Jean-Christian Petitfils, Saint-Mars aurait alors fait croire à Lauzun qu'Eustache Danger avait été libéré, afin d'ôter tout crédit à ce que celui-ci avait pu lui révéler. Le masque que porte le prisonnier lors de son transfert au fort d'Exilles en 1681, puis à l'île Sainte-Marguerite en 1687, et enfin à la Bastille en 1698, ne serait que la conséquence de ce stratagème. Celui-ci présentait, en outre, l'avantage de permettre à Saint-Mars de se mettre en valeur comme geôlier d'un personnage mystérieux — donc important.

Autre indice concordant : lorsque Voltaire lui demande des informations sur le Masque de fer pour préparer son *Siècle de Louis XIV* (en 1738), l'abbé Du Bos, grand connaisseur de cette période, lui répond : « Quant à l'homme masqué, j'entendis dire, lorsqu'il mourut il y a vingt ans, qu'il n'était qu'un domestique de M. Fouquet. » Lorsqu'il accréditera la rumeur concernant l'existence d'un frère aîné de Louis XIV, Voltaire savait donc parfaitement à quoi s'en tenir ! Son objectif était très probablement de discréditer la monarchie.

LA VÉRITABLE ÉNIGME

L'identité réelle de celui que Saint-Mars dissimulait sous un masque ne fait guère de doute aujourd'hui : il s'agissait bien du valet Eustache Danger. Reste à connaître la raison d'un traitement si particulier et si rigoureux. Les historiens se perdent en conjectures : secret diplomatique lié aux négociations entre la France et l'Angleterre, connaissance de réseaux d'espionnage (Danger fut arrêté à Calais, centre d'un réseau dirigé par le lieutenant général de l'Amirauté, M. de Thosse) ? Telle est en tout cas, aujourd'hui encore, la véritable énigme du Masque de fer.

DE NOMBREUX CRÉATEURS SE SONT INSPIRÉS DE L'HISTOIRE DU MASQUE DE FER : LE ROMANCIER ALEXANDRE DUMAS, DANS *LE VICOMTE DE BRAGELONNE* (1848-1850), MAIS AUSSI DES PEINTRES, DES GRAVEURS ET DES CINÉASTES.
CI-DESSUS : UNE SCÈNE DU FILM DE RANDALL WALLACE (1998), AVEC LEONARDO DI CAPRIO.
EN BAS, À GAUCHE : UN DESSIN D'A. DE NEUVILLE.

Newton, un génie au centre de controverses

LA MAISON OÙ ISAAC NEWTON EST NÉ, À WOOLSTHORPE. LES INSTRUMENTS SCIENTIFIQUES. QUI Y SONT CONSERVÉS ONT ÉTÉ AJOUTÉS LORSQUE LA DEMEURE A ÉTÉ CLASSÉE MONUMENT HISTORIQUE. CI-DESSOUS : **LA PAGE DE TITRE DES** *PRINCIPES*, **L'UN DES LIVRES SCIENTIFIQUES LES PLUS IMPORTANTS QUI AIENT JAMAIS ÉTÉ ÉCRITS. L'OUVRAGE DONNA NAISSANCE À LA PHYSIQUE MODERNE.**

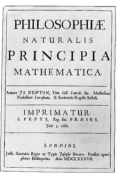

NEWTON ET SA POMME : C'EST UNE des images les plus célèbres de l'histoire des sciences ! Selon la tradition, Isaac Newton (1642-1727), qui a alors vingt-trois ans, est assis dans le jardin de sa maison de Woolsthorpe, en Angleterre, lorsqu'il remarque une pomme tombant d'un arbre. Après un instant de réflexion, il conçoit la loi de la gravitation universelle…

Newton lui-même n'a jamais relaté cette histoire par écrit, mais il l'aurait racontée à son ami et biographe William Stukeley un soir de 1726. Deux autres biographes, son médecin Henry Pemberton et le mathématicien William Whiston, se sont longuement entretenus avec lui des origines de sa théorie de la gravitation, et aucun ne fait allusion à la pomme !

L'anecdote nous est parvenue par l'intermédiaire de Voltaire. Il la rapporte dans ses

Quand les querelles et les rivalités jettent une ombre sur l'histoire de la science…

Éléments de philosophie de Newton et affirme la tenir de la nièce du physicien, Catherine Barton Conduitt, qui vivait avec son oncle et s'est occupée de sa maison pendant vingt ans. Des historiens estiment que Catherine disait peut-être vrai, mais en prenant pour un fait réel ce qui n'était qu'un simple exemple théorique donné par son oncle pour expliquer la gravitation. Le grand mathématicien allemand Carl Friedrich Gauss (1777-1855) rejetait quant à lui toute l'histoire comme une insulte au génie de Newton.

Qu'elle soit vraie ou non, l'anecdote donne à penser que Newton a élaboré dans l'isolement les lois qui portent son nom. Or c'est une erreur profonde. Né en 1642, il est déjà célèbre à la fin des années 1670 pour ses études sur la lumière, ses expériences en optique, sa formulation du calcul infinitésimal ainsi que pour la réalisation du premier télescope. Il gravit rapidement les grades académiques à Cambridge, mais se trouve mêlé à des controverses sur la paternité de plusieurs théories scientifiques. Supportant mal ces querelles, il démissionne de la Royal Society et parle de la science comme d'une « dame chicaneuse ».

Robert Hooke, qui a été l'un des premiers rivaux de Newton, devient secrétaire de la Royal Society en 1679. Se trouvant alors dans une impasse face à divers problèmes de mécanique, il pense que Newton est le seul capable de lui venir en aide. Aussi, en novembre de la même année, lui écrit-il une lettre aimable pour l'inviter à correspondre sur des problèmes de physique les intéressant tous deux. Newton accepte l'invitation, mais il le regrette rapidement, car Hooke rend publiques certaines spéculations erronées de Newton, afin de le mettre dans l'embarras.

UNE QUESTION POSÉE PAR HALLEY

C'est pourtant dans l'une des lettres de Hooke que Newton lit pour la première fois l'idée que le mouvement d'un objet soumis à une force peut se décomposer en deux mouvements : le premier, dans la direction de la force, est soumis à ce qui deviendra la seconde loi de Newton (un objet soumis à une force subit une accélération proportionnelle à sa masse) ; le second, perpendiculaire à la force, est constant, conformément à la première loi de Newton (en l'absence de force externe, un objet au repos tend à le rester, alors qu'un objet en mouvement tend à persévérer dans ce mouvement à une vitesse constante). À l'insu de Hooke, Newton a trouvé là l'idée décisive dont il a besoin.

Au même moment, Hooke est engagé dans une discussion avec deux amis : l'astronome Edmond Halley, qui découvrira la comète qui porte son nom, et l'astronome devenu architecte Christopher Wren. Le débat porte sur la force existant entre les corps célestes. Halley pense que la loi qui régit leur mouvement doit être analogue à celle selon laquelle l'intensité lumineuse diminue avec l'éloignement de la source, de manière inversement proportionnelle au carré de la distance (lorsque la distance double, l'intensité lumineuse est divisée par quatre). Hooke se déclare certain que Halley a raison, et Wren lui offre une récompense s'il peut le prouver. Halley décide de faire appel à Newton. Il sait que celui-ci connaît son amitié

avec Hooke et aura des réticences à lui répondre. C'est pourquoi il formule sa question de la manière suivante : quelle forme mathématique devrait avoir la force qui régit les mouvements des corps célestes pour que les lois de Kepler soient vraies ? Aujourd'hui, celles-ci sont le fondement de la physique céleste, mais elles n'étaient pas universellement connues et encore moins acceptées dans les années 1680. Or Newton les connaît et il a déjà réfléchi à la question : la force devrait être inversement proportionnelle au carré de la distance. Il a découvert ce principe en utilisant ses deux premières lois et le calcul infinitésimal, mais il pousse la réflexion beaucoup plus loin. Il applique sa troisième loi (à chaque action correspond une réaction égale et opposée) et conclut que la force gravitationnelle entre deux corps doit être la même pour tous les deux. Osant l'un des coups de génie les plus hardis de l'histoire scientifique, il formule la loi de la gravitation universelle : la force qui attire deux corps — qu'il s'agisse du Soleil et de la Terre, de la Terre et de la Lune, ou d'une pomme et de la Terre — est égale au produit des masses des deux corps, divisé par le carré de la distance qui les sépare, le tout multiplié par une constante gravitationnelle universelle (c'est-à-dire : qui est la même partout). La gravitation obéit ainsi à la troisième loi de Newton.

HOOKE RÉDUIT AU SILENCE

Il faut encore deux ans pour que Newton publie ses calculs dans *De motu (Du mouvement)*. Comme c'était prévisible, Hooke prétend être venu à bout de la loi de la gravitation avant Newton. Il ne peut toutefois pas expliquer pourquoi il n'a jamais réussi à obtenir la récompense de Wren… En 1687, lorsque Newton publie son chef-d'œuvre, *Philosophiae naturalis principia mathematica (Principes mathématiques de philosophie naturelle)*, nul ne doute qu'il est allé plus loin que quiconque dans l'explication et le calcul des mouvements des corps célestes. Hooke n'apprécie guère d'avoir donné à Newton la clef qui lui a permis de déverrouiller les secrets des cieux, mais il est réduit au silence !

PORTRAIT D'ISAAC NEWTON, SANS DOUTE PEINT D'APRÈS NATURE, PAR GODFREY KNELLER (1646-1723). CE GRAND MATHÉMATICIEN ET PHYSICIEN SE PASSIONNA AUSSI POUR LA THÉOLOGIE ET L'ÉTUDE DES TEXTES MYSTIQUES.

L'affaire des Poisons

Le Grand Siècle a aussi connu sa face sombre. Sorcellerie, empoisonnements, messes noires : qui étaient les protagonistes de l'affaire des Poisons ?

L'AFFAIRE DES POISONS, QUI METTAIT EN CAUSE CERTAINS DES PLUS GRANDS PERSONNAGES DU ROYAUME, A AGITÉ PARIS DURANT PLUSIEURS ANNÉES. CETTE ESTAMPE POPULAIRE (À DROITE), VÉRITABLE BANDE DESSINÉE, RACONTE L'HISTOIRE DE LA PLUS CÉLÈBRE EMPOISONNEUSE DU GRAND SIÈCLE, LA VOISIN.

LA MARQUISE DE BRINVILLIERS SE REND À L'ÉCHAFAUD, LITHOGRAPHIE D'APRÈS CHARLES LEBRUN (1619-1690).

L'AFFAIRE DÉBUTE EN 1676, lorsqu'une aventurière, Madeleine Gueniveau, qui se fait appeler Mademoiselle de La Grange, est arrêtée après la mort foudroyante de son amant. Celui-ci vient de rompre avec elle, mais il lui aurait laissé tous ses biens par testament. En fait, Madeleine a fait établir un faux certificat de mariage par un complice, l'abbé Nail, et l'on comprend vite que, aidée par lui, elle a empoisonné son amant. Au cours de l'enquête, elle écrit au ministre Louvois pour l'avertir de graves dangers qui menacent Louis XIV. Louvois la convoque et, à la suite de ses révélations — dont on ignore la teneur, mais dont il fait le compte rendu au roi —, il confie au lieutenant de police Nicolas La Reynie une enquête qui mettra en lumière les noires pratiques de la haute société.

La procédure, longue et tortueuse, révèle d'abord des liens entre Mlle de La Grange et une bande de faux-monnayeurs qui cachent chez eux une quantité importante de poudres et de liquides toxiques. On découvrira plus tard que leur chef, Louis de Vanens, est sans doute impliqué dans la mort suspecte du duc de Savoie, en 1675. Magicien et alchimiste ayant pignon sur rue à Paris, il a été en contact avec la maîtresse du roi, la marquise de Montespan.

Au même moment — nous sommes en janvier 1679 —, Marie Bosse, une femme qui a coutume d'acheter crapauds et bêtes venimeuses à la halle, est arrêtée. Lors de son interrogatoire, elle met en cause de hauts personnages de la cour — et notamment une « personne considérable », très proche du roi et qui tenterait de l'ensorceler. Ces enquêtes mettent au jour toute une société de marginaux, magiciens, alchimistes et criminels qui vivent autour de la rue Saint-Denis. Parmi eux, Catherine Deshayes, dite la Voisin, va connaître une célébrité particulière.

Le 7 avril 1679, Louis XIV décide la création d'une cour de justice extraordinaire — la Chambre ardente — pour juger ces affaires. L'enquête met au jour un vaste réseau d'empoisonneurs, d'avorteurs et d'anciens prêtres spécialisés dans les messes noires. De grands personnages sont en effet incriminés : le duc de Luxembourg, les nièces de Mazarin, et même Racine — qui sera cependant blanchi.

En 1680, plusieurs suspects, dont la Voisin et l'abbé Guibourg, dénoncent Mme de Montespan : elle se serait procuré des philtres pour garder la faveur du roi, avant de participer à des messes noires, à partir de 1673 ; puis elle aurait tenté d'empoisonner la nouvelle favorite du roi, Mlle de Fontanges, pour finalement s'en prendre au souverain lui-même…

En octobre 1680, les révélations de l'abbé Guibourg atteignent un nouveau sommet dans l'horreur. L'abbé aurait en effet sacrifié des nouveau-nés selon un rite d'une rare cruauté : après la messe noire, le cœur de la victime était arraché, le sang et les entrailles étaient mélangés à des rognures d'hostie pour être offerts en sacrifice à Satan.

La Chambre ardente est finalement renvoyée le 21 juillet 1682. Elle a inculpé 442 personnes et rendu 104 jugements, dont 36 condamnations à mort. Soixante accusés, qui n'ont pu être jugés pour raison d'État, sont enfermés à vie dans diverses forteresses.

LA MODE DU POISON

Au XVIIe siècle, l'usage du poison est une véritable mode. « Poudres de séduction » (pour s'attirer des faveurs amoureuses) ou « de succession » (pour se débarrasser d'un vieil époux importun) sont alors d'un emploi courant. Ainsi la comtesse de Soissons est-elle soupçonnée d'avoir empoisonné son mari, décédé brusquement en novembre 1673. La mort suspecte du duc de Savoie, en juin 1675, est attribuée à une chemise empoisonnée par le marquis de Livourne. Mais la championne de ce sport national est la marquise de Brinvilliers, qui, à partir de 1666, empoisonne successivement son père et ses deux frères, puis tente de se débarrasser de sa sœur, de sa belle-sœur et de son mari pour s'emparer de la fortune familiale. Son procès et son exécution, en 1676, apparaissent comme les prémices de l'affaire des Poisons.

En vérité, à cette époque, à Paris, il est possible d'acheter du vitriol ou de l'arsenic à tous les coins de rues. Il faut attendre 1682 pour que le commerce des drogues et des substances toxiques soit enfin réglementé et réservé aux

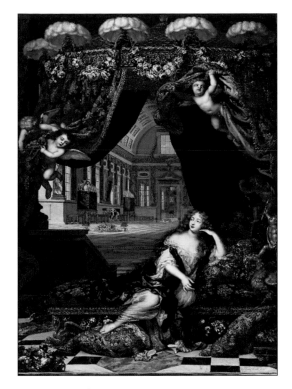

Mme DE MONTESPAN DANS LA GALERIE DU CHÂTEAU DE CLAGNY, PAR HENRI GASCARD (1635-1701).

apothicaires et aux médecins. Comme au Moyen Âge, la sorcellerie appartient à l'environnement quotidien des hommes du Grand Siècle, dans toutes les couches de la société : les textes classiques de l'astrologie, de l'alchimie (prophéties de Nostradamus, *Grand Albert, Petit Albert*) et de la sorcellerie sont régulièrement réédités, et colportés jusque dans les campagnes. Cet univers est bien loin des fastes de Versailles, des tragédies de Racine et de Corneille, des comédies de Molière, des *Fables* de La Fontaine ou des sermons de Bossuet !

Mme DE MONTESPAN, EMPOISONNEUSE OU VICTIME ?

Selon l'un des biographes de Mme de Montespan, Michel de Decker, les accusations d'empoisonnement portées contre la marquise seraient l'œuvre de courtisans jaloux. Aux révélations des empoisonneurs, soumis à la torture, et aux insinuations calomnieuses de la cour — celles, entre autres, de la princesse Palatine, belle-sœur du roi, qui ne manque jamais une occasion de vilipender la maîtresse

officielle —, cet auteur oppose des questions simples et de bon sens. Pourquoi, en pleine affaire, le roi a-t-il remis à Mme de Montespan 50 000 livres de gratification ? Pourquoi a-t-il donné un grand bal en l'honneur de sa fille, Mlle de Nantes ? Pourquoi a-t-il légitimé leurs deux derniers fils au moment même où la Chambre ardente reprenait ses séances, en novembre 1681 ? Pourquoi

PIÈCE DU PUZZLE ▼

a-t-il attendu 1687 pour lui ordonner de quitter son appartement de Versailles ? Par ailleurs, pourquoi la favorite aurait-elle pris le risque de tuer la poule aux œufs d'or en empoisonnant Louis XIV ? En réalité, si Mme de Montespan n'a sûrement pas usé de poison envers le roi ni envers sa rivale, Mlle de Fontanges, si elle n'a jamais participé à la moindre messe noire, il est indéniable qu'elle a été en

contact avec la Voisin, à qui elle a demandé des philtres. Les accusés ont donc, très probablement, pensé que la meilleure manière de se protéger était de se retourner contre la flamboyante favorite : ils espéraient que la justice du roi les épargnerait pour étouffer le scandale… C'est précisément ce qui s'est produit pour nombre d'entre eux, à commencer par l'abbé Guibourg !

Casanova,
homme de qualité ou séducteur diabolique?

Dans ses Mémoires, l'aventurier vénitien, incarnation du libertinage, a-t-il embelli l'histoire de ses innombrables conquêtes?

SI L'ON EN CROIT SES MÉMOIRES, *Histoire de ma vie*, qui constituent sans doute la forme la plus achevée de l'auto-célébration littéraire, Giovanni Giacomo Casanova (1725-1798) dévorait fréquemment cinquante huîtres au petit-déjeuner, avait pour maîtresses les plus belles femmes de son époque et savait charmer les princes d'Europe. Rédigés en français à la fin du XVIIIᵉ siècle, ces mémoires s'achèvent avec la quarante-neuvième année de leur auteur. Celui-ci justifie ses exploits par une maxime facile : « L'homme double son existence lorsqu'il a le talent de multiplier les plaisirs, de quelque nature qu'ils puissent être. » Aussi des spécialistes se sont-ils demandé si les Mémoires de Casanova relataient fidèlement sa vie, ou si les plaisirs qu'il y décrit n'étaient pas amplifiés à des fins littéraires.

GÉNIE OU SUBORNEUR ?

Deux tendances opposées caractérisent les recherches récentes sur Casanova. L'une tente de le diaboliser, tandis que l'autre cherche à l'élever au-dessus des anecdotes trompeuses de ses fanfaronnades sexuelles.

Les tenants du second courant voient le célèbre séducteur moins comme un amant que comme un penseur et un écrivain de talent. D'autres considèrent le récit de ses exploits sexuels comme un leurre : toutes ses descriptions de techniques de séduction et de rendez-vous galants ont détourné l'attention de ses qualités de penseur, de diplomate et même d'agent secret… Un érudit est allé jusqu'à compter le nombre de rencontres sexuelles décrites dans les Mémoires : il arrive au total de 122 mais il conclut que « cela ne suffit pas à faire seulement de lui un grand amant ». Il faut en effet se rappeler que Casanova a aussi écrit des traités

de philosophie, qu'il a traduit *l'Iliade* en vénitien, et qu'il a, durant un de ses séjours à Paris, inventé la loterie royale. Cet homme aux talents multiples est l'ami de Voltaire et de Catherine II de Russie. Il se rend célèbre dans toute l'Europe après son évasion spectaculaire, en 1756, de la prison du palais ducal de Venise (les Plombs), où il a été jeté l'année précédente à cause de son prétendu intérêt pour l'occultisme.

Les détracteurs de Casanova ne se laissent pas impressionner par de tels arguments. Ils attirent l'attention sur les côtés obscurs du personnage, et considèrent que, même s'il n'est pas allé aussi loin que le marquis de Sade, il faut beaucoup d'imagination pour le trouver admirable ! Certains en ont même fait un pédophile parce qu'il avait séduit une fillette de onze ans, mais la notion de pédophilie est, bien sûr, totalement étrangère au XVIIIᵉ siècle ; il faut dire en outre que cet intérêt pour une enfant est exceptionnel dans sa carrière de séducteur. On a aussi reproché à Casanova de prendre les dames de force lorsque ses manœuvres de séduction échouent ; il faut dire toutefois qu'elles réussissent le plus souvent. On raconte encore que, pour se venger d'une femme qui le repousse, Giacomo apprend à un perroquet à dire qu'elle est « plus putain que sa mère » et place l'oiseau dans une cage qu'il dépose sur l'une des artères les plus fréquentées de Londres…

Pour ces historiens, Casanova exploite les femmes et est un misogyne invétéré. Ils voient l'origine de ce comportement dans les traumatismes de son enfance. Casanova est en effet le fils aîné d'un couple de comédiens vénitiens, et il est mis dès son plus jeune âge en pension chez des étrangers. Il aurait donc souffert toute sa vie de la double flétrissure d'une naissance obscure et de l'abandon, et sa fascination pour les

femmes ne serait rien d'autre qu'une tentative désespérée pour compenser l'absence de sa mère.

UNE FIN DE VIE PLUS TRANQUILLE

Le plus surprenant dans la vie de Casanova, c'est peut-être la manière particulièrement tranquille, et même respectable, dont elle s'achève. À l'âge de soixante ans, ruiné et probablement devenu impuissant, il accepte l'offre d'un ami, le comte de Waldstein, qui lui propose de devenir son bibliothécaire, dans son château de Dux, en Bavière. Entouré de 12 000 livres — un environnement paisible pour coucher sur le papier de bien turbulentes activités —, il passe douze heures par jour à rédiger son autobiographie. Il semble même que, durant son séjour en Bavière, il se soit quelque peu repenti de ses débauches. Affaibli par une longue maladie — cancer ou affection vénérienne —, il meurt en 1798, à l'âge de soixante-treize ans. Si l'on en croit un témoin, ses dernières paroles furent : « J'ai vécu en philosophe et je meurs en chrétien. »

Ce n'est probablement pas cette image que Casanova voulait laisser de lui. Deux ans avant sa mort, il fut accusé d'avoir engrossé la fille d'un portier : bien que la jeune fille ait révélé rapidement la réelle identité du père, le légendaire séducteur, qui tenait à sa réputation, se garda bien de faire taire la rumeur ! Ceux qui l'ont connu dans ses ultimes années ont même suggéré qu'il n'était pas peu fier de ce dernier petit scandale…

La bête du Gévaudan

**S'agissait-il
d'un animal féroce,
dressé pour tuer,
ou simplement
d'un gros loup?
L'imagerie populaire,
la littérature et le cinéma
se sont emparés
tour à tour de la légende,
mais peut-on connaître
la réalité?**

LES RAVAGES DE LA « BÊTE » ONT PASSIONNÉ LA FRANCE ENTIÈRE. BROCHURES (CI-DESSUS) ET IMAGES POPULAIRES (À DROITE) ONT DIFFUSÉ SES MÉFAITS DANS TOUTES LES COUCHES DE LA SOCIÉTÉ.

LE MYTHE DE LA BÊTE DU GÉVAUDAN EST l'un des plus fascinants que nous ait laissés le XVIIIᵉ siècle. Dans une époque marquée par le progrès, la philosophie et les Lumières, il fait en effet resurgir des peurs ancestrales et des légendes ancrées dans notre inconscient collectif — comme celle du loup-garou —, tout en se fondant sur des événements authentiques. Toute la vérité a-t-elle été faite sur cette histoire incroyable et pourtant bien réelle?

L'affaire débute pendant l'été 1764 : en trois mois, sept personnes sont retrouvées égorgées dans la région de Langogne, en Gévaudan, dans l'actuel département de la Lozère. Au cours de l'automne et de l'hiver, de nouveaux meurtres se produisent plus vers le nord-ouest. En février 1765, ils se concentrent plus à l'ouest, autour de Chaudes-Aigues, avant de gagner la Margeride, au nord, durant l'été. En septembre, on découvre des victimes à la frontière de l'Auvergne, dans la région de Langeac…

Durant tout ce temps, le pouvoir royal n'est pas resté inactif. Rapidement informé du drame, le contrôleur général des Finances L'Averdy suit les battues menées par le capitaine des dragons Duhamel sur instruction de l'intendant du Languedoc, M. de Saint-Priest. Mais toutes les tentatives de Duhamel paraissent vouées à l'échec et ne font qu'exaspérer la population, qui se plaint des exactions des dragons. Aussi le roi Louis XV ordonne-t-il à Saint-Priest de prendre enfin des mesures efficaces.

Deux chasseurs qui se sont illustrés contre les loups en Normandie, les Denneval père et fils, arrivent à Mende en mars 1765. Après avoir examiné les cadavres de plusieurs victimes, ils sont très vite convaincus d'avoir affaire à des loups, mais d'une taille peu commune. Cependant, ils n'en viennent pas à bout et, devant leurs échecs répétés, le roi ordonne à son

se jetta sur une jeune fille ... ement fut secourue a tems.

lieutenant des chasses, Antoine de Beauterne, de prendre la tête des opérations. Arrivé en Gévaudan le 22 juin 1765, il y restera tout l'été, traquant les loups dans une montagne rendue impraticable par la pluie, particulièrement abondante cette année-là. Le carnage se poursuit jusqu'à la grande traque du 21 septembre, à l'issue de laquelle on abat un loup d'une taille étonnante (0,90 m de haut pour 1,85 de long et 64 kg) et qui correspond aux descriptions les plus nombreuses de ce que l'on appelle désormais la « bête » : des flancs rougeâtres et une raie noire sur le dos. Dans le mois qui suit, sa louve et deux louveteaux seront à leur tour abattus. L'animal, rapidement embaumé, est envoyé à Versailles, où le roi félicite publiquement

LOUP, HYÈNE, ANIMAL FABULEUX ? LES HYPOTHÈSES LES PLUS FANTAISISTES COURURENT DÈS QUE FURENT CONNUS LES ÉVÉNEMENTS DRAMATIQUES DU GÉVAUDAN. CI-DESSUS : UNE GRAVURE DE 1764, INTITULÉE *FIGURE DE LA BÊTE FÉROCE QUE L'ON CROIT ÊTRE UNE HYÈNE QUI RAVAGE DEPUIS SIX MOIS LES PRÉS DE LANGOGNE ET TOUS LES ENVIRONS.*

Beauterne. Mais celui-ci s'avoue toujours inquiet, car rien ne dit que d'autres loups du même type ne rôdent pas encore. D'ailleurs, après son départ, le 30 novembre, on dénombre de nouvelles victimes : il faut attendre le 19 juin 1767 pour qu'un autre animal, exactement semblable à celui qui a été tué en septembre 1765, soit abattu par un paysan nommé Jean Chastel, et que les meurtres cessent définitivement.

Au total, on dénombrera 81 agressions et 52 personnes dévorées, mais il semble que ces chiffres soient sous-estimés. La plupart des victimes sont des femmes et des enfants de moins de douze ans, ce qui n'a rien de surprenant si l'on se rappelle que c'est à eux qu'est confiée la garde des troupeaux dans les prés et les bois.

UNE BÊTE NÉE DE LA RUMEUR ?

Jusqu'à la fin de l'année 1764, tous les rapports sur le Gévaudan font état d'attaques de loups. Mais l'atrocité des blessures observées sur les victimes — éventrées, égorgées, parfois décapitées — suscite à la fois la frayeur et l'incrédulité des paysans, pourtant habitués aux ravages des loups sur les troupeaux. Le mandement de

l'évêque de Mende, Mgr de Choiseul-Beaupré, le 31 décembre 1764, déclenche une psychose générale. Profitant de l'occasion pour tenter de ramener dans le droit chemin les fidèles égarés, l'évêque désigne leurs péchés comme la source de tous leurs malheurs, et la « bête » comme l'instrument de la colère de Dieu. Il cite la Bible : « Je les attendrai comme un léopard […]. Je viendrai à eux comme une ourse […]. Je leur ouvrirai les entrailles et leur foie sera mis à découvert, je les dévorerai comme un lion. » On devine l'effet de telles paroles sur des esprits ignorants et en proie aux plus grandes craintes…

Très vite, le portrait de la « bête » se précise : il s'agit d'un animal hybride, entre le lion, l'ours, le léopard… et le caïman, dont elle possède les écailles. On la dit assoiffée de sang, douée de parole parfois ; on y voit même un loup-garou ; seuls les taureaux ou les bœufs pourraient la mettre en fuite… Colportés par les journaux (notamment le *Mercure de France*, la *Gazette de France* et le *Courrier d'Avignon*), par la chanson et surtout par l'imagerie populaire, tous les fantasmes traditionnels resurgissent alors de l'inconscient campagnard. Mais la « bête » sert aussi la propagande royale. Le roi est présenté par ces journaux et dans ces chansons comme le protecteur de son peuple, soucieux de mettre un terme aux ravages que subit le comté.

LOUPS OU HOMME ?

L'hypothèse le plus généralement admise aujourd'hui est qu'il n'a pas existé *une* bête du Gévaudan, mais plusieurs (peut-être trois), appartenant à la même portée — ce qui expliquerait leur ressemblance, et donc le fait que les témoins les aient confondues. Notons toutefois qu'un loup peut parcourir jusqu'à 200 km en une nuit : un seul animal aurait pu sans difficulté accomplir toutes les attaques recensées dans la région, soit une surface de 70 km sur 60 seulement.

Mais rien, en théorie, n'interdit de penser que ce ou ces animaux aient pu être dressés pour tuer, ou même que certains des crimes aient été commis par des hommes. C'est l'hypothèse émise par le romancier Abel Chevalley en 1936, et reprise par M. Aribaud-Farrère en 1962, puis par le film *le Pacte des loups*, de Christophe Gans, en 2000. Un aristocrate sadique, Jean-François Charles de Morangiès, marquis de Saint-Alban, se serait dissimulé derrière la « bête » — ou aurait au moins profité des ravages qu'elle commettait — pour accomplir lui-même des meurtres sanguinaires. Il se serait associé, pour ces crimes, au fils de Jean Chastel, Antoine, bien décidé à se venger des hommes après avoir été castré pendant sa captivité à Alger. Comme Antoine aurait été gardien de ménagerie en Algérie et que certains témoins décrivent la « bête » comme une hyène, on a même imaginé qu'il aurait ramené d'Afrique un spécimen de cet animal et qu'il l'aurait ensuite dressé pour tuer. Si elle côtoyait quotidiennement les

LA BÊTE DU GÉVAUDAN EST AUJOURD'HUI UN ARGUMENT TOURISTIQUE. CI-CONTRE : UNE SCULPTURE DE R. KAEPPELIN, À AUVERS-EN-MARGERIDE.

Chastel, il n'est pas étonnant alors que la « bête » soit restée étrangement passive lorsque Jean Chastel l'a visée et tuée, en juin 1767.

Le zoologue Michel Louis, qui reprend à son compte cette théorie, prétend que l'animal ne peut être un loup. Il s'agirait selon lui d'un hybride de loup et de chienne spécialement dressé pour tuer. Mais il faut bien avouer qu'aucune preuve décisive n'a été apportée jusqu'ici en faveur de ce scénario. Tous les documents officiels de l'époque désignent des loups comme seuls responsables du drame. Terrorisés par les rumeurs sur la « bête », les villageois se sont sans doute trouvés tétanisés face à des animaux qu'ils parvenaient d'ordinaire à mettre en fuite. Leur comportement expliquerait à lui seul pourquoi des loups, d'ordinaires craintifs devant les hommes, auraient pour une fois attaqué en grand nombre les femmes et les enfants.

LES PAYSAGES GRANDIOSES ET SAUVAGES DU GÉVAUDAN VUS DEPUIS LE MONT MOUCHET.

L'affaire du Collier de la reine

La Révolution française est-elle née d'une banale escroquerie menée par une aventurière ? L'affaire du Collier a, en tout cas, gravement ébranlé la monarchie.

**LOIN DE L'IMAGE IDYLLIQUE D'UNE FAMILLE ROYALE UNIE AUTOUR DU DAUPHIN, FRÈRE AÎNÉ DU FUTUR LOUIS XVII, L'AFFAIRE DU COLLIER A PORTÉ UN COUP FATAL AU PRESTIGE DU ROI ET DE LA REINE.
CI-CONTRE : FAC-SIMILÉ DU COLLIER DE MARIE-ANTOINETTE, MONTÉ PAR LES JOAILLIERS BOEHMER ET BASSENGE.**

CERTAINS SCANDALES JUDICIAIRES ONT DES répercussions considérables sur l'Histoire, surtout lorsqu'ils se produisent dans un contexte de contestation des pouvoirs établis. Dans les années 1780, l'opinion publique française gronde de plus en plus contre les nobles : on les juge corrompus et arc-boutés à leurs privilèges, on les accuse de dilapider le Trésor — au détriment du gouvernement, qui est incapable de résorber le déficit. Plus généralement, on s'en prend à l'absolutisme royal. On brocarde aussi le clergé de cour, qui fait passer les devoirs religieux après l'ambition personnelle. À mots de moins en moins couverts, à travers chansons et pamphlets, on dépeint un Louis XVI faible et une Marie-Antoinette frivole et dépensière. Le souci du bien public semble avoir déserté Versailles, lieu de toutes les intrigues et de toutes les compromissions. Tel est le contexte dans lequel la reine, pourtant victime d'une tentative d'escroquerie, va apparaître aux yeux de l'opinion comme la complice d'un forfait qui symbolise l'avidité et la légèreté de toute la cour.

UNE REINE IMPOPULAIRE

Comment en est-on arrivé là ? L'affaire du Collier n'est à l'origine qu'une banale tentative d'escroquerie montée par une aventurière, la comtesse de La Motte, aux dépens d'un homme à la fois ambitieux et naïf, le cardinal de Rohan. Celui-ci appartient à l'une des plus grandes familles de France et est l'aumônier de la cour. Lorsque débute l'affaire, en 1783, il tente depuis plusieurs années de s'attirer les bonnes grâces de la reine dans l'espoir de devenir un jour ministre. Mais celle-ci le méprise depuis leur rencontre à Vienne, où il était ambassadeur. En outre, Marie-Antoinette, jugée superficielle, trop peu discrète et non conformiste, est en butte à l'hostilité des grandes familles de la cour, les Rohan, les La Rochefoucauld, les Montmorency. Elle a reporté sa confiance sur des étrangers (dont le maréchal suédois Hans Axel de Fersen) et sur la famille de Polignac. Les faveurs qu'elle leur accorde alimentent les rumeurs : on l'accuse d'adultère, d'homosexualité, on la soupçonne d'organiser des orgies dans son Hameau de Trianon…

UNE AVENTURIÈRE ROYALE

Qui est la comtesse de La Motte ? Son histoire n'est pas banale : descendante d'un bâtard légitimé du roi Henri II, la petite Jeanne de Valois se retrouve mendiante sur les chemins de Passy, près de Paris, en 1763. La marquise de Boulainvilliers la prend sous sa protection et la place dans une maison d'éducation ; puis elle obtient du roi une pension de 800 livres pour la fillette. En 1780, au terme d'une jeunesse agitée, Jeanne de Valois épouse un petit gentilhomme, Nicolas de La Motte. L'année suivante, elle fait la connaissance du cardinal de Rohan, chez qui séjourne sa bienfaitrice. Bientôt installée à Versailles, et bien qu'elle n'ait eu aucun contact avec la reine, Mme de La Motte répand un peu partout le bruit qu'elle est devenue l'amie de Marie-Antoinette. Elle commence à monnayer des intercessions imaginaires auprès de la souveraine et, avec la complicité de Giuseppe Balsamo, dit le comte de Cagliostro, convainc Rohan qu'elle travaille à défendre ses intérêts. Elle rédige de fausses lettres, signées Marie-Antoinette, où la reine accorde son pardon au cardinal, avant de lui donner rendez-vous, de nuit, dans les jardins de Versailles. Le 11 août 1784, Rohan rencontre, dans le bosquet de Vénus, une jeune fille qu'il prend pour la reine, mais leur rendez-vous est opportunément interrompu par l'arrivée d'un complice. Dans les semaines qui suivent, Jeanne obtient 150 000 livres du cardinal. Le naïf est alors prêt pour un « gros coup ».

Or il se trouve que le joaillier de Marie-Antoinette, Boehmer, ne sait que faire d'un collier de diamants qu'il avait espéré vendre à Louis XV pour que celui-ci l'offrît à sa maîtresse, Mme Du Barry. Le joaillier avait dû emprunter 800 000 livres pour acheter les plus belles pierres, mais Louis XV était mort entretemps. En janvier 1785, Mme de La Motte, qui a eu vent de l'affaire, annonce au cardinal que la reine le charge d'acheter le collier pour elle, mais en cachette du roi et à crédit. Rohan s'engage auprès du joaillier à payer en deux ans et à verser 400 000 livres le 1er août, puis il remet le collier à un envoyé de la reine — en réalité, l'amant de Mme de La Motte. Le bijou est aussitôt démonté, et les pierres sont vendues à Londres…

À l'approche de l'échéance, le cardinal s'inquiète de ne pas recevoir d'argent de la reine. Jeanne parvient à le faire patienter mais, le 9 août, Boehmer fait part de l'achat du collier par Rohan à Marie-Antoinette. Celle-ci avertit immédiatement le roi. Le 15 août, Louis XVI, convaincu que le cardinal a tout manigancé pour rembourser ses propres dettes, le fait arrêter.

PRÉMICES DE LA RÉVOLUTION ?

Le scandale est immense. Les parlementaires, qui voient en Rohan une victime de l'absolutisme royal, exultent. L'un d'eux déclare même : « Grande et heureuse affaire ! Un cardinal escroc, la reine impliquée dans une affaire de faux ! Que de fange sur la crosse et sur le sceptre ! Quel triomphe pour les idées de liberté ! »

Le procès s'ouvre devant le parlement de Paris, le 22 mai 1786. Au terme de débats passionnés, il se solde par un verdict humiliant pour le roi et la reine : si Mme de La Motte est condamnée à la détention à perpétuité — elle s'évadera

LA POULLE D'AUTRYCHE,

Je digere l'or argent avec facilité mais la constitution je ne puis l'avaler

de la Salpêtrière l'année suivante et rejoindra son mari à Londres, où elle mourra en 1791 —, Rohan est innocenté, sans aucun blâme, par 26 voix contre 22. Le roi le relègue dans son abbaye de La Chaise-Dieu… mais le cardinal quittera Paris sous les vivats et les acclamations.

Certes, l'affaire du Collier n'est qu'un épisode secondaire dans la longue marche des événements qui vont conduire à la Révolution de 1789. C'est cependant une étape qui compte : c'est la première fois que se manifeste ouvertement la haine de l'opinion publique pour Marie-Antoinette. Le jugement du parlement de Paris laisse, à mots couverts, planer le doute sur sa complicité. Le discrédit a été jeté sur la monarchie. Désormais, le roi et la reine euxmêmes ne sont plus à l'abri des humiliations…

EN 1791, APRÈS LA FUITE DE LA FAMILLE ROYALE ET SON ARRESTATION À VARENNES, LES CARICATURES QUI VISENT À DISCRÉDITER LA REINE MULTIPLIENT LES ALLUSIONS À SON AVIDITÉ, QUI AVAIT CHOQUÉ L'OPINION LORS DE L'AFFAIRE DU COLLIER.

Mozart
a-t-il été assassiné?

Le génial compositeur viennois est-il mort de maladie ou a-t-il été empoisonné par un rival?

SI L'ON EN CROIT LA LÉGENDE, MOZART DESTINAIT SA DERNIÈRE COMPOSITION, LE *REQUIEM*, À SES PROPRES FUNÉRAILLES.
CI-DESSUS: UN PASSAGE DE CETTE ŒUVRE INACHEVÉE, AVEC LE CHŒUR *REQUIEM ÆTERNAM DONA EIS, DOMINE* (DONNE-LEUR LE REPOS ÉTERNEL, Ô SEIGNEUR).

LA MUSIQUE SUBLIME DE WOLFGANG AMADEUS Mozart vivra éternellement, alors qu'il n'a pas été donné au compositeur de jouir bien longtemps de la vie. Lorsqu'il meurt, le 5 décembre 1791, après une courte lutte contre la fièvre, il n'a que trente-cinq ans.

Le jeune Wolfgang est considéré comme l'un des plus étonnants musiciens prodiges de tous les temps et il est célèbre dans toute l'Europe. Il compose ses premiers menuets à six ans et, avant même l'âge de dix ans, le jeune virtuose joue déjà de plusieurs instruments. Il n'est pas encore adulte quand il écrit ses premiers opéras et de grandes symphonies, et toutes les cours royales, de Vienne à Londres, saluent son talent. Mais sa vie sera bien vite marquée par les difficultés financières et les conflits professionnels.

Alors qu'il est à nos yeux le plus grand compositeur de son époque, Mozart a toutes les peines à connaître un succès durable auprès des habitants de Vienne, dans son Autriche natale. Ses triomphes sont souvent éclipsés par ses échecs. Pis encore, il doit compter avec les intrigues de compositeurs jaloux de son talent. Il lui faut aussi esquiver les caprices des Habsbourg et composer sans cesse sur commande, à la hâte, pour payer ses factures… Lorsqu'il meurt, le registre des décès indique qu'il a succombé à une « fièvre aiguë », mais il ne faut pas longtemps pour qu'un tout autre diagnostic soit avancé: le meurtre.

UN CLIMAT DE MALVEILLANCE

La légende tenace selon laquelle Mozart a été assassiné se forge très vite. On lit dans un journal de Berlin que « les gens ont pensé qu'il avait été empoisonné, parce que son corps a enflé après sa mort ». Normalement, un cadavre devient rapidement froid et raide, alors que, comme son fils Karl l'a rapporté plus tard, celui de Mozart a gonflé et est resté souple, caractéristiques fréquemment constatées chez les victimes d'empoisonnements. À cause de la puanteur qu'il dégageait, le cadavre a été enterré à la hâte, sans avoir fait l'objet d'une autopsie. Plus étrange

RIVAL DE MOZART, ANTONIO SALIERI DEMANDA À SON ÉLÈVE IGNAZ MOSCHELES DE FAIRE SAVOIR AU MONDE ENTIER QU'IL N'Y AVAIT « AUCUNE VÉRITÉ DANS CETTE RUMEUR ABSURDE » SELON LAQUELLE IL AURAIT EMPOISONNÉ MOZART.

encore, Mozart lui-même semble avoir été convaincu qu'il avait été empoisonné par un rival. Quelques semaines avant de mourir, il avait dit en effet à sa femme Constance : « Quelqu'un m'a donné de l'acqua-toffana et a calculé le moment précis de ma mort. » (L'acqua-toffana est un poison lent à l'arsenic.)

Le compositeur avait suffisamment d'ennemis pour que les soupçons de malveillance à son endroit fussent justifiés. Le plus célèbre de ses rivaux était le compositeur officiel de l'empereur Joseph II, Antonio Salieri (thèse popularisée en 1984 par le film *Amadeus* de Milos Forman). À cette époque, Salieri était le musicien le plus sollicité par l'aristocratie, mais il était convaincu que Mozart, bien que moins en vogue que lui, possédait un talent supérieur au sien — en quoi il n'avait certes pas tort. Même s'il a assisté à une représentation de *la Flûte enchantée* et s'il a été l'un des rares à suivre le cortège funèbre de Mozart, il brûlait de jalousie devant la puissance créatrice de son rival.

Plus de trente ans après la mort de Mozart, Salieri attisa lui-même les flammes du soupçon. Sentant sa propre fin venir, de plus en plus préoccupé par l'idée qu'il était responsable de la mort de Mozart, il tenta de se suicider et s'accusa de ce qu'il disait être son « péché ». Et, tandis que sa musique, jadis célébrée dans tout Vienne, avait sombré dans l'oubli, le vieux compositeur italien mourut, amer et brisé, en 1824.

UNE FIN PLUS PROSAÏQUE ?

Un autre homme pouvait avoir des raisons de souhaiter la mort de Mozart : Franz Hofdemel, dont la femme, la belle Magdalena, étudiait le piano avec le compositeur, suscitant ainsi des rumeurs selon lesquelles elle aurait eu une relation amoureuse avec lui. Quelques jours seulement après le décès de Mozart, Franz Hofdemel attaqua sa femme, alors enceinte, avec un rasoir, lui tailladant le visage et la gorge avant de se donner la mort. Magdalena et son enfant survécurent. Quelques années plus tard, Beethoven refusa de jouer en sa présence, par respect pour son illustre prédécesseur.

Malgré toutes ces coïncidences, historiens et biographes ont accordé peu de crédit à la thèse de l'assassinat de Mozart. La plupart pensent qu'il est mort d'une maladie rénale ou d'une pneumonie. La conviction paranoïaque d'être empoisonné serait la conséquence d'hallu-

cinations, fréquentes en cas d'affection rénale. La dernière hypothèse médicale en date est celle de Ian Hirschmann, professeur à Seattle : Mozart serait mort d'une infection rare, la trichinose, due à *Trichinella spiralis*, un ver qui peut contaminer la viande de porc. Quarante jours avant sa mort, Mozart avait en effet envoyé une lettre à sa femme dans laquelle il lui disait qu'il s'apprêtait à déguster des côtes de porc. Les symptômes de la maladie qui l'a emporté étant ceux de cette affection (dilatation des extrémités) et le temps d'incubation étant de 5 à 50 jours, cette hypothèse est plausible.

Mozart ayant été enterré dans une fosse commune dont on ignore l'emplacement précis, nous ne connaîtrons jamais avec certitude la cause de sa mort. Mais l'essentiel est qu'il nous ait légué sa sublime musique.

L'AISANCE AVEC LAQUELLE MOZART COMPOSAIT POUSSA CERTAINS DE SES CONTEMPORAINS À LE PRENDRE POUR UN HOMME FRIVOLE QUI N'ACCORDAIT QUE PEU D'IMPORTANCE À SA MUSIQUE. APRÈS SA MORT, EN 1791, SES AMIS LES PLUS PROCHES TÉMOIGNÈRENT QU'IL S'ÉTAIT ÉPUISÉ À LA TÂCHE.

Pourquoi la Révolution française a-t-elle sombré dans la Terreur ?

APRÈS PLUS DE DEUX CENTS ANS, LA Révolution française reste largement, dans le pays et dans le monde entier, une référence. Les grands principes affirmés par les hommes de 1789 se sont progressivement imposés au continent européen au cours du XIXᵉ siècle, et les valeurs de la « patrie des Droits de l'homme » inspirent toujours, dans le tiers-monde en particulier, de nombreux combats en faveur de la démocratie. En France, les ennemis de la Révolution, après avoir triomphé provisoirement avec la défaite

La Révolution de 1789 reste un repère essentiel de notre histoire et continue d'inspirer les combats pour la démocratie. Mais l'épisode de la Terreur suscite toujours des controverses passionnées.

de Napoléon en 1815, n'ont certes pas totalement disparu, mais ils ne constituent désormais que des groupuscules insignifiants. Dans l'imaginaire national, la Révolution renvoie à quelques symboles consensuels : la Déclaration des droits de l'homme et du citoyen, proclamée « à la face du monde » le 26 août 1789, en est sûrement le meilleur exemple. Pourtant, comme on a pu le voir lors de la célébration de son bicentenaire, la Révolution suscite toujours des débats passionnés. Aujourd'hui, la question n'est

CI-CONTRE :
À NANTES, LE
SINISTRE CARRIER
S'ILLUSTRE PAR
LA PRATIQUE DES
NOYADES DE
SUSPECTS, QU'IL

FAIT PRÉCIPITER
DANS LA LOIRE
PIEDS ET POINGS
LIÉS, PAR COUPLES :
CE SONT LES
« MARIAGES
RÉPUBLICAINS ».

plus tellement de savoir si l'on est pour ou contre celle-ci, mais de déterminer ce que l'on doit retenir du torrent de lois et de principes que recouvre l'intitulé « Révolution française ». Parmi les multiples événements dont fourmille la décennie 1790, l'épisode de la Terreur constitue sûrement un des points les plus sensibles du débat. Mais qu'appelle-t-on au juste « Terreur » et comment expliquer le déchaînement de violences de l'an II du calendrier révolutionnaire ?

LES HORREURS DE LA TERREUR

Il ne faut pas oublier que ce que l'on appelle couramment la Révolution française dure un peu plus de dix ans : du 14 juillet 1789, date de la prise de la Bastille, au 9 novembre 1799 (ou 18 brumaire an IX, selon le calendrier révolutionnaire), lorsque Napoléon Bonaparte s'empare du pouvoir par un coup d'État. Des régimes politiques très divers se succèdent, de la monarchie constitutionnelle à la République, proclamée en septembre 1792 et qui connaît elle-même des phases distinctes. En outre, contrairement à la révolution anglaise du XVIIe siècle et surtout à la révolution américaine de la fin du XVIIIe siècle, la Révolution française divise pour longtemps la nation en camps irréductibles et semble incapable de se stabiliser.

Jusqu'au début de l'année 1791, Louis XVI paraît se soumettre aux décisions des révolutionnaires : il se voit contraint d'approuver les innombrables mesures adoptées par les députés de l'Assemblée nationale (abolition des droits féodaux, confiscation des biens du clergé, Constitution de 1791 qui limite ses pouvoirs, etc.). Mais la Constitution civile du clergé (adoptée en 1790), qui oblige les prêtres à prêter serment et détache une partie des Français des révolutionnaires, décide Louis XVI à rallier l'Autriche. En juin 1791, le roi tente de fuir le territoire français, mais il est rattrapé de justesse à Varennes. Le climat s'alourdit, d'autant que les monarchies étrangères mettent sur pied une vaste armée, rejointe par certains nobles français en exil, les « émigrés ». La guerre éclate en avril 1792 : la France essuie d'abord plusieurs défaites, tandis

À DROITE :
MAXIMILIEN
DE ROBESPIERRE
(1758-1794). IL EST
L'ANIMATEUR DU
CLUB DES JACOBINS
ET LE CHEF DES
MONTAGNARDS À LA
CONVENTION.
SURNOMMÉ
L'INCORRUPTIBLE, IL
DEVIENT LE
PRINCIPAL ARTISAN
DE LA TERREUR.

qu'à l'intérieur les conflits politiques dégénèrent en guerre civile. C'est la première Terreur. Le 21 janvier 1793, Louis XVI est condamné à la guillotine. En mars, les Vendéens, enrôlés de force dans l'armée, se soulèvent contre le pouvoir.

En juin 1793, Robespierre et ses amis (Danton, Marat, Saint-Just), dits les Montagnards car ils siègent sur les bancs les plus élevés de la Convention ou encore les Jacobins, du nom du club où ils se réunissent, font arrêter leurs principaux adversaires, les Girondins — plus modérés. Ils élaborent une Constitution qui ne sera jamais appliquée, les circonstances exceptionnelles justifiant, selon Robespierre, des mesures extraordinaires. Le gouvernement est un régime de guerre caractérisé par la suspension de toutes les libertés. Le pouvoir réel passe aux mains d'un Comité de salut public — composé d'une dizaine de membres —, qui prend la plupart des décisions, et d'un Comité de sûreté générale, chargé de rechercher et de poursuivre les suspects. On appelle parfois seconde Terreur l'ensemble des mesures prises par ce gouvernement révolutionnaire. la Terreur est avant tout politique : « On ne chasse pas les traîtres, dit Robespierre, on les extermine. » La loi des suspects du 17 septembre 1793 permet de poursuivre tous ceux qui sont supposés capables de nuire à la Révolution (à Paris, près de 5 000 personnes sont arrêtées en trois mois). Leurs biens sont confisqués et distribués aux indigents. Sur le plan économique, la loi du Maximum taxe

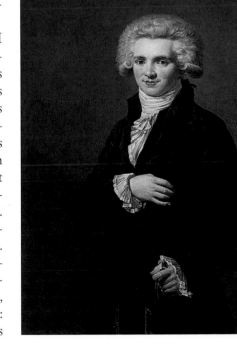

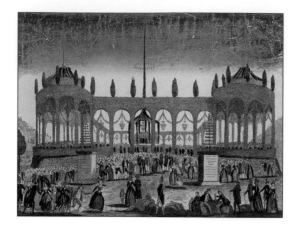

CETTE GRAVURE FRANÇAISE DE LA FIN DU XVIIIᵉ SIÈCLE REPRÉSENTE LE SITE DE LA BASTILLE APRÈS LA DESTRUCTION DE CELLE-CI. ICI, LA FÊTE DE LA FÉDÉRATION : ON CÉLÈBRE LE 14 JUILLET 1790 LE PREMIER ANNIVERSAIRE DE LA PRISE DE LA FORTERESSE.

lourdement la vente des marchandises de première nécessité et bloque les salaires. D'autre part, les fêtes religieuses sont supprimées, la plupart des églises fermées. Enfin, la réorganisation autoritaire de l'armée permet de mater les nombreuses révoltes intérieures et surtout de remporter des victoires contre les armées étrangères.

Mais après avoir écarté les plus grands dangers, les Montagnards se divisent. Tandis que les plus extrémistes, les Enragés, sont partisans d'une déchristianisation absolue et de la guerre à outrance, d'autres, comme Danton, prônent l'arrêt de la Terreur. Tous sont éliminés par Robespierre. Au printemps 1794, la dictature du Comité de salut public débouche sur la Grande Terreur. Les jugements sommaires se multiplient : le tribunal révolutionnaire peut désormais juger sans témoins, les accusés ne disposent plus de défense et le verdict ne peut être que l'acquittement ou la peine de mort. Au total, la Terreur s'est soldée par la condamnation à mort de 17 000 personnes dans les tribunaux révolutionnaires et par 20 000 exécutions sommaires. Les plus célèbres victimes de la guillotine sont la reine Marie-Antoinette, Mᵐᵉ Roland et Charlotte Corday ; la plupart appartiennent cependant aux milieux populaires (paysans, journaliers, artisans).

Mais les Français sont las de ces mesures, d'autant que la situation économique ne cesse de se détériorer. Les Montagnards se divisent sur la politique à mener. À la Convention, une coalition se forme contre Robespierre : le 9 thermidor an II (27 juillet 1794), il est arrêté en même temps que Saint-Just. Le lendemain, tous deux sont exécutés avec vingt robespierristes. La chute de Robespierre donne le pouvoir aux républicains modérés, la Convention redevient l'organe essentiel des

décisions, et les libertés sont rétablies. C'est la fin de la Terreur, mais la dynamique révolutionnaire est cassée. La République survivra péniblement un peu plus de cinq ans, sans cesse menacée par les conspirations des royalistes et des Jacobins.

Pendant une grande partie du XIXᵉ siècle, en France et dans le reste de l'Europe, l'enjeu des luttes politiques reste la défense des principes révolutionnaires de liberté et d'égalité des droits face à des régimes monarchiques qui résistent difficilement aux fréquentes poussées révolutionnaires, notamment en 1848. L'onde de choc de la Révolution française se propage donc bien après la prise du pouvoir par Bonaparte. Il faut toutefois attendre la fin du XIXᵉ siècle pour que le régime républicain se stabilise en France (la IIIᵉ République est proclamée en 1870) et pour que les principes révolutionnaires s'enracinent.

PARTISANS ET ADVERSAIRES

Face aux adversaires de la Révolution (les royalistes, l'essentiel du clergé et de l'armée, une grande partie des catholiques) certains de ses défenseurs la présentent comme un « bloc » — l'expression est de Georges Clemenceau. Si la Révolution est un bloc, c'est que toutes ses phases étaient nécessaires, y compris la Terreur. Les adversaires de la IIIᵉ République ont alors beau jeu de retourner l'argument et de dire que la Révolution est bien un régime d'anarchie, de violence et que, dans la Terreur, elle révèle son véritable visage…

La Terreur a alimenté des querelles entre historiens qui sont encore loin d'être d'accord sur les interprétations à donner au phénomène. À partir des années 1920, les conséquences de la révolution russe d'octobre 1917 viennent se greffer sur le débat. En effet, Lénine et ses amis ont fréquemment fait référence à la Révolution française, en particulier aux Jacobins et à l'épisode de la Terreur, qu'ils revendiquent comme un modèle. En France, nombreux sont ceux (et pas seulement des communistes) qui ont vu dans le régime soviétique une prolongation des idéaux de la Révolution française. Des enseignants et des chercheurs comme Georges Mathiez, Albert Soboul et plus récemment Michel Vovelles sont restés fidèles à cette tradition jacobine. Pour eux, la Terreur est justifiée avant tout par les circonstances. Reprenant les arguments des Jacobins eux-mêmes, ces « défenseurs » de la Terreur rappellent l'aggravation des dangers auxquels la France a été exposée à partir de l'automne 1792 : la guerre contre l'étranger, d'abord, puis la guerre civile (notamment l'insurrection des Vendéens) et les difficultés du ravitaillement urbain. Pour eux, la Terreur n'est pas la vérité de la Révolution mais une radicalisation liée aux menaces qui pèsent alors sur les conquêtes démocratiques. Ces historiens considèrent en outre que le régime de Robespierre s'intéresse essentiellement aux milieux populaires. S'inspirant de l'idéologie marxiste, ils expliquent les conflits politiques à partir de la théorie de la lutte des classes. 1789 marque, selon eux, le triomphe de la bourgeoisie, soucieuse d'affirmer son pouvoir et de défendre ses richesses contre l'aristocratie, puis contre le peuple. Après être parvenue à ses fins, celle-ci aurait voulu que la Révolution s'achevât et se serait opposée farouchement à toute radicalisation du cours révolutionnaire. 1793 serait un dépassement de cette modération bourgeoise : la Terreur marquerait l'entrée des masses populaires dans la politique, une espèce de revanche des pauvres sur les riches. Au lieu de n'affirmer que des principes juridiques abstraits (comme l'égalité des droits ou les droits de l'homme), les Jacobins se seraient surtout souciés de faire respecter concrètement l'égalité des citoyens, ce qui justifierait les mesures draconiennes adoptées par le gouvernement robespierriste, notamment la suspension des libertés fondamentales.

UNE AUTRE INTERPRÉTATION

Vers la fin des années 1970, la sclérose de l'idéologie marxiste et la redécouverte des principes fondamentaux des démocraties ont provoqué le développement d'une interprétation différente de l'événement révolutionnaire. En France, François Furet est le meilleur représentant de ce courant « libéral » de la recherche historiographique. Il a montré notamment que la « théorie des circonstances » ne résistait pas à un examen soigneux de la chronologie. Le thème du complot contre-révolutionnaire et de la guerre civile est à son avis au cœur de la dynamique révolutionnaire dès ses débuts, c'est-à-dire dès 1789, notamment lors de l'épisode de la Grande Peur, alors que les ennemis intérieurs et extérieurs de la Révolution, surpris par la rapidité des événements, n'ont pas encore eu le temps de s'organiser. Quant à la Terreur, elle atteint son paroxysme dans la première moitié de l'année 1794, alors que les armées révolutionnaires ont dégagé les frontières et réprimé l'insurrection vendéenne. Elle est donc largement indépendante des circonstances : ce n'est pas une nécessité justifiée par l'aggravation des périls, mais un emballement du processus révolutionnaire qui procède par une surenchère permanente. Après la suspension de la royauté, le 10 août 1792, le pouvoir est censé appartenir au seul peuple, qui devient un absolu, équivalent du roi sous l'Ancien Régime. Un soupçon ne cesse alors de peser sur les représentants du peuple (les députés), susceptibles d'accaparer indûment la mission que celui-ci leur a confiée. De là ces multiples et sanglantes luttes de clans entre Girondins et Montagnards, puis entre Montagnards eux-mêmes, qui s'accusent mutuellement de trahir le peuple. La Terreur, comme le montre d'ailleurs Furet, n'a pas profité aux

milieux populaires, et elle a rapidement suscité le mécontentement des artisans et commerçants sans améliorer pour autant le sort des nécessiteux. Elle n'est donc pas le régime du peuple mais une course entre les diverses factions de représentants qui disent agir au nom de celui-ci.

L'affrontement entre modérés et radicaux, réformistes et « jusqu'au-boutistes », constitue peut-être l'une des constantes de la politique démocratique. Le débat sur la période révolutionnaire n'est pas clos mais il s'est considérablement apaisé. Les droits de l'homme, la liberté et l'égalité sont des principes plus que jamais légitimes et d'actualité. C'est sans doute la plus grande victoire de la Révolution française.

LE PROCÈS DE LOUIS XVI EST INSTRUIT À LA FIN DE L'ANNÉE 1792. LA CONDAMNATION À MORT DU ROI EST FINALEMENT VOTÉE À UNE VOIX DE MAJORITÉ.
CI-DESSUS :
LE SOUVERAIN EST GUILLOTINÉ À PARIS LE 21 JANVIER 1793, SUR LA PLACE DE LA RÉVOLUTION, REBAPTISÉE EN 1795 PLACE DE LA CONCORDE.

Louis XVII est-il mort au Temple ?

Qui était l'enfant emprisonné au Temple en 1795 ? Était-il bien le fils de Louis XVI et comment est-il mort ?

POUR LES ROYALISTES, L'EXÉCUTION DE LOUIS XVI FAIT DU DAUPHIN LE NOUVEAU ROI. CI-DESSUS : LA SCÈNE DES ADIEUX DE LOUIS XVI À SA FAMILLE, LE 20 JANVIER 1793.

C'EST L'UNE DES PAGES LES MOINS GLORIEUSES de la Révolution française : pendant trois ans, un enfant a été retenu prisonnier dans des conditions inhumaines, au seul motif de sa naissance.

Le futur Louis XVII est né en 1785. Devenu Dauphin à la mort de son frère aîné, en 1789, il est emprisonné au Temple, avec toute la famille royale, le 13 août 1792. Louis XVI est exécuté le 21 janvier 1793. Son fils — que ses partisans appellent Louis XVII — représente alors un danger pour la Révolution. Afin de « lui faire perdre l'idée de son rang », on le sépare de sa mère, la reine Marie-Antoinette, et il est confié à la garde d'un commissaire de la Commune, le cordonnier Antoine Simon.

LE CORDONNIER SIMON

On a souvent dressé de Simon un portrait terrifiant, mais qui était-il vraiment ? Derrière son apparence peu soignée, ses cheveux longs et plats, son regard dur, on lit aujourd'hui une immense ignorance et un esprit borné. Loin de faire subir au petit prisonnier les mauvais trai- tements imaginés par la propa- gande royaliste, il prend soin de lui, lui offre des oiseaux pour le distraire, le fournit en linge et en médicaments ; sa femme acquiert même une baignoire et un ther- momètre… Il est vrai que le jeu- ne garçon est aussi abreuvé de livres et de chansons obscènes, dans le dessein de faire de lui un « vrai sans-culotte » !

Après la démission de Simon, le 19 janvier 1794, Louis XVII, qui a à peine huit ans, est confié à la gar- de de quatre commissaires qui sont remplacés tous les soirs. Ses conditions de vie deviennent alors inhumaines : il ne peut plus sortir de sa chambre ni ouvrir la fenêtre, sa nourriture lui est passée par une petite ouverture munie de bar- reaux, les ordures s'accumulent autour de lui… L'enfant est désormais si silencieux que sa sœur et sa tante, emprisonnées elles aussi, sont convain- cues qu'il a quitté le Temple. C'est alors que commence le mystère Louis XVII.

L'HYPOTHÈSE DE L'ÉVASION

Que s'est-il passé entre le 19 janvier 1794 et la chute de Robespierre, le 27 juillet (9 thermidor) ? Selon certains historiens, Simon aurait fait sortir le Dauphin du Temple. À la Restauration, la veuve du cordonnier déclarera que Louis XVII a été dissimulé dans une malle à double fond et qu'un autre enfant lui a été substitué. Mais cela semble improbable car, entre le 19 et le 30 jan- vier 1794, pas moins de 44 commissaires de la Commune sont venus le garder, et presque tous le connaissaient parfaitement. Ils auraient donc remarqué la substitution. L'hypothèse d'un enlèvement par Robespierre, au cours du mois de mai 1794, ou par Barras après le 9 thermidor, a également été évoquée, mais sans qu'une explication convaincante soit avancée.

En 1795, Louis XVII est extrêmement affaibli ; il demeure silencieux, le regard fixe. Un commissaire le qualifie de « plus pitoyable être humain [qu'il ait] jamais vu ». Il meurt et est enterré secrètement le 8 juin. Cette mort doit-elle être attribuée à un empoisonnement ? Rien n'est moins sûr, car le prisonnier était à l'évidence très malade depuis plusieurs mois. Par ailleurs, bien qu'il soit décrit dans le rapport d'autopsie comme un « enfant qui semblait avoir dix ans », plusieurs témoins s'étonnent de sa grande taille — peut-être corroborée par les dimensions de son cercueil: 1,50 m environ, ce qui est beaucoup pour un garçon de dix ans. Ne peut-on y voir la preuve que le prisonnier n'était pas le Dauphin, mais un adolescent ?

En 1968, l'historien André Castelot a cru trouver la preuve définitive que Louis XVII n'était pas mort au Temple en comparant deux mèches de cheveux prélevées sur le Dauphin et une mèche prise, lors de l'autopsie, sur le cadavre du prisonnier. Les premiers présenteraient une excentration caractéristique du canal médullaire, absente des seconds. Mais cette méthode d'identification a depuis lors été abandonnée, et l'authenticité même des mèches a été remise en cause.

PLÉTHORE DE PRÉTENDANTS

Si Louis XVII n'est pas mort au Temple, qu'est-il advenu de lui ? On ne compte pas moins de quarante prétendants à cette identité illustre. Parmi eux, le fils d'un tailleur de Saint-Lô, Jean-Marie Hervagault ; un certain « Charles de Navarre », en réalité Mathurin Bruneau, fils d'un sabotier ; Claude Perrin, fils d'un boucher, qui se fait appeler baron de Richemont ; et même un Noir originaire des Antilles. Le plus célèbre est sans conteste Naundorff, un horloger prussien qui se présente à Paris en septembre 1833. Selon ses déclarations, il aurait été enlevé du Temple, serait passé en Amérique du Nord, puis aurait débarqué à Lorient avant de vivre d'innombrables aventures, dont plusieurs arrestations et évasions rocambolesques. Installé à Berlin en 1809, il est emprisonné pour fabrication de fausse monnaie avant de tenter sa chance en France. Il mourra aux Pays-Bas en 1845.

DERNIÈRES RÉVÉLATIONS

Si plus personne ne défend aujourd'hui sérieusement la candidature de Naundorff, sait-on pour autant qui était l'enfant mort au Temple ? L'analyse de son cœur, en avril 2000, a, semble-t-il, permis de lever le doute. Prélevé par le professeur Camille Pelletan sur le cadavre du Temple et plongé dans l'alcool, le cœur a été conservé dans la famille Pelletan jusqu'en 1895, avant d'être remis au prétendant légitimiste, don Carlos, puis au duc de Bauffremont, en 1975. La comparaison entre l'ADN de ce cœur et le code génétique de Marie-Antoinette, établi notamment à partir de cheveux de la reine, a révélé que l'enfant mort au Temple était âgé d'environ dix ans et qu'il était son fils.

Après plus de deux siècles, l'une des plus grandes énigmes de l'histoire de France serait-elle enfin résolue ?

PORTRAIT DE LOUIS XVII AU TEMPLE, PAR LE PEINTRE DAVID.

LE CAS NAUNDORFF

En dépit de sa vie invraisemblable, Naundorff pouvait-il être le Dauphin ? Beaucoup l'ont cru, parce qu'il aurait évoqué des événements des années 1785-1792 et des détails intimes que seul un membre de la famille royale pouvait connaître. Il reste que la fille de Louis XVI, Madame Royale, l'a toujours considéré comme un imposteur et un escroc. Comment pouvait-il alors connaître dans le détail l'enfance du Dauphin ?

Peut-être grâce à un fauteuil… Si l'on en croit les *Mémoires* de l'écrivain Maxime Du Camp, qui tenait l'information d'un ambassadeur de Prusse, l'aventurier serait entré en possession du fauteuil qui se trouvait dans la chambre de Louis XVI au Temple. Ce siège aurait dissimulé un ensemble de notes de la main du roi, que Naundorff aurait retrouvées et où il aurait puisé ses informations…

KARL NAUNDORFF EN 1845. UN AVENTURIER ET UN IMPOSTEUR HABILE.

Gloire et déclin de Napoléon

NAPOLÉON Ier
DANS UNE POSE
CARACTÉRISTIQUE :
UNE MAIN GLISSÉE
SOUS L'UNIFORME
(CI-DESSUS).
BONAPARTE, LE
HÉROS TRIOMPHAL
(PAGE DE DROITE).
DANS CE TABLEAU
PEINT PAR JACQUES
LOUIS DAVID,
L'HOMME
QUI DEVIENDRA
EMPEREUR CONDUIT
SON ARMÉE
AU COMBAT.

LE DESTIN DE NAPOLÉON BONAPARTE a marqué l'histoire de France d'une empreinte encore tangible. Adulé par beaucoup, il est auréolé d'une splendeur légendaire, comme en témoigne l'Arc de Triomphe à Paris, érigé à la gloire de ses nombreuses victoires militaires. Cet homme a été le premier artisan de sa légende, le promoteur de ses triomphes. En tant que Premier consul puis comme empereur, il engage les meilleurs écrivains et artistes de France et même d'Europe pour magnifier ses gestes. Il met aussi en scène des cérémonies très élaborées dans lesquelles il se présente comme l'architecte de la gloire nationale. Napoléon pense qu'il a été le sauveur de la Révolution française, dont il a étendu les bienfaits à l'Europe. Il émet le vœu de fonder un État européen qui serait « une fédération de peuples libres ». Quelle que soit la part de vérité contenue dans cette intention, il devient un héros en même temps qu'un tyran. Son orgueil, en tout cas, n'est sans doute pas étranger à sa chute.

Encore aujourd'hui, les Français aiment évoquer ses heures de gloire et ses petites manies. Une interprétation très répandue veut que la petite taille de Napoléon explique son ambition de conquérir le monde. Pourtant, au regard des normes de son époque, Napoléon n'était pas si petit. Son autopsie a révélé qu'il mesurait environ un mètre soixante.

La pose si célèbre de l'Empereur, une main glissée sous le gilet, intrigue les historiens depuis des générations. Des théories psychologiques ont été échafaudées pour expliquer ce geste, alors que la raison en était strictement physiologique. Napoléon souffrait de douleurs abdominales aiguës ; il avait donc coutume de poser la main sur son ventre pour atténuer sa souffrance.

Est-ce l'hiver russe ou des erreurs stratégiques qui mènent Napoléon à la défaite ?

S'il continue de susciter la fascination d'un large public, c'est parce que son parcours a été fulgurant : une ascension étonnamment prompte, une chute encore plus brutale. Quel est le secret de ce destin hors du commun ?

L'ASCENSION DE L'EMPEREUR

L'accession de Napoléon au pouvoir et son emprise sur le continent européen sont rapides. Sa carrière militaire commence en 1785, sous le règne de Louis XVI, lorsque, âgé de seize ans, il est nommé lieutenant en second d'artillerie. Auparavant, il avait suivi les cours de l'école de Brienne et de l'École militaire de Paris. En 1791, peu après les débuts de la Révolution française, il devient lieutenant-colonel de la Garde nationale d'Ajaccio. En 1793, l'île s'oppose à la Convention ; Bonaparte, ardent patriote et républicain, s'installe alors sur le continent avec sa famille. Cette même année, il reçoit le commandement de l'artillerie de Toulon. Soutenue par la flotte anglaise, la ville vient de se révolter contre le pouvoir républicain. Après avoir chassé les Britanniques, Bonaparte reprend la ville insurgée. À la suite de cette victoire, il est promu général de brigade : il a vingt-quatre ans.

En 1795, il sauve le gouvernement du Directoire, menacé par une insurrection royaliste. L'année suivante, il épouse Joséphine de Beauharnais, veuve d'un aristocrate guillotiné. Il semble réellement épris d'elle, mais il est, de toute évidence, très intéressé par les relations que lui apporte cette union.

En 1796, il est nommé général en chef de l'armée française en Italie et force l'Autriche et ses alliés à conclure la paix. En 1798, il prend la tête d'une expédition en Égypte (alors sous influence turque), destinée à intercepter le commerce britannique avec l'Orient. Il remporte quelques victoires, mais la flotte française est

BONAPARTE

CAROLVS MAGNVS

défaite à Aboukir. Il s'emploie à réformer les lois égyptiennes, abolissant le servage et le féodalisme, garantissant à la population des droits élémentaires, tandis que les savants français qui le suivent dans cette expédition lancent un grand mouvement d'étude de l'Égypte ancienne.

En 1799, il tente en vain de conquérir la Syrie mais remporte contre les Turcs la seconde bataille d'Aboukir. Dans le même temps, la France doit faire face à une coalition austro-russe. Bonaparte revient en France et s'associe à une conspiration contre le Directoire ; le 9 novembre 1799 — 18 Brumaire an IX, selon le calendrier révolutionnaire —, il s'empare du pouvoir avec ses amis et instaure un nouveau régime : le Consulat. Aux termes de la constitution mise en place peu après, Bonaparte dispose de pouvoirs considérables. En 1802, il devient consul à vie. En 1804, le Consulat cède la place à l'Empire.

L'Angleterre, cependant, ne s'avoue pas vaincue. En 1802, elle a conclu la paix d'Amiens, mais dès 1803 elle reprend la guerre navale contre la France. Deux ans plus tard, la Russie et l'Autriche la rejoignent dans une nouvelle coalition. Napoléon abandonne alors ses plans d'invasion de l'Angleterre et retourne ses forces contre les armées continentales, remportant le 2 décembre 1805 la célèbre bataille d'Austerlitz.

Les années suivantes voient Napoléon s'emparer du royaume de Naples, dont il offre la couronne à son frère aîné Joseph, puis il transforme la République batave en un royaume de Hollande, qu'il confie cette fois à son frère Louis. Il établit en 1806 la Confédération du Rhin, rassemblant la plus grande partie des principautés allemandes, dont il se proclame le protecteur. La Prusse s'allie alors à l'Autriche et attaque la Confédération. Napoléon bat d'abord l'armée prussienne à

Iéna et à Auerstedt, avant de défaire les Russes à Friedland. En 1807, il signe une alliance avec le tsar Alexandre Ier à Tilsit et réduit considérablement le royaume prussien. Il poursuit l'extension de l'Empire français, y incluant le royaume de Westphalie, attribué à son frère Jérôme, et le grand-duché de Varsovie.

AUX ORIGINES DE LA CHUTE

Parallèlement, en 1806, Napoléon met en place le Blocus continental, qui le mènera finalement à sa perte. Il s'agit d'une stratégie de guerre économique dirigée contre la Grande-Bretagne et consistant à ruiner le commerce et les finances de ce pays pour provoquer son asphyxie. Elle échoue pour plusieurs raisons. D'abord, l'Angleterre conserve la maîtrise des mers durant toute la guerre. Le blocus naval organisé par les Anglais à partir de 1807 constitue une efficace réplique contre le dispositif napoléonien. Pendant que l'Empire français s'use à acheminer des biens et des matières premières par voie terrestre pour contourner le blocus naval, les Anglais développent des relations commerciales avec l'Amérique du Sud.

Les tarifs douaniers au sein de l'Europe constituent une deuxième cause d'affaiblissement. L'économie européenne devient cloisonnée sous l'effet d'une multitude de barrières protectionnistes qui entravent le commerce. Le continent a plus à perdre que l'Angleterre. Les ports et les industries, privés de débouchés commerciaux, tombent dans un profond marasme.

Poursuivant néanmoins sa politique expansionniste, Napoléon vainc à nouveau les Autrichiens à la bataille de Wagram, en 1809. Il divorce d'avec Joséphine en 1810 — essentiellement parce qu'elle ne lui a pas donné d'héritier — et épouse Marie-Louise, fille de l'empereur d'Autriche. La même année, l'Empire atteint

sa taille maximale avec l'annexion de Brême, de Lübeck et d'une grande partie de l'Allemagne du Nord, ainsi que de la totalité du royaume de Hollande, après l'abdication forcée de Louis.

Le Code civil napoléonien, adopté en 1808, constitue la base du droit appliqué dans l'Empire. Les liens féodaux comme le servage sont partout abolis et, hormis en Espagne, la liberté de culte est instaurée. Chaque État est doté d'une constitution propre. Les structures administratives et le système judiciaire français sont étendus au reste de l'Empire, les écoles

NAPOLÉON A-T-IL ÉTÉ ASSASSINÉ ?

Exilé après la défaite de Waterloo sur l'île britannique de Sainte-Hélène, perdue dans l'océan Atlantique, au large du cap de Bonne-Espérance, Napoléon dicte ses dernières pensées au fidèle Las Cases, qui les publie dans un *Mémorial*. Il meurt le 5 mai 1821, d'un cancer de l'estomac. La légende napoléonienne commence aussitôt à se constituer dans la France monarchique de la première moitié du XIXe siècle, notamment à l'occasion du triomphal retour des cendres de l'Empereur, aux Invalides, en 1840. Le « mystère Napoléon » ne s'est pourtant pas dissipé car, récemment, la version officielle de sa mort a fait l'objet d'une remise en cause par certains auteurs. La publication des *Mémoires* de son premier valet de chambre, Louis Marchand, qui décrit dans le détail l'évolution de l'état de santé du prisonnier de Sainte-Hélène, a relancé l'hypothèse de l'empoisonnement. Des mèches de cheveux de l'Empereur ont été soumises à des analyses médicales qui ont révélé de fortes concentrations d'arsenic. Mais l'énigme subsiste : s'agit-il de mèches authentiques de Napoléon ? Est-ce bien sa dépouille que l'on a rapatriée aux Invalides en 1840 ? Et si empoisonnement il y a eu, quels en sont l'auteur et le mobile ? Pour le président de la Société napoléonienne, Ben Weider, le coupable n'est autre que le comte Charles de Montholon, compagnon d'exil dont la femme Albine était la maîtresse de l'Empereur. Animé par le dépit, manipulé par les Anglais et les Bourbons, il aurait pu verser de l'arsenic à petites doses dans le vin impérial. À moins que, comme le suggèrent certains experts, l'arsenic ne soit pas la seule cause du décès de Napoléon, et que le sirop d'orgeat, riche en cyanure, que les médecins lui prescrivaient pour soulager ses douleurs d'estomac, ne l'ait achevé. La légende napoléonienne n'a pas fini de nous intriguer…

PIÈCE DU PUZZLE ▼

LA DÉMESURE DE NAPOLÉON A ÉTÉ CARICATURÉE PAR LES DESSINATEURS DE SON TEMPS, COMME LE MONTRE CETTE ILLUSTRATION ANGLAISE : « NAPOLÉON OMNIPOTENT OU LE SOMMET DE L'ARROGANCE ET DE LA PRÉTENTION. »

sont soumises à une organisation centralisée. Des lycées sont créés, qui sont en principe ouverts à tous, sans critère de religion ou de fortune, mais destinés à former une nouvelle élite sociale. Chaque État ouvre aussi une académie ou un institut pour la promotion des arts et des sciences. Des progrès dans l'administration des territoires conquis survivront à la chute de l'Empereur. Pendant le règne de Napoléon, les populations sont hostiles aux impôts de l'occupant et à la conscription obligatoire, mais elles apprécieront, après sa défaite, les bénéfices des transformations qu'il a introduites.

LA DÉFAITE DE NAPOLÉON

En 1812, Napoléon, dont l'alliance avec le tsar vient d'être rompue, engage une grande campagne en Russie, qui s'achèvera par une désastreuse retraite. Sa défaite à Moscou peut paraître prévisible à cause de la rigueur du climat russe. En fait, l'hiver 1812 n'est pas des plus rigoureux. Le 19 octobre, la Grande Armée quitte Moscou, occupée depuis un peu plus d'un mois, et les premières gelées sérieuses ne surviennent pas avant le 30 de ce mois. Fin novembre, on peut même voir la neige fondre par endroits. Si la célèbre traversée de la Berezina est finalement fatale aux troupes napoléoniennes, c'est parce que les glaces fondent, retenant les Français sur une rive du fleuve, avant que Napoléon ne parvienne à édifier un pont qui leur permette de fuir. Il faut attendre le 4 décembre pour que les températures deviennent franchement glaciales.

Certains historiens mettent donc la défaite napoléonienne sur le compte du climat russe, comme l'intéressé le fit en son temps pour se dédouaner d'une responsabilité personnelle dans cet échec. En réalité, son armée était depuis longtemps en déroute. Napoléon quitte Moscou avec près de 100 000 soldats, mais

lorsque le froid s'installe vraiment, ils ne sont plus que 41 000 : les épidémies ont décimé les rangs de la Grande Armée. Peut-être l'Empereur aurait-il mieux fait de quitter Moscou plus tôt, mais, s'il s'attarde dans la ville incendiée, c'est qu'il compte sur une capitulation du tsar… qui ne viendra jamais. Les historiens ont aussi découvert que l'armée napoléonienne n'avait pas tant souffert du froid que de la chaleur — l'été 1812 est si chaud en Russie que des milliers de soldats y meurent d'épuisement.

D'autres auteurs avancent l'explication suivante : la Grande Armée aurait été victime de sa taille. Forte de 650 000 hommes, elle est trop nombreuse pour affronter un terrain hostile et rend difficile un commandement efficace. Elle doit surtout subir, lors de sa retraite, le harcèlement des troupes cosaques. En somme, les mêmes qualités qui valurent à Napoléon d'éclatantes victoires — son audace et sa fougue — semblent maintenant, sous des latitudes nouvelles et sous un climat difficile, peu adaptées ; elles se retournent même contre lui.

WATERLOO

La bataille de Waterloo pèse de manière décisive sur le destin de Napoléon, mais les avis divergent sur l'identité du véritable vainqueur. Les Anglo-Saxons soutiennent que c'est le duc de Wellington, les Allemands attribuent la victoire à Blücher, commandant de l'armée prussienne, qui vole au secours de Wellington.

Pourquoi Napoléon perd-il définitivement ? Quoi que certains aient pu dire, la raison ultime ne tient sûrement pas à des questions de santé. Sans doute sous-estime-t-il gravement les forces anglaises et croit-il jusqu'au bout en son invincibilité. Les Prussiens, qu'il pense avoir vaincus à jamais, viennent à la rescousse de Wellington. Accumulant sur son passage la rancune des peuples enrôlés de force dans la conscription, pillant sans égard les richesses des territoires conquis, il réussit finalement à coaliser contre lui la plus grande partie d'une Europe pressée d'en découdre avec l'« ogre corse ».

LA RÉSIDENCE DE LONGWOOD, OÙ A VÉCU NAPOLÉON PENDANT SON EXIL DANS L'ÎLE BRITANNIQUE DE SAINTE-HÉLÈNE.

L'invention de la Photographie

Avant de devenir une véritable industrie et d'accéder au statut d'art à part entière, la photographie a connu bien des tâtonnements. Mais qui l'a inventée ?

À GAUCHE : **LA PREMIÈRE PHOTOGRAPHIE (CONSERVÉE), PRISE EN PLEIN AIR PAR NIÉPCE EN 1826.**
CI-DESSUS : **UNE CHAMBRE DE DAGUERRE.**
CI-DESSOUS : **LA PREMIÈRE PHOTOGRAPHIE SUR PAPIER DE TALBOT, EN 1835 : UN VITRAIL DE L'ABBAYE DE LACOCK.**

IL EST TOUJOURS DIFFICILE DE DONNER UNE date précise à une invention technique. En général, les inventions suivent un cheminement long et sinueux, et les innovations sont rarement le fait d'un seul individu. La photographie n'échappe pas à cette règle. Son développement résulte pour l'essentiel des expériences menées par quatre hommes : Niépce et Daguerre en France, Wegwood et Talbot en Angleterre. Daguerre et Talbot vont perfectionner progressivement les techniques photographiques pendant la première moitié du XIXᵉ siècle.

L'ancêtre de l'appareil de prise de vue est la *camera obscura*, la chambre noire. Il s'agissait d'une pièce plongée dans l'obscurité et pourvue d'une petite ouverture, remplacée dès 1550 par une lentille. Au travers de l'ouverture, l'image inversée d'une scène éclairée par la lumière extérieure est projetée sur le mur opposé. Des appareils plus petits étaient utilisés par des artistes qui cherchaient à obtenir un rendu réaliste dans la peinture des paysages et à accroître l'illusion de vérité dans les portraits. La découverte du processus chimique essentiel pour la photographie est due à un physicien allemand, Johann Heinrich Schulze, qui démontre, en 1725, que le nitrate d'argent noircit à la lumière, ce que savaient de longue date les alchimistes. En 1777, un Suédois, Carl Scheele, observe que le chlorure d'argent noirci est insoluble dans l'ammoniaque. Cette découverte permet de stabiliser le processus photochimique.

L'IMAGE DE NIÉPCE

La première tentative connue d'obtention d'une image photographique à la chambre noire est

effectuée en 1801 par le physicien allemand Johann Wilhelm Ritter. En 1802, un fabricant de porcelaine, Thomas Wegwood, veut employer des matériaux sensibles à la lumière pour reproduire des images sur des objets de porcelaine. Il obtient des copies d'objets sur du papier et du cuir blancs enduits de nitrate d'argent. Hélas, après s'être formées sous l'effet de la lumière, ces images disparaissent rapidement. En dépit de cet échec, l'expérience tentée par Wegwood est rapportée par un journal londonien. Le décor est prêt pour l'avènement du nouvel art.

Vers 1815, Nicéphore Niépce dirige des expériences qui allient des matériaux sensibles à la lumière et le procédé de la lithographie, inventé en 1796. Son fils Isidore, dessinateur de talent, réalise des images sur des plaques lithographiques, mais Niépce père est loin d'être aussi habile dans cette technique. Isidore devant partir à l'armée, son père se met en quête d'une technique grâce à laquelle la lumière réaliserait

CE TALBOTYPE DE 1845 MONTRE LES ACTIVITÉS DU STUDIO DE L'ABBAYE DE LACOCK, OÙ TALBOT RÉALISE SES EXPÉRIENCES PHOTOGRAPHIQUES.

SUR CE DAGUERRÉOTYPE DE 1839, UN HOMME, LA PREMIÈRE PERSONNE PHOTOGRAPHIÉE, SE FAIT CIRER LES CHAUSSURES SUR UN BOULEVARD PARISIEN. LE MOUVEMENT DE LA RUE EST TROP RAPIDE POUR ÊTRE ENREGISTRÉ SUR L'IMAGE.

elle-même les dessins. Sa méthode consiste à étaler une solution sensible à la lumière sur une plaque d'étain. Puis il enduit une gravure de façon à la rendre translucide, la dépose sur la plaque et expose l'ensemble à la lumière. Ensuite il immerge la plaque dans un solvant qui fait ressortir l'image. Il obtient ainsi une photographie permanente de la gravure. En 1826, il effectue un portrait du cardinal d'Amboise à partir d'une gravure. Cette même année, en plaçant une plaque d'étain dans une chambre noire

équipée d'un diaphragme de son invention, il réalise une vue de la cour de sa résidence d'été. C'est la première fois que l'on réussit à reproduire une image de la nature, mais la prise de vue dure encore… huit heures.

DAGUERRÉOTYPES CONTRE TALBOTYPES

En 1829, Niépce fait équipe avec Daguerre, un peintre qui a l'habitude de réaliser des décors pour des théâtres parisiens. Mais Niépce meurt quatre ans plus tard, avant que les deux hommes n'aient vraiment avancé dans leur entreprise.

Cependant, en 1835, Daguerre découvre les principes du développement photographique. Il utilise de la vapeur de mercure pour faire apparaître l'image latente formée sur une plaque de cuivre argenté traitée avec de l'iode. Le temps de pose est ainsi réduit à une demi-heure. Malheureusement, l'image obtenue est encore éphémère. Deux ans plus tard, Daguerre s'aperçoit que l'utilisation de sel de table permet de fixer l'image. Le daguerréotype est né. En 1839, à la demande d'Arago, il cède les droits du procédé au gouvernement français contre une rente viagère annuelle de 6 000 francs pour lui-même et de 4 000 francs pour le fils de Niépce.

Pendant ces années 1830, un physicien anglais, William Talbot, utilise une chambre noire pour fixer les images qu'il ne réussit pas à obtenir en dessinant. En 1835, il plonge du papier dans deux solutions : l'une de sel de table, l'autre de nitrate d'argent, produisant un dépôt de chlorure d'argent sur les fibres du papier. Puis il expose celui-ci à la lumière, obtenant ainsi un négatif. Talbot comprend qu'il peut tirer plusieurs épreuves en plaçant contre le négatif un papier qui vient d'être sensibilisé. Pour fixer l'image, il a recours à de l'hyposulfate de sodium, découvert par un de ses amis, l'astronome John Herschel. Dans les années 1840, des lentilles mieux taillées apparaissent et les temps d'exposition raccourcissent. La photographie devient moins coûteuse, accroissant la demande de portraits chez un public de plus en plus large.

Malgré ses charmants rendus argentés, le daguerréotype est condamné parce qu'il ne peut reproduire une image en plusieurs exemplaires. Pendant un temps, toutefois, il coexiste avec les photographies sur papier appelées, du nom de leur inventeur, talbotypes. En dépit de leurs limites, ces deux procédés ont permis aux photographes de fixer pour l'éternité des images fugitives.

PHOTOGRAPHES VOYAGEURS

Les progrès de la daguerréotypie, en particulier ceux effectués par Joseph Petzval et Friedrich Voigtländer dans les années 1840, réduisent le temps d'exposition à moins de 30 secondes. Ces avancées font du daguerréotype une activité très populaire. Vers 1850, chaque ville ou presque possède son atelier (à New York, on en compte 77). Les artistes voyageurs équipent des wagons de chambres noires et transportent ainsi leur art dans les villes et villages du monde entier. Les services de ces photographes ambulants sont très recherchés. Les gens les attendent, parés de leurs plus beaux habits, prenant la pose qui les immortalisera.

PIÈCE DU PUZZLE

Un cinéma « créatif »…

En 1899, lorsque la guerre éclate entre les Anglais et les colons hollandais d'Afrique du Sud, les Américains sont très friands d'informations sur le conflit. Les foules se pressent dans les théâtres de la 34ᵉ Avenue de New York pour y voir des images de la guerre des Boers, ce que les appareils de Thomas Edison rendent possible : le Kinétographe, qui enregistre des vues animées, et le Vitascospe (voir illustration en bas, à droite), qui les projette. L'industrie du film est née quelques années seulement avant la guerre des Boers. Comment l'équipe cinématographique d'Edison pouvait-elle réaliser de pareils gros plans des combats, puis envoyer si vite les images aux

SUR UNE PHOTOGRAPHIE DE 1912, EDISON EXAMINE LA PELLICULE D'UN FILM, DANS SON STUDIO DE WEST ORANGE (NEW JERSEY).

États-Unis ? Les paysages autour des soldats, en principe ceux d'Afrique du Sud, ne ressemblaient-ils pas un peu trop à la campagne du New Jersey ?

LA BLACK MARIA

Le désir d'Edison d'enregistrer des images animées est bien antérieur à la guerre des Boers. En 1889, la commercialisation par Eastman du film en nitrate de cellulose rend son rêve réalisable. Edison cherche alors à concevoir

un appareil capable de photographier des objets en mouvement, images qu'il pourrait ensuite synchroniser avec les sons et les voix du phonographe (qu'il a inventé en 1877).

Dans son atelier de West Orange, son équipe met sur pied le premier studio de cinéma du monde, la Black Maria, une sorte de hangar recouvert de papier goudronné noir. La plupart des premiers films tournés ici s'inspirent de sujets très populaires : Buffalo Bill, des numéros de danseuses, des matchs de boxe, la réaction d'un patient au gaz hilarant…

Les premiers films d'Edison ne sont pas destinés à être projetés et ne sont présentés aux spectateurs que par le biais d'une grande visionneuse individuelle, le Kinétoscope. C'est l'invention du Cinématographe par les frères Lumière, en 1895, qui incite Edison à acquérir un projecteur.

Reste à savoir comment l'équipe d'Edison réussit à satisfaire l'envie du public de voir des scènes de guerre. Le « truc » d'Edison consiste à reconstituer des scènes à grande échelle dans le fond de son atelier, en faisant appel aux troupes de la Garde nationale de New Jersey. En l'espace de quelques jours, il filme ainsi une des batailles les plus sanglantes de la guerre des Boers, avec un sens consommé de la mise en scène.

Bien que les films d'Edison ne revendiquent pas explicitement le recours à de tels procédés, il est probable que de nombreux spectateurs savaient qu'ils assistaient à des reconstitutions. Certains, cependant, ont dû être complètement trompés.

DE CURIEUX PROCÉDÉS

Après le tremblement de terre de San Francisco en 1906, la Biograph Company surpasse Edison dans le faux-semblant en construisant une maquette de la ville qui lui permet d'effectuer le premier « reportage » sur le séisme et sur l'incendie qui s'ensuivit. D'autres films sont tournés sur les lieux de la catastrophe, mais parfois leurs réalisateurs n'hésitent pas à en rajouter dans le sensationnel ou le pathétique. On peut ainsi voir une famille pique-niquer dans les décombres, scène probablement conçue pour les caméras. Si ces reliques cinématographiques paraissent un peu dépassées, on peut toutefois y déceler d'étranges prémonitions. Ce qu'elles annoncent, c'est l'âge du divertissement de masse, où l'image d'un événement, fût-elle manipulée, est souvent perçue comme aussi réelle que l'événement lui-même.

Le siège d'Alamo

**Davy Crockett a fait entrer le siège de fort Alamo dans la légende.
Mais quelles furent les causes de cette bataille acharnée ?**

IMMORTALISÉ PAR LE TABLEAU DE H.A. MCCARDLE *AUBE SUR ALAMO*, LE SIÈGE DU FORT, COMMENCÉ LE 23 FÉVRIER 1836, S'ACHEVA PAR UNE BATAILLE FÉROCE ENTRE LES 187 TEXANS, COMMANDÉS PAR WILLIAM B. TRAVIS, ET L'ARMÉE MEXICAINE, BIEN SUPÉRIEURE EN NOMBRE, DE SANTA ANNA.

LE GÉNÉRAL MEXICAIN ANTONIO LÓPEZ DE SANTA ANNA

LA DÉFENSE DE FORT ALAMO EST L'UNE DES batailles les plus célèbres de l'histoire des États-Unis. Des générations d'écoliers américains n'ont cessé d'en dévorer le récit, de l'embellir, de broder dessus. Mais il existe bien des façons de garder la mémoire d'un événement : pour les historiens, l'objectif est d'en découvrir et d'en analyser tous les détails, tandis que, pour les amateurs de belles histoires, seule compte l'émotion. Respecter la vérité sans pour autant ternir le mythe représente un véritable défi !

UNE RÉBELLION DE COLONS

L'histoire d'Alamo commence dans les années 1820, lorsque le Mexique, confronté à des révoltes d'Indiens, décide d'ouvrir ses territoires du Nord aux pionniers américains, alors considérés comme une force stabilisatrice dans la région. Bien qu'ils aient prêté serment de respecter les lois mexicaines pour pouvoir s'installer, les colons américains s'insurgent rapidement contre les levées d'impôts, l'absence de jury lors des procès et l'abolition de l'esclavage.

En 1835, ils se révoltent contre le gouvernement mexicain. Le général Antonio López de Santa Anna, président du Mexique, transfère rapidement des troupes dans la région, bien déterminé à étouffer la rébellion par tous les moyens.

Après avoir mené une série de batailles contre les insurgés, Santa Anna se concentre sur un groupe de Texans qui occupent depuis décembre une forteresse à San Antonio : fort Alamo. Le commandant de l'armée texane, Sam Houston, a ordonné l'abandon du fort, mais des hommes dirigés par James Bowie et William Travis ont décidé de passer outre et de le défendre coûte que coûte.

Santa Anna a bien compris que le contrôle de la région est essentiel à son entreprise de reconquête, aussi, dès janvier, arrive-t-il devant le fort avec une armée de 2 400 hommes bien entraînés et de jeunes garçons issus d'une académie militaire voisine. Le siège commence le 23 février 1836. Les défenseurs du fort ne sont que 145. Leur nombre passera à 187 avec

WILLIAM B. TRAVIS

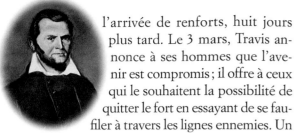

l'arrivée de renforts, huit jours plus tard. Le 3 mars, Travis annonce à ses hommes que l'avenir est compromis ; il offre à ceux qui le souhaitent la possibilité de quitter le fort en essayant de se faufiler à travers les lignes ennemies. Un seul saisit cette chance : Louis Rose ; ce sera le seul homme survivant. La légende veut que Travis ait tracé une ligne sur le sol et ait demandé à tous ceux qui acceptaient de mourir avec lui de l'enjamber. Mais cette anecdote n'est connue que par le récit, postérieur de quarante ans au siège, d'un homme qui l'aurait entendue de la bouche de ses parents, lesquels l'auraient recueillie de Rose lui-même… Cependant, si on a loué Travis pour sa décision de rester, celle-ci était peut-être due à des considérations purement tactiques, car il était plus prudent d'être derrière les murs du fort que d'affronter l'ennemi en terrain découvert !

DAVY CROCKETT

L'ASSAUT FATAL

Travis n'ignorait pas qu'il n'y avait guère d'espoir. Une légende, invérifiable, prétend qu'il a envoyé une messagère à Santa Anna pour lui dire que les Américains acceptaient de se rendre s'ils avaient la vie sauve. Si l'histoire est vraie, Santa Anna a refusé l'offre, puisqu'il engagea le combat décisif dans la nuit du 5 mars.

Les Américains réussissent d'abord à repousser les Mexicains mais, épuisés par le siège, ils ne parviennent pas à maintenir leur effort. Après un deuxième assaut infructueux au matin, Santa Anna en lance un troisième dans la journée. Le 6 mars, à 9 heures du soir, le fort est pris par les Mexicains. Officiellement, 200 d'entre eux sont morts, 400 sont blessés. Mais ces chiffres sont contestables : Santa Anna a en effet transmis de faux rapports pour masquer les dommages subis par son armée. Certains historiens ont avancé des chiffres plus élevés, jusqu'à 1 600 morts et blessés. Il a été prouvé récemment que plusieurs Texans (dont Davy Crockett) ont survécu à l'assaut et ont été exécutés après coup. On sait aussi que les cadavres des hommes furent dépouillés de leurs vêtements puis brûlés, et que les femmes, les enfants et l'esclave de Travis furent épargnés.

Les spécialistes de l'histoire militaire considèrent aujourd'hui que la décision des Texans de défendre le fort était irréaliste, mais la personnalité des combattants — Davy Crockett, James Bowie et William Travis — était si exceptionnelle que leur mort ne pouvait qu'engendrer un mythe patriotique.

Leur extraordinaire vaillance contribua ainsi à galvaniser les troupes conduites par Sam Houston, le futur président de l'éphémère république du Texas : six semaines plus tard, elles écrasèrent les forces mexicaines à San Jacinto, et, pour venger la mort de leurs héros, obtinrent dans le sang l'indépendance de leur pays.

SOUVENEZ-VOUS D'ALAMO !

PIÈCE DU PUZZLE

Nous connaissons les détails de la bataille d'Alamo par les récits des survivants, qu'il s'agisse de civils épargnés par Santa Anna ou de soldats mexicains. La version des Mexicains insiste moins, bien sûr, sur l'héroïsme des Texans, laissant même entendre que la plupart d'entre eux étaient ivres au moment de l'attaque.

Parmi les récits des civils, les plus fiables sont ceux de l'esclave noir du colonel Travis, Joe, et du fils d'un soldat texan, qui était alors âgé de huit ans. Il y avait aussi des femmes, mais la plupart s'étaient cachées et elles n'ont pas vu toute la bataille. Ainsi Susanna Dickinson, l'épouse d'un officier d'artillerie, est parfois considérée comme un témoin direct, mais elle n'a été interrogée que trente ans après les événements !

Enfin, des hommes qui errèrent autour de San Antonio des semaines après la bataille, prétendant être les seuls survivants, sont à l'origine de la plupart des légendes concernant Alamo.

CETTE CARICATURE AMÉRICAINE DE 1836 (CI-DESSUS) **MONTRE SANTA ANNA ET UN OFFICIER S'INCLINANT « SERVILEMENT » DEVANT SAM HOUSTON APRÈS QUE LE TEXAS EUT CONQUIS SON INDÉPENDANCE. BOWIE ET CROCKETT** (À GAUCHE) **FURENT PLUS GLORIEUX MORTS QUE VIVANTS : L'OFFICIER BOWIE AVAIT ÉTÉ DÉGRADÉ, ET CROCKETT VENAIT DE PERDRE L'ÉLECTION AU SÉNAT DU TENNESSEE…**

Qui était Jack l'Éventreur ?

QUELQUES ANNÉES APRÈS LES horribles événements survenus à Londres, Melville MacNaghten, chef du département d'investigation criminelle de la ville, écrit : « Encore maintenant je peux me remémorer les soirs brumeux et réentendre les aboiements rauques des vendeurs de journaux : "Encore un meurtre horrible… mutilation, Whitechapel." Tel était le refrain de leur chant effroyable ; et après le double meurtre du 30 septembre, plus aucune domestique ne s'estima en sécurité si elle se risquait à sortir poster une lettre après dix heures du soir. » L'objet de ce souvenir, surnommé Jack l'Éventreur, est un tueur en série qui, en 1888, terrorise Whitechapel, un quartier pauvre de l'East End, à Londres.

Le plus célèbre tueur en série de l'Histoire donne son plein sens au mot « abominable ».

LES MEURTRES LES PLUS IGNOBLES

Premier tueur en série qui ait frappé une grande ville comme Londres, Jack l'Éventreur se délecte de la peur qu'il inspire. Son seul nom évoque la sinistre obscurité des rues de l'époque victorienne. Le mystère a très tôt inspiré des œuvres de toutes sortes, des aventures de Sherlock Holmes aux comédies musicales. Le terme de *ripperologist* a même fait son entrée dans les dictionnaires anglais pour désigner celui qui étudie le cas de l'Éventreur (*The Ripper*). Un club du nom de Cloak and Dagger (Cape et Épée) et une revue trimestrielle, *Ripperana*, publient d'innombrables articles sur le tueur. Dire que les meurtres de Jack l'Éventreur ont passionné l'opinion serait un euphémisme. Mais plus d'un siècle après, tant d'anecdotes se sont développées autour de cette affaire qu'il est devenu très difficile de distinguer le vrai du faux.

SUR UN DESSIN NON DATÉ DE LA GAZETTE DE LA POLICE (CI-CONTRE), JACK ACCOMPLIT SA SINISTRE BESOGNE. LE BROUILLARD VOILE LES RUES DE LA LONDRES DE L'ÉPOQUE VICTORIENNE, CRÉANT UNE ATMOSPHÈRE BLAFARDE OÙ MÊME UN FACTEUR EN TOURNÉE PEUT PRENDRE UNE APPARENCE INQUIÉTANTE (PAGE DE DROITE).

Entre août et novembre 1888, Jack éviscère atrocement ses victimes et disparaît ensuite sans laisser d'indice. Les meurtres sont perpétrés avec brutalité. Le premier à lui être attribué est celui de Mary Ann (Polly) Nichols, le 31 août ; elle a la gorge tailladée et le ventre ouvert comme celui d'un porc sur le marché. Une semaine plus tard, on retrouve Annie Chapman dans une rue glaciale, étripée de la même manière, le corps lacéré. Après ces premiers meurtres commence une chasse éperdue à l'assassin. Une troisième femme vient s'ajouter à la liste des victimes, Martha Tabram, dont le corps est découvert début septembre.

Le meurtrier reste tranquille jusqu'au 30 septembre, date à laquelle un double événement crée une véritable panique. En un premier endroit de Whitechapel, Elizabeth Stride gît dans la rue, la gorge lacérée mais sans traces de mutilation (l'explication qui prévaut alors est que Jack a été interrompu avant de pouvoir apposer sa signature caractéristique). N'ayant pu satisfaire son ignoble obsession, il se dirige vers un autre secteur du quartier et attaque sa seconde victime de la nuit, Catherine Eddowes. Après l'avoir éventrée, il s'enfuit avec l'un de ses reins.

Le dernier meurtre attribué à Jack a lieu plus d'un mois après, le 10 novembre, et c'est peut-être le plus monstrueux de tous. Jane « Black Mary » Kelly est retrouvée dans sa chambre, terriblement mutilée ; des lambeaux de chair sont dispersés dans toute la pièce. Son cœur a été arraché de sa poitrine.

Alors que l'Égorgeur semble s'être volatilisé, les conjectures les plus folles sur son identité se multiplient. La police n'a jamais été capable de

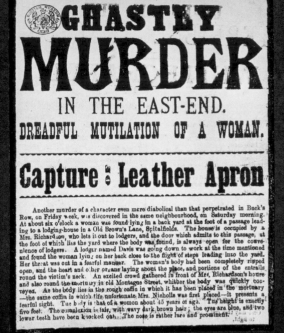

GHASTLY MURDER IN THE EAST-END. DREADFUL MUTILATION OF A WOMAN.

Capture : Leather Apron

Londres puritaine et en haut-de-forme de l'étouffante période victorienne, mais, en réalité, Whitechapel était un quartier miséreux. Les meurtres de l'Éventreur retiennent l'attention du public pour deux raisons : leur caractère effrayant et leur utilisation par la presse à sensation. Ces deux facteurs sont intimement liés. À une époque où la presse commence à devenir un puissant acteur des transformations sociales, les meurtres attirent l'attention sur l'injustice dont souffrent les classes populaires.

On pense qu'environ une femme sur seize s'adonnait à la prostitution durant l'époque victorienne. Lorsque les meurtres de prostituées de Whitechapel sont rendus publics, ils jettent donc une lumière crue sur les recoins ténébreux de la société londonienne. Orchestrant une polémique contre les responsables municipaux, la presse dramatise ces horribles crimes en soulignant l'incompétence de la police. Si le commissaire Warren démissionne le jour du dernier meurtre, c'est essentiellement sous la pression et les attaques des journaux populaires.

découvrir son véritable nom, mais elle s'intéresse au pseudonyme employé dans une des lettres qu'on suppose écrites de sa main :

Cher patron,
Je ne cesse d'entendre dire que les policiers m'ont capturé mais ils ne m'ont pas encore pincé. J'ai ri de les voir si sûrs d'eux, affirmer qu'ils étaient sur la bonne piste. Je méprise les putes et je ne m'arrêterai pas de les éventrer jusqu'à ce qu'on me ligote. Mon couteau est si beau et si tranchant que je veux continuer de bien travailler tant que je le peux. Bonne chance. […].
Jack l'Éventreur
N'hésitez pas à me nommer ainsi.
Bien à vous.

Cette lettre s'avérera plus tard n'être qu'un canular monté par un journaliste qui essayait de faire vendre du papier. Presque toutes les lettres signées de Jack ont été considérées comme des faux.

LA PRESSE EN ÉMOI
Une des raisons pour lesquelles le réel devint légendaire et continue de susciter l'attention tient dans l'écho que la presse lui donna. En un sens, ces meurtres, hormis leur barbarie, n'étaient pas exceptionnels. Nous nous figurons qu'ils eurent lieu dans la

UN HOMME DE L'OMBRE
Qui est l'insaisissable Jack ? Un des principaux suspects de l'époque est un escroc nommé Michael Ostrog, qui utilisa de nombreux pseudonymes. Mais il n'a jamais été mis en accusation. Comme le souvenir de Jack survit dans la fiction, dans le cinéma et dans notre imaginaire, l'investigation historique se poursuit, peut-être avec plus d'ardeur encore qu'il y a cent ans. Les experts ont pu voir en Jack un cannibale aussi bien qu'un réformateur social fou.

En 1970, Stowell déclare que le meurtrier au sang froid était Édouard, duc de Clarence, petit-fils de la reine Victoria. Dans un ouvrage intitulé *Clarence était-il Jack l'Éventreur ?*, Michael Harrison réfute vigoureusement cette hypothèse et examine celle selon laquelle le criminel serait le précepteur du duc : un certain J. K. Stephan, poète notoirement misogyne, passé par l'université de Cambridge. Mais le peu de charges qui pèsent sur lui relèvent de la simple supposition.

La vérité sur l'identité de Jack l'Éventreur doit dormir quelque part, enfouie dans des archives ou dans quelque journal intime. Depuis plus de cent dix ans, le célèbre assassin garde son secret.

IL N'EST PAS CELUI QUE VOUS CROYEZ

L'identité de Jack l'Éventreur a obsédé de nombreux détectives amateurs et professionnels, mais elle reste un mystère. Pour des raisons inconnues, la police déclara que l'enquête était close trois semaines après le meurtre de Jane Kelly, en novembre 1888. Selon certains rapports, le Comité de surveillance de Whitechapel reçut une information selon

laquelle, peu après le meurtre de Kelly, Jack se serait noyé dans la Tamise. Un corps repêché sur les berges au début du mois de décembre fut identifié comme celui de Montague John Druitt, considéré comme le suspect numéro un. Mais les éléments dont disposait la police pour incriminer Druitt — l'âge et la profession —

PIÈCE DU PUZZLE ▼

apparurent en fin de compte erronés.

D'autres suspects furent évoqués : un boucher, une sage-femme, un professeur fou… Il y eut aussi Aaron Kosminski, un barbier-arracheur de dents qui mangeait de la nourriture ramassée dans les caniveaux et qui fut interné en 1890. Francis Tumblety, charlatan américain qui résidait à

Londres à l'époque des meurtres, fut également mis en cause : arrêté pour activités homosexuelles, il paya la caution et retourna aux États-Unis… où il collectionnait des morceaux de corps féminins.

Mais en dépit des sombres aspects de ces personnages, rien ne permet de considérer sérieusement l'un d'entre eux comme le véritable criminel

LA PREMIÈRE MOITIÉ DU XXe SIÈCLE

L'AUBE DU SIÈCLE QUI VIENT DE S'ACHEVER EST MARQUÉE PAR UNE incroyable floraison de progrès techniques. Le chemin de fer gagne les campagnes les plus reculées, d'énormes bateaux à vapeur parcourent les océans, les automobiles remplacent peu à peu les voitures à cheval, les premiers avions prennent les airs. Le télégraphe, le téléphone, le cinéma, la radio abolissent les distances.

Si le monde semble alors plus facilement maîtrisable, il devient également plus complexe et même, sous certains aspects, plus tragique. En 1914 éclate le premier conflit planétaire de l'Histoire et, à la fin des années 1920, une terrible dépression économique, partie des États-Unis, gagne l'ensemble du continent européen. Puis c'est la Seconde Guerre mondiale, avec ses massacres sans précédent... Derrière ce cortège d'inventions, d'exploits et d'événements douloureux, on trouve, à côté de nous, des hommes qui font la face noire de ce demi-siècle et d'autres qui sont sa gloire : Edmund Hillary, Lindbergh, Jean Moulin, Saint-Exupéry...

Comment l'homme a-t-il appris à Voler ?

Deux frères venus de l'Amérique profonde gagnent de justesse la course au premier vol humain propulsé…

À L'AUBE DU XXᵉ SIÈCLE, DE NOMBREUX observateurs pensaient que l'homme ne volerait jamais dans un engin plus lourd que l'air, mais d'autres considéraient que c'était seulement une affaire de temps et que les problèmes techniques seraient un jour résolus. En 1890, Clément Ader a pourtant « décollé » de vingt centimètres, sur une cinquantaine de mètres, à bord de son « avion », l'*Éole*, propulsé par un moteur à vapeur, au rendement hélas insuffisant. La technique des ballons et des dirigeables plus légers que l'air est au point depuis longtemps, et les journaux rapportent régulièrement les exploits des pilotes de planeurs en Europe et aux États-Unis.

C'est un de ces nombreux récits qui éveille l'imagination de deux jeunes frères qui dirigent à Dayton, dans l'Ohio, une petite imprimerie et un journal. Wilbur et Orville Wright, fils d'un pasteur de l'Église évangélique, s'étaient jusqu'alors essayés à beaucoup de choses. Bien que n'ayant pas achevé leurs études secondaires, tous deux sont des lecteurs voraces et de talentueux bricoleurs. Dans leur journal, ils rapportent les exploits d'un ingénieur allemand, Otto Lilienthal, qui, dans la dernière décennie du XIXᵉ siècle, perfectionne la conception des planeurs. La rumeur veut même que Lilienthal ait été près d'ajouter un moteur à ses appareils lorsqu'il meurt, en août 1896, au cours d'une

démonstration de vol. Durant ces années l'envie de voler grandit chez les Wright.

RICHES GRÂCE À UN VÉLO

Orville et Wilbur sont très liés depuis l'enfance ; ils sont tout le temps ensemble, chacun finit les phrases de l'autre et semble lire dans ses pensées. Ils partagent des traits de caractère hérités de leur père : une volonté de fer et une philosophie de la vie fondée sur la lucidité et le pragmatisme. Des qualités qu'ils ne manqueront pas d'exploiter dans leur quête aérienne.

À la fin des années 1890, les frères Wright deviennent financièrcment indépendants grâce à la mise au point et à la commercialisation d'un vélo appelé *Flyer*, qui connaît un franc succès. Cette récente prospérité leur permet de poursuivre recherches et expériences dans les airs.

Leur démarche est minutieuse et méthodique : ils lisent et assimilent toutes les publications sur le sujet, correspondent avec tous les chercheurs connus et leur rendent visite ; ils vont même jusqu'à demander au service fédéral de

CI-CONTRE :
L'ALLEMAND OTTO LILIENTHAL AU COURS D'UN VOL EN 1896. SON FRÈRE ET LUI RÉALISÈRENT LES ESSAIS DE VOL LES PLUS AVANCÉS DE L'ÉPOQUE. ILS S'APPRÊTAIENT À INTÉGRER UN MOTEUR À LEUR PLANEUR, LORSQUE OTTO SE TUA EN VOL.

CI-CONTRE :
WILBUR AUX COMMANDES DU PLANEUR DES WRIGHT, UNE MACHINE COMPLEXE QUE LES DEUX FRÈRES ONT TESTÉE ENVIRON UN MILLIER DE FOIS.

À GAUCHE :
EN 1896, A. M. HERRING FAIT UNE DÉMONSTRATION AU-DESSUS DU LAC MICHIGAN, AVEC UN PLANEUR CONÇU PAR OCTAVE CHANUTE, UN INGÉNIEUR D'ORIGINE FRANÇAISE QUI, FORT DE SON EXPÉRIENCE DANS LES CHEMINS DE FER, A CONSTRUIT UN CADRE À LA FOIS LÉGER ET SOLIDE.

météorologie où ils peuvent trouver les meilleurs vents pour leurs expériences. Sur la base des renseignements donnés par cet organisme, ils choisissent les dunes de Kill Devil Hills, près de Kitty Hawk, en Caroline du Nord, un espace désolé sur les rivages de l'océan Atlantique. Se rendre là-bas n'est pas une mince affaire : il faut déplacer de gros équipements en train et à cheval sur des centaines de kilomètres. Pendant trois étés consécutifs (de 1901 à 1903), les deux frères mènent une existence solitaire, spartiate, sur les dunes battues par les vents. Travaillant quasiment vingt-quatre heures sur vingt-quatre,

ils passent ces étés à tester les planeurs qu'ils ont construits l'hiver dans leur arrière-boutique de Dayton.

Dotés d'ailes inspirées des travaux de chercheurs comme Octave Chanute ou Samuel Langley, les planeurs des frères Wright sont bien conçus et, aux yeux des spectateurs, les frères paraissent faire de grands progrès. Pourtant, à l'été 1902, les tests s'avèrent profondément décevants. Après avoir passé tout l'hiver à calculer minutieusement la portance des ailes en fonction de l'intensité des vents, ils ont une mauvaise surprise en constatant que leur modèle fournit une portance de 30 % inférieure à celle qu'ils attendaient.

LA PERSÉVÉRANCE PAIE

D'autres auraient bricolé quelques réglages sur les ailes jusqu'à ce qu'elles produisent la portance escomptée. Pas les frères Wright. Ils retournent à Dayton et construisent un petit tunnel aérodynamique à l'arrière de leur boutique. Ils épluchent l'ensemble de la littérature sur le sujet, étudient chaque hypothèse et soumettent chaque affirmation et chaque chiffre à un prudent examen.

Les Wright testent ainsi plus de deux cents modèles dans leur tunnel de 1,80 m de long, accumulant pendant l'hiver une impressionnante masse de données expérimentales. Ils ne sont pas surpris de constater que leurs calculs

antérieurs étaient faux, car ils avaient mené trop hâtivement leurs expérimentations.

Les Wright redessinent leur planeur (baptisé *Flyer*, comme le célèbre vélo) et l'expédient à Kitty Hawk. Cette fois, l'appareil est aussi performant que prévu, et les frères sont prêts pour l'étape suivante : ils intègrent un moteur et des hélices pour propulser le planeur.

En temps normal, les frères Wright seraient revenus à Dayton et auraient passé l'hiver à tester leur moteur (ils avaient déjà mené à terme les expériences sur le dessin des hélices, domaine de la recherche aéronautique dans

lequel ils occupent une place éminente), mais la course au premier vol propulsé s'est accélérée. Le rival qui les talonne au plus près est Samuel Langley, astronome et physicien américain. Langley teste les modèles réduits d'un avion propulsé par un moteur à essence et construit un exemplaire grandeur nature à l'automne 1903. L'engin devait s'élancer à partir d'une péniche aménagée sur le Potomac.

Mais la machine de Langley s'effondre de manière spectaculaire, une première fois le 7 octobre 1903, une seconde le 8 décembre. Tandis que la presse tourne en dérision les tentatives de Langley, les Wright craignent qu'il ne les réitère… et qu'il ne réussisse. Cette année-là, ils ne sont pas à Kitty Hawk avant la fin du mois de septembre. En décembre, l'hiver s'installe et la vie devient très difficile sur les dunes venteuses. Mais les frères persévèrent. Et le 17 décembre 1903, avec un moteur à combustion interne de fortune construit par leur mécanicien, Charles Taylor, les Wright réalisent le premier vol d'un appareil plus lourd que l'air.

Si l'exploit des Wright dans les collines de Kill Devil est héroïque, c'est pourtant dans l'arrière-boutique d'un magasin de vélos — pendant les longues heures passées à tester les performances de chaque aile, à comparer la portance qu'ils avaient calculée et celle qu'ils observaient à travers la petite vitre de leur soufflerie — que les Wright ont appris à voler…

Qu'est-ce qui a frappé la Sibérie en 1908 ?

La mystérieuse explosion qui toucha une partie de la Sibérie était-elle d'origine extraterrestre ? Ou était-ce la première explosion nucléaire ?

PRÈS DE WINSLOW, EN ARIZONA, LE GRAND CRATÈRE DE BARRINGER. SON ORIGINE MÉTÉORIQUE EST TOUT À FAIT ÉVIDENTE. LA FORCE QUI DÉTRUISIT LA FORÊT SIBÉRIENNE N'A PAS FORMÉ DE CRATÈRE, MAIS L'EXPLOSION FUT ENTENDUE À PLUS DE 800 KM À LA RONDE.

LA PLUS PUISSANTE EXPLOSION RÉPERTORIÉE jusqu'alors ébranle toute la région de la Toungouska, au cœur de la Sibérie, dans la nuit du 30 juin 1908. Elle arrache à peu près tous les arbres dans un rayon de 35 km. Compte tenu de l'ampleur de l'explosion et de la superficie touchée, c'est un miracle qu'on ne compte aucune victime.

Il est tout aussi surprenant qu'une déflagration d'une telle intensité n'ait pas fait l'objet de la moindre allusion dans la presse internationale. Les habitants de la région ont raconté en effet que, juste avant l'explosion, ils ont vu une boule de feu fendre l'air, et, à Kirensk, à environ 400 km de là, des témoins ont parlé d'une « colonne de feu ».

Les autorités impériales russes passent l'événement sous silence. Mais dans les années 1920, après la révolution, le gouvernement soviétique charge un scientifique, Leonid Kulik, d'enquêter sur l'explosion. Ainsi démarre une série d'investigations sur un événement qui reste cependant toujours inexpliqué.

Kulik conduit donc la première expédition sur le site de l'explosion au début de l'année 1927. Il part avec la certitude que l'explosion est due à une météorite entrée en collision avec la Terre. Arrivé sur le site, il remarque qu'aussi loin que le regard porte, ce ne sont que troncs de pins déracinés par milliers. En explorant le périmètre de l'aire dévastée, il constate que les cimes des arbres sont toutes tournées dans la direction opposée à celle d'un endroit qu'il pense être le foyer de l'explosion.

Poursuivant ses investigations, Kulik découvre des douzaines de trous très larges. Il est convaincu qu'ils contiennent des fragments de la météorite qui a heurté la Terre. Il est tellement sûr d'avoir raison que le photographe de la mission dissimule des contre-preuves de crainte d'affronter la mauvaise humeur du scientifique (une souche d'arbre a été photographiée au fond d'un des trous, ce qui implique que la météorite qui semblait avoir violemment heurté la planète aurait laissé cette souche intacte… hypothèse fort peu crédible). Ce que Kulik ignorait, c'est que ces cavités sont très nombreuses dans toute la Sibérie et sont dues aux fortes variations climatiques dans la région. L'expédition a rapporté un certain nombre d'indices, mais la plupart sont confus, voire contradictoires. Un point décisif aurait pourtant dû exclure l'hypothèse d'une énorme météorite : l'absence de cratère…

DES RESSEMBLANCES AVEC HIROSHIMA

Après le lancement de la bombe atomique sur Hiroshima, en août 1945, on a mis en évidence des analogies entre l'explosion sibérienne et une déflagration atomique. À Hiroshima, de façon très surprenante, on n'observe que peu de dommages autour du point d'impact. Plus curieux, les plantes et les arbres ont repoussé, sur les deux sites, à une vitesse extraordinaire. Les témoins sibériens ont parlé d'un gigantesque nuage de fumée après l'explosion, ce qui évoque étrangement le champignon provoqué par les armes nucléaires.

Aucun indice ne laisse penser qu'une météorite serait tombée sur la Sibérie, mais quelque chose a bien explosé au-dessus de la Toungouska, laissant des traces semblables à celles provoquées par une bombe atomique.

Imaginer qu'une sorte d'explosion nucléaire ait pu se produire en Sibérie près de quarante ans avant l'invention des armes atomiques est évidemment absurde. Une explosion atomique laisse dans la région où elle a lieu de forts niveaux de radioactivité qui n'ont jamais été détectés en Sibérie.

Par ailleurs, de minuscules morceaux de silicate et de magnétite ont été retrouvés dans les arbres proches du point d'impact. L'étude de ces matériaux a montré clairement qu'ils provenaient du cosmos. Ce qui s'est abattu sur la Sibérie en 1908 venait-il de l'espace ?

VAISSEAU SPATIAL OU COMÈTE ?

Si la plus célèbre des explosions « naturelles » vient du cosmos, de quoi peut-il s'agir ? Comme d'habitude lorsque se pose ce genre de question, certains commentateurs ont pensé à un vaisseau spatial, estimant que les particules de silicate et de magnétite retrouvées près du lieu de l'explosion pouvaient être les débris d'un engin extraterrestre qui se serait désintégré en pénétrant dans l'atmosphère. Hypothèse étayée par des témoignages d'habitants disant avoir vu un objet cylindrique dans le ciel, descendant lentement vers la Terre, puis changeant subitement de direction.

Loin de ces vues fumeuses, les experts disent aujourd'hui que l'explosion a été provoquée par un fragment de comète entré en collision avec l'atmosphère terrestre, donc à plusieurs kilomètres au-dessus du sol, ce qui explique la nature des dégâts provoqués par l'onde de choc et l'absence de cratère. Par chance, la région sur laquelle elle s'est abattue est presque déserte ; si elle avait été davantage peuplée, le bilan aurait été effroyable.

Les astronomes observent souvent des comètes dont la trajectoire passe tout près de notre planète. Un auteur de science-fiction américain, Arthur C. Clarke, suggère que certaines d'entre elles sont difficilement repérables parce qu'elles frôlent la Terre pendant la journée. Il se trouve que l'une de ces comètes passe tout près de la Terre chaque année au même moment : le 30 juin, c'est-à-dire le même jour, exactement, que l'explosion qui ravagea la Toungouska.

EN 1927, LEONID KULIK (CI-DESSUS) MÈNE UNE EXPÉDITION SOVIÉTIQUE DANS LA RÉGION DE LA TOUNGOUSKA, OÙ UNE CATASTROPHE S'EST PRODUITE EN 1908. LA FORÊT SIBÉRIENNE (CI-DESSOUS) FUT DÉVASTÉE PAR L'EXPLOSION.

Qui a atteint les Pôles le premier ?

La question de la « découverte » de deux des régions les plus hostiles du globe, les pôles Nord et Sud, a suscité rivalités et controverses.

LES PÔLES CONSTITUENT LITTÉRALEMENT LES bouts du monde, les points où les cartes commencent et s'achèvent. Parmi les endroits les plus inaccessibles sur Terre, entourés de mers de glace à la dérive ou de montagnes gelées et de volcans, ils représentent l'univers du froid extrême, avec des températures moyennes comprises entre 20 et 80 °C en dessous de zéro.

ROALD AMUNDSEN EST LE PREMIER À AVOIR ATTEINT LE PÔLE SUD, À LA TÊTE D'UNE ÉQUIPE D'EXPLORATEURS NORVÉGIENS, EN DÉCEMBRE 1911.

Ce ne sont pas des lieux charmants à visiter et pourtant, dès le XIXᵉ siècle, atteindre les pôles est une préoccupation mondiale qui engendre une vive compétition entre les nations et mobilise de nombreux explorateurs.

Les expéditions polaires entreprises entre 1901 et 1912 sont des témoignages de l'ingéniosité humaine, du courage et de l'endurance. Elles furent à l'époque très controversées. Sous le hurlement des vents, dans la solitude désolée des calottes glaciaires, la vérité historique est bien difficile à établir. Des questions demeurent, mais on en sait davantage sur la découverte du pôle Sud que sur celle du pôle Nord.

LA COURSE VERS LE PÔLE SUD

Le pôle Sud a été atteint pour la première fois par Roald Amundsen et par son équipe d'explorateurs norvégiens. Ils touchent ce bout du monde le 14 décembre 1911, après un voyage de deux mois. Le succès des Norvégiens s'explique par leur extraordinaire prévoyance et leur préparation minutieuse. Ils maîtrisent parfaitement la technique du traîneau à chiens et ont élaboré un plan qui leur permet d'éviter les obstacles tels que les montagnes volcaniques environnant le pôle.

L'équipe britannique conduite par le capitaine Robert Falcon Scott, aussi héroïque qu'infortuné, a moins de chance. Bien que Scott et ses hommes partent avant l'équipe d'Amundsen, ils arrivent au pôle Sud plus d'un mois après elle et y découvrent le campement d'Amundsen et le drapeau norvégien. L'équipe britannique est beaucoup plus lourde que la norvégienne. Elle s'engage dans l'expédition avec des poneys de Mongolie au lieu de n'utiliser que des chiens. Les explorateurs finissent par tuer leurs poneys pour s'en nourrir et doivent alors traîner leur matériel, soit parfois presque 100 kg

UNE COURSE VERS LA MORT

PIÈCE DU PUZZLE ▼

La terrible tragédie subie par l'équipe britannique de Robert Scott lors de son voyage vers le pôle Sud est relatée dans le journal de Scott, retrouvé dans sa tente, près de son cadavre gelé, huit mois après sa mort. Lors de son premier voyage dans l'Antarctique, en 1902, Scott avait écrit, plein d'ardeur : « Nous ne pouvons pas nous arrêter, nous ne pouvons pas revenir en arrière et nous n'avons pas d'autre choix que de nous endurcir et de continuer. » Mais à mesure que la seconde expédition avance, que les obstacles s'accumulent et que le temps passe, on sent l'angoisse monter dans ses phrases : « C'est toujours assez sinistre, écrit-il peu après son départ, de marcher sur cette grande plaine de neige, où le ciel et la terre se confondent dans un voile de blancheur. » Après que les poneys furent tués, Scott se plaint du fardeau que représentent ses propres provisions : « Je n'ai jamais porté de poids aussi lourd. » Finalement, le capitaine et ses quatre compagnons atteignent le pôle et découvrent la tente d'Amundsen : « Tous les rêves s'évanouissent », écrit Scott. « Le retour sera épuisant. » Le lendemain, il est encore plus découragé : « Grand Dieu ! Cet endroit est atroce et il nous a coûté tant de peine sans que nous soyons récompensés ! » Le 14 février, la tentative pour rejoindre le navire au travers des champs de glace échoue. Scott écrit : « Il est sûr que nous n'allons pas fort. » L'un des compagnons de Scott meurt ; puis un autre, un mois plus tard. Pris au piège dans sa tente par un blizzard hurlant, avec un pied gelé qui l'empêche de marcher, Scott voit la mort approcher : « La fin n'est pas très loin », note-t-il. « C'est terrible mais je ne pense pas pouvoir encore écrire. » Peu de temps après avoir écrit ces mots, Scott et ses deux derniers compagnons meurent de froid.

L'EXPLORATEUR BRITANNIQUE ROBERT FALCON SCOTT EST MORT DE FROID AINSI QUE TOUS SES COMPAGNONS DE VOYAGE. C'ÉTAIT LEUR SECONDE EXPÉDITION AU PÔLE SUD.

CI-DESSOUS :
SCOTT ET SON ÉQUIPE PHOTOGRAPHIÉS AU PÔLE SUD, AVANT LE FATAL VOYAGE DE RETOUR.

CI-DESSUS :
LE GROUPE FAIT ROUTE VERS LE PÔLE.
À GAUCHE :
LE LIEU OÙ SCOTT A ÉTÉ RETROUVÉ MORT.

ROBERT PEARY
(EN HAUT)
**ET SON ASSISTANT
MATTHEW HENSON**
(CI-DESSUS).

par personne. Scott et ses équipiers font preuve d'une endurance incroyable, marchant dans les étendues glacées pendant près de quatre mois, avant de mourir de froid sur le chemin du retour, à moins de 15 km d'une réserve de nourriture qu'ils avaient pris soin de déposer lors de la première étape de leur voyage.

LA COURSE VERS LE NORD

Un mystère très épais entoure la découverte du pôle Nord, que deux Américains affirment avoir atteint les premiers. On considère généralement Robert Peary, un ancien ingénieur civil de la marine américaine en poste au Groenland, comme celui qui découvrit le premier le pôle Nord, le 6 avril 1909. Mais son rival, le docteur Frederick Cook, déclare l'avoir atteint un an auparavant, le 21 avril 1908. Pendant des années, les affirmations de Cook ont été démenties par la National Geographic Society et par d'autres organisations américaines, qui, il est vrai, ont toutes financé les expéditions de Peary.

Or le récit que Peary fait de son voyage dans l'Arctique, accompagné seulement d'un groupe d'Esquimaux (ou Inuits) et de son assistant Matthew Henson, présente plusieurs écueils. Peary déclare ainsi avoir avancé à un rythme au moins deux fois supérieur à ce qui est crédible. Son journal, censé avoir été écrit dans de pénibles conditions, nous est parvenu dans un état impeccable. Aucun des points de repère évoqués par Peary n'existe réellement et, quelques années plus tard, la marine américaine jettera ses cartes parce qu'elles ne valaient rien ! À bien des égards, les propos de Frederick Cook sont beaucoup plus crédibles, mais ils ne sont étayés par aucun document (il a dit avoir perdu ses notes pendant le voyage).

Au paroxysme de la controverse, Cook se taille une très mauvaise réputation. En 1908, il publie un livre dans lequel il déclare avoir gravi le mont McKinley, en Alaska. En 1909, alors que la polémique fait rage, Edward Barrill, son compagnon d'expédition, fait une déclaration sous serment dans laquelle il affirme qu'ils ne sont pas montés jusqu'au sommet de la montagne. Barrill confessera plus tard avoir été payé par des ennemis de Cook pour signer la déclaration, tout en continuant d'affirmer que l'ambitieux Cook n'a jamais atteint le sommet.

Qui donc a touché le pôle Nord le premier? Peary et Cook ont tous les deux un ego surdimensionné. Leurs déclarations, à l'un comme à l'autre, sont tout aussi suspectes. Lors d'une enquête conduite par le Congrès sur son récit, Peary n'a apporté que des témoignages vagues, guère convaincants, et même contradictoires avec sa première version des faits. Cook, lorsqu'on lui demande de fournir des détails, répond maladroitement qu'il a laissé ses notes dans un coffre au Groenland.

Il est possible qu'aucun des deux hommes n'ait jamais atteint le pôle et que tous deux se soient employés à mystifier le monde. Si c'est le cas, Peary, avec ses puissants soutiens à la National Geographic Society et jusqu'au sein du gouvernement fédéral, est sûrement le plus habile des deux. Il se pourrait donc que la véritable découverte du pôle Nord revienne à Richard Byrd, qui déclare l'avoir atteint en

EN 1930, NEW YORK REND HOMMAGE À L'AMIRAL RICHARD E. BYRD, QUI SURVOLA LE PÔLE NORD À BORD D'UN AVION, EN 1926.

avion, le 9 mai 1926... ou au général italien Umberto Nobile qui, avec Amundsen, le survola à bord du dirigeable *Norge*, le 12 mai de la même année. Une expédition terrestre a atteint le pôle Nord sans l'ombre d'un doute... en 1968, celle de l'Américain Ralph Plaisted et de son équipe, en motoneige...

COOK DIT AVOIR ATTEINT LE PÔLE NORD LE 21 AVRIL 1908, SOIT UN AN AVANT PEARY. IL EST ICI PHOTOGRAPHIÉ DANS UN STUDIO RECONSTITUANT UNE SCÈNE ARCTIQUE.

Le naufrage du Titanic

Le *Titanic* heurte son ennemi de glace : il sombre dans l'eau froide et entre ainsi dans les annales de l'Histoire.

« DIEU EN PERSONNE NE POURRAIT PAS FAIRE COULER CE BATEAU », ASSURAIT UN MEMBRE DE LA WHITE STAR, COMPAGNIE QUI EXPLOITAIT LE *TITANIC*. LE 10 AVRIL 1912, LE LUXUEUX GÉANT DE 46 000 TONNES PARTAIT DE SOUTHAMPTON, EN ANGLETERRE, ET SE DIRIGEAIT VERS NEW YORK.

IL N'Y A PAS DE DÉSASTRE MARITIME QUI FASSE surgir à l'esprit autant d'images que celui de l'« insubmersible » *Titanic*. Le paquebot a inspiré de nombreux documentaires, des livres, des films, sans compter les missions qui n'ont cessé d'explorer les parages de l'épave échouée au fond de l'Atlantique. Si le destin du navire, en ce 14 avril 1912, est universellement connu, les causes de son naufrage ne le sont sans doute pas autant.

Pourquoi le *Titanic* a-t-il sombré ? Est-ce la démesure et l'orgueil des hommes qui conduisirent ce monument flottant à heurter un iceberg ? Les raisons de ce désastre, qui provoqua la mort de 1 500 personnes, sont multiples. Toute une série de facteurs sont entrés en jeu pour conduire le navire à sa perte.

UN ROYAUME SUR L'OCÉAN

Le *Titanic* se présente comme un amoncellement de richesses. C'est une île de prospérité qui, par sa longueur (269 m) et son poids (plus de 45 000 tonnes), dépasse de loin tous les autres paquebots. Son extravagance n'a jamais été surpassée : tout y est luxueux, sans la moindre faute de goût, jusqu'aux cabines de seconde classe. Mais la caractéristique de la catastrophe est moins la disparition de tout ce luxe que la diversité sociale des passagers, qui vont des milliardaires et des membres du gotha aux émigrants qui voyagent en troisième classe. Plus encore, le naufrage est un terrible camouflet pour l'orgueil humain. Quelques jours seulement après que le capitaine E. J. Smith eut proclamé fièrement son invincibilité, le navire insubmersible gisait au fond de l'Atlantique.

Les dernières heures du *Titanic* sont tellement gravées dans la mémoire des survivants que les conversations de cette nuit funeste ont pu être retranscrites plus tard jusque dans leurs moindres détails. Nous connaissons par ces récits les actes d'héroïsme ou de lâcheté qui ont accompagné le naufrage. On sait ainsi comment Ida Strauss, la femme du milliardaire Isidore Strauss, refusa la place qu'on lui proposait sur un canot de sauvetage et préféra rester avec son mari (le couple se retira dans sa cabine, attendant ensemble la mort) ; comment Ben Guggenheim, un autre milliardaire, s'installa sur le pont et s'écria : « Nous sommes vêtus de nos plus beaux habits et nous sommes prêts à

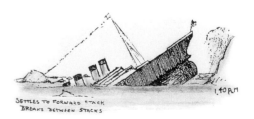

QUAND LE *TITANIC*
COMMENCE
À COULER,
LE CAPITAINE
E. J. SMITH SE BAT
POUR MAINTENIR
LE PAQUEBOT
À FLOT. POUR FINIR,
IL SE PLIERA AU
CODE D'HONNEUR
DES CAPITAINES
ET SOMBRERA
AVEC SON NAVIRE.
SMITH AVAIT REÇU
PLUSIEURS SIGNAUX
L'AVERTISSANT
QU'IL Y AVAIT
DES ICEBERGS
SUR SA ROUTE
MAIS, PLUTÔT QUE
DE RÉDUIRE
LA VITESSE, IL AVAIT
PRÉFÉRÉ SE FIER
À LA VIGIE. APRÈS
LE DRAME, IL FUT
SÉVÈREMENT
CRITIQUÉ PAR
LA COMMISSION
D'ENQUÊTE
LONDONIENNE.

AVEC L'AIDE D'UN
DESSINATEUR,
UN DES SURVIVANTS,
JOHN B. TRACER,
A RETRACÉ
LES ÉTAPES DE
LA DISLOCATION
DU NAVIRE.
LE QUATRIÈME
CROQUIS MONTRE
LA POUPE QUI SE
REDRESSE AU
MOMENT OÙ
LE PAQUEBOT SE
CASSE EN DEUX.

FORWARD END FLOATS,
THEN SINKS   1.50 AM.

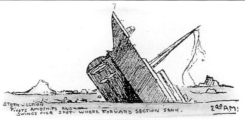

STERN SECTION
PIVOTS AMIDSHIPS AND
SWINGS OVER SPOT WHERE FORWARD SECTION SANK.   2.00 AM.

LAST POSITION
IN WHICH "TITANIC"
STAYED 5 MINUTES BEFORE
THE FINAL PLUNGE.

L.P. Skidmore,
S.S. "Carpathia" Apr. 15th 1912.

mourir en gentlemen » ; comment J. Bruce Ismay, président de la White Star Line, se glissa furtivement dans un des canots de sauvetage (il subira pour le restant de sa vie les attaques des journaux du monde entier).

Le scénario est connu. Le navire suit son cap en droite ligne, heurte un iceberg ; survient un effroyable fracas de métal et de bois tandis qu'il s'enfonce dans l'eau glacée. C'est un malheureux concours de circonstances qui est à l'origine de la tragédie — vices de fabrication du navire, erreurs humaines et mauvaises conditions météorologiques.

La base du navire comporte seize compartiments étanches : même si quatre d'entre eux prennent l'eau, le paquebot peut poursuivre sa route en toute sécurité. La nuit du drame, cinq compartiments sont submergés ; si leurs cloisons étanches avaient été prolongées jusqu'au pont supérieur (comme elles auraient dû l'être), l'eau n'aurait pas fait sombrer le navire. Mais la plus grosse bévue revient aux autorités, qui n'ont pas mis à jour les règlements relatifs à la capacité des navires en canots de sauvetage. Les besoins avaient été réévalués pour la dernière

fois en 1894 et ils ne prenaient pas en compte les navires de plus de 10 000 tonnes. Les auditions effectuées par la justice révélèrent qu'on avait prévu d'ajouter 32 canots supplémentaires mais que, soit par volonté dérisoire de gagner de la place, soit par excès de confiance, ils furent supprimés du projet définitif.

L'erreur humaine, bien sûr, joue un grand rôle dans la collision et dans la perte de tant de vies humaines. Tout au long de cette journée du 14 avril 1912, des messages sont diffusés par radio, signalant la présence de banquises à la dérive et d'icebergs isolés. Ainsi, de 9 heures à 23 heures, cinq navires émettent des avertissements, mais aucun d'eux n'est pris en compte. L'un est transmis à la cabine de pilotage quatre heures après avoir été reçu ; un autre n'a jamais été remis au capitaine, et le plus important de ces messages — émis par le *Californian* tout proche, environ quarante minutes avant la collision fatale — n'a pas été pris en compte, parce que l'opérateur radio du *Titanic* a interrompu la communication…

Enfin, au mépris de toutes les consignes de sécurité, le paquebot file droit au but à une

LE RÔLE DE L'OPÉRATEUR RADIO

L'opérateur chargé des transmissions (et notamment des alertes relatives aux icebergs) a été considéré par certains comme un héros pour avoir multiplié les appels de détresse jusqu'à la fin. D'autres le tiennent pour un des principaux responsables de la collision. Jack Phillips (ci-dessous, venant d'être sauvé) n'est pas un employé de la White Star : il appartient à la British Marconi Company, société spécialisée dans la télégraphie. Bien qu'il soit le seul opérateur en ce terrible jour, il a surtout été embauché pour recevoir les messages destinés aux personnalités embarquées sur le navire.

Après avoir reçu cinq avertissements du *Californian* au sujet des icebergs, Phillips perd patience lorsqu'un dernier signal est envoyé, à 23 heures. Il rabroue l'opérateur du *Californian*, lui dit de cesser d'occuper la fréquence avec des messages sur les icebergs… Quand, une heure plus tard, un SOS est envoyé par le *Titanic*, le *Californian*, qui est à l'ancre à une dizaine de milles, n'est pas en mesure de recevoir le message. L'opérateur, peut-être agacé par les réflexions de Phillips, a fermé sa radio et est allé se coucher. S'il en avait été autrement, des dizaines de vies auraient pu être sauvées…

vitesse de 22 nœuds. Bruce Ismay veut battre le record de la traversée. Lorsque l'on prend pleinement conscience du drame, les canots de sauvetage sont jetés à l'eau. La capacité des 16 canots est d'environ 1 000 passagers : seuls quatre sur seize peuvent quitter le paquebot au plein de leur capacité.

Ce qui achève de mener le *Titanic* au désastre, ce sont les mauvaises conditions météorologiques. La tranquillité de la mer et l'absence de lune camouflent entièrement l'iceberg. Quand l'homme de guet signale le danger en hurlant, et que le navire bifurque sur la gauche, il est trop tard : l'iceberg a endommagé toute la partie droite de la coque. Certains passagers perçoivent un léger tremblement. Une des survivantes, Lucile Duff-Gordon, dira : « C'était comme si quelqu'un avait passé un doigt géant sur tout un côté du navire. » La glace n'a provoqué que des entailles sur la coque, mais celles-ci l'ouvrent sur près de 100 m de long : c'est suffisant pour laisser l'eau entrer dans cinq compartiments, pour submerger les ponts, et pour faire sombrer un géant de 46 000 tonnes et plus de 1 500 personnes dans une eau glaciale.

La Première Guerre mondiale était-elle inévitable?

Comment les tensions internationales du début du XXᵉ siècle ont-elles pu conduire l'Europe à un conflit suicidaire?

LE 28 JUIN 1914, À SARAJEVO, FRANÇOIS-FERDINAND DE HABSBOURG (1863-1914), HÉRITIER DU TRÔNE D'AUTRICHE-HONGRIE, EST ASSASSINÉ PAR UN ÉTUDIANT BOSNIAQUE. C'EST L'ÉTINCELLE QUI VA PROVOQUER LE DÉCLENCHEMENT DE LA PREMIÈRE GUERRE MONDIALE.

LORSQUE, AU CŒUR DE L'ÉTÉ 1914, LA GUERRE éclate sur le continent européen, nul ne prévoit que ce conflit durera plus de quatre longues années et qu'il sera l'un des plus sanglants de l'histoire du monde. Dans les divers pays belligérants, l'enthousiasme l'emporte sur l'inquiétude sous l'effet de la propagande orchestrée par les gouvernements pour mobiliser leurs troupes. Les soldats partent « la fleur au fusil », certains de mener un combat légitime pour la défense de la civilisation, contre un ennemi qui symbolise la barbarie. Les querelles politiques ordinaires s'effacent pour laisser la place à des « unions sacrées », et les socialistes comme les syndicalistes, pourtant pacifistes, finissent par soutenir l'entrée en guerre de leurs pays. Enfin, tout le monde s'attend à une guerre courte : les soldats, dit-on, seront rentrés au plus tard au début de l'hiver. Près d'un siècle après les faits, on peut reconstituer l'engrenage fatal qui conduisit à ce terrible conflit, mais les historiens débattent toujours des responsabilités respectives des belligérants dans le déclenchement de ce qu'on appelle significativement la Grande Guerre.

L'ÉTINCELLE DE SARAJEVO

En apparence, les événements qui sont à l'origine de la Première Guerre mondiale sont très disproportionnés par rapport à l'ampleur que va rapidement prendre le conflit. Le climat général des relations internationales au printemps 1914 semble même moins tendu qu'il ne l'était un an auparavant. L'ambassadeur de France à Berlin écrit dans une lettre du 12 juin : « Je suis loin de penser qu'en ce moment il y ait dans l'atmosphère quelque chose qui soit une menace pour nous ; bien au contraire. »

Mais le 28 juin, alors qu'il passe en revue les troupes impériales, François-Ferdinand de Habsbourg, l'archiduc héritier d'Autriche-Hongrie, est assassiné avec son épouse à Sarajevo, en Bosnie (territoire autrichien), par un terroriste bosniaque, Gavrilo Princip. L'Europe d'avant 1914 avait connu bien des attentats contre des dirigeants. Comment un incident presque « ordinaire » a-t-il pu alors dégénérer rapidement en une déflagration généralisée ?

La réaction de l'Autriche-Hongrie à l'attentat contre François-Ferdinand est d'une grande fermeté : elle reproche au gouvernement serbe une « complicité indirecte » et lui adresse un ultimatum dans lequel elle impose la présence de policiers autrichiens sur son territoire afin de retrouver les complices du meurtrier. La Serbie refuse ; l'Autriche-Hongrie lui déclare alors la guerre, le 28 juillet. Ce n'aurait pu être que le début d'un conflit local : si l'Autriche est inflexible, c'est qu'elle voit dans l'attentat de Sarajevo une occasion de venir à bout de la Serbie, un des principaux foyers de l'agitation nationaliste qui sévit dans les Balkans depuis la fin du XIXᵉ siècle et qui menace de disloquer l'empire des Habsbourg.

L'ENGRENAGE DES ALLIANCES

L'intervention de la Russie anéantit l'espoir autrichien d'un conflit circonscrit. Celle-ci s'est non seulement posée tout au long du XIXᵉ siècle en protectrice des peuples slaves mais, depuis la grave défaite face au Japon en 1904, le tsar cherche à prendre une revanche. Une entrée dans le conflit lui permettrait en outre de détourner contre des objectifs extérieurs les forces révolutionnaires à l'œuvre dans le pays. Nicolas II espère aussi qu'une nouvelle guerre balkanique (il y en avait déjà eu deux en 1912-1913) permettra à la Russie de se rapprocher des Détroits. Dès le 29 juillet, il décrète la mobilisation, mais uniquement contre l'Autriche-Hongrie.

Si le conflit s'étend bientôt à l'ensemble de l'Europe, c'est parce que le mécanisme des alliances achève de propager l'incendie. En effet, depuis le début du XXᵉ siècle, les principaux pays d'Europe se sont plus ou moins rapprochés, formant ainsi deux camps: d'un côté, la Triple-Entente, simplement défensive, qui réunit la France, la Grande-Bretagne et la Russie; de l'autre, la Triple-Alliance, ou Triplice, avec l'Autriche-Hongrie, l'Allemagne et l'Italie. L'Allemagne déclare donc la guerre à la Russie le 1ᵉʳ août au soir, en tant qu'alliée de l'Autriche mais aussi pour servir ses propres ambitions. L'empereur Guillaume II juge en effet la guerre « nécessaire » pour rompre l'encerclement dont il se dit victime, et a manifesté à plusieurs reprises depuis le début du siècle son appétit de conquêtes, notamment en matière coloniale. Une vive rivalité économique et militaire oppose ainsi l'Allemagne, première puissance industrielle européenne, à l'Angleterre (dont les positions sont menacées) et à la France. Après avoir déclaré la guerre à la Russie, l'Allemagne fait de même avec la France le surlendemain, tandis que la Grande-Bretagne soutient son allié français.

C'est donc l'intransigeance de l'Autriche-Hongrie et de son alliée allemande, hostiles à toute solution diplomatique au conflit avec la Serbie, qui précipite la marche à la guerre. Par ailleurs, l'Europe baigne depuis quelques années dans un climat de tension internationale et de course aux armements, alimenté par les rivalités économiques et territoriales mais aussi par l'exacerbation des nationalismes. Seul ce dernier facteur peut expliquer l'exaltation patriotique qui règne au début du conflit. Ainsi, en France, depuis la défaite de 1870 face à

la Prusse, l'obsession de la revanche est soigneusement entretenue. Les manuels scolaires présentent l'Allemagne comme l'« ennemi héréditaire » et le symbole de la barbarie: à plusieurs reprises, comme pendant l'affaire Dreyfus, le sentiment national connaît des poussées, accompagnées de violences. La défense de l'armée, gardienne de l'honneur national, doit aller pour certains jusqu'au sacrifice de la paix.

La suite est connue: l'illusion d'une guerre rapide ne dure que quelques mois. Le conflit s'enlise dans la boue des tranchées, les attaques meurtrières et inutiles se succèdent. Quatre longues années de mobilisation totale des populations s'écoulent avant que la guerre ne prenne fin, au prix de 10 millions de morts. Les rescapés jurent que ce sera « la der des ders ». Pourtant, quelque vingt ans plus tard, un nouveau conflit mondial éclate, dont les racines plongent largement dans celui de 1914-1918.

LES TRANCHÉES SYMBOLISENT L'HORREUR DU CONFLIT. LES SOLDATS Y ÉTAIENT LA PROIE DU FROID, DE LA BOUE, DE LA PEUR ET DE CONDITIONS D'HYGIÈNE ÉPOUVANTABLES.

Le torpillage du Lusitania

Tandis que les 32 000 tonnes du *Lusitania* dorment au large des côtes irlandaises, la question des responsabilités du drame suscite encore des polémiques.

S. S. LUSITANIA

CETTE CARTE POSTALE MONTRE LE *LUSITANIA* PRENANT LA MER À NEW YORK. L'IMPACT DU NAUFRAGE DE CE LUXUEUX PAQUEBOT FUT IMMENSE ET IMMÉDIAT, COMME LE MONTRE LA UNE DU *NEW YORK TIMES* DU 8 MAI 1915 (EN BAS, À DROITE).

IL ÉTAIT PLUS LUXUEUX QUE LE *TITANIC,* RÉPUTÉ lui aussi insubmersible, et il fut la merveille nautique de la période édouardienne en Grande-Bretagne. Mis en service en 1906, équipé d'ascenseurs électriques reliant les ponts, de douches et de baignoires privées dans les cabines de première classe, d'une coque à double fond et de compartiments étanches, le paquebot britannique *Lusitania* était aussi célèbre au début du XXᵉ siècle que l'est aujourd'hui l'avion supersonique Concorde.

Les Britanniques s'étaient réservé le droit d'utiliser le *Lusitania* comme bâtiment auxiliaire dans la guerre qu'ils menaient depuis 1914 contre l'Allemagne. Néanmoins, les passagers et les membres d'équipage avaient toutes les raisons de croire que cette 202ᵉ traversée transatlantique du navire, transportant des civils sur un trajet ordinaire de New York à Liverpool, se passerait sans encombre, comme toutes les autres. Or, le 7 mai 1915, à moins de 20 km au large du port irlandais de Kinsale, le *Lusitania* coule en l'espace de dix-huit minutes, touché sans sommation par la torpille d'un sous-marin allemand. Cette catastrophe coûte la vie à 1 195 personnes dont 128 Américains sur les 1 998 passagers. Le naufrage bouleverse le monde entier ; il suscite aussi un revirement de l'opinion américaine, qui devient favorable à l'entrée des États-Unis dans la Première Guerre mondiale.

DES QUESTIONS LANCINANTES

Près d'un siècle après le drame, des questions restent toujours en suspens. Comment un paquebot plus solide que le *Titanic* a-t-il pu couler en moins de vingt minutes, alors qu'il avait fallu au *Titanic* deux heures pour sombrer après avoir heurté un iceberg ? Est-il imaginable que le gouvernement britannique ait souhaité, voire fomenté une telle tragédie pour entraîner les États-Unis dans la guerre ?

Ingénieurs et mécaniciens sont d'accord pour dire qu'un bateau comme le *Lusitania* aurait dû rester à flot, même après avoir été touché par une grosse torpille. Plusieurs témoins qui se trouvaient à bord affirment que ce n'est pas l'impact de la torpille qui provoqua le plus de bruit mais une seconde explosion, point sur lequel porte toute la controverse qui s'ensuivit. Tenant d'une explication un tant soit peu provocatrice, le diplomate allemand Oswald Flamm se dit convaincu que les Anglais avaient chargé quelqu'un de faire exploser une bombe quelques instants après le tir de la torpille, pour être sûrs que le navire coulerait rapidement. Le parlementaire américain Richmond Hobson, quant à

lui, a affirmé que les Anglais avaient prémédité le naufrage du *Lusitania* pour faire sortir les Américains de leur isolationnisme et les précipiter dans le conflit.

Ces soupçons ont été étayés au cours des années par l'analyse du comportement de William Turner, le capitaine du *Lusitania* : celui-ci n'aurait pas accompli les gestes élémentaires qui permettaient d'assurer la sécurité de son bateau. Lorsqu'il pénétra dans les eaux irlandaises, Turner réduisit la vitesse du *Lusitania* de 21 à 18 nœuds, malgré les consignes officielles de l'Amirauté britannique ordonnant aux navires d'accroître leur vitesse dans les zones de guerre pour échapper aux sous-marins. Le capitaine a de plus ignoré — ou mal compris — la consigne d'adopter une trajectoire en zigzag. Il déclara plus tard qu'il naviguait à une vitesse de 18 nœuds pour pouvoir arriver à Liverpool avec la marée. Cela aurait été également possible en zigzaguant à 21 nœuds.

TOUJOURS DES SPÉCULATIONS

Certains de ceux qui ont étudié la tragédie pensent que Turner, obéissant à des instructions secrètes de l'Amirauté britannique, a conduit le *Lusitania* à faible vitesse et en ligne droite pour en faire la cible facile du sous-marin U-20. C'est ce qu'aurait dit, un an après l'événement, l'empereur Guillaume II à l'ambassadeur américain James W. Gerard.

Dans *le Lusitania*, un ouvrage paru en 1972, Colin Simpson essaie de laver Turner de tout soupçon, mais il affirme que l'Amirauté britannique a créé une situation propice à l'attaque du navire et susceptible de jeter l'Amérique dans la guerre. Il évoque notamment une conférence organisée par l'Amirauté le 5 mai 1915. Les minutes de cette réunion s'arrêtent peu après le compte rendu d'une conversation entre le vice-amiral Henry Oliver et Winston Churchill au sujet des escortes militaires. Or aucune escorte n'a été affectée au *Lusitania*, malgré l'évidence du danger. Simpson estime que c'est lors de cette réunion que Churchill aurait décidé d'exposer le paquebot au danger, mais des preuves irréfutables manquent à l'appui de cette hypothèse.

L'explorateur sous-marin Robert Ballard a visité l'épave du *Lusitania* en 1995. Selon lui, la seconde explosion a été provoquée par de la poussière de charbon enflammée par la torpille. L'épave qui repose au large gardera-t-elle à jamais son secret ?

À GAUCHE : **PUBLICITÉ ANNONÇANT CE QUI DEVAIT ÊTRE LE DERNIER VOYAGE DU *LUSITANIA*, PARUE DANS LE *NEW YORK HERALD*. UNE NOTE PUBLIÉE PAR L'AMBASSADE D'ALLEMAGNE AUX ÉTATS-UNIS AVERTIT LES PASSAGERS ÉVENTUELS DU DANGER DES TRAVERSÉES EN ZONE DE GUERRE. LORS DE L'ÉLECTION PRÉSIDENTIELLE DE 1916 AUX ÉTATS-UNIS, UN DES SLOGANS DE WOODROW WILSON (CI-DESSUS) ÉTAIT : « IL [WILSON] NOUS ÉPARGNE LA GUERRE. » MAIS EN 1917, IL ENGAGERA SON PAYS DANS LE CONFLIT.**

Qui était Mata Hari ?

Elle était belle et fascinante, elle menait une vie anticonformiste, mais était-elle pour autant une professionnelle de l'espionnage ?

NÉE DANS UNE RICHE FAMILLE néerlandaise de Leeuwarden le 7 août 1876, Margaretha Geertruida Zelle ne semblait pas destinée à inspirer des films hollywoodiens ni une bande dessinée humoristique. Pourtant, plus d'un siècle après sa naissance, Margaretha symbolise encore le mystère, l'énigme, l'érotisme et l'espionnage. La jeune fille est devenue, sous le nom de Mata Hari, courtisane, danseuse exotique, et l'espionne la plus célèbre de l'Histoire.

Que Mata Hari ait été une espionne au service de l'Allemagne pendant la Première Guerre mondiale est généralement tenu pour indéniable, mais des questions subsistent quant à ses véritables capacités et à la portée de ses actes dans ce domaine. Pour les Français, qui imputent des milliers de morts aux activités de Mata Hari, ce fut une espionne magistrale, maîtrisant parfaitement l'art d'utiliser ses charmes pour obtenir des informations auprès de militaires. Pour d'autres, en particulier pour les Anglais, ce fut une espionne de seconde zone, maladroite, atteinte qui plus est de folie des grandeurs. En tout état de cause, les supplications et les protestations d'innocence de Mata Hari cessent le 15 octobre 1917, sous les balles du peloton d'exécution qui appliquent la sentence d'un tribunal militaire français.

DE LA SÉDUCTION À…

Margaretha apprend l'art de la séduction à l'instigation de son premier mari, Rudolph MacLeod, un officier de l'armée coloniale néerlandaise d'origine écossaise. On raconte qu'elle séduit et attire chez elle des hommes importants. Une fois les amants dans le feu de l'action, MacLeod fait irruption dans la chambre, un appareil photo à la main, et immortalise la scène compromettante pour faire chanter l'infortuné.

Séparée de son mari, la séduisante Margaretha s'installe à Paris à la fin de l'année 1903, bien décidée à réussir une carrière de danseuse. Après une première période difficile, pendant laquelle elle gagne en fait sa vie comme courtisane, la jeune femme décide de changer d'image. Ainsi naît la danseuse exotique Mata Hari, qui entame rapidement une glorieuse carrière internationale.

Elle rencontre Truffaut von Jagow, chef de la police berlinoise. Celui-ci tombe amoureux d'elle et devient son amant. Bien qu'excédé par la légèreté de sa maîtresse, qui continue de recevoir d'autres hommes, il comprend vite qu'il peut utiliser la célébrité et le charme de celle-ci à son avantage… et à celui de l'Allemagne. Il l'incite à poursuivre son activité lucrative de courtisane, lui suggérant même de s'occuper de personnalités du monde politique, de l'armée, de la diplomatie, afin d'obtenir d'importants secrets d'État et des renseignements d'ordre militaire. Elle accepte, et c'est ainsi que commence la carrière de l'espion allemand H 21.

Mata Hari s'investit pleinement dans sa nouvelle mission, participant à des soirées très fermées et nouant des liens amoureux avec des hommes influents et puissants. Au cours de leurs relations, elle leur soutire habilement des informations qu'elle rapporte ensuite à Jagow et aux Allemands.

Ses talents de séductrice ont des conséquences plus graves lorsque la Grande Guerre éclate. Mata Hari s'engage alors, près de Vittel, en tant qu'infirmière au chevet d'officiers français, auxquels elle parvient à arracher les détails du plan de l'une de leurs prochaines offensives. Elle transmet ensuite consciencieusement ces données aux autorités allemandes, leur permettant ainsi de prendre les mesures nécessaires. Peu de temps après, une offensive française se heurte en effet à une concentration imprévue de troupes allemandes. Plus de 100 000 soldats trouvent la mort au cours de l'assaut. Pour la France, cette défaite est directement imputable aux informations glanées par Mata Hari, l'infirmière.

… L'ACTE D'ACCUSATION

Bientôt, la chance tourne pour Mata Hari. Au début de l'année 1917, elle est arrêtée par la police française et enfermée dans une cellule capitonnée. Quand on l'interroge, preuves à l'appui, sur ses liaisons, elle avoue avoir rencontré tous ces hommes, mais elle ne reconnaît avoir obtenu de renseignements confidentiels d'aucun d'entre eux. Elle affirme que, si elle est bien une courtisane, elle n'est pas une espionne et clame son innocence jusqu'à sa condamnation à mort et à son exécution, quelques mois plus tard.

Convaincue de l'implication de Mata Hari dans des activités d'espionnage, la cour de justice militaire ne délibère pas longtemps avant de prononcer la culpabilité de l'accusée et la sentence de mort. Le matin de son exécution, Margaretha affiche une sérénité remarquable, faisant seulement observer qu'elle aurait préféré mourir l'après-midi. Face au peloton d'exécution, elle refuse qu'on lui bande les yeux et elle est fusillée sans avoir baissé les yeux.

L'affaire Mata Hari n'est cependant pas tout à fait close : se fondant sur des documents d'archives, la Fondation Mata Hari et la ville natale de la belle Hollandaise ont déposé, fin 2001, une demande de révision du procès auprès du ministre français de la Justice. Ils sont persuadés que Mata Hari, jugée à huis clos, a fait les frais d'un procès falsifié à des fins « patriotiques » et qu'elle a été le jouet des services d'espionnage. Pour Léon Schirmann, qui a mené une enquête fouillée sur ce qu'il qualifie de « machination » et de « crime judiciaire organisé par des magistrats », « Mata Hari n'était pas faite pour être une espionne. Ce n'était qu'une femme qui aimait profiter de la vie. »

QUI N'EÛT ÉTÉ SENSIBLE AUX CHARMES DE MATA HARI ? À GAUCHE : CETTE PHOTOGRAPHIE, PRISE À PARIS, TÉMOIGNE DE SON ÉLÉGANCE. CETTE AUTRE IMAGE (CI-DESSOUS) RÉVÈLE SES TALENTS DE DANSEUSE, QUALITÉ PEU RÉPANDUE CHEZ LES ESPIONS.

Lawrence d'Arabie, mythe et réalités

PERSONNAGE CHARISMATIQUE, THOMAS EDWARD LAWRENCE JOUA UN RÔLE HISTORIQUE INCONTESTABLE. IL INCARNA AUSSI LE RÊVE D'UN MONDE ARABE UNI ET INDÉPENDANT. FIGURE COMPLEXE, IL ÉCRIVIT CEPENDANT, DÉSABUSÉ, DANS LES SEPT PILIERS DE LA SAGESSE : « FAIRE PARTIE DU DÉSERT, C'ÉTAIT S'ENGAGER DANS UN COMBAT FATAL ET JAMAIS CLOS CONTRE UN ENNEMI QUI N'ÉTAIT PAS LE MONDE, NI LA VIE, NI RIEN, MAIS L'ESPOIR LUI-MÊME. »

IL EST DES HOMMES dont l'existence tout entière semble appartenir à un univers romanesque bien éloigné de notre réalité quotidienne. Le colonel Lawrence est de ceux-là. Le film de David Lean *Lawrence d'Arabie* (1962), avec Peter O'Toole dans le rôle-titre, a transcendé la figure de cet agent secret hors du commun, idéaliste, tourmenté, mais aussi mégalomane au profil complexe, héros presque malgré lui, dépassé par sa légende.

Thomas Edward Lawrence naît en 1888 à Tremadoc, au pays de Galles. C'est un enfant intrépide, courageux, mais aussi parfois violent. Plus que tout, il se sent blessé par sa naissance illégitime, qu'il a découverte à l'âge de dix ans. Son père, petit noble irlandais, s'était enfui avec la gouvernante de ses quatre premiers enfants. Thomas est donc un enfant adultérin, qu'un lien très fort unira toujours à sa mère. Selon certains, il aurait combattu son homosexualité en menant une vie chaste, faite d'exigence morale, de travail, d'exercice physique ; ce serait là l'une des clefs de sa personnalité. Ces composantes psychologiques nourriront son œuvre littéraire : *les Sept Piliers de la sagesse* et le roman autobiographique posthume *la Matrice* (1955).

Lawrence suit des études d'archéologie à Oxford et participe entre 1909 et 1914 à des

Lawrence d'Arabie est l'une des grandes figures d'aventuriers du XXe siècle. Un personnage énigmatique, aussi. Qui fut donc le vrai T. E. Lawrence ?

campagnes de fouilles au Moyen-Orient. Là, au contact des Bédouins, qui lui apprennent l'arabe et dont il adopte le costume, il conçoit le projet d'un grand empire arabe placé sous influence britannique.

LE FAISEUR DE ROIS

Parfait connaisseur du Moyen-Orient, il entre au service cartographique de l'armée anglaise d'Égypte en 1914. (À cause de sa petite taille, il n'a en effet pas pu être incorporé.) Les Turcs, qui contrôlent la Syrie, la Palestine et l'Arabie, sont alliés aux Allemands et menacent le canal de Suez.

Lawrence est alors choisi par les services secrets britanniques pour favoriser la révolte des Arabes contre l'Empire ottoman. Grâce à son courage, à son héroïsme au combat et à ses talents de diplomate, il parvient à fédérer les tribus bédouines autour du chérif de La Mecque, Hussein, et de son fils, l'émir Faysal. Ensemble, ils mèneront contre les Turcs une guérilla incessante, faite d'opérations de harcèlement contre les trains militaires et d'exploits retentissants. Lawrence et les Bédouins, incorporés dans l'armée du général Allenby, s'emparent d'Aqaba, au nord-est de la mer Rouge (1917). Fait prisonnier par les Turcs, Lawrence — qui n'a pas été reconnu — se tait sous la torture et parvient à s'évader. Il conduira son armée jusqu'à Damas, qu'il prend en 1918. Lawrence apporte son soutien à Hussein pour constituer un grand royaume regroupant toutes les régions arabes du Moyen-Orient, mais, en 1920, le traité de Sèvres entre les Alliés et la Turquie est une immense déception pour lui : il se sent trahi par la Grande-Bretagne, qui, en vertu de l'accord Sykes-Picot, a abandonné la Syrie et le Liban à la France. C'est cependant grâce à l'aide de Lawrence que, en 1921, l'émir Faysal devient roi d'Iraq, et son frère Abdullah, émir de Transjordanie.

LA RECHERCHE DE L'ANONYMAT

Revenu en Angleterre en 1922, Lawrence est auréolé d'un immense prestige militaire, mais il est déçu et amer. Plutôt que la carrière diplomatique que lui offre son ami Churchill, il choisit d'entrer dans la Royal Air Force comme simple soldat, sous le pseudonyme de Ross. En 1926, il publie à tirage limité *les Sept Piliers de la sagesse*, où il met en scène son personnage d'aventurier intrépide et nihiliste. Véritable épopée du XXᵉ siècle, *les Sept Piliers de la sagesse* est à la fois un témoignage irremplaçable sur la guerre, une fresque romanesque et l'autobiographie magistrale, mais très pessimiste, d'un homme qui finit par renoncer aux idées pour devenir très pragmatique. Ce chef-d'œuvre — qui ne sera dévoilé au grand public qu'en 1935 — fait de Lawrence un personnage emblématique, un modèle viril pour une partie de la jeunesse anglaise de cette époque. Certains veulent alors voir en lui le futur dictateur britannique. Son ami l'écrivain Henry Williamson, qui rêve d'un axe Londres-Berlin, espère même le convaincre de rencontrer Hitler — projet auquel rien n'indique qu'il ait adhéré. Trop dévalorisé à ses propres yeux par ses échecs et ses faiblesses, Lawrence semble détester l'auréole qui l'entoure.

UNE MORT MYSTÉRIEUSE ?

Le colonel Lawrence quitte son régiment le 26 février 1935. Il affronte alors difficilement sa condition de simple citoyen retraité, dans sa demeure de Clouds Hill, où les reporters viennent l'assiéger. Il se sent « mis au rancart avant d'être usé ». Le 13 mai 1935 au matin, Lawrence quitte son domicile à moto pour poster des lettres au village voisin de Bovington. Au retour, vers 11 h 20, il croise une fourgonnette noire et doit se rabattre brusquement. Il heurte alors la roue arrière de la bicyclette d'un jeune garçon, et est éjecté de sa moto. Il est transporté à l'hôpital militaire de Bovington, où il meurt six jours plus tard.

Les autorités britanniques cherchent à éviter toute publicité sur l'accident. Faute d'informations précises, les journaux colportent une quantité incroyable de rumeurs non vérifiées. Il est vrai que l'enquête, menée par l'armée, présente un certain nombre de zones d'ombre — la présence de la voiture noire, pourtant signalée par plusieurs témoins, est ainsi passée sous silence. On voit alors se multiplier les hypothèses : Lawrence chargé de mener incognito une mission ultrasecrète au Moyen-Orient ? Assassiné par les services secrets d'une puissance étrangère — Allemagne, France, Arabie ? Suicidé ? Victime de son amour de la vitesse ? Les deux derniers scénarios sont invraisemblables : Lawrence se préparait à recevoir Williamson le lendemain, et il avait le matin même organisé avec la cuisinière les détails du déjeuner ; en outre, il ne roulait qu'à environ 80-90 km/h lors de l'accident. Quant aux théories sur son enlèvement et sur son assassinat, elles sont nées de l'absence d'informations communiquées à la presse. Lawrence était devenu un mythe romanesque : comment aurait-on pu admettre qu'il soit mort d'un banal accident de la circulation, pour avoir tenté d'éviter un cycliste sur une route de campagne ?

LAWRENCE D'ARABIE FAVORISA L'ESSOR DE LA DYNASTIE HACHÉMITE, QUI RÈGNE ACTUELLEMENT SUR LA JORDANIE. CI-DESSUS : L'ÉMIR ABDULLAH PASSE DES TROUPES EN REVUE, EN PRÉSENCE DE LORD ALLENBY (À DROITE) ET DU COLONEL LAWRENCE (AU FOND). CI-DESSOUS : UNE SCÈNE DU FILM DE DAVID LEAN, AVEC PETER O'TOOLE DANS LE RÔLE DE LAWRENCE.

L'un des
Romanov
a-t-il survécu
au massacre?

En 1917, le tsar Nicolas II et sa famille sont faits prisonniers puis assassinés. Un membre de la famille impériale a-t-il pu échapper à la mort?

POUR CLORE DÉFINITIVEMENT UN dossier historique, il convient de s'appuyer sur des faits dûment vérifiés pour ne laisser planer aucun doute. Sinon la porte est ouverte à toutes les conjectures, à l'illusion parfois, et, dans certains cas, à l'imposture.

Ce genre d'incertitude entoure justement la mort, jamais confirmée, d'Anastasia Nikolaïevna Romanova (en russe, les noms de famille s'accordent au féminin), la quatrième fille de Nicolas II, dernier tsar de Russie.

Nicolas n'est pas une grande figure de la dynastie des Romanov; d'ailleurs, lorsqu'il hérite du titre de tsar à vingt-sept ans, il déclare de manière inquiétante : « Je ne suis pas préparé à devenir tsar et je n'ai jamais voulu le devenir. » Au cours de son règne, les classes populaires de la société russe ont de bonnes raisons d'être mécontentes de leur sort. Les famines ne sont pas rares, les travailleurs ont de plus en plus conscience d'être exploités; la Russie est en récession et la crise atteint peu à peu toutes les couches de la société. Qui pis est, le tsar, distant, ne semble pas compatir à la souffrance de son peuple. Nicolas II ignore la vague de colère et de révolte qui monte et se borne à remarquer le développement parmi la paysannerie russe de « rêves insensés de participation à l'administration intérieure ».

LA NUIT DU 16 JUILLET

Ce dédain de Nicolas II pour le peuple russe et le train de vie luxueux de sa famille (la richesse de leurs palais est d'un temps révolu), attisent la haine des bolcheviques envers les Romanov. Ainsi, après l'abdication du tsar sous la pression révolutionnaire, le 15 mars 1917, tous les membres de la famille sont déportés en Sibérie et retenus prisonniers pendant soixante-dix-huit jours dans une maison de Iekaterinbourg, jusqu'à cette nuit du 16 juillet 1918 où ils sont emmenés dans la cave, mis en rang et fusillés.

Nicolas II, sa femme, Alexandra, et leur fils, Alexis, meurent sur le coup, comme leur médecin et trois domestiques, mais leurs filles réchappent de la fusillade. Si l'on en croit une version des faits, elles avaient cousu des diamants à l'intérieur de leurs vêtements pour les soustraire à la convoitise des pillards, et les balles auraient ricoché sur cette armure improvisée. Cela fait hésiter un moment les gardes, mais ils se ressaisissent vite et achèvent les jeunes filles à la baïonnette.

Une grande confusion entoure cependant les circonstances de la mort d'Anastasia. Encore

vivante, elle se serait traînée jusqu'à un coin de la cave enfumée pour se cacher ; là, un garde l'aurait abattue d'un coup de fusil. Puis, les corps de la famille impériale sont déposés en un lieu qui restera secret pendant des années. C'est à la faveur de cette incertitude que sont apparues de multiples Anastasia…

L'APPARITION D'ANNA ANDERSON

Parmi les innombrables femmes qui ont déclaré être Anastasia, la plus célèbre et la plus crédible a été Anna Anderson. Ses affirmations nous mènent à Berlin, trois ans après les faits. Pour avoir tenté de se suicider en sautant d'un pont, Anna Anderson (elle commence à se faire appeler ainsi au milieu des années 1920) est internée dans un asile. Au bout d'une année passée dans l'établissement, elle déclare qu'elle est la grande-duchesse Anastasia. L'une des dames d'honneur d'Alexandra vient lui rendre visite immédiatement, mais Anna reste cachée sous les couvertures. La visiteuse crie alors à l'imposture. Néanmoins, lorsque Anna Anderson sort de l'asile, en 1922, elle dispose

SUR CE PORTRAIT DE FAMILLE, LE TSAR NICOLAS II ET LA TSARINE ALEXANDRA SONT ENTOURÉS DE LEURS QUATRE FILLES (DONT ANASTASIA, À CÔTÉ DE SON PÈRE), ET DU PRINCE ALEXIS, À LEURS GENOUX.

UNE PHOTOGRAPHIE DU TSAR NICOLAS ET DE SES ENFANTS DURANT LEUR EXIL EN SIBÉRIE, QUI S'ACHEVA PAR LEUR EXÉCUTION. CE DOCUMENT ILLUSTRE LEUR DÉCHÉANCE, LOIN DU SOMPTUEUX TRAIN DE VIE QUE MENAIENT LES ROMANOV DEPUIS DES GÉNÉRATIONS.

de soutiens suffisants pour avoir de quoi vivre modestement. Le fait que ses affirmations aient été prises au sérieux dans certains cercles montre bien la fascination exercée par ces énigmes de l'Histoire.

À en croire la version qu'Anna Anderson donne des événements, elle aurait survécu au massacre parce que la lame de la baïonnette était émoussée, puis elle aurait été sauvée par un soldat chevaleresque du nom de Tchaïkovski. Celui-ci l'aurait emmenée en Roumanie, où ils auraient eu un enfant, puis il serait mort dans un combat de rue. Totalement démunie, Anna aurait abandonné son fils et serait partie pour Berlin à la recherche de sa tante, la princesse Irène. Désespérant de se faire reconnaître, elle aurait décidé de se jeter du haut d'un pont. Malgré ce récit fantaisiste — ou peut-être à cause de cela — Anna Anderson suscita un grand intérêt et eut de nombreux défenseurs.

Quand la princesse Irène finit par la rencontrer, elle ne lui trouve tout d'abord aucun trait commun avec sa nièce, puis éclate en sanglots et s'écrie : « Elle lui ressemble, elle lui ressemble ! » Une ancienne servante du tsar prétend aussi qu'Anna a les mêmes yeux qu'Anastasia. Le fait est qu'elle connaît de nombreux détails sur la vie de la famille impériale. Le fils de la princesse Irène, un ami d'enfance d'Anastasia, pose une série de questions à Anna. Convaincu par ses réponses, il déclare qu'elle est bien la grande-duchesse. Puis c'est au tour du précepteur d'Anastasia de la rencontrer, et il parvient à la même conclusion (mais il reviendra plus tard sur ses affirmations, qualifiant Anna d'« actrice de premier ordre »). Gleb Botkine, fils du médecin de la famille impériale, raconte que, lors de sa rencontre avec Anna Anderson, il l'interrogea au sujet des « drôles d'animaux » qu'il lui avait dessinés lorsqu'elle était enfant (une fois, en effet, il avait distrait Anastasia avec des dessins d'animaux habillés). Lui aussi s'est déclaré convaincu…

En 1938, Anna Anderson dépose une requête officielle devant un tribunal allemand pour faire reconnaître son identité, sans toutefois revendiquer des droits de succession. L'affaire durera trente-deux ans.

LA FIN DE L'HISTOIRE

En 1968, Anna épouse un riche professeur d'histoire américain, John Manahan, et s'installe en Virginie. En 1970, sa requête est finalement rejetée par les tribunaux, qui invoquent l'insuffisance de preuves. En 1984, elle meurt d'une pneumonie.

La plupart de ceux qui se sont passionnés pour cette énigme ont fini par en déduire que cette femme s'appelait en fait Franziska Schanzkowska, une ouvrière d'origine polonaise disparue à peu près au moment où Anna sauta du pont, à Berlin. Au début des années 1990, une analyse de l'ADN des restes exhumés de la famille impériale ainsi que de quelques cheveux d'Anna Anderson a permis de classer l'affaire. Comme on pouvait s'en douter, Anna-Franziska n'était pas la grande-duchesse Anastasia.

À GAUCHE:
ANNA ANDERSON EN 1955. PENDANT PRÈS DE QUARANTE ANS, ELLE A TENTÉ DE FAIRE ADMETTRE QU'ELLE ÉTAIT ANASTASIA. PLUS TARD, DES ANALYSES ADN ONT PROUVÉ QUE SES AFFIRMATIONS RELEVAIENT DE L'IMPOSTURE.

ANASTASIA À L'ÉCRAN

La rumeur selon laquelle Anastasia aurait pu échapper à sa mise à mort par les bolcheviques a inspiré nombre de livres et de films. Toute une génération a associé le visage d'Ingrid Bergman à celui de la princesse devenue adulte. L'actrice reçoit un Oscar en 1956 pour son interprétation dans *Anastasia*, version très romancée des prétentions d'Anna Anderson. Dans ce film d'Anatole Litvak, dont l'action se déroule à Paris en 1928, des Russes blancs en exil affirment avoir retrouvé la fille perdue du tsar; c'est une imposture, mais Anna est présentée sous l'emprise

PIÈCE DU PUZZLE ▼

d'un général russe dont elle est amoureuse.

Une version plus fidèle de l'histoire d'Anna Anderson est donnée dans un téléfilm de 1986 inspiré du livre de Peter Kirth *Anastasia: le mystère d'Anna Anderson*, avec Amy Irving dans le rôle-titre.

Le film qui prend le plus de libertés avec les faits est sûrement le dessin animé musical réalisé en 1997 par Don Bluth et Gary Goldman. Cette *Anastasia* met en scène des moines fous, des mers démontées, des lutins verts… L'enfance d'Anastasia s'achève brusquement lorsque le magicien diabolique Raspoutine jette

CETTE BOÎTE À MUSIQUE ÉVOQUE LE RÊVE D'ANNA: UNE BELLE PRINCESSE QUI CHERCHE À FAIRE RECONNAÎTRE SON ASCENDANCE IMPÉRIALE.

une malédiction sur la famille impériale, ce qui provoque la révolution russe. Détrônée, la jeune orpheline grandit et devient Anya (sa voix est celle de Meg Ryan), une mendiante enjouée de dix-huit ans qui n'a plus qu'un souvenir très vague de ses origines. Elle rencontre par hasard Dimitri, un ancien domestique du palais devenu escroc, qui cherche un sosie de la princesse afin de l'envoyer à Paris auprès de l'impératrice douairière exilée et de recueillir ses richesses… Ainsi Anastasia rejoint-elle Pocahontas dans le panthéon des princesses forgé par la fabrique à rêves de Hollywood.

Qui fut le premier vainqueur de l'Everest ?

Est-ce sir Edmund Hillary qui a atteint le premier le plus haut sommet du monde ? Ne serait-ce pas plutôt un professeur de Cambridge ?

ESCALADER L'EVEREST (CI-DESSOUS : **VU À UNE ALTITUDE DE 7 800 M) EST UNE AVENTURE QUI TENTE LES BRITANNIQUES DANS LES ANNÉES 1920. CETTE PHOTOGRAPHIE DE L'EXPÉDITION DE 1921** (CI-DESSUS) **MONTRE GEORGE MALLORY, ASSIS À GAUCHE.**

LE 8 JUIN 1924, VERS UNE HEURE DE L'APRÈS-MIDI, le géologue Noel Odell lève les yeux en direction de l'Everest et il reconnaît au loin deux silhouettes familières : George Leigh Mallory, âgé de trente-huit ans, et Sandy Irvine, son assistant âgé de vingt-trois ans.

Mallory, qui est professeur à l'université de Cambridge et a déjà tenté à deux reprises d'atteindre l'Everest, est un homme audacieux, d'un courage remarquable. Lorsqu'on lui demanda un jour pourquoi il persistait à vouloir escalader l'Everest, il fit cette réponse célèbre :

« Parce qu'il est là. » Irvine, lui, n'a aucune expérience d'ascension vers de telles altitudes ; c'est un étudiant physiquement robuste, spécialiste des ballons d'oxygène. Quand Odell repère les deux hommes qui poursuivent leur escalade du versant nord de la montagne — une ascension très difficile que personne n'a encore réussie —, il se dit qu'ils vont être les premiers à atteindre la cime, à 8 846 m d'altitude. Peu de temps après, les deux alpinistes disparaissent derrière les nuages. On ne les reverra plus jamais vivants.

Plus de trois quarts de siècle après l'expédition de 1924, la question demeure : Mallory et Irvine ont-ils réussi à conquérir la plus haute montagne du monde, vingt-neuf ans avant la première ascension reconnue du sommet par le Néo-Zélandais Edmund Hillary et le Sherpa Tenzing Norgay ?

LE DÉFI DU DEUXIÈME RESSAUT

Quand Odell vit Mallory et Irvine pour la dernière fois, ils essayaient de gravir ce qui est connu depuis sous le nom de « deuxième ressaut » : un redoutable mur rocheux de 9 m de haut, perché à 8 500 m d'altitude (soit à environ 300 m du sommet). Lorsqu'on gravit l'Everest par sa face nord, comme l'ont fait Mallory et Irvine, il n'y a pas d'autre moyen d'atteindre le

sommet que de passer par ce dangereux affleurement rocheux De plus, les deux hommes ploient sous leurs bouteilles d'oxygène, qui pèsent près de 15 kg, et les couches de vêtements de laine qu'ils portent pour conserver la chaleur de leur corps sont beaucoup plus lourdes que les combinaisons qu'utiliseront les alpinistes par la suite.

Plusieurs spécialistes ont prétendu qu'il est impossible que Mallory et Irvine aient pu escalader ce mur à deux, sans aide. Les premiers alpinistes qui ont repris la voie empruntée par Mallory — une expédition chinoise de 1960 — n'ont pu gravir le deuxième ressaut qu'avec difficulté, et au prix de graves engelures, en enlevant leurs chaussures et en se portant les uns les autres sur les épaules.

LE MYSTÈRE S'ÉPAISSIT

Dans les années 1960, des alpinistes réussissent à installer une échelle permanente dans la roche du deuxième ressaut. Toutefois, l'idée selon laquelle Mallory et Irvine ne pouvaient pas escalader le ressaut a été remise en cause. Depuis, en effet, celui-ci a été gravi par un homme seul : une première fois, parce que l'échelle s'était cassée ; une autre fois, en 1999, par un alpiniste parti sur les traces de Mallory. Ainsi, la question de savoir si les deux hommes sont bien parvenus au sommet reste ouverte !

En 1975, un alpiniste chinois fait naître l'espoir de résoudre enfin l'énigme. Il raconte qu'à 8 200 m il a trouvé un « Anglais mort » dont les vêtements se sont désagrégés quand il les a touchés. Deux cents mètres plus haut, un autre alpiniste trouve le piolet d'Irvine. Le corps pourrait donc être celui d'Irvine, mais l'alpiniste qui prétend avoir aperçu le cadavre n'a pas pu localiser avec précision son emplacement.

À la fin du mois d'avril 1999, une nouvelle équipe commence l'ascension de la face nord de l'Everest avec deux objectifs : essayer de localiser le corps aperçu par l'alpiniste chinois et atteindre le sommet de la montagne.

Le 2 mai, Conrad Acker repart du point approximatif où l'alpiniste chinois avait installé son campement en 1975, à 8 400 m d'altitude. Il découvre plusieurs corps, mais les vêtements et l'équipement indiquent que la mort est assez récente (146 personnes, au total, ont trouvé la mort dans l'ascension de l'Everest).

Après avoir escaladé une partie de la roche près du camp VI, Acker, en regardant vers l'ouest, voit « une tache blanche » et se dirige vers elle. « En quelques instants », écrit-il, « je réalise que ce n'est pas le corps d'un homme mort récemment ; il est là depuis un bon moment. » Les membres de l'expédition ont découvert ensuite un mouchoir portant les initiales de George Leigh Mallory dans les poches de l'homme !

Une partie du mystère a donc été éclaircie. Encore reste-t-il à retrouver Irvine. En outre, rien dans les effets de Mallory ne nous permet de savoir s'il est vraiment arrivé au sommet. Les notes retrouvées dans ses poches sont illisibles, et il est impossible de déterminer si la chute dont il a été vraisemblablement victime a eu lieu alors qu'il escaladait la montagne ou lors de la descente.

EDMUND HILLARY EN COMPAGNIE DE SON GUIDE, TENZING NORGAY, AU SOMMET, LE 29 MAI 1953. EST-CE VRAIMENT LA PREMIÈRE PHOTOGRAPHIE PRISE EN HAUT DE L'EVEREST ?

Objets appartenant à Mallory retrouvés sur l'Everest

LES ALPINISTES PARTIS À LEUR RECHERCHE EN 1999 ONT TROUVÉ LE CORPS DE MALLORY MAIS PAS CELUI D'IRVINE. CES OBJETS DE L'EXPÉDITION DE 1924 — UNE BOUTEILLE D'OXYGÈNE (CI-CONTRE), DES VÊTEMENTS, UNE CORDE, UNE MONTRE, DES LUNETTES DE MONTAGNE (À DROITE) ET UNE BOÎTE DE NOURRITURE DE SURVIE (CI-DESSUS) — ONT ÉTÉ DÉCOUVERTS DISPERSÉS AUTOUR DU CORPS GELÉ DE MALLORY. L'APPAREIL PHOTOGRAPHIQUE DE CELUI-CI (UN KODAK) N'A PAS ÉTÉ RETROUVÉ, MAIS DE NOUVELLES EXPÉDITIONS SONT PRÉVUES POUR LE CHERCHER ; IL POURRAIT ÊTRE INTÉRESSANT DE DÉVELOPPER LA PELLICULE.

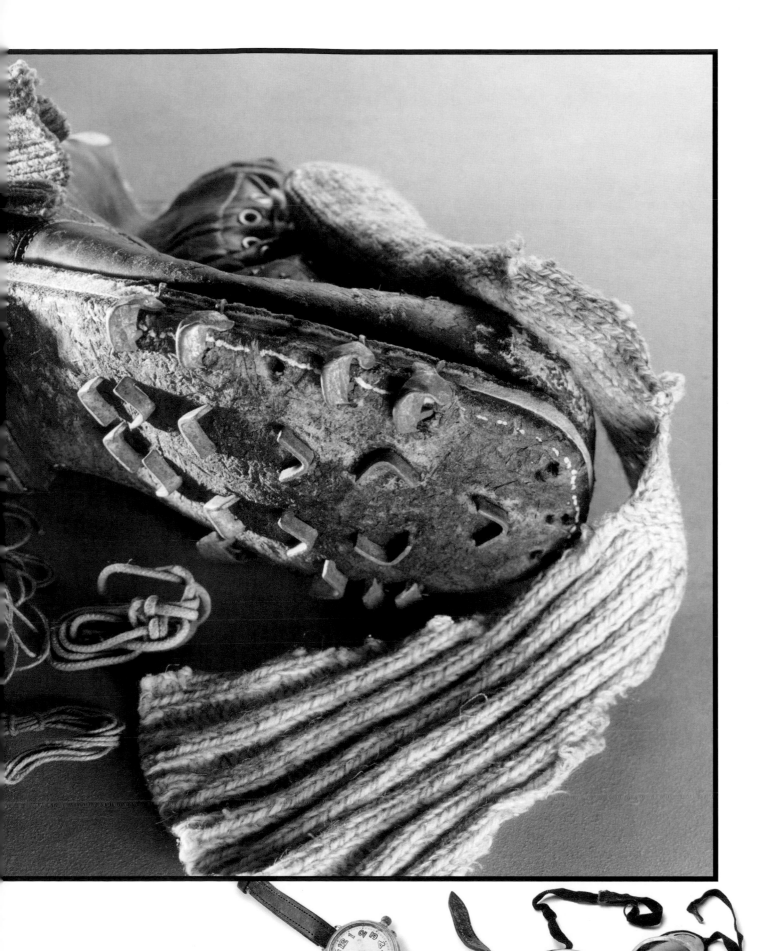

Grandes Affaires criminelles du XXe siècle

Landru, Violette Nozière, Marie Besnard… Les grands criminels, réels ou supposés, fascinent, intriguent et font peur, mais connaîtra-t-on un jour toute la vérité à leur sujet ?

LE CRIME EST-IL INHÉRENT À LA NATURE humaine ? De tout temps, des hommes et des femmes ont certes déployé des trésors d'ingéniosité dans ce domaine. Mais c'est l'essor de la presse, au XIXe siècle, qui a donné aux affaires criminelles un retentissement extraordinaire. Quitte à jeter l'opprobre sur des innocents !

LANDRU INNOCENT ?

Dans la mémoire collective française, Henri Désiré Landru (1869-1922) est l'incarnation du monstre absolu : l'homme qui séduit les femmes solitaires pour les voler, les assassiner et les faire disparaître dans un four… Mais était-il coupable ? Pour le prouver, la police s'est fondée principalement sur le calepin où il tenait ses comptes et notait scrupuleusement les billets de train qu'il achetait pour se rendre dans sa maison de Gambais.

On y lit qu'à dix reprises Landru prend deux allers mais un seul retour. On trouve également chez lui des liasses de fiches servant à répondre aux petites annonces conjugales. Le 13 avril 1920, *le Petit Journal* titre sur ce nouveau Barbe-Bleue qui aurait fait disparaître 283 femmes ! Toutefois, une perquisition à Gambais ne donne guère de résultats : on ne découvre aucune trace de sang, seulement des morceaux d'os calcinés dans la cuisinière. La plupart des experts admettent aujourd'hui que ces vestiges étaient trop fragmentaires pour permettre une identification sûre. Les témoignages des voisins, qui parlent de fumée à l'odeur insupportable, joueront un grand rôle dans la condamnation à mort de Landru. Or on sait que la combustion du corps humain n'a

d'autre odeur que celle de la viande qui brûle. Bref, alors que Landru ne cesse de protester de son innocence (il admet être un escroc, mais pas un assassin), qu'il n'existe pas de preuve formelle de ses crimes et que seules deux familles ont porté plainte, il est condamné d'avance par l'opinion publique. Le doute aurait-il dû lui profiter ? Peut-être. Mais la question centrale serait restée pendante : que sont devenues les dix femmes qui ont disparu à Gambais ?

VIOLETTE NOZIÈRE, VICTIME DE SON TEMPS ?

En 1933, la jeune Violette Nozière mène une vie dissolue (vol, prostitution) à l'insu de ses parents, un modeste couple d'ouvriers. Elle rencontre un jeune étudiant en droit, à qui elle raconte que ses parents sont aisés, et elle décide de les assassiner pour récupérer les 200 000 francs qu'ils ont placés à la banque. Elle leur fait boire une dose mortelle de somnifère. Mais sa mère, qui en recrache une partie, est sauvée.

Arrêtée quelques jours plus tard, Violette avoue aux policiers qu'elle a assassiné son père parce qu'il a abusé d'elle depuis qu'elle a eu douze ans, et qu'elle a voulu tuer sa mère pour lui épargner le chagrin de l'apprendre. En 1934, au terme d'un procès qui divise l'opinion, elle

est condamnée à mort et lance aux jurés : « Vous êtes des saligauds sans pitié ! » Graciée par le président Lebrun le 24 décembre 1934, libérée le 30 août 1945, elle sera réhabilitée en 1963.

Pourquoi un tel revirement ? C'est à ce jour le seul exemple de réhabilitation d'un condamné à mort pour crime de droit commun. La cour n'ayant pas justifié sa décision, nous ne saurons jamais ce qui l'a motivée. La conduite exemplaire de Violette après sa condamnation a sans doute joué un rôle. Peut-être aussi a-t-on considéré que les premiers juges avaient gravement sousestimé l'incidence des turpitudes d'un père ?

L'AFFAIRE MARIE BESNARD

On mourait beaucoup autour de Marie Besnard. Toute la ville de Loudun en a déduit que la soif d'héritage en était la cause, et l'arsenic l'instrument.

L'opinion a horreur du doute. Même si, selon le droit, l'absence de preuves doit bénéficier aux accusés, souvent certains y voient une présomption supplémentaire de perversité et donc de culpabilité. Tel est le cas de Marie d'Antigny. Veuve, remariée en 1928 à Léon Besnard, un homme dur à la tâche et âpre au gain, elle voit successivement disparaître autour d'elle une dizaine de personnes entre 1938 et 1940, depuis la grand-tante de son mari (âgée de quatre-vingtdouze ans) jusqu'à sa belle-sœur, qui se suicide. Par le jeu des héritages, presque tous ces décès augmentent la fortune des Besnard. Puis Léon

meurt, le 25 octobre 1947. La rumeur court alors que Marie a pour un jeune prisonnier allemand, Alfred Dietz, une affection plus que maternelle… Lorsque Marie Besnard se sera brouillée avec son amie Mme Pintou, celle-ci l'accusera ouvertement d'avoir tué son mari. Le cadavre de Léon est exhumé, des analyses révèlent des doses anormales d'arsenic. Le juge d'instruction et le commissaire, convaincus que Marie n'en est pas à son coup d'essai malgré ses protestations, font exhumer douze cadavres, qui révèlent à leur tour une grande quantité d'arsenic. Entre 1952 et 1961, au cours de trois procès retentissants, ponctués d'expertises, de contre-expertises, d'exhumations, l'affaire occupe le devant de la scène, ridiculisant les experts qui se contredisent et faisant de l'accusation une mascarade. Le 12 décembre 1961, Marie Besnard est acquittée, tous les arguments de l'accusation s'étant effondrés. Certains continuent cependant de penser, sans preuve, qu'elle a tué au moins son mari. Quoi qu'il en soit, son épreuve n'aura pas été totalement inutile : elle aura au moins permis de mieux réglementer les expertises judiciaires !

MARIE BESNARD DURANT L'UN DE SES PROCÈS. SON VISAGE SÉVÈRE ET SES VÊTEMENTS DE DEUIL SPECTACULAIRES LUI ONT SANS DOUTE NUI DANS L'OPINION PUBLIQUE, JUSQU'À CE QUE SON INNOCENCE SOIT RECONNUE.

UNE INÉPUISABLE SOURCE D'INSPIRATION

Les grands criminels ont toujours fasciné les écrivains. Ainsi, Balzac s'est inspiré de personnages réels pour forger son Vautrin ; plusieurs poètes surréalistes, dont André Breton et Paul Eluard, ont composé un recueil sur Violette Nozière ; l'horrible assassinat de leur patronne et de sa fille par les deux sœurs Papin (pour une histoire de fer à repasser défectueux) a fourni à Jean Genet le sujet de sa pièce *les Bonnes*. À son tour, le cinéma s'est emparé de

Violette Nozière, des crimes du docteur Petiot (27 clients assassinés) et de l'affaire Dominici. En 1952, Gaston Dominici, un paysan des Basses-Alpes, est accusé par ses fils d'avoir assassiné toute une famille anglaise. Jeté en pâture à la presse, il est condamné à mort sans preuve, puis gracié par le général de Gaulle. Il semble aujourd'hui probable que le meurtre ait été l'œuvre d'espions soviétiques. Récemment, l'enlèvement et

PIÈCE DU PUZZLE l'assassinat du petit Grégory, en octobre 1984, ont donné naissance à un incroyable feuilleton judiciaire. Sans aucune preuve, l'opinion publique a désigné successivement comme coupables le cousin du père de l'enfant, Bernard Laroche, puis la mère ellemême, Christine Villemin. Marguerite Duras, dans un article paru en 1985, qualifiait celle-ci de « sublime, forcément sublime » mais aussi de « coupable,

forcément coupable ». Où s'arrête la responsabilité de l'écrivain ? Tout peut-il être littérature ?

GASTON DOMINICI.

L'enlèvement du bébé Lindbergh

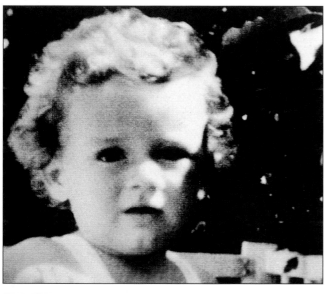

CHARLES JUNIOR, BÉBÉ ANGÉLIQUE, FUT SURNOMMÉ « BUSTER » (PETIT GARS) PAR SES PARENTS. IL EST ICI PHOTOGRAPHIÉ EN 1932, ALORS QU'IL A PRÈS DE VINGT MOIS.
PAGE DE DROITE :
CHARLES LINDBERGH ET SA FEMME, ANNE, POSENT DEVANT UN AVION, EN 1929, L'ANNÉE DE LEUR MARIAGE.

Quand le bébé de l'aviateur américain est enlevé et assassiné, l'enquête conduit sur la piste d'un séduisant menuisier allemand du nom de Bruno Hauptmann.

LE 21 MAI 1927, LORSQUE CHARLES LINDBERGH sort du minuscule *Spirit of Saint Louis* et qu'il fait ses premiers pas sur la piste d'atterrissage du Bourget, après trente-trois heures passées dans les airs, il devient aussitôt l'un des hommes les plus célèbres de la planète. En dépit de son audace et de sa bravoure, Lindbergh est un homme qui attache autant de valeur à son intimité qu'à la célébrité. Il n'est donc pas surprenant qu'il soit vite contrarié par la curiosité du public pour ce qui a trait à sa vie privée.

Il conçoit ainsi des stratégies très élaborées pour échapper à la presse lorsque, deux ans après son vol historique, il se marie avec Anne Morrow, fille de l'ambassadeur des États-Unis à Mexico. Dès que son épouse est enceinte, il projette, avec une grande impatience, la construction d'une belle résidence d'été à Hopewell, dans le New Jersey. La demeure s'appelle « High Fields » et n'est accessible que par un chemin de terre tortueux et isolé.

LE SOIR FATAL

Les mois passent, et la construction de la résidence est presque achevée. Il ne reste plus que quelques détails à régler, comme changer un volet du deuxième étage qui gêne la fermeture de la fenêtre. Les Lindbergh commencent donc à passer les week-ends dans leur résidence secondaire. Mais le 1er mars 1932, un mardi où le vent souffle avec violence, ils décident d'y rester toute la semaine : Charles junior, leur fils de vingt mois, est un peu enrhumé et ils ne veulent pas aggraver son état de santé en voyageant par ce mauvais temps.

À 22 heures, la nurse monte dans la chambre d'enfant au deuxième étage, celle dont la fenêtre ferme mal, pour s'assurer que le bébé va bien. En entrant, elle est stupéfaite de trouver le berceau vide. Elle alerte Anne, et les deux femmes vont voir si Lindbergh n'a pas pris Buster avec lui. Tous trois remontent à l'étage et remarquent des traces de pas près du berceau. La fenêtre est grande ouverte. Le bébé vient d'être kidnappé.

Lindbergh appelle immédiatement la police du New Jersey, qui entame des recherches dans le secteur. Une échelle délabrée, à laquelle il manque un barreau, est découverte à une cinquantaine de mètres de la maison.

UN ENQUÊTEUR
EXAMINE
LA FENÊTRE
DE LA CHAMBRE
DE L'ENFANT.
CONTRE LE MUR,
L'ÉCHELLE UTILISÉE
PAR LE RAVISSEUR ;
ELLE A ÉTÉ
RETROUVÉE À
QUELQUES DIZAINES
DE MÈTRES DE
LA MAISON
DES LINDBERGH.

CI-CONTRE : **LA FOULE DES CURIEUX RASSEMBLÉE SUR LA ROUTE QUI MÈNE À LA MAISON DES LINDBERGH. LE LENDEMAIN DE L'ENLÈVEMENT, LA UNE DU *NEW YORK TIMES* (CI-DESSOUS) ANNONCE L'INCROYABLE NOUVELLE AU PUBLIC, QUI VOUE UNE GRANDE ADMIRATION À L'AVIATEUR.**

Un ciseau de menuisier est retrouvé sous la fenêtre. Une demande de rançon a été déposée sur le rebord de la fenêtre de la chambre du bébé : dans un anglais approximatif, elle réclame 50 000 dollars contre la restitution de Charles junior. Elle est signée d'un curieux motif : deux cercles entrelacés, l'un rouge et l'autre bleu.

DES DEMANDES DE RANÇON

La maison des Lindbergh vit bientôt au rythme des investigations de la police : vingt lignes téléphoniques sont installées dans le garage, et les inspecteurs passent la maison au peigne fin, à la recherche d'indices. À leur grand dam, ils doivent travailler au milieu des curieux et des journalistes qui ont envahi les lieux. Il ne fait aucun doute que de nombreux indices décisifs ont été détruits de ce fait. Les Lindbergh sont submergés par des milliers de lettres qui leur proposent de l'aide. Al Capone lui-même intervient et, de sa prison, promet de pourchasser le ravisseur en faisant jouer ses relations dans le monde entier — contre une totale rémission de sa peine, évidemment...

En moins d'une semaine, deux nouvelles lettres du ravisseur arrivent, chacune portant la signature caractéristique. Le montant de la rançon demandée augmente et passe à 70 000 dollars, mais aucune allusion n'est faite à l'état de santé du bébé. Nouveau rebondissement

lorsque, le 8 mars, John Condon, un proviseur à la retraite qui a l'esprit civique, passe une annonce dans un journal du Bronx pour offrir 1 000 dollars supplémentaires au ravisseur et proposer ses services comme intermédiaire. Le lendemain, le ravisseur contacte Condon. Trois nuits plus tard, dans un cimetière des environs, celui-ci rencontre un homme ayant un fort accent étranger et qui dit s'appeler John.

Le 2 avril, Lindbergh accompagne Condon à un nouveau rendez-vous. Resté dans la voiture, il entend Condon donner 50 000 dollars au ravisseur en échange du pyjama de Charles junior. John lui remet aussi une enveloppe révélant le lieu où se trouve le bébé : un petit bateau au large des côtes de Martha's Vineyard. Lindbergh

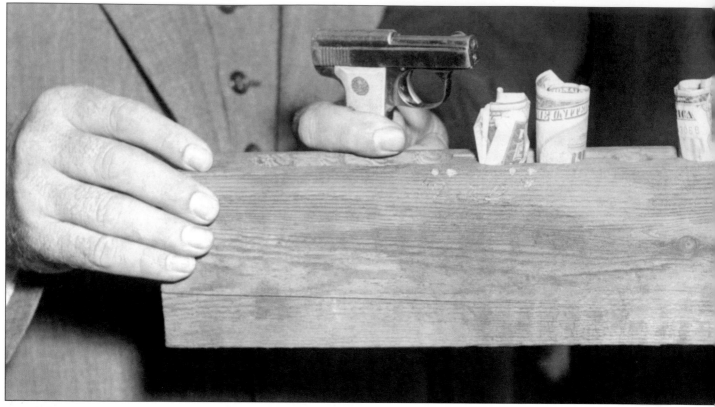

UNE PLANCHE
DE BOIS PERCÉE
DE TROUS EST
RETROUVÉE DANS
LE GARAGE
DE HAUPTMANN.
UNE PARTIE
DE LA RANÇON
ÉTAIT CACHÉE DANS
TROIS TROUS ;
DANS UN QUATRIÈME
SE TROUVAIT UN
PISTOLET CHARGÉ.

est heureux lorsqu'il décolle à bord d'un hydravion, à la recherche de l'endroit indiqué, mais ses espoirs s'évanouissent vite. L'aviateur tourne au-dessus de la côte mais n'aperçoit aucun bateau. Il a été dupé.

Le 12 mai, la terrible vérité éclate quand deux camionneurs découvrent le corps d'un bébé sur une route proche de « High Fields ». Le décès remonte à plusieurs semaines. Lindbergh est appelé pour reconnaître la dépouille de son fils.

Tandis que la nouvelle du crime se répand, l'enquête se poursuit avec une ardeur accrue. La police pense d'abord que le rapt a été commis par quelqu'un de la maison : comment expliquer autrement le fait que le bébé ait été enlevé le premier soir que les Lindbergh passaient dans leur résidence secondaire, en pleine semaine ? L'ami de la nurse est suspecté, avant d'être rapidement lavé de tout soupçon. Pis encore, l'une des domestiques est littéralement acculée au suicide par les interrogatoires sans fin de la police.

Les numéros des billets de la rançon ont été relevés : certains sont repérés dans le Bronx, où le FBI dépêche aussitôt des agents, mais aucune des enquêtes ne permet de confondre un suspect. Alors survient un heureux hasard. Le 15 septembre, un homme règle son essence avec un certificat de 10 dollars gagé sur l'or, un mode de paiement devenu illégal depuis la

crise économique. Le pompiste, méfiant, relève le numéro de la plaque d'immatriculation. Quatre jours plus tard, la police retrouve la voiture et arrête un menuisier allemand âgé de trente-six ans. Le suspect s'appelle Bruno Richard Hauptmann.

LE « PROCÈS DU SIÈCLE »

Le procès a lieu à Flemington, petite ville paisible du New Jersey qui compte à peine 2 000 habitants en temps normal. Le 2 janvier 1935, 60 000 personnes arrivent pour l'ouverture du procès... Les bonimenteurs viennent en force ; ils vendent des échelles miniatures ou de fausses boucles de cheveux du bébé Lindbergh. L'accusation est confiée à David Wilentz, un jeune juriste assez prétentieux qui nourrit des ambitions politiques. L'avocat de la défense est un vieil alcoolique dont les honoraires sont réglés par le magnat de la presse W. R. Hearst, qui compte sur un procès retentissant pour doper les ventes de ses journaux.

Les charges qui pèsent sur Hauptmann sont accablantes. Trois témoins (dont Lindbergh lui-même) reconnaissent la voix de Hauptmann comme celle du « John » du cimetière. Des tests graphologiques établissent un parallèle entre son écriture et celle des demandes de rançon. Le numéro de téléphone de Condon est inscrit sur

le mur du bureau de Hauptmann. Le bois de l'échelle retrouvée près du lieu du crime est le même que celui du plancher du grenier de Hauptmann. Une partie des billets de la rançon — 14 000 dollars exactement — est retrouvée dans son garage. Et il manque un ciseau dans sa trousse à outils !

Pourtant, quelques personnes croient à l'innocence de Hauptmann. Certains, présents dans l'assistance lors du procès, sont subjugués par son physique et son élégance, et se disent convaincus par ses protestations. Hauptmann affirme qu'il a reçu l'argent d'un ami et que la police a fabriqué toutes les autres pièces à conviction trouvées dans sa maison. Comment aurait-il pu savoir que les Lindbergh seraient dans leur résidence un jour de semaine ? Pendant que le jury délibère, une foule se masse devant le palais de justice et scande : « À mort l'Allemand ! » Impressionné par la solidité des preuves et par la pression populaire, le jury le déclare coupable. Le 3 avril 1936, alors qu'il clame toujours son innocence, Hauptmann est mené à la chaise électrique et exécuté.

DES DOUTES PERSISTANTS

A-t-on vraiment condamné l'auteur du meurtre ? Jusqu'à sa mort, en 1994, Anna, la femme de Hauptmann, a toujours soutenu qu'elle était avec lui la nuit de l'enlèvement. Certains observateurs trouvent gênante la rivalité entre le procureur général Wilentz et le gouverneur de l'État du New Jersey, Harold Hoffman, qui a pu conduire à dissimuler, lors de l'instruction, les éléments favorables à Hauptmann. D'autres incriminent Paul Wendel, un avocat douteux qui, à un moment, a reconnu l'enlèvement et qui connaissait, lui aussi, l'homme dont Hauptmann disait avoir reçu l'argent.

L'enlèvement de Buster demeure une énigme dans l'esprit de certains. Des enquêteurs qui ont réexaminé le dossier sont toutefois parvenus à la conclusion que Hauptmann était coupable mais que son procès a été influencé et perturbé par la célébrité de Lindbergh. Si le menuisier allemand n'a pas bénéficié d'un procès équitable au regard des normes actuelles, il n'en reste pas moins que, plus d'un demi-siècle après, les faits continuent de l'accabler.

Quelles sont les causes de la Crise de 1929 ?

La Grande Dépression n'est-elle due qu'aux brusques variations de la Bourse de Wall Street ? N'est-elle pas aussi le résultat de l'inégale répartition des richesses ?

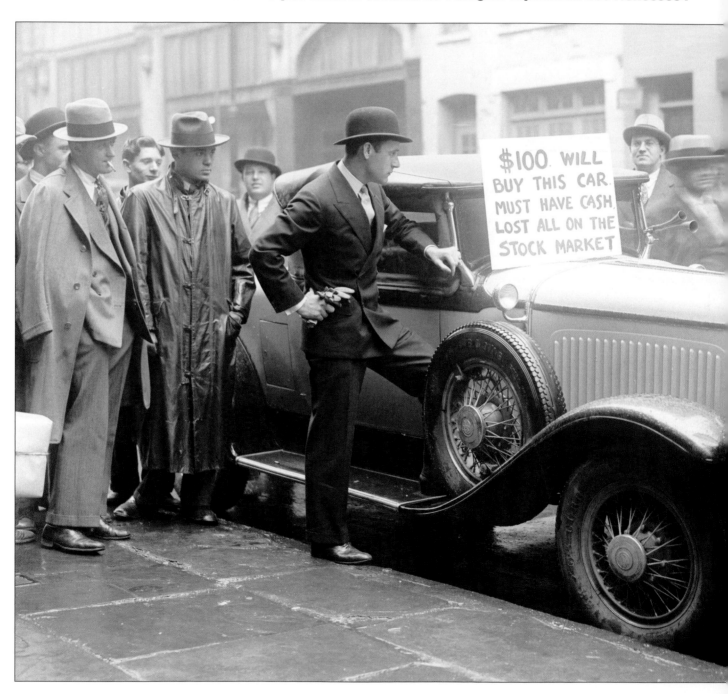

WINSTON CHURCHILL, ALORS CORRESPONDANT aux États-Unis du journal britannique *The Daily Telegraph*, se promène dans les rues étroites du quartier de Wall Street, à New York, aux pires moments de la panique boursière d'octobre 1929. Un inconnu l'aborde et lui propose de l'accompagner jusque dans les locaux du New York Stock Exchange (la Bourse). « Je m'attendais à voir un tohu-bohu, écrit Churchill, mais le spectacle qu'il me fut donné de contempler frappait par l'ordre et le calme qui régnaient. Des règles très strictes empêchaient ces hommes de courir ou d'élever inconsidérément la voix. Ainsi marchaient-ils de long en large, tels les membres d'une fourmilière, se proposant mutuellement d'énormes portefeuilles de titres à un tiers de leur ancien prix et à la moitié de leur valeur actuelle. »

En ce 24 octobre 1929 — « le jeudi noir » —, l'ambiance feutrée de la Bourse de Wall Street est en fait l'œil d'un cyclone qui va plonger les États-Unis dans une crise économique et sociale très grave. Dans les semaines qui suivent, on rapporte de nombreux cas de suicide du haut des gratte-ciel. À New York, un homme s'écrase sous les fenêtres mêmes de Churchill, après s'être jeté du quinzième étage.

Au début des années 1930, les effets du krach boursier s'étendent à presque tous les secteurs de l'économie. En 1932, un quart des Américains est au chômage, tandis que des milliers de paysans abandonnent leurs fermes à cause des tempêtes de sable qui ravagent le Middle West, et font route vers la Californie à la recherche d'un emploi. Quelles sont les causes de cette crise ? Et comment les États-Unis l'ont-ils finalement surmontée ?

LA MONTÉE DE LA FIÈVRE SPÉCULATIVE

On pense généralement que le krach boursier de 1929 est la principale cause de la Grande Dépression, mais les germes de ce désastre économique sont en fait dans la spéculation irresponsable des années 1920 — les Années folles —, en particulier pendant la période 1924-1929. Si les années 1920 sont une phase de prospérité rarement égalée dans l'Histoire, les richesses sont en fait très inégalement réparties à cette époque. Calvin Coolidge, président des États-Unis

À GAUCHE : **APRÈS LE KRACH, UN SPÉCULATEUR DE WALL STREET CHERCHE À VENDRE SA VOITURE. « VOUS POUVEZ ACHETER CETTE VOITURE POUR 100 $. J'AI TOUT PERDU À LA BOURSE ET J'AI BESOIN DE LIQUIDE », DIT L'AFFICHETTE.** CI-DESSUS : **LE 24 OCTOBRE 1929, LES INVESTISSEURS AFFOLÉS PARLEMENTENT DEVANT LA BOURSE DE NEW YORK EN CE « JEUDI NOIR » OÙ LE COURS DES ACTIONS S'EFFONDRE.**

ATTENDRE EN FILE POUR MANGER CONSTITUE L'ORDINAIRE DE NOMBREUX AMÉRICAINS DANS LES ANNÉES 1930, COMME EN TÉMOIGNE CETTE SOUPE POPULAIRE À NEW YORK (CI-DESSUS). DES SANS-ABRI (CI-CONTRE) FONT LA QUEUE DEVANT LE BUREAU D'AIDE AU LOGEMENT DE NEW YORK.

de 1923 au début de 1929, se fait l'avocat du laisser-faire en matière économique. L'administration Coolidge instaure des réductions d'impôts très importantes en faveur des classes aisées. En 1925, le taux d'imposition maximal baisse de 25 %. En 1929, les plus riches, soit 0,1 % de la population, ont un revenu équivalent à celui des 42 % les plus pauvres.

L'Amérique des années 1920 vit donc dans l'illusion de la prospérité, entretenue par la frénésie de la spéculation et par la dépendance croissante des particuliers à l'égard du crédit. « La clé de la prospérité économique, déclare un dirigeant de General Motors en 1929, c'est la création artificielle de l'insatisfaction. » Les entrepreneurs dissuadent ainsi les ménages d'épargner et les incitent, au contraire, à acheter des produits dont ils n'ont pas besoin.

Quelques points faibles existent dans l'économie américaine — dans les mines, par exemple — , mais la poussée des autres secteurs dope la Bourse. L'indice Dow Jones des valeurs industrielles grimpe de 88, en 1924, à 381 en septembre 1929. Dans l'atmosphère grisante et optimiste qui prévaut, même les gens peu fortunés empruntent de l'argent aux banques pour acheter des titres boursiers ; ils comptent revendre leurs actions à la hausse et, ainsi, non seulement rembourser leur crédit,

mais aussi engranger des profits substantiels. C'était en fait un calcul très dangereux puisque aucun fonds stable ne garantissait ces opérations. L'édifice spéculatif américain s'est ainsi construit comme un château de cartes et le krach de 1929 l'a complètement soufflé.

L'INFORTUNÉ HOOVER

Herbert Hoover gagne l'élection présidentielle de novembre 1928, avec l'une des majorités les plus écrasantes de l'histoire américaine. (Quatre ans plus tard, il la perdra face à Franklin D. Roosevelt — qui l'emportera avec une large avance —, parce qu'il sera considéré comme le responsable de l'aggravation de la crise économique qui a succédé à la crise boursière.) Hoover est un homme honnête qui a accédé aux responsabilités au mauvais moment. Avant l'élection de 1928, l'opinion admire ses actions caritatives, et surtout son ascension sociale, qu'il doit à un travail acharné. Mais le marché boursier s'effondre huit mois seulement après son arrivée à la Maison-Blanche. Comme beaucoup d'autres à l'époque, il n'a pas vraiment compris ce qui se passait : « Nous avons traversé une crise financière, déclare-t-il au cours d'une conférence de presse en novembre 1929, mais, pour la première fois dans l'Histoire, la crise a été circonscrite au seul marché boursier. »

Raisonnant en self-made man, Hoover rechigne à accorder des secours à la masse croissante des chômeurs. Il pense qu'en restreignant les dépenses fédérales et en augmentant les impôts, tout va rentrer dans l'ordre, mais cette politique fait long feu et engendre davantage de misère. Dans de nombreuses villes des États-Unis, des chômeurs et des gens ruinés se construisent des abris de fortune avec des cartons et des morceaux de métal de récupération : ces ensembles de bicoques sont surnommés par dérision Hoovervilles. La popularité de Hoover baisse sérieusement lorsque, en mai 1932, il fait appel à la garde nationale pour

LES CONDITIONS DE VIE SONT DIFFICILES DANS LA RÉGION DU DUST BOWL (« BOL DE POUSSIÈRE »), AINSI NOMMÉ POUR SES TEMPÊTES DE SABLE.
EN HAUT : **LE CIEL DE LAMAR (COLORADO), EN 1932, EST OBSCURCI PAR DES NUAGES DE SABLE ET DE POUSSIÈRE.**
CI-DESSUS : **SCÈNE DE RUE À SPRINGFIELD (COLORADO) EN 1935.**

DE GAUCHE À DROITE :
**LES PRÉSIDENTS
AMÉRICAINS
CALVIN COOLIDGE
(1923-1929),
HERBERT HOOVER
(1929-1933) ET
FRANKLIN DELANO
ROOSEVELT
(1933-1945),
PÈRE DU NEW DEAL.**

disperser 25 000 anciens combattants touchés de plein fouet par la misère et qui sont descendus dans la rue pour réclamer une augmentation de leur pension.

LES REMÈDES DE ROOSEVELT

À la fin de son mandat, Hoover lance quelques programmes d'assistance, mais il est trop tard. Il a perdu le contact avec l'opinion. Ce qui porte Roosevelt à la présidence, c'est l'importance qu'il accorde au facteur psychologique, a pu dire un historien américain, Garry Wills : « Il a compris que les gens étaient prêts à accepter un remède, quel que soit ce remède. »

Dans son discours inaugural, en mars 1933, Roosevelt décrit clairement la situation : « Les titres se sont écroulés ; les impôts ont augmenté ; nos capacités de paiement se sont effondrées ; nombre d'entreprises industrielles ont cessé de vivre ; les paysans ne trouvent pas de débouchés pour écouler leur production ; l'argent mis de côté pendant des années s'est envolé. » Il a aussi la hardiesse de dire : « La seule chose dont nous devons avoir peur, c'est la peur elle-même. »

Aussitôt entré en fonctions, Roosevelt convoque une session extraordinaire du Congrès. Ainsi commencent ses « Cent Jours ». À la fin du printemps, il lance le New Deal (« Nouvelle Donne »), un ensemble impressionnant de mesures législatives, dont la plus célèbre est la création de la Works Progress Administration (Service de développement de l'emploi). Jusqu'à sa disparition, en 1943, la WPA fournira du travail à 9 millions de personnes. Son action en matière d'écoles, d'hôpitaux ou de routes est toujours visible dans l'Amérique d'aujourd'hui.

Pendant le premier mandat de Roosevelt, l'économie des États-Unis redémarre lentement. En 1939, elle retrouve son niveau de la fin des années 1920, même si le taux de chômage est encore de 15 %. L'entrée du pays dans la Seconde Guerre mondiale se traduit par un boom économique qui crée un nombre impressionnant d'emplois et propulse le pays dans l'ère de la prospérité.

Reste à savoir dans quelle mesure le seul New Deal — sans les retombées favorables de l'effort de guerre — serait parvenu à restaurer l'économie américaine. Historiens et économistes en débattent encore. Ce qui est indéniable, c'est que les deux mandats présidentiels de Franklin Delano Roosevelt ont marqué un tournant dans l'histoire des États-Unis, légitimant l'intervention de l'État dans la vie économique tout en respectant les valeurs libérales et démocratiques.

**CETTE CARICATURE
PARAÎT EN 1932
DANS L'*ALMANACH*
HACHETTE, ALORS
QUE LA FRANCE,
APRÈS UNE FRAGILE
PÉRIODE DE
PROSPÉRITÉ, EST
TOUCHÉE À SON
TOUR PAR LA
DÉPRESSION
ÉCONOMIQUE.
L'ILLUSTRATION
INCRIMINE
L'ACCROISSEMENT
DU DÉFICIT
BUDGÉTAIRE
PENDANT LES
ANNÉES 1920,
AUQUEL LE
GOUVERNEMENT
RÉAGIRA, DANS UN
PREMIER TEMPS,
PAR DES MESURES
DÉFLATIONNISTES.**

LA SOUFFRANCE POPULAIRE

PIÈCE DU PUZZLE ▼

Peu de témoignages des souffrances engendrées par la crise sont aussi poignants que les lettres écrites par des enfants à la première dame des États-Unis. Lorsque la crise est à son comble, Eleanor Roosevelt en reçoit quotidiennement.

Des enfants lancent souvent des appels pour obtenir des vêtements ou de la nourriture pour leurs parents. En retour, ils reçoivent une lettre de la secrétaire de Mme Roosevelt, Malvina T. Scheider, les assurant de la compassion de la première dame des États-Unis. Celle-ci exprime son regret de « ne pouvoir accéder à toutes les demandes, en raison du très grand nombre de lettres reçues » mais ajoute qu'elle « aimerait venir en aide à tous ceux qui s'adressent à elle ».

Voici l'une de ces lettres, envoyée par un enfant de l'État d'Alabama, le jour de l'an 1936 :

Chère Madame Roosevelt,
Ça fait un certain temps que je souhaite faire votre connaissance. Ou peut-être recevoir une lettre de vous. Je préférerais vous voir mais je suis une pauvre petite fille et je ne suis jamais sortie de notre région. Ce sera impossible, je pense.

Madame Roosevelt, ne pensez pas que je suis en train de mendier, mais je ne vois pas comment vous allez appeler ça. Il n'y a pas de honte à demander ça, je pense. Avez-vous des vêtements que vous ne mettez plus ? Vous ne pouvez pas imaginer combien je serais heureuse de porter vos vêtements. Je n'ai pas un manteau à me mettre.

Les vêtements seront peut-être trop grands mais je peux les raccourcir, comme ça je pourrai les mettre.

Des vieilles chaussures, des chapeaux, des sous-vêtements nous seront aussi très utiles. J'ai trois frères qui aimeraient n'importe quels vieux vêtements de vos fils ou de votre mari.

Je m'arrête parce que c'est l'heure de la levée du courrier. J'espère avoir bientôt de vos nouvelles.
Votre amie,
M. I.

LA PREMIÈRE DAME DES ÉTATS-UNIS À LA NBC, EN 1934.

Pourquoi Édouard VIII a-t-il dû abdiquer?

Est-ce parce qu'il voulait épouser une Américaine deux fois divorcée que le roi d'Angleterre dut abdiquer, ou est-ce à cause de ses sympathies pour les régimes autoritaires?

L'ABDICATION D'UN ROI MOINS D'UN AN APRÈS SON AVÈNEMENT EST UN ÉVÉNEMENT RARE DANS L'HISTOIRE DES MONARCHIES. CI-DESSUS : LE QUOTIDIEN ANGLAIS *THE STAR* ANNONCE L'ABDICATION D'ÉDOUARD VIII, LE 11 DÉCEMBRE 1936.

Les histoires d'amour entre les princes et les bergères ont toujours fait rêver.

Lorsque les Anglais découvrent que leur jeune roi Édouard VIII, à peine monté sur le trône, envisage d'épouser une roturière divorcée, ils commencent donc tout naturellement par s'attendrir. Pourtant, son abdication sera accueillie avec un certain soulagement. Pourquoi un tel retournement de l'opinion, en quelques mois à peine?

UN PRINCE MONDAIN

Né en 1894, Édouard est le fils du roi George V. Le jeune homme suscite une affectueuse admiration dans les années 1920; elle est notamment la conséquence de son engagement auprès des soldats britanniques au cours de la Première Guerre mondiale. Alors que son père semble s'enfermer dans un protocole compassé et anachronique, le prince de Galles parcourt le monde et s'attire la sympathie des populations, séduites par sa jeunesse et son non-conformisme.

Pourtant, au début des années 1930, tandis que George V, malade, connaît une soudaine et croissante popularité dans tout l'Empire britannique, le jeune Édouard, toujours célibataire, mène une vie de plaisirs, de casino en boîte de nuit, de maîtresse en maîtresse — en général, des femmes mariées, plus mûres que lui. Son père, conscient de la faiblesse de caractère et de l'intelligence médiocre de son fils, se lamente d'ailleurs ouvertement : « Quand je serai mort, ce garçon se ruinera en moins d'un an. »

En 1934, Édouard fait la connaissance d'une riche Américaine, Wallis Simpson, qui est déjà divorcée et remariée à un homme d'affaires. Très vite, il s'éprend d'elle, subjugué par son indépendance et son caractère décidé. Esprit faible, il adopte rapidement les sympathies de sa maîtresse pour les régimes autoritaires... et ses préventions à l'égard de l'aristocratie britannique.

LES MALADRESSES DU ROI

La mort de George V, en janvier 1936, permet à Édouard d'accéder au trône. Dès la première réunion du gouvernement, le Premier ministre conservateur Stanley Baldwin s'inquiète de la personnalité du nouveau roi et déclare à l'un de ses collègues qu'il « ne tiendra pas la distance ».

Wallis Simpson, qui n'est pas encore divorcée, s'affiche avec Édouard, et se comporte à son égard en véritable épouse. Cette liaison scandaleuse entraîne rapidement un malaise grandissant dans l'opinion britannique. Le divorce de Wallis Simpson, en octobre 1936, pose un réel problème constitutionnel : le roi ne fait pas mystère de son intention d'épouser Mme Simpson, sans accorder d'importance aux objections du Premier ministre. Il se considère en effet à la fois comme un souverain de droit divin et comme un individu semblable à tous les autres, pouvant disposer librement de sa vie privée. Or Baldwin estime quant à lui que le roi se doit à ses sujets et qu'il ne peut donc agir, même dans le cadre de sa vie personnelle, contre leur volonté. Pour connaître leur sentiment sur Wallis Simpson, le Premier ministre engage de larges consultations, en Grande-Bretagne et dans les pays de l'Empire britannique : personne ne la juge digne de devenir reine.

Le projet de mariage, longtemps tenu secret, est enfin publié par les journaux au début du mois de décembre. Un débat s'engage. Si la

presse populaire essaie de présenter Mme Simpson sous un jour favorable, la plus grande partie de l'opinion se révèle hostile au projet. Lors d'un débat au Parlement, le Premier ministre se fait l'interprète du refus des Britanniques, malgré les manœuvres de certains députés conservateurs, comme Lloyd George ou Winston Churchill, qui tentent d'imposer l'idée d'un mariage morganatique (la femme du roi ne serait pas reine, et leurs enfants ne pourraient pas monter sur le trône).

Le 11 décembre, Édouard VIII annonce son abdication à la radio et quitte le pays. Il s'installe en France, où il reprend avec Wallis Simpson la vie mondaine qui lui plaît.

L'HYPOTHÈSE POLITIQUE

Il est certain que le conflit entre le roi et le Premier ministre, dû à leurs conceptions opposées de la monarchie, a poussé Édouard VIII à l'abdication. Mais, à un moment où les tensions internationales s'aggravent, il ne fait guère de doute que le gouvernement conservateur, absolument convaincu de la nécessité de l'alliance avec la France contre l'Allemagne nazie et l'Italie fasciste, est soulagé de voir s'éloigner un roi dont les sympathies pour les régimes autoritaires sont réelles. Édouard VIII voue en effet une certaine admiration à Mussolini et à Hitler, et il méprise la Société des Nations. C'est pourquoi,

en août 1936, Hitler nomme ambassadeur à Londres Joachim von Ribbentrop, son conseiller, un fin connaisseur du monde anglo-saxon. Édouard VIII et Ribbentrop se rencontrent à plusieurs reprises, suscitant une grande inquiétude chez les diplomates britanniques, qui craignent que le roi ne se laisse manipuler par les nazis. Certes, Édouard VIII n'est pas nazi lui-même, mais Wallis Simpson ne professant que du dédain pour les régimes démocratiques, le roi, faible et sans grand sens politique, risque donc de nouer des alliances contraires à l'intérêt national et à la volonté du Parlement.

Les événements qui se produisent après son abdication semblent du reste confirmer ces craintes. En octobre 1937, l'ex-roi — devenu duc de Windsor — et son épouse visitent l'Allemagne pendant douze jours pour y étudier la condition des travailleurs. Ils sont reçus par les plus grands dignitaires du régime et prennent même le thé avec Hitler dans son « nid d'aigle » de Berchtesgaden. Même si le duc de Windsor veut seulement aider à un rapprochement entre les peuples allemand et britannique, l'impact de ce voyage est désastreux, notamment auprès de l'opinion publique américaine. Surtout, il donne à Hitler le sentiment, sans doute erroné, qu'il pourra utiliser Édouard contre son frère, le nouveau roi George VI… lorsque l'Allemagne aura remporté la victoire sur l'Angleterre.

En juin et juillet 1940, alors que la France est vaincue et que l'Allemagne nazie prépare un débarquement en Angleterre, Hitler met au point un projet d'enlèvement du duc de Windsor. Cette opération, dont le nom de code est Willi, échoue de justesse : le Premier ministre britannique Winston Churchill fait nommer le duc de Windsor gouverneur des Bahamas. Le lendemain du départ du paquebot *Excalibur*, qui emmène l'ex-roi vers les Antilles, le 2 août 1940, Hitler lance l'attaque contre l'Angleterre… La chimère de l'enlèvement d'Édouard lui aura fait perdre plus d'un mois, un délai mis à profit par Churchill pour préparer la défense aérienne et terrestre du pays.

EN HAUT, À GAUCHE :
L'ANCIEN ROI ET WALLIS SIMPSON, DEVENUS LE DUC ET LA DUCHESSE DE WINDSOR, LE JOUR DE LEUR MARIAGE AU CHÂTEAU DE CONDÉ (INDRE-ET-LOIRE), LE 3 JUIN 1937.

CI-DESSUS :
L'EX-ROI ET SON ÉPOUSE REVIENNENT POUR LA PREMIÈRE FOIS EN ANGLETERRE, COMME HÔTES DE LA REINE ELIZABETH II, EN 1967.

Le désastre du Hindenburg

L'explosion d'un des premiers appareils commerciaux transatlantiques fut-elle le résultat d'un vice de fabrication ou d'un sabotage ?

EN MAI 1937, LE LUXUEUX DIRIGEABLE *Hindenburg* décolle de Francfort à destination de Lakehurst, dans le New Jersey. À son bord, 97 personnes. Long de 248 m et large de 41 m à son plus grand diamètre, l'engin est maintenu dans les airs par 190 000 m³ d'hydrogène ; il est équipé de quatre moteurs Diesel qui peuvent le propulser à une vitesse maximale de 70 nœuds (environ 135 km/h). Pendant la traversée, qui dure trois jours, les passagers peuvent feuilleter les livres de la bibliothèque, dîner fastueusement dans la salle à manger et se reposer dans le magnifique salon.

Le vol se déroule sans problème jusqu'au 6 mai 1937, date à laquelle le dirigeable atteint le New Jersey, où des orages l'empêchent d'atterrir. Le *Hindenburg* survole la zone pendant plusieurs heures, puis le temps s'améliore suffisamment pour lui permettre de s'approcher du sol. Lorsque le dirigeable est enfin au-dessus du point d'atterrissage, les pilotes laissent tomber les amarres qui doivent le faire descendre de son altitude de 60 m jusqu'au sol. Les passagers rassemblent leurs affaires et se préparent à

débarquer. Soudain une légère bouffée de fumée apparaît à l'arrière du zeppelin, suivie d'une autre, plus abondante. Presque immédiatement le dirigeable s'embrase. Des passagers sautent et s'écrasent sur la piste, d'autres sont brûlés vifs à l'intérieur de la cabine en flammes, certains périssent écrasés sous le poids de l'appareil. Trente-six personnes meurent dans l'accident.

Dans un premier temps, on a dit que la catastrophe était due à un feu Saint-Elme — étincelle atmosphérique observée lors des orages — mais ce phénomène n'avait jamais provoqué d'incendie jusqu'alors. Cette explication est rapidement abandonnée par les pouvoirs publics : selon eux, le sinistre a été déclenché par la combustion de l'hydrogène, gaz extrêmement inflammable.

À l'époque, ni les autorités allemandes ni les autorités américaines n'ont voulu enquêter sur l'éventualité d'un sabotage, de crainte de provoquer un incident diplomatique. Quelques années plus tard, les Allemands ont néanmoins relancé cette hypothèse, arguant du désir des États-Unis de ternir l'image du nouveau régime nazi sur la scène internationale. Mais ils n'en ont jamais apporté la preuve.

UN BARIL DE POUDRE VOLANT

En 1997, un spécialiste de l'hydrogène, Addison Bain, et une équipe de chercheurs de la NASA affirment que le gaz n'est pas en cause.

D'abord, les flammes du *Hindenburg* étaient rouge vif, alors que l'hydrogène ne produit pas de flammes visibles. Ensuite, aucun témoignage de passagers ni de membres d'équipage n'a jamais mentionné l'odeur d'ail suffocante qui avait été mêlée à l'hydrogène pour permettre de détecter une fuite éventuelle.

Les conditions météorologiques pourraient bien, en revanche, expliquer l'incendie : l'orage qui sévissait au moment où le dirigeable essayait d'atterrir charriait une grande quantité d'électricité, et des éclairs striaient le ciel autour de l'appareil. Quand les amarres ont été larguées et arrimées au sol, il se peut qu'elles aient créé des conditions propices à une décharge électrique.

Bain, qui suspecte aussi une défaillance dans la fabrication de l'appareil, se procure deux échantillons d'une enveloppe de dirigeable vieille de soixante ans et identique à celle qui avait été utilisée dans la construction du *Hindenburg*. Les tests montrent alors que, pour être renforcée, la carène de l'appareil avait été enduite d'un composé à base de nitrate qui entre dans la composition de la poudre à canon. Par-dessus ce revêtement explosif, une autre couche, tout aussi inappropriée, avait été appliquée, cette fois à base d'une poudre d'aluminium utilisée pour la propulsion des fusées. Les différentes parties de la carène étaient en outre assemblées par des armatures de bois, recouvertes d'une laque inflammable. Le *Hindenburg* était donc un baril de poudre volant, à la merci de la moindre étincelle.

Bain et son équipe soumettent ensuite les échantillons à des conditions atmosphériques similaires à celles auxquelles le *Hindenburg* avait été confronté cette fameuse nuit de mai 1937. Le matériau s'enflamme et se volatilise rapidement en fumée. Depuis, Bain a découvert qu'en 1935 un appareil gonflé à l'hélium et peint avec un mélange d'acétate et d'aluminium avait explosé et brûlé à peu près de la même manière que le *Hindenburg*. Le chercheur fit alors le commentaire suivant : « La morale de l'histoire, c'est qu'il ne faut pas peindre votre dirigeable avec du combustible pour fusées. »

LA RAPIDITÉ AVEC LAQUELLE LE REVÊTEMENT DU *HINDENBURG* A BRÛLÉ (AVANT QUE L'HYDROGÈNE N'AIT ÉTÉ CONSUMÉ) APPARAÎT SUR CETTE PHOTOGRAPHIE. UN INGÉNIEUR ALLEMAND, OTTO BEYERSDORF, ÉTAIT PARVENU, SIX SEMAINES SEULEMENT APRÈS LA CATASTROPHE, AUX MÊMES CONCLUSIONS QU'ADDISON BAIN EN 1997, MAIS SON RAPPORT FUT OCCULTÉ PAR LES ALLEMANDS, QUI PRÉFÉRÈRENT ACCUSER LES ÉTATS-UNIS DE NE PAS AVOIR FOURNI D'HÉLIUM À LEUR APPAREIL.

Qui a trahi
Jean Moulin ?

Le 21 juin 1943, l'émissaire du général de Gaulle est arrêté près de Lyon. Cet épisode n'a cessé de susciter des controverses passionnées. Qui a trahi le héros de la Résistance et pourquoi ?

CETTE CÉLÈBRE PHOTOGRAPHIE DE JEAN MOULIN (1899-1943) A ÉTÉ PRISE EN OCTOBRE 1939 PAR MARCEL BERNARD, UN DE SES AMIS D'ENFANCE. MOULIN EST ALORS PRÉFET D'EURE-ET-LOIR DEPUIS LE MOIS DE JANVIER. DURANT L'ÉTÉ 1939, PARTICIPANT ÈS QUALITÉS À UN BANQUET RÉPUBLICAIN, IL AVAIT CÉLÉBRÉ LE 150ᵉ ANNIVERSAIRE DE LA RÉVOLUTION FRANÇAISE.

JEAN MOULIN EST L'UNE DES GRANDES FIGURES de l'histoire de France du XXᵉ siècle. Son souvenir est d'autant plus fort qu'il reste attaché à une période sensible du passé national : celle de l'occupation allemande et du régime de Vichy. Depuis une trentaine d'années, les historiens approfondissent l'étude de cette époque douloureuse. Certains acteurs sont encore vivants, et la question de leur responsabilité dans l'arrestation de Jean Moulin alimente régulièrement les polémiques.

Lorsque éclate la Seconde Guerre mondiale, Jean Moulin, né en 1899, est un haut fonctionnaire exemplaire et discret : nommé plus jeune sous-préfet de France en 1926, il approche les cercles du pouvoir en devenant chef de cabinet du ministre de l'Air Pierre Cot en 1936. En janvier 1939, il est nommé préfet à Chartres, où son attitude, lors de la défaite française de 1940, est très courageuse et d'une grande droiture :

il tient tête aux occupants en refusant de signer un document qui met injustement en cause les troupes sénégalaises. Il tente même de se suicider pour échapper au déshonneur qu'aurait impliqué le fait de se soumettre.

L'ENTRÉE DANS LA RÉSISTANCE

Révoqué par le gouvernement de Vichy, il se rend à Londres en septembre 1941, où il rencontre de Gaulle. On ne connaît pas la teneur précise de l'entretien des deux hommes, mais il est certain qu'ils s'apprécient et s'accordent sur l'essentiel : le souci de la grandeur de la France, l'attachement au service de l'État. De Gaulle fait alors de Moulin l'intermédiaire entre la Résistance extérieure — la France libre, installée à Londres — et les nombreux mouvements de résistance intérieure qui se développent en France à partir de 1941. D'abord délégué général de De Gaulle en zone libre, Jean Moulin devient délégué pour l'ensemble du territoire à partir de février 1943 (toute la France est occupée par les Allemands depuis novembre 1942).

Moulin dispose d'une large capacité d'initiative, mais il doit surmonter de nombreux obstacles, en particulier la volonté qu'ont les mouvements de résistance de préserver leur autonomie. Moulin, qui, comme tous les résistants, adopte successivement plusieurs pseudonymes — Régis, Max, Rex —, devient le principal correspondant du commissariat à l'Intérieur, organe dirigeant de la Résistance intérieure. Il contribue aussi à la fondation de l'armée secrète, qui rassemble, sous les ordres du général Delestraint, les formations paramilitaires des mouvements de résistance. Au printemps 1943, la mission de Moulin est largement accomplie, puisqu'il a finalement réussi, dès janvier, à faire fusionner les trois principales organisations de la zone Sud (Combat, Libération et Franc-Tireur) au sein des MUR (Mouvements unis de résistance). Et c'est sous son impulsion que se réunit pour la première fois, le 27 mai 1943, le CNR (Conseil national de la Résistance), qui comprend des représentants des partis politiques traditionnels (interdits par Vichy) aussi bien que des mouvements de résistance (y compris des communistes).

LE MYSTÈRE DE CALUIRE

Le 9 juin 1943, le général Delestraint est arrêté à Paris par les Allemands. Pour désigner son remplaçant, Jean Moulin convoque le 21 juin les responsables de la Résistance en zone Sud, dans une villa de la banlieue lyonnaise, à Caluire. La réunion est évidemment secrète. Or, peu de temps avant qu'elle ne commence, les Allemands font irruption dans la maison et arrêtent, outre Jean Moulin, les représentants des mouvements de résistance, qui seront incarcérés à la prison de Montluc. Parmi eux se trouve René Hardy, membre de Combat, présent à la réunion sans y avoir été convoqué et qui, quelques jours plus tôt, a été interpellé puis relâché par la Gestapo. Après avoir été interrogé et atrocement torturé par Klaus Barbie, chef de la Gestapo à Lyon, Jean Moulin meurt en juillet, près de Francfort, lors de son transfert en Allemagne.

De nombreuses hypothèses ont été avancées pour expliquer la trahison de Caluire. Moulin a en effet très certainement été trahi : sa véritable identité n'ayant été découverte qu'après la réunion, il est impossible qu'il ait été filé auparavant par les services allemands.

La piste la plus plausible, retenue par les meilleurs spécialistes de la question tels Jean-Pierre Azéma et Daniel Cordier, reste la responsabilité, au moins indirecte, de René Hardy. Le rapport Flora, rédigé en juillet 1943 par des responsables de la sécurité du Reich, décrit Hardy comme un homme « retourné », c'est-à-dire dont l'identité a été découverte par les services allemands. Il est au moins coupable de ne pas avoir informé ses camarades de son arrestation par la Gestapo. Pourtant, après la Libération, il sera par deux fois jugé et innocenté. D'autres noms ont été avancés plus récemment, comme celui de Raymond Aubrac, de Libération-Sud ; mais cette accusation, lancée par Jacques Vergès, l'avocat de Barbie au procès de 1987, n'a jamais reçu le moindre début de preuve, et les historiens les plus sérieux l'ont écartée.

LA VILLA DU DOCTEUR DUGOUJON, À CALUIRE, PRÈS DE LYON, OÙ SE RENCONTRÈRENT LES RESPONSABLES DE LA RÉSISTANCE, LE 21 JUILLET 1943. LA GESTAPO Y FIT IRRUPTION ET ARRÊTA MOULIN AINSI QUE D'AUTRES RÉSISTANTS.

En fait, il semble que Jean Moulin soit tombé dans les filets de la police allemande en raison des imprudences de certains responsables de Combat plutôt qu'à la suite d'une dénonciation pure et simple. L'engrenage a sans doute commencé avec l'arrestation de Delestraint. Selon Jean-Pierre Azéma, c'est probablement un responsable de Combat, Pierre Guillain de Bénouville, qui a envoyé Hardy à la réunion de Caluire, alors que ce dernier lui avait confié avoir été arrêté et relâché par Barbie. Bénouville pensait sans doute qu'Hardy serait plus apte qu'Henri Aubry, un autre membre de Combat, à affronter Jean Moulin dans le bras de fer de plus en plus difficile entre ce mouvement, soucieux de son indépendance, et l'envoyé de De Gaulle.

Le temps aidant, les historiens déconstruisent les mythes qui entourent cette période. Ils mettent mieux en lumière les divisions très importantes entre organisations de la Résistance. C'est sans doute à ces divergences que l'arrestation et la mort de Jean Moulin sont imputables.

LE 19 DÉCEMBRE 1964, ANDRÉ MALRAUX, ALORS MINISTRE DE LA CULTURE, PRONONCE UN DISCOURS ENFLAMMÉ LORS DU TRANSFERT AU PANTHÉON DES CENDRES DE JEAN MOULIN, CHOISI PAR DE GAULLE POUR SYMBOLISER LA RÉSISTANCE.

La mort mystérieuse de Saint-Exupéry

La disparition de l'écrivain au cours d'une mission de reconnaissance aérienne, en 1944, a suscité les plus folles interprétations.

POUR DES GÉNÉRATIONS D'ENFANTS, SAINT-EX évoque avant tout *le Petit Prince*, publié en 1943 et qui constitue une sorte de testament spirituel de l'auteur. Antoine de Saint-Exupéry n'est cependant pas uniquement un écrivain pour enfants. Né en 1900 dans une famille noble désargentée, il fait ses études dans des pensionnats catholiques avant de préparer, sans succès, le concours d'entrée à l'École navale. Mais il a la passion de l'aviation et il obtient son brevet de pilote en 1921. En 1926, il entre à la compagnie Latécoère, où il est responsable des premiers long-courriers vers l'Afrique et l'Amérique du Sud.

L'ÉCRIVAIN-PILOTE

Saint-Exupéry entreprend plusieurs raids, notamment entre Paris et Saigon. Il participe, avec Jean Mermoz, aux premiers vols intercontinentaux de l'aviation postale, mais se fait surtout connaître, au cours des années 1930, par des œuvres littéraires qui font de lui un écrivain pilote : ainsi paraissent *Courrier Sud* (1930), *Vol de nuit* (1931), dont l'action, largement autobiographique, se déroule en Amérique du Sud, et surtout *Terre des hommes* (1939), qui vaut à l'auteur le grand prix du roman de l'Académie française. À la veille de la Seconde Guerre mondiale, Saint-Ex, qui a toujours la passion de l'aviation, cherche à s'engager. Mais, en 1939, il est déclaré inapte au service actif et muté à l'arrière comme instructeur. Il revêt alors l'uniforme de l'armée de l'air et sert bientôt dans le groupe de reconnaissance II/33, alors qu'il approche de la quarantaine.

Après le débarquement en Afrique du Nord, Saint-Exupéry se rend à Alger en mai 1943 et multiplie les contacts pour servir de nouveau dans le groupe de reconnaissance où il a fait ses preuves au début de la guerre. Mais les temps ont changé : les engins utilisés par les aviateurs alliés sont beaucoup plus sophistiqués que ceux auxquels il est habitué. Grâce à ses relations, il vient à bout des réserves que son âge suscite et reçoit l'autorisation d'effectuer cinq missions de guerre au sein du groupe de reconnaissance II/33 basé en Corse, qu'il réintègre. En tout, il mènera dix missions à bord d'un Lightning P-38, avion à double fuselage, très perfectionné et pouvant voler à 700 km/h,

mis au point aux États-Unis avec la participation de Lindbergh.

LE DERNIER VOL

Saint-Ex outrepasse les limites de l'autorisation exceptionnelle qui lui avait été délivrée par le commandement allié. Lors de sa sixième mission, le 29 juin 1944, jour de son 44ᵉ anniversaire, il est menacé de suspension après s'être égaré au-dessus des Alpes et avoir oublié de déclencher son signal d'identification radio. Il atterrit en catastrophe à Borgo, aux environs de Bastia, en Corse. Sa dernière mission est prévue pour le 31 juillet : son supérieur hiérarchique devait lui annoncer à son retour le prochain débarquement allié en Provence, une confidence qui revenait à lui signifier son interdiction de vol. Saint-Exupéry s'envole de Borgo pour sa dixième mission. Bien que non inscrit sur le tableau des vols, il a insisté pour décoller. Le nom de code de l'opération — une reconnaissance au-dessus de Grenoble et Chambéry — est Soda. Saint-Exupéry monte dans l'étroite carlingue du Lightning nᵒ 223. Toutes les vérifications d'usage ont été effectuées, la météo est bonne. Il est 8 h 45 du matin lorsque l'appareil décolle. Vingt-cinq minutes plus tard, le poste radar signale qu'il a dépassé les côtes françaises. À 13 heures, l'avion, qui doit être à court de carburant, n'est toujours pas réapparu sur l'aérodrome de Borgo. Il faut se rendre à l'évidence : le commandant Saint-Exupéry est porté disparu. L'épave de l'avion ne sera jamais retrouvée. Ainsi commence une énigme que plus d'un demi-siècle d'investigations n'a presque pas entamée.

DOUTES ET HYPOTHÈSES

Certains ont soutenu la thèse d'un suicide, qu'aucun écrit de l'aviateur ne permet toutefois de corroborer. Celui-ci était conscient des risques qu'il prenait en pilotant à son âge un appareil comme le Lightning et il ne semblait pas redouter la mort, comme en témoignent ces lignes écrites à la veille de sa disparition : « Si je suis descendu, je ne regretterai absolument rien. » De là à envisager qu'il soit allé au-devant de la mort, il y a un pas que rien ne permet de franchir. On a aussi évoqué la possibilité que Saint-Exupéry ait atterri clandestinement quelque part afin de disparaître dans l'anonymat. Est-il envisageable, dans ce cas, que toute trace se soit à jamais perdue ?

La thèse de l'accident — la plus probable — a été soutenue par de nombreux commentateurs : les raids précédents de l'aviateur s'étaient parfois soldés par des incidents, mais il ne semble pas pour autant qu'il ait été un pilote médiocre. On a longtemps cru qu'il avait été abattu par la chasse allemande au-dessus de la Provence, sur la foi d'une lettre, publiée en 1972, dans laquelle un aviateur allemand déclarait avoir abattu un P-38 le 31 juillet 1944 : si ce document relate un certain nombre de faits vérifiés dans les archives de la Luftwaffe, il en présente d'autres qui ont été contestés par les spécialistes. En 1992, des recherches sont lancées dans la baie de Nice, où l'on suppose que l'appareil de Saint-Ex s'est écrasé. En vain. Mais cela ne signifie évidemment pas que l'épave ne dorme pas au fond de la Méditerranée : un avion qui heurte l'eau peut se désagréger, et ses débris sont difficiles à retrouver.

L'affaire rebondit en septembre 1998, lorsqu'un chalutier naviguant entre Cassis et Marseille attrape dans ses filets une gourmette portant le nom de Saint-Exupéry et des débris d'aluminium (ceux d'un Lightning P-38). Cette zone n'avait jamais été explorée jusqu'alors, mais les espoirs s'évanouissent vite, car toutes les recherches effectuées dans un rayon de 100 km² demeurent infructueuses. Le mystère demeure.

SAINT-EXUPÉRY (À DROITE) PHOTOGRAPHIÉ AUX CÔTÉS D'HENRI GUILLAUMET (1902-1940), PIONNIER DE LA TRAVERSÉE DE L'ATLANTIQUE SUD. LES DEUX HOMMES SE RENCONTRÈRENT EN 1926 ET GUILLAUMET INITIA SAINT-EXUPÉRY À L'AVIATION AU SEIN DE LA COMPAGNIE LATÉCOÈRE. L'ÉCRIVAIN RELATE LES AVENTURES DE SON CAMARADE DANS *TERRE DES HOMMES*.

PORTRAIT DE L'AUTEUR DE *TERRE DES HOMMES* ET DE *PILOTE DE GUERRE*.

Comment Hitler a-t-il perdu la guerre?

Les Alliés ont réussi à inverser un rapport de forces largement favorable à Hitler jusqu'en 1942. Pourquoi ce retournement?

En 1939, l'Allemagne nazie conquiert la Pologne et, en vertu du pacte germano-soviétique, la partage avec l'URSS. L'année suivante, c'est au tour du Danemark et de la Norvège d'être occupés par les troupes hitlériennes; en mai 1940, les Pays-Bas et la Belgique sont envahis et capitulent rapidement; la France résiste moins de six semaines à l'offensive foudroyante des blindés allemands secondés par les bombardements de la Luftwaffe. Après la terrible défaite française de juin 1940, seule la Grande-Bretagne reste debout face à une armée nazie qui accumule les victoires et tient l'ensemble du continent européen sous sa férule. L'année 1941 marque cependant un premier tournant: non seulement les pilotes de la Royal Air Force tiennent bon et font échec au projet allemand de débarquement en Angleterre mais, surtout, le conflit se mondialise : envahie en juin sans déclaration de guerre, l'URSS se retrouve malgré elle aux côtés des Alliés. Après l'attaque japonaise surprise de Pearl Harbor, le 7 décembre, les États-Unis se jettent à leur tour dans la bataille. Le théâtre des opérations s'étend désormais aux cinq continents. Cependant, au début de l'année 1942, l'Allemagne nazie s'est rendue maîtresse de la majeure partie de l'Europe. Il faut attendre l'hiver 1943 pour que la Grande Alliance (les puissances anglo-saxonnes et l'Union soviétique) acquière un avantage décisif. Dès novembre 1942, Anglais et Américains contrôlent la Méditerranée occidentale. Mais c'est la résistance acharnée de Stalingrad assiégée contre les forces allemandes qui marque le véritable début des revers hitlériens et le renversement du rapport de forces en faveur des Alliés : le 2 février 1943,

prise en tenaille par deux contre-attaques de l'Armée rouge, la VIe armée allemande capitule.

En 1944, les victoires alliées s'accumulent avec, en particulier, la réussite de l'opération Overlord (nom de code du débarquement en Normandie) : le 6 juin 1944, à 2 heures du matin, cinq divisions convoyées sur plusieurs milliers de péniches et protégées par 467 bâtiments de guerre débarquent sur cinq plages de la Manche. Attaquées par surprise et dominées dans les airs, les forces allemandes ne parviennent pas à rejeter à la mer Américains, Canadiens et Britanniques, qui établissent trois têtes de pont ravitaillées par deux ports artificiels. Les combats dureront en Europe jusqu'au mois de mai 1945, mais l'issue est d'ores et déjà prévisible. Alors que les effectifs et les moyens mobilisés de part et d'autre étaient comparables,

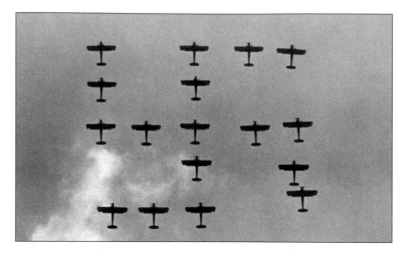

ressources : passé le choc de l'invasion, l'URSS a réussi à recréer son potentiel industriel dans la partie non occupée de son territoire (Oural et Sibérie occidentale). Surtout, grâce à l'entrée en vigueur du Victory Program, qui instaure une planification souple de la production, les États-Unis, déjà banquiers de la coalition, deviennent l'arsenal des Alliés. En 1944, ils produisent 97 000 avions (contre 38 000 en Allemagne), 80 millions de tonnes d'acier (contre 28,5), et 54 millions de personnes contribuent dans les usines à l'effort de guerre.

Le débarquement du 6 juin 1944, décidé dès le printemps 1942 et reporté à plusieurs reprises, illustre parfaitement cette supériorité logistique alliée. Fin 1943, les préparatifs se déroulent dans le plus grand secret. Les moyens mis en œuvre le jour J sont considérables : 130 000 hommes, 3 000 bateaux de débarquement, 700 navires de guerre, 7 500 avions, 5 000 tonnes de bombes, 3 000 canons, 1 500 chars, 10 500 véhicules. Tandis que les troupes britanniques aéroportées sont lancées dans les régions situées à l'arrière des défenses côtières allemandes, les premières vagues d'assaut d'infanterie succèdent aux bombardements aériens et navals. L'opération Overlord est donc menée tous azimuts et elle mobilise tous les corps d'armée.

LES ERREURS D'HITLER

Les défenses allemandes sont cependant loin d'être négligeables : les plages ont été minées, couvertes de fil barbelé ; tous les accès vers l'intérieur des terres ont été obstrués par des murs, des fossés antichars et des « hérissons » (grandes barres métalliques en forme de X) ainsi que par des champs de mines. À l'intérieur des terres, des mortiers et de l'artillerie défendent l'accès aux plages. Cependant, sitôt débarquées, les troupes d'assaut franchissent ces obstacles, tandis que les tirs de marine et les bombardements aériens pilonnent les blockhaus.

Les déficiences de la stratégie hitlérienne facilitent la percée alliée. Le commandement allemand s'est trompé et sur le lieu et sur la date de l'invasion : Hitler et son état-major ont en effet envisagé un débarquement allié sur les côtes du Pas-de-Calais. Lorsque les Anglo-Américains abordent le littoral normand, ils croient donc à une manœuvre de diversion et n'opposent qu'une résistance limitée. Pour repousser l'attaque alliée, il aurait fallu que les Allemands engagent toutes leurs forces blindées, mais le

comment expliquer ce spectaculaire renversement de la tendance qui mène les Alliés à la victoire finale ?

UNE CONTRIBUTION DÉCISIVE

Le triomphe sans équivoque de la coalition alliée ne peut pas se comprendre sans l'avantage décisif que lui apporte l'entrée en guerre des États-Unis. Dès mars 1941, par l'application de la loi prêt-bail qui décide la livraison de navires de guerre aux Anglais, les Américains rompent avec l'isolationnisme de l'entre-deux-guerres. En s'engageant ensuite pleinement dans le conflit, ils mettent dans la balance la puissance de leur économie face à un ennemi qui comptait sur une guerre assez courte. Pourtant, et jusqu'au bout, l'Allemagne conserve un potentiel industriel considérable : elle produit plus d'armes en février 1945 qu'en janvier 1942. En outre, exploitant sans merci les pays conquis ou vassalisés, elle peut compter sur 14 millions de travailleurs étrangers qui, dans leur pays natal ou en Allemagne même, sont employés à son service contre leur gré. Mais le camp allié a su mobiliser ses

DES HISTORIENS ET DES PSYCHOLOGUES ONT TENTÉ DE CERNER LA PERSONNALITÉ D'HITLER. CERTAINS ONT PU VOIR DANS SA JEUNESSE EN AUTRICHE ET DANS SON EXPÉRIENCE DE BLESSÉ PENDANT LA PREMIÈRE GUERRE MONDIALE LES ORIGINES DE SON DÉSIR DE REVANCHE, DE SON AGRESSIVITÉ CRIMINELLE ET DE SA HAINE ANTISÉMITE. AU-DELÀ DE CES ÉLÉMENTS BIOGRAPHIQUES, L'UNE DES ÉNIGMES POSÉES PAR LE NAZISME RÉSIDE DANS L'ENVOÛTEMENT QU'HITLER EXERÇA SUR LES FOULES ALLEMANDES.

Führer avait émis un ordre interdisant l'emploi de forces armées sans son autorisation expresse. Son attentisme et, surtout, le redoublement des forces alliées pendant la bataille de Normandie vont précipiter la déroute allemande.

Dans les semaines qui suivent l'opération Overlord, effectifs et logistique sont renforcés de manière spectaculaire : réservé aux troupes britanniques, le port d'Arromanches permet de débarquer jusqu'à 9 000 tonnes de matériel par jour. En moins d'une semaine, 300 000 hommes y prennent pied. Forçant la résistance opiniâtre des Allemands, les troupes alliées opèrent une percée par l'ouest. Après la difficile prise de Caen le 9 juillet, elles s'emparent, à la fin du mois, de Coutances et d'Avranches, où le commandement allemand risque une contre-attaque le 7 août. Puis les Alliés, faisant jonction à Falaise le 18 août, se dirigent vers la capitale. Celle-ci est libérée le 25 par le général Leclerc avec l'aide de la Résistance.

La guerre est encore loin d'être finie, notamment dans le Pacifique, mais en plus de deux ans à peine, grâce à une mobilisation exceptionnelle, les Alliés prennent l'avantage. L'attentat manqué contre Hitler le 20 juillet 1944 montre que des divisions commencent à lézarder le commandement nazi.

Le journal d'Hitler : histoire d'un faux

« HITLERS TAGBÜCHER ENTDECKT », TITRE LA UNE DU magazine allemand *Stern* : « Le journal intime d'Hitler a été découvert. » Le 25 avril 1983, l'hebdomadaire stupéfie l'opinion en annonçant qu'il détient 58 carnets constituant le journal intime du Führer. Celui-ci y aurait tenu la chronique de ses pensées, de ses sentiments, de ses aventures, depuis 1932 jusqu'à son suicide, en 1945. L'affaire fait sensation dans le monde entier. Les carnets, obtenus par le magazine grâce au journaliste Gerd Heidemann, font ensuite l'objet d'un dossier de treize pages dans l'hebdomadaire

DESSIN ALLEMAND D'AVRIL 1983 INTITULÉ : « MON COMBAT [*MEIN KAMPF*] DANS LA VIE DE TOUS LES JOURS. »

américain *Newsweek* et, pour 400 000 dollars, le *London Sunday Times* acquiert le droit d'en publier des extraits en Angleterre.

Les historiens sont sceptiques : nul n'a jamais entendu dire jusqu'alors qu'Hitler tenait un journal. En fait, il a toujours détesté écrire et dictait même son courrier personnel à une secrétaire. Cependant, les carnets ont l'air authentiques et *Newsweek* écrit que leur découverte « empuantit l'Histoire ». Les historiens qui examinent les documents — le Britannique Hugh Trevor-Roper et l'Américain Gerhard Weinberg, notamment — croient à leur authenticité. C'est la découverte historique du siècle, une occasion inespérée de connaître les pensées et les sentiments personnels du dictateur criminel qui fut à l'origine de la guerre la plus meurtrière de l'Histoire.

LE SOUFFLÉ RETOMBE

En quelques jours à peine, la vérité éclate. Lors d'une conférence de presse donnée à Hambourg, le 25 avril, l'historien David Irving pose une question qui paraît élémentaire : l'encre des carnets a-t-elle fait l'objet de tests permettant de déterminer son ancienneté ? Les représentants du *Stern* doivent admettre que non.

Peu à peu, il apparaît que les carnets n'ont pour ainsi dire pas été soumis à de sérieuses vérifications historiques, qu'il s'agisse de l'analyse graphologique ou de la comparaison entre les faits relatés et la chronologie des événements historiques. Personne ne peut expliquer qu'aucun membre de l'entourage d'Hitler n'ait eu connaissance de l'existence des carnets, et nul ne peut confirmer le récit de Heidemann, à savoir que ceux-ci auraient été dénichés par un paysan dans les Alpes suisses après l'accident d'un avion dans lequel ils auraient été emportés à la hâte quand les Russes entraient dans Berlin… Heidemann tient tout cela de la bouche de Konrad Kujau, l'homme qui lui a vendu le journal intime. La seule chose certaine est que tous deux empochent près de 4 millions de dollars, versés par le *Stern*, et que celui-ci augmente son prix au numéro en prévision du *scoop* !

À l'analyse, il apparaît que les carnets sont des faux, et des faux mal faits… L'expert en graphologie interrogé par

Newsweek déclare que « non seulement ce sont des contrefaçons, mais de mauvaises contrefaçons ». Ces carnets comportent aussi des inexactitudes historiques. L'écriture y est uniforme durant les douze années couvertes ; or, à partir de 1943, Hitler souffrit d'une paralysie accompagnée de tremblements, et il devint incapable de maîtriser le mouvement de sa main. Plus significatif : des experts allemands montrent que toutes les pièces, des rubans rouges de la couverture jusqu'à la colle utilisée pour la reliure, datent d'une époque postérieure à la guerre.

CETTE COUVERTURE DU *STERN* CAUSA UN GRAND ÉMOI EN AVRIL 1983 ; IL S'AVÉRA VITE QU'IL S'AGISSAIT D'UNE SINISTRE SUPERCHERIE.

Ces révélations conduisent le rédacteur en chef du *Stern* à démissionner ; Kujau et Heidemann sont emprisonnés. Sous la pression, Kujau avoue avoir créé les carnets de toutes pièces. En fait, il a passé les dix années précédant sa transaction avec le *Stern* à vendre des faux attribués au IIIᵉ Reich, et le journal intime d'Hitler est son invention la plus malhonnête et la plus spectaculaire.

Le plus consternant n'est pas que Kujau ait commis de telles escroqueries, c'est plutôt la fascination perverse que les carnets ont exercée sur certains esprits…

Le bombardement du Japon a-t-il hâté la fin de la guerre ?

La décision du président Truman de lancer la bombe atomique sur Hiroshima est un des choix les plus controversés de l'Histoire.

Au matin du 6 août 1945, Hiroshima est une ville dynamique, la septième agglomération du Japon, avec une population de plus de 250 000 habitants. À la fin de la journée, c'est un champ de ruines. Ce matin-là, une forteresse volante B-29 du 509e bataillon de la 20e Air Force, baptisée *Enola Gay,* du nom de la mère du pilote, décolle du petit atoll de Tinian, dans l'océan Pacifique. Elle transporte la première bombe à uranium, surnommée Little Boy (Petit Garçon), qui pèse plus de 4 tonnes et mesure un peu plus de 3 m de long. Cette bombe met en œuvre le processus dit de fission, dans lequel le noyau atomique est bombardé par des neutrons et explose, déclenchant une réaction en chaîne qui libère d'énormes quantités d'énergie — l'équivalent d'à peu près 20 000 tonnes de TNT.

La cible de l'*Enola Gay* est le pont d'Aioi. Jusqu'à ce jour, la ville avait été largement épargnée par les nombreux raids aériens américains qui avaient en revanche dévasté le centre des villes de Tokyo et d'Osaka ; aussi les Japonais croyaient-ils que les Américains voulaient

L'ÉQUIPAGE DU B-29 *ENOLA GAY* POSE DEVANT L'APPAREIL QUI A LARGUÉ LA BOMBE SUR HIROSHIMA.
CI-DESSUS :
UNE MONTRE ARRÊTÉE À 8 H 16, AU MOMENT PRÉCIS OÙ LA BOMBE S'EST ABATTUE SUR LA VILLE, LA DÉTRUISANT PRESQUE ENTIÈREMENT ET FAISANT 140 000 MORTS.

EN HAUT : **CETTE PHOTOGRAPHIE D'UNE SCÈNE DE RUE À HIROSHIMA A ÉTÉ PRISE DEUX HEURES APRÈS L'EXPLOSION, À UN PEU PLUS DE 3 KM DU POINT D'IMPACT ; LE PHOTOGRAPHE EST MORT DE SES BLESSURES.**
CI-DESSUS, À GAUCHE : **LE CHAMPIGNON ATOMIQUE QUI SE FORMA LORS DE L'EXPLOSION DE LA BOMBE.**
CI-DESSUS, À DROITE : **SIGNATURE DE LA CAPITULATION JAPONAISE À BORD DU CROISEUR AMÉRICAIN *MISSOURI*, DANS LE PORT DE YOKOHAMA.**

menaces et définit ses objectifs de guerre, le président déclare : « S'ils n'acceptent pas maintenant nos conditions, ils doivent s'attendre à un déluge aérien destructeur comme on n'en a encore jamais vu sur terre. » Après la guerre, Truman sera sévèrement critiqué, mais il ne regrettera jamais sa décision.

À vrai dire, avant comme après le bombardement, l'ampleur et la nature des dévastations ont été largement sous-estimées. Les chefs militaires et les scientifiques, y compris ceux qui ont travaillé à la fabrication de la bombe, ne pensaient pas que celle-ci pouvait provoquer un tel désastre. Et, quand les Japonais ont communiqué le bilan des victimes des radiations, les Américains ont cru qu'ils mentaient.

Le bombardement était-il justifié d'un point de vue stratégique ? Aux yeux de certains spécialistes, la bombe atomique était nécessaire ; sans elle, l'Amérique aurait dû envahir le Japon, ce qui aurait provoqué plus d'un million de victimes américaines et dix fois plus chez les Japonais. À la lumière de ces projections atroces, les chiffres des victimes d'Hiroshima et de Nagasaki (respectivement 140 000 et 70 000, décédées en 1945, soit plus de 300 000 au total) paraissent, sinon justifiés, du moins compréhensibles.

Les partisans du bombardement soulignent aussi l'obstination implacable du Japon, confirmée par la découverte de documents secrets datés du 6 juin 1945 où le gouvernement se montre décidé à « poursuivre la guerre jusqu'au bout ». Le Japon avait aussi prévu de lâcher des milliers d'avions suicide et de mettre sur pied une milice de 30 millions de civils.

L'AVIS DE LA COMMISSION

En 1946, une commission gouvernementale américaine est chargée d'enquêter sur les effets des campagnes de bombardement dans l'Atlantique et dans le Pacifique. Elle mène à bien cette mission, mais elle va plus loin et juge par conjecture que le Japon s'apprêtait à capituler lorsque les bombes ont été jetées : « L'opinion des experts est que le Japon se serait rendu dans tous les cas avant le 31 décembre 1945, et même probablement avant le 1er novembre, même si les bombes atomiques n'avaient pas été employées. » On a su plus tard que, le 20 juin 1945, l'empereur Hirohito, après en avoir débattu avec son conseil de guerre, avait décidé de se rendre. Mais son pouvoir était certes limité…

préserver Hiroshima pour en faire une zone résidentielle en cas d'invasion réussie. Les habitants ne furent donc pas impressionnés par les flots de prospectus déversés sur la ville deux jours auparavant par les bombardiers et sur lesquels on pouvait lire : « Votre ville sera rasée, à moins que votre gouvernement ne capitule. »

À 8 h 16 exactement, l'avion largue la bombe, qui explose à 530 m au-dessus du sol et à seulement 275 m de son objectif. Un éclair de lumière aveuglant provoqué par une boule de feu de 55 m de diamètre, mille fois plus lumineuse que le Soleil, traverse l'espace. Les immeubles s'effondrent instantanément, le ciel devient jaune foncé, et un immense nuage en forme de champignon s'élève : au sol, les survivants errent tels des fantômes, en état de choc, à la recherche de points de repère et d'êtres chers. Trois jours plus tard, après une nouvelle attaque qui dévaste de la même façon Nagasaki, le Japon capitule.

UNE NÉCESSITÉ ?

Le lancement de la bombe est la décision d'un homme : le président américain Harry Truman. Après avoir pris connaissance d'un communiqué officiel dans lequel le Japon ignore les

L'attaque de Pearl Harbor

Le 7 décembre 1941, des avions japonais attaquent par surprise, sans déclaration de guerre, la base de Pearl Harbor, située à Honolulu, dans l'archipel d'Hawaii. Ils détruisent en partie la flotte américaine stationnée dans le Pacifique, provoquant ainsi l'entrée des États-Unis dans la Seconde Guerre mondiale.

Les pertes infligées aux forces américaines sont très importantes (2 403 soldats tués, 1 178 blessés), et l'armée japonaise prend, dans un premier temps, le contrôle du Pacifique.

Certains se demandent aujourd'hui si les États-Unis n'avaient pas feint d'ignorer les menaces de raid pour laisser faire les Japonais et susciter ainsi l'indignation face à l'agresseur.

L'enchaînement des événements fut le suivant. La tension entre les deux pays s'était accentuée à partir de

1931, lorsque le Japon avait envahi la Mandchourie. En 1937, les troupes japonaises occupaient toute la Chine du Nord. Le 24 juin 1941, elles envahirent l'Indochine française. En représailles, Roosevelt décréta l'embargo sur toutes les exportations vers le Japon, à l'exception du pétrole. L'amiral Isoroku Yamamoto, commandant de la flotte japonaise, prépara alors en secret une attaque destinée à neutraliser son nouvel ennemi « dès le premier jour ». L'ambassadeur américain au Japon, Joseph C. Grew, eut connaissance du projet et prévint Washington. Le secrétaire d'État à la Marine, Frank Knox, et le secrétaire à la Guerre, Henry Stimson, furent alertés, mais Roosevelt pensa qu'il était possible d'arriver à un accord. Le Japon campant sur ses positions, les États-Unis ajoutèrent le pétrole à

l'embargo, ce qui paralysa l'industrie du pays.

Les Américains, qui avaient déchiffré le code naval japonais (appelé « Purple ») savaient que le Japon suivait leur flotte à la trace dans le Pacifique. Le 25 novembre 1941, Stimson prévint Roosevelt qu'une agression japonaise est imminente. Le 6 décembre, les services

secrets américains interceptent un message en Purple indiquant que le Japon va déclarer la guerre le lendemain. Un avertissement est envoyé au commandant de la base de Pearl Harbor, le général Short, par télégraphe (les liaisons téléphoniques risquant d'être écoutées), mais le message arrive après le début de l'attaque…

EN HAUT : **LE 7 DÉCEMBRE 1941, LES JAPONAIS ATTAQUÈRENT PAR SURPRISE LA BASE AMÉRICAINE DE PEARL HARBOR.** CI-CONTRE : **L'EMPEREUR JAPONAIS HIROHITO (1901-1989) ÉTAIT AU POUVOIR DEPUIS 1926. EN 1945, LES ÉTATS-UNIS CHOISIRENT DE NE PAS LE RENVERSER ET IMPOSÈRENT AU JAPON UN RÉGIME PARLEMENTAIRE.**

LA SECONDE MOITIÉ DU XXᵉ SIÈCLE

LA VICTOIRE DES ALLIÉS SUR L'ALLEMAGNE ET LE JAPON, EN 1945, OUVRE une période de complots, d'espionnage et d'assassinats politiques dont la cause principale réside dans la guerre froide entre l'Occident et l'Union soviétique. Alors que Staline étend son joug à l'Europe centrale et orientale, les États-Unis et l'URSS, par services secrets interposés, se livrent un combat sans merci.

L'atmosphère de conspiration s'étend bien au-delà : les assassinats de Martin Luther King ou des frères Kennedy, les attentats perpétrés contre de Gaulle ou Jean-Paul II, la disparition de Jimmy Hoffa, la mort, même, de Marilyn Monroe ou de la princesse Diana ont été attribués par certains observateurs à des complots ourdis par les services secrets, par des fanatiques religieux ou politiques, ou par la Mafia.

Puis l'effrondement de l'empire soviétique marque la fin d'un demi-siècle de bipolarisation du monde.

Les **Rosenberg** étaient-ils coupables ?

Accusé d'avoir livré à l'URSS des secrets concernant la bombe atomique, le couple américain est exécuté en 1953. Mais n'a-t-il pas été injustement condamné ?

ETHEL ET JULIUS ROSENBERG, PHOTOGRAPHIÉS ICI APRÈS LEUR ARRESTATION. PLUSIEURS TENTATIVES ONT ÉTÉ FAITES POUR INCITER JULIUS À PLAIDER COUPABLE EN ÉCHANGE DE LA REMISE EN LIBERTÉ DE SA FEMME. MAIS ETHEL A TOUJOURS REFUSÉ.

DURANT L'ÉTÉ 1950, JULIUS ET ETHEL Rosenberg, tous deux communistes engagés, sont arrêtés pour avoir vendu à l'URSS des secrets nucléaires. Julius aurait fait de l'espionnage pour le compte des Soviétiques alors qu'il travaillait comme agent civil de l'US Signal Corps (service des transmissions) pendant la Seconde Guerre mondiale. Il fut accusé d'avoir persuadé son beau-frère David Greenglass, détaché au centre de recherche sur la bombe atomique de Los Alamos, au Nouveau-Mexique, de rassembler des informations sur celle-ci.

D'après l'accusation, le système était le suivant : dès que Greenglass recevait la moitié du couvercle d'un pot de confiture de la marque Jell-O, il devait transmettre les renseignements à un messager qui possédait l'autre moitié de ce couvercle. Ce messager, Harry Gold, rencontra Greenglass à Albuquerque en juin 1945, puis rapporta les informations à l'homme pour lequel il travaillait, Alexander Feklisov, un diplomate soviétique en poste à New York. Le couvercle coupé en deux sera utilisé comme pièce à conviction pour accuser les Rosenberg de ce que le directeur du FBI, J. Edgar Hoover, a appelé « le crime du siècle ».

À la fin des années 1940, le FBI apprend, en interceptant des messages soviétiques secrets, qu'un réseau d'espions opère aux États-Unis. Au printemps 1950, les enquêteurs du FBI arrêtent Harry Gold et David Greenglass. Dans sa déposition, Greenglass déclare avoir été recruté par les Rosenberg : Julius est arrêté le 17 juillet, et sa femme, Ethel, un mois plus tard. Au début de l'année suivante, un grand jury inculpe Gold, Greenglass, les Rosenberg et d'autres « conspirateurs ». Le procès des Rosenberg commence le 6 mars 1951. Le 29, le jury les déclare coupables. Le juge Irving R. Kaufman les condamne à la peine de mort le 5 avril. Greenglass, principal témoin à charge contre les Rosenberg, fait l'objet d'une peine de quinze ans de prison mais il n'en purgera que la moitié. Gold est condamné à trente ans.

VINGT-TROIS APPELS

Tout au long du procès, les Rosenberg clament leur innocence. Leur dossier passe vingt-trois fois en appel, dont sept devant la Cour suprême. Lors d'une audience spéciale, le 19 juin 1953, celle-ci refuse un sursis, et le jour même les Rosenberg sont exécutés à la prison de Sing Sing.

Hors des États-Unis, notamment en France, nombreux sont ceux qui protestent contre cette exécution. Jean-Paul Sartre, alors proche du parti communiste, parle de « lynchage légal ». Pour la gauche américaine, l'innocence des Rosenberg devient un cheval de bataille. Pour la droite, la culpabilité du couple est une certitude, qui confirme la gravité de la menace communiste.

À la fin des années 1990, aucun des deux camps n'a cependant trouvé de quoi étayer ses convictions dans les nouvelles pièces mises au

LES ROSENBERG FURENT ARRÊTÉS EN 1950, APRÈS QUE LES ANGLAIS EURENT APPRIS QUE LE PHYSICIEN ALLEMAND KLAUS FUCHS LIVRAIT DES SECRETS ATOMIQUES AUX SOVIÉTIQUES. CE CROQUIS DE FUCHS RELATIF À LA MISE AU POINT DE LA BOMBE ATOMIQUE DATE DE SON SÉJOUR À LOS ALAMOS, AU MILIEU DES ANNÉES 1940.

jour. Les documents Venona (renseignements soviétiques des années 1940) ont été interceptés par les Américains et révélés en 1995. Ils mentionnent les activités d'espionnage industriel de Julius mais laissent supposer que, concernant la bombe atomique, ses activités étaient mineures.

Lors d'un séjour aux États-Unis en 1997, un Feklisov vieillissant affirme que Julius Rosenberg a bien espionné pour le compte des Soviétiques. Il déclare qu'il a rencontré Julius plus de cinquante fois et que ce dernier lui a confié des secrets militaires américains dans le domaine électronique. Mais Feklisov soutient aussi qu'il n'a jamais rencontré Ethel et qu'elle n'a pas transmis de renseignements, même si elle était probablement au courant des activités de son mari.

Il semble que les secrets divulgués par Julius étaient secondaires et que les Soviétiques disposaient d'agents bien mieux renseignés, notamment Klaus Fuchs. De plus, fin 2001, cinquante ans après le procès, Greenglass a avoué avoir fait un faux témoignage contre sa sœur et être en partie responsable de la mort de celle-ci.

L'assassinat de Gandhi : acte d'un fanatique ou complot ?

Le héros de l'indépendance de l'Inde, apôtre de la non-violence, a-t-il été la victime d'un homme isolé ou s'était-il attiré l'hostilité de certaines communautés hindoues ?

MOHANDAS KARAMCHAND GANDHI, SURNOMMÉ LE MAHATMA, EST NÉ EN 1869. IL ÉTUDIE LE DROIT, RÉSIDE EN AFRIQUE DU SUD, AVANT DE REVENIR EN INDE, OÙ, DÈS 1919, IL DEVIENT LE CHAMPION DU NATIONALISME INDIEN CONTRE LA COLONISATION BRITANNIQUE.

À LA FIN DU MOIS DE JANVIER 1948, GANDHI séjourne à Delhi. Le Mahatma (« grande âme », titre donné en Inde à certains maîtres spirituels) a l'habitude de s'installer, lorsqu'il est dans cette ville, dans un quartier d'intouchables, caste de la population indienne victime d'exclusion et cantonnée à des activités jugées infamantes ; il descend cette fois à Birla House, chez le grand homme d'affaires indien G. D. Birla, qui est aussi son bailleur de fonds attitré. Le 30 janvier, en fin d'après-midi, Gandhi quitte Birla House pour se rendre, comme chaque jour, à la prière publique. Soutenu par ses deux petites-nièces (il a soixante-dix-neuf ans), il marche vite car il est en retard. La foule s'écarte pour le laisser passer. Au moment où il lève les mains pour répondre à la salutation traditionnelle, un homme se prosterne devant lui, sort un revolver et tire trois balles à bout portant. Le Mahatma est tué sur

le coup. L'assassin est immédiatement arrêté ; il ne résiste d'ailleurs pas à la police. Il s'agit de Nathuram Godse, un extrémiste hindou âgé de trente-huit ans.

L'Inde est sous le choc. La dépouille de Gandhi est placée sur le toit de Birla House, où une foule immense défile en pleurant. Le Mahatma est incinéré, dès le lendemain, selon le rite hindouiste. Des millions de personnes accompagnent le cortège qui se rend au bord des eaux sacrées de la Yamuna, où les cendres de l'apôtre de la non-violence sont immergées.

UN CHEF CONTESTÉ

Si le Mahatma entre alors, pour nous, dans la légende, l'Inde elle-même paraît pressée d'oublier ce meurtre et jusqu'à Gandhi lui-même, toujours étrangement absent de la mémoire collective indienne.

Il faut attendre la fin des années 1960 pour qu'une commission d'enquête soit constituée. De même, la publication de la longue déposition de l'assassin lors du procès est bloquée par le gouvernement jusque dans les années 1980. Pourquoi cet embarras ? Deux raisons peuvent l'expliquer. D'abord, l'assassinat de cet homme qui symbolisait le pacifisme était prévisible. Il a été rendu possible par le manque de vigilance des autorités, qui auraient pu renforcer la sécurité du Mahatma et déjouer le crime. Déjà, le 20 janvier 1948, une bombe avait explosé à Birla House sans blesser personne. Le complot avait échoué du seul fait de l'amateurisme des exécutants, et la police avait tardé à arrêter le poseur de bombe, un hindou du nom de Madanlal Pahwa.

D'autre part, l'assassinat de Gandhi révélait la profondeur des fêlures apparues au sein de la société indienne dès la proclamation, l'année précédente, de l'indépendance, après plus d'un siècle de colonisation britannique : c'est par un membre de sa propre communauté — un hindou — que Gandhi avait été tué. Le héros de l'indépendance indienne n'était-il donc pas respecté de tous ?

Gandhi est resté le chef à peu près incontesté des Indiens jusqu'à l'indépendance, signée en 1947. Mais celle-ci s'est accompagnée de violences liées à la partition du pays entre l'Union indienne, à majorité hindoue, et le Pakistan, à majorité musulmane. Dès 1946, les conflits entre hindous et musulmans s'étaient multipliés, semblant mettre en échec la politique de non-violence prônée par Gandhi. À plusieurs reprises, celui-ci avait dû user de son charisme pour mettre un terme aux émeutes qui déchiraient le pays. En 1946 et 1947, il n'a cessé de se déplacer dans les provinces de l'immense territoire. Pour convaincre les hindous, il n'a pas hésité à s'infliger des « jeûnes à mort ». Ainsi, en ce mois fatal de janvier 1948, engage-t-il une nouvelle fois une de ces actions spectaculaires. Il veut faire pression sur les deux communautés de la capitale et sur le gouvernement indien pour que celui-ci s'entende avec son nouveau voisin dans les négociations qui suivent la partition : l'Inde doit rétrocéder au Pakistan une part des avoirs de la Banque nationale, gelés par le nouveau gouvernement. C'est pour « protéger la vie, les biens et la religion des musulmans » que le Mahatma commence une grève de la faim, le 12 janvier 1948. Celle-ci est couronnée de succès, puisqu'il obtient des engagements écrits des deux communautés. Il rompt donc le jeûne le 18 janvier.

DES CONSPIRATEURS DÉTERMINÉS

Pour les plus extrémistes des nationalistes hindous, les dernières concessions de Gandhi constituent une trahison inacceptable. Certains n'hésitent pas à jurer sa perte. Parmi eux, un certain Nathuram Godse, un ancien tailleur, fils raté d'une famille de brahmanes (la caste la plus élevée de la société indienne) et militant de longue date d'organisations nationalistes. Lors de son procès, Godse tiendra un discours très cohérent : ne regrettant rien de son geste, il expliquera qu'il a d'abord été un adepte de Gandhi avant de tomber sous la coupe de Vir Savarkar, militant radical, partisan des méthodes violentes, théoricien xénophobe et nationaliste. Godse avait fait sa connaissance à la fin des années 1920. Devenu probablement son secrétaire particulier, il s'était engagé dans l'action politique à la fin des années 1930. En 1941, il rencontre Narayan

Apte, le cerveau du futur complot contre Gandhi, et fonde avec lui un quotidien, *Agrani*, dont Godse devient le rédacteur en chef. Après la partition, les deux hommes, entrés dans la clandestinité, font de l'assassinat de Gandhi leur but prioritaire. Une première tentative — manquée — a lieu le 20 janvier. Dix jours plus tard, en revanche, la cible est atteinte.

L'assassinat du Mahatma n'est donc pas le fait d'un fanatique isolé, mais l'œuvre d'un groupe de nationalistes hindous, héritiers d'une tradition politique agressive qui n'a jamais adhéré à la doctrine de la non-violence active de Gandhi. Au-delà de leurs responsabilités directes dans le crime, Godse et ses complices dévoilent un pan de l'histoire indienne encore mal connu : le malaise d'une frange de la société au lendemain de l'indépendance. Gandhi semblait en être conscient. « Je sais qu'aujourd'hui j'irrite tout le monde », écrivait-il peu avant sa mort.

Les Escamotages photographiques

**Suffit-il de truquer des photographies pour modifier l'Histoire ?
Les partis communistes, à l'époque de Staline, l'ont cru…**

CI-DESSUS : **L'UNE DES PLUS CÉLÈBRES MANIPULATIONS PHOTOGRAPHIQUES. APRÈS L'AVÈNEMENT DE STALINE, TROTSKI FUT EFFACÉ DE LA PHOTO DE LÉNINE HARANGUANT LA FOULE À SAINT-PÉTERSBOURG, EN 1919.**

UN PERSONNAGE ENLEVÉ OU AJOUTÉ SUR UNE photographie, un ciel retouché pour qu'il soit plus bleu, un détail modifié pour « faire plus vrai » Avec les nouvelles techniques informatiques, il est aujourd'hui très facile de manipuler les images. Mais la photographie traditionnelle, elle aussi, a souvent été trafiquée. Cet artifice remonte d'ailleurs à plus loin : on sait par exemple que le peintre David a donné du sacre de Napoléon une représentation en partie imaginaire, afin de satisfaire la propagande impériale. Le débat commence lorsqu'une image censée être le reflet exact de la réalité est modifiée dans le dessein de tromper le public…

LES PIONNIERS

Il existe deux sortes de photos truquées. Les scènes reconstituées après coup, pour « représenter » un événement auquel le photographe n'a pas assisté, sont un grand classique de la photo de propagande politique : l'exemple le plus ancien en est sans doute l'image de l'exécution de deux généraux de la Commune par les Versaillais, réalisée par Eugène Appert en 1871. Il s'agit en fait d'un habile montage : des figurants ont joué la scène sur les lieux précis du drame, et l'on a ensuite inséré les visages des deux victimes. Appert s'est fait le spécialiste de ce genre de manipulation, et ses photos se sont vendues à des milliers d'exemplaires, sous forme de cartes postales…

On peut citer également les images cinématographiques de la guerre des Boers projetées à New York par Thomas Edison en 1899 : tout indique qu'elles ont en fait été prises dans le New Jersey tout proche, et non en Afrique du Sud…

UNE SPÉCIALITÉ SOVIÉTIQUE

Faire disparaître des personnages devenus gênants et chercher à donner une image flatteuse des dirigeants sont des spécialités des régimes autoritaires. L'URSS, notamment, s'y est adonnée avec constance pendant une bonne partie du XXᵉ siècle… L'exemple le plus célèbre est la photo de Lénine s'adressant à la foule à Saint-Pétersbourg, en 1919. À côté de la tribune se trouve l'un des principaux acteurs de la révolution d'octobre 1917, Léon Trotski. Mais celui-ci, accusé de trahison et banni par Staline en 1929, ne peut plus apparaître aux côtés du fondateur de l'Union soviétique… Un truquage, éhonté mais habile, le remplace par une rangée de planches qui vient prolonger la tribune… D'autres personnages subissent le même sort, tels Zinoviev ou Radek, un proche de Trotski, qui est éliminé d'un cliché pris lors du deuxième congrès du Komintern.

RÉCRIRE L'HISTOIRE ?

L'historien Marc Ferro a rapporté l'explication que lui a donnée, dans les années 1960, un officiel soviétique sur cette pratique surprenante : « Fait-on figurer dans un dictionnaire des sciences des savants qui n'ont rien trouvé ? Non. Donc, dans un livre d'histoire, on élimine les politiques qui ont échoué. »

Faut-il s'étonner de la naïveté de ces dirigeants qui pensaient qu'en supprimant un personnage d'une photo ils le feraient tomber dans les

« poubelles de l'Histoire » ? Pas vraiment, si l'on se rappelle que, dans les pays communistes, particulièrement dans l'Union soviétique de l'époque stalinienne, l'édition et la presse étaient totalement contrôlées par l'État, tout comme les bibliothèques et les archives. Un ordre de Moscou suffisait (du moins le croyait-on) pour faire disparaître tous les exemplaires d'une publication ancienne, et donc toute trace d'un personnage devenu indésirable.

En Chine, les leaders communistes qui se sont opposés à Mao Zedong — notamment lors de la rupture avec l'Union soviétique — disparurent eux aussi des photos.

En France, le parti communiste a parfois usé de ce procédé. Ainsi, dans les éditions d'après-guerre de la biographie du dirigeant communiste Maurice Thorez, intitulée *Un fils du peuple*,

un personnage a été effacé d'une photographie montrant les dirigeants du Parti en visite à l'Exposition universelle de 1937 : il s'agit de Marcel Gitton, condamné et exécuté pour trahison pendant la guerre…

La presse communiste a aussi modifié des photographies pour renforcer leur impact : au début des années 1920 par exemple, en couverture du magazine *Regards*, une image d'un défilé sur la place Rouge est totalement recomposée pour mieux mettre en valeur les personnages de

Lénine et de Trotski. La scène est donc retravaillée, même si tous les éléments qui la composent proviennent d'un cliché « authentique ».

DES PORTRAITS RETOUCHÉS

Les portraits officiels des dirigeants de régimes autoritaires obéissent eux aussi à une logique de manipulation des images. Ni Staline, ni Mao, ni Saddam Husayn, ni le Coréen Kim Il-sung — entre autres — ne semblent jamais marqués par le temps qui passe. Pas de rides ni de calvitie… le chef est toujours présenté à son avantage. Un exemple plus frappant encore : la tache de vin sur le front de Mikhaïl Gorbatchev. D'abord estompée — voire presque totalement effacée — sur ses premiers portraits officiels en 1985, elle apparaît plus nettement lors de la mise en place de la *glasnost* (politique de transparence) et avec la désagrégation progressive du contrôle de l'État et du Parti sur la société soviétique.

Nous nous scandalisons de ces pratiques, mais le temps des photos truquées et retouchées appartient-il désormais au passé ? Sommes-nous certains que toutes les images que nous voyons aujourd'hui sont « honnêtes » ?

LÉNINE JOUANT AUX ÉCHECS AVEC BOGDANOV, CHEZ GORKI (LA MAIN SOUS LE MENTON), À CAPRI, EN 1908. ON IGNORE POURQUOI LA PHOTOGRAPHIE ORIGINALE (À GAUCHE) A ÉTÉ RETOUCHÉE PAR LES SOVIÉTIQUES POUR FAIRE DISPARAÎTRE L'HOMME DEBOUT À GAUCHE, DANS UN DEUXIÈME TEMPS, CELUI QUI EST SITUÉ À L'ARRIÈRE-PLAN SERA SUPPRIMÉ.

CI-CONTRE : LES MEMBRES DU BUREAU POLITIQUE DU PARTI COMMUNISTE FRANÇAIS VISITANT LE PALAIS DES ARTS MODERNES À L'EXPOSITION UNIVERSELLE DE 1937. APRÈS LA GUERRE, MARCEL GITTON (3e À PARTIR DE LA DROITE) SERA EFFACÉ DE CE CLICHÉ DANS LES PUBLICATIONS DU PCF.

Pourquoi voulait-on tuer de Gaulle?

Le premier président de la Vᵉ République a été la cible de divers attentats, tous manqués. Qui étaient les hommes décidés à abattre le Général?

DANS LA MÉMOIRE COLLECTIVE FRANÇAISE, LE général de Gaulle (1890-1970) demeure le chef de la France libre — celui qui, dès le 18 juin 1940, appelle les Français à poursuivre la guerre contre l'Allemagne nazie — et le fondateur des institutions de la Vᵉ République. On oublie parfois que les années qui ont suivi son retour au pouvoir, en 1958, après douze ans de « traversée du désert », ont été très tourmentées : de Gaulle s'était fait des ennemis décidés coûte que coûte à l'abattre. Pour comprendre la volonté farouche de ces adversaires, il faut revenir au contexte de crise dans lequel, en 1958, le Général a pu apparaître à certains comme un sauveur. La haine qu'ils lui voueront par la suite est à la mesure de l'espoir qu'ils avaient placé en lui, au début de la Vᵉ République. Le contexte, c'est celui de la guerre d'Algérie, qui commence en 1954.

L'ALGÉRIE À FEU ET À SANG

Le conflit entre la métropole et les mouvements indépendantistes algériens s'enlise rapidement : les Algériens sont fermement décidés à obtenir l'indépendance que les gouvernements français successifs leur refusent. La métropole mobilise des forces militaires de plus en plus importantes,

recourant même, à partir de 1955 et surtout de 1957, aux appelés du contingent. C'est cette guerre qui provoque, en 1958, la chute de la IVᵉ République et le retour de De Gaulle au pouvoir, massivement appuyé par les officiers envoyés en Algérie pour rétablir l'autorité française. Le Général n'a sans doute pas alors d'idée très précise sur la manière dont il va régler le problème algérien. Le 4 juin 1958, il se rend à Alger où, s'adressant à la foule des pieds-noirs, il s'écrie : « Je vous ai compris ! » Cette phrase est perçue par les Français d'Algérie comme un message de soutien sans ambiguïté à la cause de l'Algérie française.

Cependant, le malentendu ne tarde pas à apparaître. À partir de 1959, de Gaulle se rallie à l'idée de l'autodétermination. Une frange d'activistes — quelques Européens d'Algérie mais surtout des officiers — le considère alors comme un traître. Ils cherchent d'abord à renverser le Général et son régime, avec l'aide de l'armée. Après l'échec du putsch des généraux à Alger, en avril 1961, ces irréductibles fondent l'OAS (Organisation armée secrète), qui va multiplier les attentats terroristes en Algérie et en métropole. Tuer de Gaulle devient leur objectif numéro un, à partir de l'été 1961.

UN PROJET D'ATTENTAT PAR SEMAINE

Le 8 septembre, le Général décide de passer le week-end dans sa maison de Colombey-les-Deux-Églises. Lorsque la DS présidentielle arrive à Pont-sur-Seine, dans l'Aube, une violente explosion retentit, tandis que la route est barrée par un mur de flammes. Le chauffeur de la voiture, un gendarme d'un grand sang-froid, ne craint pas de traverser le feu à toute allure. La voiture n'a que quelques éraflures, et le convoi poursuit sa route. Ce premier attentat n'échoue qu'en raison de maladresses techniques dans la fabrication de la bombe. L'homme chargé de déclencher l'explosion, un certain Belvisi, est d'ailleurs arrêté peu après l'attentat, ainsi que la

plupart des membres du commando auquel il appartient. Ceux-ci affirmeront, lors de leur procès, avoir été manipulés par un agent du gouvernement. Cela étant, comme le confirmera plus tard le témoignage de Belvisi, le but était indéniablement de tuer de Gaulle.

Ce premier échec n'entame en rien la détermination de l'OAS. Les projets d'assassinat se succèdent à un rythme effréné après la signature des accords d'Évian (mars 1962), qui scellent l'indépendance de l'Algérie. Entre mars et septembre 1962, on compte plus d'une tentative par semaine. Le plus souvent, les complots sont éventés avant d'être mis à exécution, grâce à l'efficacité des services de police qui infiltrent des groupes terroristes. Il est probable que les conjurés ont bénéficié de complicités, parfois en haut lieu, notamment à l'Élysée. Des projets rocambolesques fleurissent : ainsi, en juin 1962, alors que de Gaulle est en voyage officiel dans l'est de la France, un attentat est projeté à Vesoul. Des chiens revêtus de fausses peaux garnies d'explosifs et guidés par des sifflets à ultrasons doivent gagner la tribune où de Gaulle va prononcer un discours. Là encore, la police arrête les conjurés quelques heures seulement avant qu'ils ne commettent leur forfait.

L'ATTENTAT DU PETIT-CLAMART

Le plus célèbre des attentats manqués a lieu le 22 août 1962. Ce jour-là, le Général est conduit vers l'aéroport de Villacoublay, où l'attend un avion pour Colombey. Lorsque le convoi arrive près du rond-point du Petit-Clamart, au sud de Paris, une salve de fusil-mitrailleur est tirée depuis une estafette garée sur le parcours. Le chauffeur de la DS présidentielle fonce, malgré trois pneus crevés, tandis qu'une voiture débouchant d'une rue adjacente le prend en chasse. Finalement, la DS, qui a reçu près d'une centaine d'impacts de balles, arrive à bon port. Le Général et sa femme, qui en échappent, ont beaucoup de chance ! Quinze personnes sont arrêtées dans les jours qui suivent. L'attentat, prévu de longue date, avait déjà connu plusieurs tentatives manquées. Sa cheville ouvrière est Jean-Marie Bastien-Thiry, polytechnicien, ingénieur au service de l'armement et catholique intégriste. Le 4 mars 1963, la cour de justice militaire prononce 6 condamnations à mort, dont 3 par défaut, et 8 condamnations à des peines de prison. Seule la sentence de Bastien-Thiry est mise à exécution, de Gaulle ayant refusé d'user du droit de grâce dans son cas.

Profitant de l'immense émotion suscitée par cet attentat, de Gaulle va, à l'automne 1962, affermir son pouvoir : contre l'avis d'une grande majorité des députés, il fait approuver par référendum le principe de l'élection du président de la République au suffrage universel. Toutefois, après un bref répit, les derniers irréductibles ne désarment pas : en 1963 (École militaire) et 1964 (Mont-Faron), quelques complots sont déjoués à temps. Pendant ces années fondatrices, le général de Gaulle a été l'un des chefs d'État les plus menacés du monde.

La mort de Marilyn de Monroe

**La mort d'un des sex-symbols américains
est attribuée à un « probable suicide ».
Que s'est-il vraiment passé
en ce soir étouffant d'août 1962 ?**

LA BANALITÉ DE CETTE CHAMBRE OÙ S'ÉTEIGNIT LA PLUS CÉLÈBRE DES ACTRICES AMÉRICAINES NE REFLÈTE EN RIEN SA GLORIEUSE CARRIÈRE.

LE SOIR DU 4 AOÛT 1962, MARILYN MONROE téléphone à l'acteur anglais Peter Lawford, qui est aussi le mari de la sœur du président Kennedy, Pat. La voix de Marilyn est presque inaudible et la conversation se termine étrangement. « Adieu à Pat », dit Marilyn à Lawford d'une voix somnolente. « Adieu au président et adieu à toi, parce que tu es un type bien. » Quelques heures plus tard, l'actrice est retrouvée morte dans sa maison de Los Angeles.

Eunice Murray, la gouvernante de Marilyn, déclare qu'elle a aperçu de la lumière dans la chambre à coucher vers trois heures et demie du matin. Surprise, elle alerte le psychologue de Marilyn, Ralph Greenson, et son médecin personnel, Hyman Engelberg. Greenson arrive vers 3 h 40 et trouve le corps inanimé de l'actrice ; quelques minutes plus tard, Engelberg constate le décès. Le rapport du coroner attribue la cause de la mort à un « empoisonnement aigu dû à des barbituriques avalés en surdose » et conclut à un « probable suicide ».

Il ne fait pas de doute que Marilyn était dépressive. Elle a toujours dû se battre contre la tyrannie du star-system et suivait un traitement psychiatrique pour y faire face. Elle venait d'être écartée du tournage de son dernier film par la Fox, à cause de ses retards répétés sur le plateau. Ses nombreux mariages — du légendaire joueur de base-ball Joe Di Maggio à l'auteur dramatique Arthur Miller — s'étaient tous soldés par un divorce. Esseulée, perdue, sous pression, Marilyn sentait qu'elle ne maîtrisait plus son existence, et elle s'est suicidée. Telle est du moins la version officielle.

UNE « KENNEDY CONNECTION » ?

Mais cette version officielle de la mort de Marilyn néglige les indices qui accréditent l'hypothèse d'un meurtre. De nombreux témoins essentiels sont revenus sur leurs déclarations initiales. Certains insinuent qu'ils ont été contraints d'étouffer l'affaire et que ceux qu'il s'agissait d'épargner n'étaient autres que le président Kennedy et son frère, le ministre de la Justice Robert Kennedy. La rumeur d'une liaison entre Marilyn et John Kennedy circulait depuis le mois de mai 1962 : devant 20 000 personnes réunies au Madison Square Garden, elle avait chanté un très tendre « Joyeux Anniversaire » au président. On a appris depuis que Marilyn et John Kennedy faisaient partie, ce même soir, des invités de Bing Crosby dans sa maison de Palm Springs et qu'ils se sont rencontrés à de multiples reprises. On a dit aussi que Marilyn avait depuis longtemps une liaison avec Robert Kennedy et que celui-ci aurait tenté d'éloigner Marilyn d'une intimité potentiellement dangereuse avec le président.

Les hypothèses de conspiration relient souvent la mort de Marilyn à une « Kennedy *connection* ». L'a-t-on tuée pour l'empêcher de rendre publiques ses relations avec les deux chefs de la plus célèbre famille politique des États-Unis ? Robert essayait-il de mettre un terme à sa liaison avec Marilyn ? Quelques jours avant de mourir, elle aurait déclaré à l'écrivain Robert Slatzer que si « Bobby » continuait de la fuir, elle pourrait « convoquer une conférence de presse et tout leur dire ». Dans sa biographie de la star, Slatzer insinue que Robert Kennedy a bien rendu visite à Marilyn le jour de sa mort et a passé la nuit dans la maison de son beau-frère, Peter Lawford. Mais qui sait la vérité ? Seymour Hersh, en travaillant lui aussi à une biographie, a divulgué des documents selon lesquels Robert Kennedy avait établi un fonds en fidéicommis pour la mère de Marilyn, afin d'acheter le silence de la star, mais une enquête ultérieure a révélé que ces documents étaient des faux.

ELLE REPOSE EN PAIX POUR L'ÉTERNITÉ

La mort de Marilyn a été imputée aussi à la Mafia américaine, dont les relations avec les Kennedy étaient depuis longtemps houleuses ; les mafieux auraient pu s'en prendre à elle pour nuire à John et à Robert. Il est sûr que pendant les mois qui précédèrent la mort de Marilyn, sa ligne téléphonique a été surveillée à la fois par le ministère de la Justice et par les hommes de Jimmy Hoffa.

Marilyn Monroe était-elle un pion que se disputaient les criminels et les hommes politiques les plus puissants du pays ? Personne n'en sait rien, mais il est certain que l'explication médicale de sa mort présente de sérieuses lacunes. Selon les rapports de police, les tubes vides trouvés dans la chambre indiqueraient que Marilyn aurait absorbé une cinquantaine de comprimés de Nembutal ; or la prescription délivrée par le docteur Engelberg n'en comptait que 25.

Si Marilyn s'était vraiment suicidée en avalant des comprimés, l'autopsie aurait dû en révéler des traces dans son estomac ; or rien n'a été détecté. On a alors avancé l'hypothèse d'une overdose par injection, mais elle n'avait pas accès à ce type de drogues. De plus, le rapport du coroner (officier de police judiciaire) précise qu'il n'existait aucune trace de piqûre sur le corps de Marilyn. Toutefois, une note du docteur Engelberg mentionne qu'il lui a administré une injection la veille de sa mort ; la marque aurait dû être visible.

Marilyn Monroe a-t-elle été victime d'une injection mortelle que le rapport du coroner a dissimulée ? La réponse ne sera peut-être jamais connue. Compte tenu des relations complexes que Marilyn avait nouées avec des hommes très influents, une ombre continuera de planer sur les événements de cette chaude nuit d'août.

CI-DESSUS :
LE *HAPPY BIRTHDAY* QU'OFFRE MARILYN AU PRÉSIDENT LORS D'UNE RÉCEPTION AU MADISON SQUARE GARDEN DE NEW YORK NE PASSE PAS INAPERÇU.
À GAUCHE :
UN EMPLOYÉ DE LA MORGUE EMPORTE LE CORPS DE L'ACTRICE HORS DE SA MAISON DE LOS ANGELES.

L'enlèvement de
Mehdi Ben Barka

Après de nombreuses enquêtes à rebonds, sait-on enfin toute la vérité au sujet de la disparition de l'opposant marocain ?

LE NOM DE L'HOMME POLITIQUE MAROCAIN Mehdi Ben Barka reste associé à l'une des affaires les plus mystérieuses de la France contemporaine. Rien ne prédisposait pourtant cet enseignant en mathématiques, devenu un des leaders du Maroc indépendant, à un destin si tragique. Né en 1920, l'ancien professeur d'Hasan II — roi du Maroc de 1961 à 1999 — entre vite, il est vrai, dans l'opposition au régime : dès 1959, il quitte l'Istiqlal, parti qui a joué le rôle principal dans la lutte pour l'indépendance, et fonde l'Union nationale des forces populaires. Ben Barka n'est pas seulement le chef de file de la gauche marocaine, il devient aussi une des figures de proue du mouvement tiers-mondiste

et acquiert ainsi une audience internationale.

En novembre 1962, les services secrets marocains tentent déjà de l'assassiner dans un « accident » de la circulation. Exilé en 1963, condamné à mort deux fois par contumace dans son pays natal, Ben Barka voyage dans de nombreuses capitales du tiers-monde et s'impose alors, selon l'historien Jean Lacouture, comme « un commis voyageur en révolution ». Sans doute est-ce cette dimension internationale qui décide Hasan II, en 1965 (année d'émeutes et de répression féroce au Maroc), à passer à l'action pour faire taire, d'une manière ou d'une autre, son opposant le plus irréductible.

Quel fut le scénario initial échafaudé par les services secrets marocains ? Le roi voulait-il seulement réduire au silence un rival trop talentueux et trop célèbre, ou était-il résolu à l'éliminer physiquement ? L'énigme reste entière. Ce qui est sûr, c'est que la détermination royale est inflexible, comme l'attestent les moyens impressionnants déployés pour suivre tous les déplacements de Ben Barka, écouter vingt-quatre heures sur vingt-quatre ses conversations téléphoniques, intercepter son courrier : des dizaines d'agents de renseignement sont mobilisés pour accompagner les moindres allées et venues de l'opposant. Au mois de mars 1965, Hasan II donne l'ordre aux chefs de la sécurité du royaume d'arrêter Ben Barka, où qu'il soit. Les principaux maîtres d'œuvre de l'opération Bouya Bachir, dont le roi n'a probablement esquissé que les grandes lignes, sont le général Oufkir, alors ministre de l'Intérieur, et son adjoint, le commandant Dlimi. Mais ce qui n'était au départ qu'un simple enlèvement va rapidement devenir une affaire d'État.

CHRONIQUE D'UNE MORT IMPRÉVUE

Le vendredi 29 octobre 1965, vers 12h30, devant la brasserie Lipp, boulevard Saint-Germain, à Paris, Ben Barka est interpellé par deux policiers français — en fait, deux ripoux de la brigade mondaine employés par les services secrets marocains. Sans protester, il monte dans une 403 de la préfecture de police. À l'arrière l'attendent deux truands français embauchés pour l'occasion. La disparition de l'opposant marocain est annoncée par la presse dès le lendemain, mais la mission initiale — ramener Ben Barka au Maroc dans les plus brefs délais, vif plutôt que mort — va prendre un tour imprévu.

On sait, depuis quelques années, que la 403 s'est dirigée vers la banlieue sud de Paris, à Fontenay-le-Vicomte, jusqu'à la maison d'un truand devenu agent des services secrets français, un certain Georges Boucheseiche, surnommé Bonnebouche. C'est là que Ben Barka est attendu par quatre hommes du cabinet 1, ou « cab 1 », du nom de l'une des cellules des services spéciaux marocains. Toutefois, c'est grâce aux révélations récentes d'un ancien agent secret marocain, Ahmed Boukhari, que l'on peut mieux reconstituer ce qui s'est passé dans le salon de Bonnebouche.

Pendant la nuit, le ton monte. Arrivé dans la soirée, le commandant Dlimi s'en prend violemment à l'opposant marocain, qu'il insulte et fait ligoter. On fait une injection à Ben Barka, pour le « calmer », mais la dose administrée, trop forte, lui fait perdre conscience pendant trois bonnes heures. Vers minuit, Oufkir arrive à son tour à Fontenay. Loin de ramener Dlimi à la raison, il s'acharne sur l'opposant, à qui une seconde injection est administrée. Celle-ci sera fatale : Ben Barka, auquel Dlimi continue de poser des questions, respire difficilement. Oufkir lui donne alors des coups de canif dans le torse. Contrairement au scénario initialement prévu, c'est un cadavre que les hommes du « cab 1 » doivent rapatrier au Maroc.

QUI SAVAIT QUOI ?

Comment tous ces hommes, Marocains ou Français, impliqués dans l'enlèvement de Ben Barka ont-ils pu quitter le territoire français sans éveiller les soupçons ? Dlimi et Oufkir repartent incognito de France, comme ils y sont arrivés. Ce sera pour mieux y revenir, officiellement cette fois et dès le samedi, afin de brouiller les pistes. On peut penser que ce ballet aérien n'a

été possible que grâce à des complicités de toute sorte, et jusqu'en haut lieu. Peut-être ne seront-elles jamais totalement mises au jour : la CIA refuse depuis 1976 de rendre publiques ses 3 000 fiches sur le sujet. L'affaire Ben Barka empoisonne la vie politique française plus d'un an. L'enquête officielle conclut à la responsabilité du seul général Oufkir. Quant au gouvernement marocain, il n'a cessé de faire de l'enlèvement de l'opposant une affaire franco-française…

Reste que le corps de Ben Barka n'a jamais été retrouvé. Selon les récentes révélations d'Ahmed Boukhari, le cadavre aurait transité par Ormoy, dans la villa d'un des truands impliqués dans l'affaire, avant d'être acheminé à Orly grâce à des complicités françaises. Une fois parvenu sur le sol marocain, le 31 octobre, il aurait été transféré vers un centre de torture, à Rabat. Là, enveloppé dans un sac en plastique, il aurait été plongé dans une cuve scellée dans le sol et remplie d'un acide d'une telle puissance qu'il serait parvenu à dissoudre tous les os en deux jours à peine. Ce dernier point reste cependant contesté par d'autres témoins, qui affirment que le corps a été inhumé dans un terrain dépendant du centre de détention.

Le crime était presque parfait. Mais, depuis la mort d'Hasan II, en 1999, les langues commencent à se délier. Le mystère Ben Barka se dissipe et laisse apparaître un crime perpétré au nom de la raison d'État.

L'assassinat de John Fitzgerald Kennedy

L'assassin de JFK a été abattu devant les caméras de télévision deux jours après son arrestation. Quarante ans plus tard, la thèse du complot a toujours cours.

LORSQUE SES BIOGRAPHES PETER COLLIER ET David Horowitz lui demandèrent, dans une interview, comment il aimerait mourir s'il avait le luxe de pouvoir choisir, le président John F. Kennedy répondit : « Un coup de revolver serait l'idéal. Vous ne saurez jamais ce qui vous a frappé. » Or c'est ainsi que les choses se sont passées, dans des circonstances qui restent encore gravées dans tous les esprits. En ce 22 novembre 1963, le jeune président est mortellement atteint par plusieurs coups de feu à Dallas, au Texas, alors qu'il traverse la ville au sein d'un cortège de voitures officielles. À ses côtés : sa femme Jacqueline et le gouverneur du Texas.

Près d'une heure et demie après l'assassinat, la police arrête, dans un cinéma de Dallas, un jeune homme nerveux de vingt-quatre ans,

LA COMMISSION WARREN, FORMÉE EN 1964, DÉBOUCHE SUR UN RAPPORT EN 26 VOLUMES SUR L'ASSASSINAT DE JFK. À GAUCHE : UN ÉCHANTILLON DES PIÈCES À CONVICTION.

LE CORTÈGE OFFICIEL
ARRIVE
À FORT WORTH,
PRÈS DE DALLAS,
EN CE JOUR
FATIDIQUE
DU 22 NOVEMBRE.

Lee Harvey Oswald, ancien marine et activiste pro-cubain. Deux jours plus tard, les faits prennent une tournure plus étrange que dans une fiction : le propriétaire d'une boîte de nuit de Dallas, Jack Ruby, tue Oswald d'une balle en pleine tête, devant les millions de téléspectateurs qui assistaient en direct au transfert du suspect numéro un vers la prison du comté.

Le meurtre d'Oswald par Jack Ruby scelle à jamais les lèvres du suspect, sans que celui-ci ait avoué quoi que ce soit. Dès lors, aucune procédure criminelle ne pouvant être engagée, le nouveau président, Lyndon B. Johnson, décide de nommer une commission d'enquête pour déterminer si un complot est à l'origine de l'affaire.

LA « BALLE MAGIQUE »

La commission, dirigée par le président de la Cour suprême Earl Warren, entend les dépositions de 552 témoins et passe au peigne fin des milliers de pages de témoignages. Son rapport, en 26 volumes, publié en 1964, parvient à la

LE PRÉSIDENT
JOHN F. KENNEDY
S'EFFONDRE DANS LES
BRAS DE SA FEMME
JACKIE, AUSSITÔT
APRÈS AVOIR ÉTÉ
TOUCHÉ PAR LA BALLE
D'UN TIREUR
EMBUSQUÉ, ALORS
QUE LA VOITURE

OFFICIELLE VIENT DE
DÉPASSER DEALEY
PLAZA.
PHOTOS DU BAS :
UN AGENT
DES SERVICES DE
SÉCURITÉ MONTE SUR
LE PARE-CHOCS POUR
PORTER SECOURS
AU PRÉSIDENT.

conclusion que Lee Harvey Oswald est le seul responsable du crime. Au fil des années, cependant, des centaines de livres et des milliers d'articles contesteront les conclusions de la commission Warren. Quarante ans plus tard, il est encore légitime de poser la question : qui a tué JFK ?

Pour plusieurs auteurs partageant la thèse d'une conspiration, le point faible des conclusions du rapport Warren réside dans l'affirmation selon laquelle Oswald n'aurait tiré que trois coups de feu, dont l'un, le premier, aurait complètement manqué la voiture officielle. La deuxième balle aurait touché le président à la nuque avant d'atteindre l'épaule du gouverneur du Texas, John Connally, le blessant finalement au poignet — ce coup de feu a souvent été appelé, ironiquement, la « balle magique ». Enfin, le troisième et dernier tir aurait provoqué la mort de Kennedy. Mais, le deuxième coup de feu ne pouvant pas avoir causé tous les ravages que lui prête la Commission Warren, on suppose qu'une quatrième balle au moins a dû être tirée, ce qui implique la présence d'un second tireur…

HYPOTHÈSE SUR HYPOTHÈSE
Certains livres, comme *Haute Trahison* de Robert J. Gordon et Harrison Edward Livingstone, ont montré, schémas à l'appui, que la « balle magique », après avoir touché le président, aurait dû suivre, pour pouvoir atteindre ensuite le gouverneur Connally, une trajectoire défiant les lois de la physique la plus élémentaire. Les hypothèses qui suggèrent la présence d'un second tireur sont également confortées par des témoins ayant affirmé à la Commission Warren avoir vu de la fumée sortir de derrière la clôture du tertre herbeux de Dealey Plaza, une pente qui mène vers les voies ferrées. (De nombreux témoins disent toutefois que cela ressemblait à des gaz d'échappement.) Julia Ann Mercer, l'un des témoins, a même déclaré qu'elle avait vu Jack Ruby derrière une camionnette quelques heures avant l'assassinat, puis un autre homme prendre l'étui d'une arme dans le véhicule et gravir le tertre.

Si Oswald n'a pas agi seul, s'il a été manipulé, s'il n'était que la partie visible d'une vaste machination, qui d'autre était impliqué ? On pourrait remplir une vaste bibliothèque avec tous les ouvrages qui ont essayé de répondre à cette question…

CI-DESSUS :
**JACK RUBY, DE DOS,
EST SURPRIS PAR
UNE CAMÉRA
AU MOMENT OÙ
IL TIRE SUR
LEE HARVEY OSWALD,
ESCORTÉ PAR DES
GARDES, LORS
D'UNE CONFÉRENCE
DE PRESSE AU
QUARTIER GÉNÉRAL
DE LA POLICE DE
DALLAS.**
À DROITE : **CLAY SHAW
SE RENDANT À SON
PROCÈS. IL EST
ACCUSÉ D'AVOIR
PRIS PART À UN
COMPLOT CONTRE
KENNEDY, MAIS
LES SOUPÇONS QUI
PÈSENT SUR LUI
SONT DÉNUÉS
DE FONDEMENT.**

En 1991, un livre intitulé *The Texas Connection*, écrit par Craig I. Zirbel, a laissé entendre que Lyndon Johnson, dépité par son échec aux primaires du parti démocrate face à Kennedy, en 1960, et craignant d'être évincé du « ticket » présidentiel lors de l'échéance de 1964, aurait commandité l'assassinat. Le livre insinue aussi qu'un examen minutieux des clichés de l'attentat montre Johnson se baissant brusquement avant la première détonation. D'autres hypothèses insistent sur l'étrange comportement d'un homme pris en photo sur Dealey Plaza le jour du crime : il portait un parapluie par une splendide journée ensoleillée.

UN PROCÈS À LA NOUVELLE-ORLÉANS
Une autre théorie, soutenue par le réalisateur Oliver Stone dans son film *JFK*, sorti en 1991, veut qu'un homme d'affaires de La Nouvelle-Orléans, Clay Shaw, ait été impliqué dans un complot visant à tuer Kennedy. Des témoins disent avoir vu Shaw avec Oswald et un autre comploteur présumé, David Ferrie, à Clinton, en Louisiane. Un des témoins affirme avoir entendu les trois hommes élaborer des plans pour tuer Kennedy. En mars 1967, le très controversé procureur de La Nouvelle-Orléans, Jim Garrison, arrête Shaw ; celui-ci est même jugé en 1969.

Mais les charges retenues contre lui sont tellement minces qu'il est acquitté par le jury après 54 minutes de délibération. Dans un livre paru en 1999, *Faux Témoin*, Patricia Lambert étudie les charges qui pèsent contre Shaw : elle établit qu'un témoin capital a fait ses déclarations sous hypnose et que Garrison a essayé de soutirer un faux témoignage à une autre personne.

Malgré toutes les rumeurs de complot, il demeure plausible qu'Oswald ait pu agir seul (ce que Marina, la femme d'Oswald, a d'ailleurs toujours pensé). Un des arguments les plus convaincants avancés par ceux qui retiennent

l'hypothèse de tireurs d'élite dissimulés sur le tertre est suggéré par le mouvement de la tête du président. Les images du célèbre reportage d'Abraham Zapruder montrent la tête de Kennedy se renversant en arrière, puis vers la gauche, mouvement apparemment incompréhensible si la balle venait de derrière. Cependant, des tests effectués sur des melons par des experts en balistique ont montré que, très souvent, une balle peut faire basculer le melon en direction du tireur. Les experts ajoutent que le même phénomène pourrait s'appliquer au crâne humain. Un dernier examen des positions respectives de Kennedy et du gouverneur Connally révèle que le trajet de la « balle magique » n'était pas nécessairement aussi compliqué que les partisans du complot le prétendent.

Pourquoi alors tant de personnes s'acharnent-elles encore aujourd'hui à chercher une origine cachée à ce meurtre, plutôt que de se résigner à en faire le geste d'un déséquilibré ? C'est que trop de zones d'ombre subsistent et qu'aucune des hypothèses mettant en cause la Mafia, la CIA et la police fédérale des États-Unis ne peut, à l'heure actuelle, être écartée.

CI-DESSUS :
DES MEMBRES DE LA COMMISSION WARREN SE RENDENT SUR LE LIEU DU CRIME.
CI-DESSOUS :
À LA NOUVELLE-ORLÉANS, EN 1968, LE PROCUREUR JIM GARRISON ANNONCE LE PROCHAIN JUGEMENT DE CLAY SHAW POUR PARTICIPATION AU COMPLOT CONTRE JFK.

L'assassinat de Robert Kennedy

L'instruction contre le meurtrier présumé semblait close, mais…

ROBERT KENNEDY S'EXPRIME DEVANT SES SUPPORTERS À L'AMBASSADOR HOTEL DE LOS ANGELES, LE 5 JUIN 1968. QUELQUES MINUTES APRÈS, IL SERA MORTELLEMENT TOUCHÉ.
PAGE DE DROITE : LE CANDIDAT DÉMOCRATE, AGONISANT, EST SOUTENU PAR UN GARÇON DE SALLE.

LE 18 MAI 1968, DIX-HUIT JOURS AVANT QUE LE candidat démocrate à l'élection présidentielle Robert F. Kennedy ne soit assassiné dans l'office de l'Ambassador Hotel, à Los Angeles, le jeune immigré palestinien Sirhan B. Sirhan écrit dans son journal intime : « Ma détermination à éliminer RFK devient de plus en plus une obsession inébranlable. » Sirhan, d'abord ardent supporter de Robert Kennedy, s'est senti trahi par les déclarations du candidat en faveur de la livraison d'avions militaires à Israël. Ce jour-là, toute la page du journal de Sirhan est une longue litanie de formules autour du même thème : « RFK doit mourir… RFK doit être tué. »

Lorsque Robert Kennedy est mortellement touché, le 5 juin — il vient de célébrer avec des supporters sa victoire aux primaires du Parti démocrate en Californie —, des témoins ont aperçu Sirhan près de lui, tirant un coup de feu. D'après les indices recueillis, l'affaire semble parfaitement simple, même à ceux qui ont eu des doutes sur l'hypothèse officielle d'un

tueur isolé dans l'assassinat de John Kennedy. En outre, lors de son procès, Sirhan avouera son crime — bien qu'il affirme aussi avoir bu ce soir-là et ne plus se souvenir de rien.

Plus de trente ans après, toutefois, plusieurs personnes ont émis des réserves sur le verdict. Dans ses dernières déclarations, en 1997, Sirhan a en effet clamé pour la première fois son innocence. De plus, des personnalités comme l'historiographe du président Kennedy, Arthur M. Schlesinger Jr, ou l'écrivain Norman Mailer ont signé une pétition demandant qu'un grand jury de Los Angeles révise le procès. Enfin, des témoins présents dans l'office de l'hôtel ce soir-là pensent avoir vu d'autres tireurs — la publication, en 1987, des conclusions du FBI et de la police de Los Angeles va dans le même sens.

Ces dépositions ont conduit plusieurs enquêteurs indépendants à réexaminer d'un peu plus près les événements. Il y a, par exemple, la question du nombre de balles tirées : le revolver de calibre 22 de Sirhan n'en contenait que huit ; or

certains enquêteurs soulignent que des photos prises sur le lieu du crime montrent que plus de huit balles ont été tirées; certaines se sont logées dans l'encadrement d'une porte ou dans le plafond. (Plusieurs pièces à conviction photographiques et l'encadrement de cette porte ont curieusement été détruits plus tard par la police de Los Angeles.) Ensuite, il a été établi par le rapport d'autopsie du coroner Thomas Noguchi que la balle qui a tué Robert Kennedy a été tirée à moins de 8 cm de sa nuque, alors que la plupart des témoins soutiennent que Sirhan se trouvait à une distance comprise entre 30 cm et 2 mètres…

SIRHAN SOUS HYPNOSE ?

Les sceptiques ne contestent pas que Sirhan ait tiré un coup de revolver ce soir-là, mais ils se demandent si c'est bien sa balle qui a tué Kennedy ou s'il y avait d'autres tireurs. Certains suggèrent même que le jeune homme a pu être attiré dans un piège — comme dans *le Candidat Mandchou*, un film de 1962 où un ancien prisonnier de guerre est hypnotisé et envoyé en

mission pour assassiner le président des États-Unis. La thèse selon laquelle Sirhan aurait pu être hypnotisé est pleinement accréditée par un documentaire radio intitulé *les Bandes magnétiques de l'affaire Robert Kennedy*, dont l'auteur est Bill Klaber. Dans son émission de 1993, celui-ci met au jour de légères contradictions dans l'instruction et insinue que la police de Los Angeles s'est montrée négligente en ne suivant pas d'autres pistes. Il révèle aussi les relations épisodiques du jeune homme avec le thérapeute californien William Joseph Bryan Jr, un spécialiste de l'hypnose qui aurait pu être en rapport avec la CIA. Après le meurtre de Kennedy, Bryan a en effet dit à des amis qu'il avait hypnotisé Sirhan dans son cabinet. Cette déclaration avait suscité un flot de spéculations. De fait, lors de son procès, l'assassin présumé avait déclaré sous serment que la dernière chose dont il se souvenait, c'était d'avoir été assis dans un bar près d'une femme séduisante qui lui parlait de café et de sucre, et d'avoir vu une cafetière brillante mais il ne se rappelait plus rien jusqu'au moment où les coups de feu avaient été tirés, ce qui confirmerait l'idée qu'il n'était alors pas dans son état normal.

LA THÈSE DE LA ROBE À POIS

Cette thèse, qui est celle du complot et qui fait intervenir plusieurs personnes autour d'un Sirhan sous hypnose, s'appuie sur le témoignage suivant. Un policier, arrivé sur les lieux après le crime, a déclaré qu'un couple lui avait dit avoir vu un homme et une femme vêtue d'une robe à pois sortir de l'hôtel en s'écriant : « Nous l'avons tué ! Nous l'avons tué ! » Un avis de recherche avait alors été lancé pour retrouver le couple, mais il avait été abandonné lorsque Sirhan avait été désigné comme suspect. Or, selon certains, la femme en robe à pois était celle qui avait parlé de café au jeune homme. Ce témoignage renforcerait donc la théorie d'un complot utilisant Sirhan sous hypnose.

Nombreux sont ceux qui ne veulent pas aller jusqu'à suggérer que Sirhan a été hypnotisé mais qui restent embarrassés par les conclusions de l'autopsie — qui montrent que la balle a été tirée de très près et par-derrière — et par le fait que plus de huit balles ont été retrouvées sur les lieux du crime. Mettre en cause certaines des personnes présentes dans l'office relève toutefois de la spéculation car les preuves manquent. Ainsi, l'écrivain Dan Moldea, d'abord favorable à la thèse selon laquelle Thane Cesar, le garde du corps, aurait été le deuxième tueur, a finalement changé d'avis après que celui-ci a été soumis au sérum de vérité. Moldea croit désormais que Sirhan a agi seul.

Si les faiblesses des autres pistes sont évidentes, la manière dont la police de Los Angeles a mené l'enquête n'en est pas moins critiquable à plusieurs égards : Jamie Scott Enyart, un photographe qui dit s'être trouvé dans l'office cette nuit-là et avoir pris un cliché de Kennedy en train de s'effondrer, a reçu une indemnisation de 450 600 dollars en 1996 parce que la police avait perdu les négatifs qu'elle lui avait confisqués. Il n'existe donc pas de photos connues prises au moment du tir, et la police de Los Angeles a reconnu en avoir détruit au motif qu'il s'agissait de « doubles ». Certains en ont déduit que des clichés décisifs avaient été éliminés pour verrouiller l'accusation contre Sirhan.

LA QUESTION DU MOBILE

À supposer qu'il y ait eu d'autres tireurs, quel pouvait être leur mobile ? Plusieurs historiens ont fait remarquer que Robert Kennedy, malgré son caractère chaleureux, son intelligence, sa préoccupation sincère à l'égard des victimes des injustices sociales, avait aussi de solides ennemis en raison de ses positions fermes contre le crime organisé. Il menait également campagne contre l'engagement des États-Unis dans la guerre du Viêt Nam : il ne s'était donc pas fait que des amis dans les milieux militaro-industriels et des services secrets.

Deux jours après la mort de Robert Kennedy, son corps a été acheminé par train de la cathédrale Saint-Patrick de New York vers le cimetière de Washington. Des Américains de toutes origines, alignés le long de la voie ferrée, pleuraient. Nixon remporta l'élection présidentielle de 1968, et l'engagement américain au Viêt Nam se poursuivit. Une certaine innocence, un certain idéalisme américain incarnés par RFK, un homme qui combattait les d'injustices de toute sorte, sont peut-être morts avec lui.

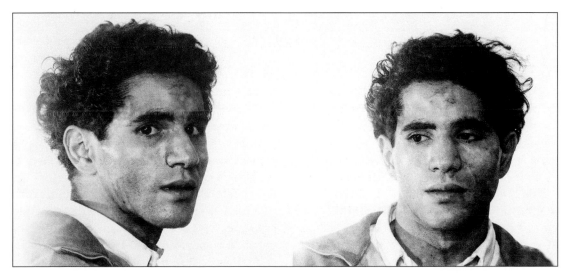

PHOTOGRAPHIES D'IDENTITÉ JUDICIAIRE DE SIRHAN B. SIRHAN, PUBLIÉES PAR LA POLICE DE LOS ANGELES.

Qui a assassiné
Martin Luther King?

AUX ÉTATS-UNIS, LES ANNÉES 1960 SONT marquées par une période de grande agitation politique et de violence raciale. L'activité politique du révérend Martin Luther King débute en 1955, avec le boycott des autobus d'Alabama dans lesquels on pratique la ségrégation raciale. Au début des années 1960, il organise d'immenses marches de la liberté pour exiger l'égalité des droits civiques entre Noirs et Blancs.

Or cet apôtre de la non-violence, prix Nobel de la paix en 1964, est abattu en 1968. Comme celui de John Kennedy, cet assassinat demeure

La vie du grand leader noir a été brisée, en 1968. On ignore encore dans quelles circonstances précises...

en grande partie inexpliqué. Dès les débuts de son incarcération, le meurtrier présumé du pasteur noir, un petit voyou nommé James Earl Ray, clame son innocence. Il mourra en prison en 1998, sans jamais avoir obtenu la révision de son procès. Pourtant, la question demeure : Ray était-il coupable ? Sinon, quelle est l'identité du véritable meurtrier ?

Martin Luther King est donc assassiné le 4 avril 1968, alors qu'il se trouve au balcon du motel Lorraine, à Memphis, dans le Tennessee, et qu'il se prépare pour une réunion publique.

Peu après le meurtre, Ray est arrêté et inculpé. La police prétend qu'il a agi seul, stipulant dans son rapport qu'il a pris une chambre dans une pension de famille en face du motel où résidait le pasteur, s'est installé dans la salle de bains avec un fusil et a attendu, pour tirer le coup fatal, que King sorte sur le balcon.

LE REVIREMENT DE RAY

Ray refuse d'abord de reconnaître sa culpabilité, mais son avocat parvient à le convaincre que plaider coupable est sa seule chance d'échapper à une condamnation à mort. Effectivement, au terme du procès, Ray est condamné à 99 ans de prison. Cependant, trois jours après le verdict, il se rétracte et demande un nouveau procès. Il ne l'obtiendra jamais, bien qu'il proclame jusqu'à son dernier jour qu'il n'est pas coupable de l'assassinat de Martin Luther King.

CI-DESSUS : **MARTIN LUTHER KING — ET D'AUTRES LEADERS NOIRS, DONT JESSE JACKSON — AU BALCON DU MOTEL** *LORRAINE*, LE 3 AVRIL 1968, LA VEILLE DE SON ASSASSINAT AU MÊME ENDROIT. EN HAUT : AVANT LA VISITE DU PASTEUR À MEMPHIS, DES MANIFESTANTS NOIRS SONT DESCENDUS EN NOMBRE DANS LA RUE. ICI, DES ÉBOUEURS.

Des zones d'ombre subsistent dans cette affaire. Il est indéniable que la confession de Ray, si elle n'a pas été obtenue par la force, a au moins été encouragée par la crainte d'une condamnation à mort. Il a d'ailleurs fallu à Ray huit mois de détention dans une cellule éclairée vingt-quatre heures sur vingt-quatre, pour qu'il accepte de plaider coupable.

Bien plus, on n'a jamais pu démontrer que la balle extraite du corps de Martin Luther King avait été tirée par le fusil de Ray, malgré une nouvelle expertise balistique en 1997. Comme pour l'assassinat de John Kennedy, l'angle de tir nécessitait une habileté que Ray ne possédait sans doute pas, car il avait peu d'expérience dans le maniement des armes.

DES LACUNES DANS LE DOSSIER

Aux questions liées à la personnalité de Ray s'ajoutent celles soulevées par l'examen des détails de l'enquête. Le principal témoin oculaire, Charles Stephens — un alcoolique qui se trouvait avec sa femme dans la pension de famille lorsque le coup a été tiré —, fournit d'abord un témoignage très imprécis qui ne permet pas de désigner Ray comme coupable. Il aurait vu un homme petit (Ray mesure près de 1 m 80)… et seulement de dos. Apprenant que l'on a effacé son « ardoise » de plusieurs milliers de dollars dans les bars qu'il fréquente, il retrouve soudain la mémoire et identifie formellement Ray (il reviendra par la suite sur cette déclaration devant les caméras de télévision). Son épouse conteste cette identification ; elle est bientôt mise sous sédatifs et placée dans un hôpital psychiatrique alors qu'elle n'a jusqu'alors jamais montré le moindre signe de désordre psychique…

Le fait que plusieurs témoins aient remarqué des mouvements dans le bosquet situé en face du balcon est tout aussi troublant. Un jeune reporter du *New York Times*, Earl Caldwell, qui demeurait au motel Lorraine, soutient avoir vu un filet de fumée s'échapper des buissons, ce qui correspond à l'angle de tir. Le lendemain, dans son article, Caldwell cite plusieurs témoignages qui mentionnent les arbustes. Dans la nuit, les arbustes seront arrachés. En outre, Caldwell, qui est certain d'avoir vu un autre tireur dans les buissons, ne sera jamais interrogé par les autorités qui mènent l'enquête.

D'autres faits portent à se demander si Ray a agi seul. La veille de l'attentat, un homme prétendant appartenir à l'équipe de sécurité du pasteur noir s'est présenté au motel *Lorraine*, demandant que l'on change Martin Luther King de chambre et qu'on le fasse passer du rez-de-chaussée au premier étage — avec balcon. Le lendemain, l'escorte policière du pasteur était réduite de 8 à 2 hommes…

En 1976, la Chambre des représentants du Congrès américain désigne une commission qui doit enquêter sur cette affaire. Elle entérine la culpabilité de Ray, mais conclut qu'il n'a en effet peut-être pas agi seul. Avant de clore le dossier, elle interdit l'accès aux archives du procès pendant cinquante ans, c'est-à-dire jusqu'en… 2029.

NOUVEAUX REBONDISSEMENTS

En 1995, soit trois ans avant la mort de Ray, son avocat, William Pepper, publie *Ordre de tuer : la vérité derrière le meurtre de Martin Luther King*, où il plaide en faveur de l'innocence de Ray et accuse le FBI d'avoir armé une équipe pour tirer sur le pasteur depuis le toit d'un immeuble voisin, peut-être avec l'aide d'autres hommes au sol. Peut-on croire ce qu'il avance ?

Certes, Pepper fonde ses accusations sur des entretiens avec des gens dont il ne donne pas les noms, mais il est vrai que la femme et les enfants de Martin Luther King ont toujours soutenu ses efforts pour innocenter Ray. À la surprise de nombreux observateurs, la famille King croit, tout comme Pepper, que c'est le gouvernement qui a fomenté l'assassinat du pasteur.

L'affaire a pris un tour encore plus conflictuel en décembre 1999. Lors d'un procès civil intenté par la famille King, un jury a conclu que le propriétaire du restaurant situé en face du motel *Lorraine*, Loyd Jowers, était partie prenante dans la conspiration. Jowers avait en effet raconté, lors d'une émission de télévision, en 1993, qu'il avait payé un officier de police de Memphis pour qu'il tue King en se postant dans les buissons situés derrière son

WANTED BY THE FBI

CIVIL RIGHTS – CONSPIRACY
INTERSTATE FLIGHT – ROBBERY
JAMES EARL RAY

FBI No. 405,942 G

Photographs taken 1960   Photograph taken 1968 (eyes drawn by artist)

Aliases: Eric Starvo Galt, W. C. Herron, Harvey Lowmyer, James McBride, James O'Conner, James

restaurant, et qu'il avait été lui-même payé pour cela par un épicier de Memphis qui était en relation avec la Mafia… Bien que les autorités n'aient jamais pris les allégations de Jowers au sérieux (celui-ci cherchait désespérément à obtenir un contrat avec un éditeur), le jury a conclu que, « comme d'autres, dont des agences gouvernementales », il avait pris part à la conspiration contre Martin Luther King. Le verdict a laissé la plupart des historiens plus que sceptiques. Pour d'autres, au contraire, il a permis de dissiper un peu de l'obscurité qui entoure cette affaire.

Dernier rebondissement : en juin 2000, on a appris qu'une nouvelle enquête gouvernementale n'avait pas permis d'établir la moindre preuve d'une quelconque conspiration, et que Ray avait agi seul. L'opinion reste divisée. Les circonstances de la mort du pasteur noir sont si confuses que la vérité nous échappera sans doute encore très longtemps…

EN AVRIL 1968, LE FBI PUBLIA CE TRACT APRÈS AVOIR MIS JAMES EARL RAY SUR SA « LISTE DES 10 HOMMES LES PLUS RECHERCHÉS DES ÉTATS-UNIS ». CAPTURÉ RAPIDEMENT, RAY FUT CONDAMNÉ À 99 ANS DE PRISON.

MARTIN LUTHER KING ET LE FBI

Le déplacement du pasteur noir à Memphis était sa dernière étape avant la « Marche des pauvres gens » qu'il devait organiser à Washington. Ce projet inquiétait vivement le FBI, qui craignait des émeutes. Son directeur, J. Edgar Hoover (ci-contre), se méfiait

PIÈCE DU PUZZLE ▼

de King, qu'il avait surnommé Zorro et qu'il considérait comme un communiste. Le FBI avait déjà fait plusieurs tentatives pour saboter son mouvement en ruinant sa vie privée. Il avait placé King sous surveillance constante et mis ses lignes téléphoniques sur écoute. Une lettre fut

même envoyée à King en 1964, peu avant son voyage en Suède, où il devait recevoir le prix Nobel de la paix. L'enveloppe contenait une bande audio destinée à faire croire que le pasteur

avait des relations sexuelles avec une autre femme que son épouse : s'il ne révélait pas sa liaison avant de partir pour la Suède, disait la lettre, la bande serait envoyée aux médias.

Qui a tué Jimmy Hoffa ?

Le dirigeant syndical américain a-t-il été assassiné par la Mafia, ou a-t-il lui-même organisé sa disparition ?

JIMMY HOFFA (CI-DESSUS) **FUT EMPRISONNÉ EN 1967, PUIS LIBÉRÉ EN 1971. DES TÉMOINS L'ONT VU S'ENGOUFFRER DANS UNE VOITURE, DEVANT LE RESTAURANT** *MACHUS RED FOX* (PAGE DE DROITE, EN HAUT), **VERS 14 H 45, LE 30 JUILLET 1975. CERTAINS L'ONT REVU UN PEU PLUS TARD DANS LA JOURNÉE, POUR LA DERNIÈRE FOIS.**

À MIDI ET DEMI, LE 30 JUILLET 1975, JIMMY Hoffa embrasse sa femme avant de grimper dans une limousine blindée qui l'attend devant sa maison, dans le Michigan. L'ancien président du syndicat des camionneurs — qui regroupe plus de 1 700 000 conducteurs et employés de grands magasins — se rend à un repas d'affaires dans la banlieue de Detroit.

Hoffa a dit à ses amis qu'il doit y rencontrer un chef de bande local, Anthony Giacalone, et Tony Provenzano, un représentant des camionneurs de Detroit connu pour entretenir des liens avec le crime organisé. Provenzano garde une rancune tenace contre Hoffa depuis qu'ils se sont connus en prison, à la fin des années 1960, mais il semble prêt à enterrer la hache de guerre.

Quelques heures plus tard, vers 14 h 30, un assistant reçoit un appel très irrité de Hoffa : « Où diable est donc Tony Giacalone ? crie

Hoffa. Je lève le camp ! » Plus tard, Giacalone prétendra avoir passé la journée dans une salle de gymnastique voisine, et Provenzano dira avoir joué aux cartes dans son local syndical, à Hoboken, dans le New Jersey, au moment où ils étaient supposés rencontrer Hoffa.

LE PATRON DES CAMIONNEURS

Dès son arrivée à la tête du syndicat des camionneurs, en 1957, Jimmy Hoffa adopte un comportement marqué par la corruption et la violence. Il est accusé d'avoir détourné à son profit près de 2 millions de dollars et d'employer des méthodes de truand pour rester au pouvoir. Il n'est donc pas étonnant qu'il soit devenu la cible du ministre de la Justice, Robert Kennedy, qui qualifie la direction du syndicat d'« association de malfaiteurs ». Hoffa est condamné pour corruption de jurés et détournement des

fonds de pension du syndicat. En 1967, il entre en prison en Pennsylvanie pour y purger une peine de treize ans. Mais, en 1968, le nouveau président, Richard Nixon, la réduit à quatre ans, à condition que Hoffa n'occupe plus aucune fonction syndicale avant 1980. Il faut dire que le syndicat avait financé généreusement la campagne présidentielle de Nixon…

Dès qu'il est libéré, en 1971, Hoffa lance une campagne pour être relevé de son interdiction, tout en manœuvrant contre son collègue Frank Fitzsimmons, qui l'a remplacé à la tête du syndicat en 1967. Il est risqué de s'attaquer à ce dernier, mais Hoffa sait qu'il peut compter sur la base : en 1974, un scrutin montre qu'il est encore soutenu par 83 % des adhérents.

DES FICHIERS SECRETS

Faut-il chercher des rivalités derrière la disparition de Hoffa ? Certains le pensent. D'autres croient que la Mafia l'a assassiné pour éviter qu'il ne révèle les liens entre le syndicat et le crime organisé. Il y a une troisième possibilité : se sentant menacé, Hoffa aurait lui-même organisé sa disparition.

En effet, la police ne découvre pas d'indices dans la voiture de Hoffa, localisée grâce à un appel anonyme. À l'intérieur, on ne trouve qu'une paire de gants blancs, pliés avec soin sur la banquette arrière. Durant les mois qui suivront, la police et de nombreux citoyens fouilleront les bois et les décharges à la recherche du cadavre, mais sans succès.

Vingt-deux ans plus tard, en 1997, on découvre un classeur plein de fichiers secrets du FBI au sous-sol d'un établissement de loisirs de Detroit. Les 1 500 pages de documents couvrent les cinq premiers mois de l'enquête relative à la disparition de l'ancien leader syndical. Les enquêteurs ont conduit des centaines d'interrogatoires, mettant indifféremment sur le gril responsables et simples adhérents du syndicat, petits délinquants et gros bonnets de la pègre, politiciens et hommes d'affaires, qui tous ont eu quelque chose à voir avec Hoffa.

OÙ EST ENTERRÉ JIMMY HOFFA ?

Si Jimmy Hoffa a été assassiné en 1975, qu'est-il advenu de son cadavre ? Selon l'une des théories de la police, il a été enfoui dans une station d'épuration appartenant à la pègre.

Mais une autre version, très populaire aux États-Unis, veut que Hoffa soit enterré dans un lieu public très fréquenté, le Giants Stadium (grand stade de football américain d'East Rutherford, dans le New Jersey), soit sous la zone ouest, soit en face de la section 107, ou sous les tribunes, ou encore… sous l'autoroute voisine. Ces rumeurs sont probablement nées des liens qu'entretenait Tony Provenzano avec le New Jersey, et du fait que le Giants Stadium était en construction au moment de la disparition de Jimmy Hoffa.

PIÈCE DU PUZZLE

L'enquête du FBI s'est concentrée sur un homme : Chuckie O'Brien, dont le père était un proche de Hoffa. Chuckie est comme un fils pour Hoffa, et il a même vécu un moment chez lui. Mais, en 1974, les relations entre les deux hommes se dégradent lorsque O'Brien demande à devenir président de la section locale de Detroit, une des positions les plus convoitées dans le syndicat. Hoffa refuse de le soutenir, et O'Brien passe dans le camp de Fitzsimmons.

LES PROTESTATIONS DU SUSPECT

O'Brien nie toute implication dans la disparition de Hoffa. Il proclame partout son affection pour le « vieil homme » et accepte même, en 1993, de passer au détecteur de mensonges au cours d'une émission de télévision.

Pour le FBI, l'affaire n'est pas close. Mais, le nombre des témoins diminuant avec le temps (Provenzano et Fitzsimmons sont morts dans les années 1980), le mystère a peu de chance de s'éclaircir dans les années à venir…

D'APRÈS LA POLICE, N'IMPORTE QUELLE DÉCHARGE DU NEW JERSEY POURRAIT ÊTRE LA DERNIÈRE DEMEURE DE JIMMY HOFFA. LE FBI A RETROUVÉ LA VOITURE QUE CONDUISAIT CHUCKIE O'BRIEN, LE JOUR DE LA DISPARITION DU SYNDICALISTE. ELLE CONTENAIT DES TRACES DE CHEVEUX, DE SANG ET DE PEAU DE HOFFA, ET LES CHIENS POLICIERS ONT DÉTECTÉ SON ODEUR SUR LA BANQUETTE ARRIÈRE.

Le scandale du Watergate

Un président a-t-il tous les droits, y compris celui de faire espionner ses adversaires ? Richard Nixon a appris la réponse à ses dépens…

À WASHINGTON, PEU APRÈS 1 H 30 DU MATIN, le 17 juin 1972, un gardien qui fait une ronde de routine dans l'immeuble nommé Watergate — un vaste complexe de bureaux et d'hôtels — découvre, dans une cage d'escalier, une porte dont la serrure est maintenue ouverte par du ruban adhésif. Il ne se doute pas qu'il vient de déclencher le plus grand scandale politique de l'histoire américaine… Il prévient la police ; cinq rôdeurs se trouvaient au siège du Comité national démocrate, qui a loué temporairement des locaux dans l'immeuble pour la campagne de son candidat à l'élection présidentielle de 1972, George McGovern.

Quelques mois plus tard, en novembre 1972, le républicain Richard Nixon remporte une très large victoire sur son rival démocrate. Mais le cambriolage du Watergate va vite dévoiler une partie d'une inextricable toile d'araignée où se combinent le sabotage politique et la corruption. L'obstination de deux jeunes reporters du *Washington Post*, Bob Woodward et Carl Bernstein, va mettre en lumière un écheveau de fourberie et de malhonnêteté… et aboutir à la démission du président Nixon, le 9 août 1974. Le scandale du Watergate, en révélant les comportements du pouvoir à Washington, ébranlera la confiance des Américains dans leur gouvernement et entraînera la mise en accusation de plus de trente collaborateurs de la Maison-Blanche. Cependant, certains éléments du dossier demeurent encore mystérieux aujourd'hui.

LES BASSES ŒUVRES DES PLOMBIERS

Bernstein et Woodward, avec l'aide d'un informateur secret appelé Deep Throat (Gorge profonde) et d'autres « complices » (dont un comptable et l'ancien trésorier du Comité pour la réélection du président), sont progressivement à même de faire figurer les noms de Donald Segretti, E. Howard Hunt, G. Gordon Liddy et de beaucoup d'autres dans un vaste réseau

L'IMMEUBLE DU WATERGATE (CI-DESSUS) EST LE SITE DU CAMBRIOLAGE QUI FIT TOMBER LE PRÉSIDENT DES ÉTATS-UNIS. CI-DESSOUS : ROBERT REDFORD INCARNE BOB WOODWARD DANS LE FILM *LES HOMMES DU PRÉSIDENT*. ICI, IL RENCONTRE GORGE PROFONDE DANS UN PARKING.

qui tente sans scrupule de faire trébucher tout opposant au gouvernement Nixon — souvent avec l'assentiment du président lui-même. Le terme Watergate devient alors un synonyme ironique pour désigner une multitude de délits.

Les deux reporters parviennent à faire le lien entre John Mitchell — ancien avocat de Nixon puis attorney général (c'est-à-dire ministre de la Justice) avant de diriger le Comité pour la réélection du président — et un coffre-fort où sont conservés les dons en liquide faits au candidat Nixon. Ils découvrent que Mitchell a autorisé l'emploi de 250 000 dollars pour financer le cambriolage du Watergate, et que E. Howard Hunt a organisé un groupe (surnommé par la presse « les plombiers de la Maison-Blanche ») chargé de fabriquer des lettres destinées à ruiner la réputation de certains candidats démocrates.

LES MYSTÈRES QUI DEMEURENT...

Deux grandes questions restent posées dans le scandale du Watergate. L'une sera sans doute résolue dans un avenir proche, la seconde demeurera peut-être une énigme pour toujours. Le premier mystère concerne l'identité de Gorge profonde, principale source d'information pour Bob Woodward durant toute son enquête. Surnommé ainsi par le rédacteur en chef du *Washington Post*, en référence à un film pornographique du moment, Gorge profonde occupait un poste important « dans un organisme du pouvoir exécutif et avait accès à des informations aussi bien au Comité pour la réélection du président qu'à la Maison-Blanche », comme l'écrit Woodward dans *les Hommes du Président*. « C'était un intarissable bavard, soucieux de dénoncer les rumeurs, qui en même temps le fascinaient [...]. Il pouvait aussi chahuter, boire trop, présumer de ses forces. Il n'était pas doué pour cacher ses sentiments. Tout cela n'était pas idéal pour un homme dans sa position. » Woodward accepta de ne jamais le citer, même comme source anonyme. Gorge profonde se contentait de confirmer les informations glanées ailleurs et de faire comprendre à Bernstein et à Woodward s'ils s'orientaient ou non dans la bonne direction.

Lorsque l'atmosphère autour du Watergate fut devenue plus lourde, Woodward convint d'un code avec son informateur : si celui-ci voyait un petit pot de fleurs avec un drapeau rouge sur le balcon de Woodward, ils devaient se retrouver, à deux heures du matin, dans un parking. S'il voulait rencontrer Woodward, il entourait d'un cercle le numéro de la page 20 du *New York Times* et dessinait des aiguilles indiquant l'heure du rendez-vous.

Les hypothèses sur l'identité de Gorge profonde vont d'un familier de la Maison-Blanche — Alexander Haig, Henry Kissinger… — à des membres de la CIA ou d'autres organismes officiels. Jusqu'à ce jour, seules quatre personnes connaissent son nom : Woodward, Bernstein, Ben Bradley (le rédacteur en chef du *Washington Post*) et, bien sûr, Gorge profonde lui-même.

LE BLANC DE DIX-HUIT MINUTES

Le second mystère du Watergate est l'étrange « blanc » de dix-huit minutes qui figure sur l'un des enregistrements effectués dans le bureau de Richard Nixon à la Maison-Blanche. Il a été découvert par le procureur Archibald Cox durant son enquête. En effet, toutes les conversations du président étaient enregistrées. Or un long bourdonnement sur deux tons rend opportunément inaudible une conversation concernant le scandale du Watergate entre Nixon et son chef de cabinet, H. R. Haldeman.

La secrétaire personnelle de Nixon, Rose Mary Woods, a admis qu'elle aurait pu causer une interruption de quatre ou cinq minutes en appuyant accidentellement sur un mauvais bouton lors d'un appel téléphonique, mais elle a soutenu ne pas avoir pu effacer une aussi longue partie de l'enregistrement. Alors qu'elle vérifiait les bandes, à Camp David, Nixon était entré brièvement dans la pièce et, sous prétexte d'en écouter quelques extraits, il avait manipulé à plusieurs reprises les boutons de défilement « avant » et « arrière ». On s'est donc demandé si le président n'avait pas créé lui-même ce blanc de dix-huit minutes.

Nixon était sans doute le seul à savoir si le bourdonnement qui couvrait la conversation était le fruit de sa propre volonté… Il a en tout cas emporté son secret avec lui, lorsqu'il est mort en 1994.

QUI ÉTAIT GORGE PROFONDE ?

Parmi les journalistes et observateurs qui se sont interrogés sur l'identité de Gorge profonde, beaucoup ont remarqué que l'enquête du *Washington Post* présentait d'étranges et nombreuses similitudes avec celle du FBI.

Une des hypothèses les plus crédibles vise L. Patrick Gray III, qui prit les rênes de ce service en 1972, après la mort de J. Edgar Hoover, et juste un mois avant que n'éclatât le scandale du Watergate. Gray, qui a beaucoup de points communs avec la description que fait Woodward du style de vie et du tempérament de Gorge profonde, pourrait être l'informateur. Lui aussi vivait à quatre blocs d'immeubles de Woodward ; il lui était donc facile de passer par là pour guetter le pot de fleurs. Woodward a dit qu'il dévoilerait l'identité de son informateur à l'approche de sa mort. Cela signifie que ce secret n'en sera plus un pour la prochaine génération !

CETTE AFFICHE ILLUSTRE LES DÉGÂTS CAUSÉS PAR L'AFFAIRE DU WATERGATE SUR DE NOMBREUSES CARRIÈRES EXCEPTÉ CELLE DE NIXON…

La CIA et le KGB

Les activités de ces deux agences de renseignements semblent parfois sorties tout droit d'un mauvais film d'espionnage...

LE SERVICE D'ESPIONNAGE ET DE contre-espionnage des États-Unis, la CIA (Central Intelligence Agency), est créé en 1947. Il prend la suite de l'Office des services stratégiques (OSS). En Russie, les tsars avaient recours à une police secrète pour s'assurer de la soumission de la population, et cette pratique est reprise par le gouvernement communiste. Le KGB (Komitet Gossoudarstvennoï Bezopasnosti, Comité de sécurité d'État), homologue de la CIA en URSS, est créé en 1954. Il sera dissous en 1991, lors de l'effondrement de l'Union soviétique, alors que la CIA est toujours en activité.

Le KGB cumule les fonctions du FBI (police fédérale, sécurité intérieure) et celles de la CIA (espionnage et contre-espionnage).

La comparaison a toutefois ses limites. Le système policier soviétique, très répressif, vise à étouffer les dissidences internes et contribue à diffuser les idées communistes en URSS comme à l'étranger. Les méthodes de la CIA pas plus que ses fondements idéologiques ne sont véritablement comparables avec ceux du KGB: celui-ci était l'un des instruments de la terreur d'État. Il reste que la guerre froide et la lutte des États-Unis contre le communisme ont entraîné des dérives qui ont pu, à certains moments, induire un parallèle entre les deux agences de renseignements.

DU NKVD AU KGB

La police secrète soviétique (la Tcheka) est fondée en décembre 1917, juste après la prise du pouvoir par les bolcheviques. Elle prendra plusieurs noms (dont celui de NKVD) avant de devenir le KGB, peu après la mort de Staline.

Le NKVD, créé en 1934, et qui joue un rôle essentiel dans les purges de 1936-1938, cumule des pouvoirs politiques et judiciaires; il peut ordonner la déportation dans les camps staliniens. Sous la férule de Iagoda, de Lejov, puis de Beria, il conduit les terribles purges au cours desquelles des milliers de citoyens sont emprisonnés, déportés ou exécutés sans procès. Il fait notamment assassiner le rival de Staline, Léon Trotski, dont le crâne est fracassé à coups de piolet à Mexico, en 1940.

Sa loyauté envers Staline permet à Beria de gravir rapidement les échelons de la bureaucratie soviétique. Il est l'un des principaux organisateurs du goulag (l'administration des camps) et il se rend célèbre pour le zèle qu'il met à persécuter les « ennemis de l'État » et à falsifier les documents. En 1946, il devient membre du Politburo (le principal organe de gouvernement de l'URSS); à la mort de Staline, en 1953, il occupe le poste de premier vice-Premier ministre, mais, à la fin de l'année, à son tour victime d'une purge, il est condamné pour haute trahison et exécuté.

Profitant de l'attrait qu'exerce l'idéologie communiste auprès de nombreux intellectuels occidentaux à l'époque, le NKVD puis le KGB recrutent dans la meilleure société, notamment en Angleterre. Ainsi, Donald MacLean et Guy Burgess, deux jeunes et brillants intellectuels sortis de la prestigieuse université de Cambridge, démasqués, s'enfuient à

UN SPÉCIALISTE DU RENSEIGNEMENT SORT DU CENTRE OPÉRATIONNEL, AU QUARTIER GÉNÉRAL DE LA CIA À LANGLEY (VIRGINIE). LA CIA EST LE PENDANT AMÉRICAIN DE L'EX- KGB SOVIÉTIQUE, DONT L'EMBLÈME ÉTAIT LE BOUCLIER ET L'ÉPÉE (CI-DESSUS).

Prague en 1951, avant de se rendre à Moscou, où ils sont rejoints par Kim Philby en 1963. En 1982, Geoffrey Arthur Prime est arrêté après treize ans d'espionnage pour le KGB, auquel il a fourni informations et codes secrets. Plus étonnant encore : le conservateur des collections d'œuvres d'art de la famille royale, Anthony Blunt, se révélera — après sa mort, survenue en 1983 — avoir été un espion soviétique !

LE KGB APRÈS BERIA

Après la mort de Beria, l'agence prend donc le nom de KGB. Elle continue de développer un très vaste réseau d'informateurs et d'agents, à l'intérieur comme à l'extérieur de l'URSS, et son influence à l'étranger atteint, dans les années 1960-1970, un niveau inégalé. Le KGB est alors la plus grande organisation au monde de services secrets et il finance la plupart des mouvements révolutionnaires. L'arrivée de

Gorbatchev au pouvoir, en 1985, change la donne. La politique de *perestroïka* (restructuration) et de *glasnost* (transparence) bat en brèche le pouvoir du KGB, qui est supprimé en 1991, peu avant la disparition de l'URSS.

LA CENTRAL INTELLIGENCE AGENCY

Selon la loi qui l'a créée, l'agence américaine a pour but de sauvegarder la paix et la tranquillité des États-Unis. Elle a ainsi été l'un des principaux acteurs de la guerre froide. Mais il faut rappeler qu'elle a souvent utilisé des moyens contestables. Même aux États-Unis, de nombreuses voix se sont élevées pour dénoncer sa collusion avec les intérêts industriels dans l'exploitation des ressources du tiers-monde.

En 1953, l'Agence fomente le renversement du gouvernement de Mossadegh, qui a nationalisé le pétrole iranien en 1951, et elle rétablit le pouvoir du chah. L'année suivante, elle suscite un coup d'État contre le président du Guatemala, qui vient d'annexer les immenses propriétés de la compagnie américaine United Fruit.

En 1961, la CIA arme des opposants au régime de Castro, qui tentent de débarquer dans la baie des Cochons. Le désastre qui s'ensuit contribue à décrédibiliser l'Agence auprès du gouvernement Kennedy, et c'est sans doute en partie pour redorer son blason qu'elle pousse le gouvernement à intervenir massivement au Viêt Nam. Sous la présidence d'Eisenhower, elle envoie des agents pour entraîner et armer les Sud-Vietnamiens contre les Nord-Vietnamiens communistes. La

présence américaine se renforce à partir de 1962, aboutissant à une intervention militaire de grande envergure.

UNE SÉRIE DE SCANDALES

En 1972, la CIA est impliquée dans le cambriolage de l'immeuble du Watergate, où se trouve le quartier général de la campagne démocrate pour l'élection présidentielle. Cette affaire mettra en lumière la corruption du gouvernement Nixon.

La CIA est également à l'origine de bombardements secrets au Cambodge. Elle a, de plus, reçu des fonds de l'entreprise de télécommunications ITT (plus d'un million de dollars) aux fins de renverser le président chilien Salvador Allende, accusé de vouloir nationaliser le téléphone. Elle a aussi testé le LSD sur des cobayes humains dans les années 1950, et on dit qu'elle aurait utilisé des armes biologiques contre Cuba au début des années 1970. En 1984 encore, on apprend qu'elle a délibérément exagéré l'estimation des dépenses militaires de l'Union soviétique depuis 1975. Enfin, en 1986, le scandale de l'Irangate révèle que le directeur de la CIA, William J. Casey, et d'autres membres de l'entourage direct du président Reagan ont participé à la vente d'armes à l'Iran, alors sous embargo, afin de financer les contre-révolutionnaires nicaraguayens, les *contras*.

Les dernières années sont encore émaillées de scandales. Celui de l'agent Aldrich Ames n'est pas le moindre. Plus récemment, à l'occasion des attentats du 11 septembre 2001 contre le World Trade Center, la CIA et le FBI ont été incriminés pour leurs insuffisances.

L'opération Mangouste

**FIDEL CASTRO
EN 1959.**

Parmi les actions secrètes que la CIA a menées, l'opération Mangouste remporte la palme de la bizarrerie… Déclenchée sous un gouvernement habité par la paranoïa de la guerre froide, elle a pour but de diffamer puis de renverser le régime de Castro à Cuba.

Fidel Castro arrive au pouvoir en 1959 et promet d'entreprendre des réformes modérées. Mais il nationalise le commerce et l'industrie, institue une réforme agraire massive et s'empare des propriétés agricoles des ressortissants américains. Le gouvernement des États-Unis en est profondément troublé. Animé par la rhétorique de la guerre froide et par l'idéologie ambiante, il considère la lutte contre l'expansion du communisme comme un devoir sacré. Or Cuba est le premier État communiste dans l'hémisphère occidental et l'on craint la contagion aux pays d'Amérique latine. En 1960, Castro signe un traité commercial avec l'URSS, confirmant la pire crainte des Américains : voir l'île devenir une tête de pont des Soviétiques. En janvier 1961, les États-Unis rompent tout lien diplomatique avec Cuba.

D'UN ÉCHEC À L'AUTRE

Cette même année, la CIA organise un débarquement d'opposants cubains à Castro dans la baie des Cochons. L'opération tourne à la déroute et ridiculise le gouvernement Kennedy, qui est désormais convaincu que l'action secrète sera plus efficace que l'invasion pour affaiblir le pouvoir de Fidel. L'opération Mangouste peut commencer. Elle est dirigée par le général de brigade Edward G. Lansdale, alors célèbre pour ses actions propagandistes menées aux Philippines. Croyant fermement dans les vertus de la guerre psychologique, il propose une tactique qui entraîne l'adhésion de la CIA, même s'il s'agit de choses aussi bizarres que de convaincre les Cubains que Castro est… l'Antéchrist !

Durant la crise de 1962 (l'URSS veut installer des missiles nucléaires à Cuba, ce qui manque de déclencher une troisième guerre mondiale), l'opération Mangouste est abandonnée. Mais la CIA poursuit ses plans de guerre psychologique. En 1963, le lieutenant-colonel James Patchell invente un rebelle anticastriste — appelé l'Ami combattant —, qu'il veut mobilisateur. L'idée est que, lorsque cet être imaginaire aura acquis une certaine réputation, les rebelles anticastristes se rallieront à sa cause et qu'au moment de la victoire l'un d'eux se fera passer pour l'Ami combattant. Il va de soi que ces élucubrations n'ont eu aucune efficacité !

La guerre psychologique anticastriste conçue par la CIA fut menée pour l'essentiel à la radio, mais les émissions ne parvinrent pas à soulever la population, soudée autour de Castro contre les États-Unis. Le caractère obscur des messages y est sans doute pour quelque chose. Ainsi, durant le débarquement de la baie des Cochons, Radio Free Cuba répétait sans cesse cet appel aux armes qui se voulait entraînant : « Le poisson se lèvera très bientôt. » Faut-il s'étonner du peu d'écho qu'il rencontra ?

**FIDEL CASTRO
ET NIKITA
KHROUCHTCHEV
EN 1960 : UNE
ALLIANCE QUI
INQUIÉTAIT LES
ÉTATS-UNIS.**

Qui a voulu assassiner Jean-Paul II ?

L'ouverture des archives des pays de l'Est a-t-elle permis de faire toute la lumière sur l'attentat contre le pape ?

QUELQUES SECONDES APRÈS LES COUPS DE FEU TIRÉS PAR ALI AGÇA, LE PAPE JEAN-PAUL II S'EFFONDRE DANS SA VOITURE, PLACE SAINT-PIERRE.

LE MERCREDI 13 MAI 1981, DANS L'APRÈS-MIDI, le pape Jean-Paul II circule en voiture découverte à travers la foule assemblée place Saint-Pierre, pour l'audience générale hebdomadaire. Tout à coup, à 17 h 17, il s'effondre, touché à deux reprises : la première balle l'a grièvement blessé au ventre après lui avoir brisé l'index, la seconde lui a simplement éraflé l'épaule. L'agresseur, un Turc nommé Ali Agça, est maîtrisé au moment où il va tirer une troisième fois.

Longtemps entre la vie et la mort, Jean-Paul II paraîtra ensuite tirer une ardeur pastorale renouvelée de l'attentat et surtout de son issue heureuse, qu'il attribue à l'intervention de la Vierge Marie.

UN PAPE QUI DÉRANGE

Qui pouvait avoir intérêt à tuer le pape ? Les regards se tournent très vite vers l'Est. Jean-Paul II, élu en 1978, est le premier pape polonais de l'Histoire. Lorsque cette élection intervient, le premier secrétaire du parti communiste de l'URSS, Leonid Brejnev, est un homme vieillissant (il mourra en 1982), le Parti et l'État sont désormais pratiquement sous le contrôle des services secrets — le célèbre KGB, dont le chef, Iouri Andropov, succédera à Brejnev. La domination de l'URSS sur ses pays satellites est contestée : l'armée soviétique doit pénétrer en Afghanistan ; en Pologne, un puissant mouvement de contestation se cristallise autour du syndicat libre Solidarité. Profondément catholique, ce pays trouve en Jean-Paul II (notamment après son premier voyage triomphal, en juin 1979) un encouragement à réclamer la liberté politique, intellectuelle et religieuse. Il en va de même, à des degrés divers, en Hongrie et en Tchécoslovaquie, pays à forte population catholique.

En quelques voyages pastoraux à travers le monde, le pape acquiert l'image d'un inlassable défenseur des droits de l'homme, ouvert au dialogue entre les religions, mais également intransigeant sur la doctrine. Il est donc de plus en plus gênant...

ALI AGÇA

Au moment de l'attentat, Mehmet Ali Agça n'a que vingt-trois ans. Né dans un bidonville, au fin fond de l'Anatolie, il entre dans la mouvance des Loups gris, milice nationaliste et islamiste, pour le compte de laquelle il assassine le directeur de la rédaction du quotidien de centre gauche *Milliyet*. Lors de la visite de Jean-Paul II à Istanbul, en novembre 1979, il rédige depuis sa prison une lettre de menace contre le chef de l'Église catholique, qualifié de « commandant masqué d'une nouvelle croisade ». Cette lettre sera reprise par toute la presse turque. Ali Agça s'évade et débarque à Rome le 10 mai 1981.

Aussitôt après l'attentat, Ali Agça est interrogé par la police italienne. Après avoir déclaré qu'il a agi de sa propre initiative, il reconnaît être à la solde du KGB et des services secrets bulgares. Puis, lors de son procès, il prétend avoir été mû par sa foi musulmane. Il est condamné à la prison à perpétuité en juillet 1981 — mais il sera gracié le 13 juin 2000 à la demande du pape.

LA THÈSE DU COMPLOT

Très vite, les enquêteurs et les journalistes sont convaincus qu'Ali Agça n'a pas pu agir seul. Le 25 novembre 1982, la police italienne arrête l'ancien représentant de la compagnie bulgare Balkan Air à Rome, Sergueï Antonov, qu'elle soupçonne d'être le correspondant d'Ali Agça en Italie. Tout donne à penser que les services secrets bulgares ont commandité l'attentat, sans doute sur ordre du KGB. À la demande des Bulgares, la police secrète est-allemande, la Stasi, tente alors de persuader les pays occidentaux qu'il n'en est rien. Un comité « Liberté pour Antonov » est constitué. Il réunit des juristes de l'Est et de l'Ouest qui protestent contre une arrestation arbitraire. La Stasi rédige également de fausses lettres d'Ali Agça aux Loups gris — elles ont été retrouvées dans les archives bulgares —, ainsi qu'une lettre du président du Land de Bavière, Franz Josef Strauss, au chef des Loups gris, dans laquelle est évoquée la préparation d'un attentat contre le pape : l'objectif était d'impliquer l'Allemagne de l'Ouest. Finalement, Antonov sera acquitté en 1986, faute de preuves.

Que sait-on aujourd'hui ? L'ouverture des archives ne permet pas d'établir avec certitude la validité de la piste bulgare ni l'existence d'un ordre venu d'URSS. Certes, selon plusieurs anciens agents du KGB, Iouri Andropov aurait étudié dès 1979 la possibilité de faire assassiner

Jean-Paul II à l'occasion de son voyage en Pologne. L'idée aurait été abandonnée parce que la « main de Moscou » aurait été trop visible. Les archives du KGB ont bien révélé un projet destiné à discréditer le pape, en attendant d'autres « actions ultérieures », mais aucun élément vérifiable ne permet de prouver une implication soviétique dans l'attentat de 1981. Au contraire, Mikhaïl Gorbatchev a indiqué au président italien et au pape qu'aucun indice n'avait pu être trouvé.

Quant aux Bulgares et aux Allemands de l'Est, ils ont certes monté un dispositif destiné à obtenir la libération de l'agent secret Antonov, mais rien n'indique que celui-ci ait joué un rôle dans un complot contre le pape. Il se peut d'ailleurs que, dans le contexte de la présidence de Ronald Reagan, la CIA ait encouragé les rumeurs sur l'implication de l'Union soviétique. Bref, aujourd'hui plus que jamais, le mystère demeure…

CI-DESSUS :
LA PAPAMOBILE, VÉHICULE BLINDÉ ET VITRÉ CONÇU POUR PROTÉGER LE PAPE EN CAS D'ATTENTAT TOUT EN PERMETTANT À LA FOULE DE LE VOIR.
CI-DESSOUS :
JEAN-PAUL II S'ENTRETIENT AVEC ALI AGÇA DANS SA PRISON, LE 27 DÉCEMBRE 1983.

LE TROISIÈME SECRET DE FATIMA

Le 13 mai 1917, la Vierge Marie serait apparue à de jeunes enfants à Fatima, au Portugal. Elle leur aurait notamment révélé trois secrets qui n'ont cessé depuis lors d'enflammer les imaginations. Les deux premiers, dévoilés par le Vatican en 1942, seraient des

PIÈCE DU PUZZLE ▼

annonces prophétiques de la Seconde Guerre mondiale et de la « conversion » de la Russie après sa « consécration » à la Vierge. Le pape a révélé le troisième secret lors d'un voyage à Fatima, le 13 mai 2000 : il s'agirait d'une annonce prophétique de l'attentat du 13 mai 1981.

L'affaire du Rainbow Warrior

LE 10 JUILLET 1985, À 23 H 38, UNE première explosion frappe le *Rainbow Warrior*. Le navire de l'association écologiste Greenpeace commence à couler dans la baie d'Auckland, en Nouvelle-Zélande. Le journaliste portugais Fernando Pereira remonte à bord pour récupérer son matériel photographique lorsqu'une seconde explosion retentit. Il est tué sur le coup. L'opération, mal conduite par les services d'espionnage français, tourne au drame. Elle se transformera bientôt en désastre diplomatique et politique. Pourquoi et sur l'ordre de qui s'est-on attaqué à Greenpeace, et comment en est-on arrivé à une telle succession de cafouillages ?

L'OPPOSITION AUX ESSAIS NUCLÉAIRES
Depuis plusieurs années, les pays du Pacifique protestaient contre les essais nucléaires conduits par la France dans l'atoll de Mururoa, à 1 500 km

Le naufrage du navire de Greenpeace a entraîné l'une des plus graves crises de la Vᵉ République.

de Tahiti. L'Australie et la Nouvelle-Zélande étaient à la tête de ce combat, relayées par Greenpeace, association écologiste fondée en 1971 à Vancouver (Canada). L'une des premières actions de cette association a été l'envoi d'un voilier en 1972 dans les eaux de Mururoa. Elle s'est fait depuis lors une spécialité de ces manifestations spectaculaires et largement médiatisées.

Au début de 1985, le gouvernement français apprend que Greenpeace projette d'intervenir de nouveau dans l'atoll lors de la prochaine campagne d'essais nucléaires. Bizarrement, à la même époque, la section française de cette association connaît de graves dissensions au sujet de la stratégie à adopter face aux essais de Mururoa. La crise entraîne même le départ d'une partie des dirigeants et une scission où certains ont voulu voir la main d'un agent des services secrets infiltré dans l'organisation.

LE FEUILLETON DE L'ÉTÉ…

Le 21 juin 1985, deux soldats d'élite de la division Action, bras armé de la DGSE (Direction générale de la sécurité extérieure), quittent la France pour la Nouvelle-Zélande. Alain Mafart et Dominique Prieur, qui se font passer pour des époux de nationalité suisse (Alain et Sophie Turenge), sont chargés de saboter le *Rainbow Warrior*, mission dont le nom de code est Opération Satanic. Déguisés en touristes, ils passent quelques jours à sillonner la région d'Auckland. Puis, dans la nuit hivernale du 10 juillet, revêtus de leur combinaison, ils plongent dans les eaux froides du port d'Auckland. Quelques minutes plus tard, le *Rainbow Warrior* explose et sombre.

Plus encore que l'attentat contre le navire de Greenpeace, c'est la mort du journaliste Fernando Pereira qui soulève l'indignation à travers le monde. Malgré les dénégations du gouvernement français, l'affaire devient rapidement le feuilleton de l'été 1985. Une avalanche d'informations contradictoires et confuses inonde journaux, radios et télévisions. Le rapport Tricot, commandé par le Premier ministre Laurent Fabius, ne permettra pas de faire la lumière sur l'affaire et de dégager toutes les responsabilités. La France reconnaît toutefois l'implication de ses services secrets et, après avoir longtemps nié toute responsabilité, le ministre de la Défense Charles Hernu doit démissionner, le 20 septembre.

Aujourd'hui, que sait-on vraiment ? Le déroulement des événements est à peu près connu grâce aux enquêtes des journalistes et aux livres publiés par Dominique Prieur et Alain Mafart, respectivement *Agent secret* (1995) et *Carnets secrets d'un nageur de combat* (1999). L'opération a été montée trop vite, sans respecter les procédures habituelles de la DGSE, et les deux espions doivent improviser dans l'urgence. Les faux époux Turenge ne sont pas seuls à intervenir : on trouve également une équipe de liaison, venue à Auckland sur le voilier *Ouvéa*, et une « troisième équipe » (dont ils ont pourtant nié l'existence lors du procès), chargée de fixer les charges explosives sous la coque du navire ; mais seuls Prieur et Mafart seront repérés par un vigile du port. Enfin, on sait que l'ordre est venu directement de Charles Hernu ; reste à savoir s'il n'a pas joué le rôle de « fusible ». S'il paraît établi que l'ensemble de ces actions a bien été organisé par la DGSE, sous l'autorité du ministre, de nombreux journalistes estiment difficilement

croyable que le président de la République n'en ait pas été, pour le moins, informé.

La police néo-zélandaise interpelle Dominique Prieur et Alain Mafart le 23 juillet. Condamnés à dix ans de prison, ils seront libérés dès juillet 1986 et assignés à résidence pour trois ans sur l'atoll français de Hao. Mais la jeune femme, enceinte, revient en France dès le mois de mai 1987. Elle est suivie par Mafart en décembre.

Quelles conséquences aura l'affaire du *Rainbow Warrior* ? Sur le plan diplomatique, la France sera momentanément décrédibilisée par ces méthodes dignes du grand banditisme. Il faudra plusieurs années pour que les relations se normalisent avec la Nouvelle-Zélande — qui verra sans déplaisir, dans la même période, les progrès des indépendantistes en Nouvelle-Calédonie. La France devra lui présenter des excuses publiques et lui verser une indemnité de 9 millions de dollars (pour récupérer les deux espions). Greenpeace recevra 8,1 millions de dollars. Le directeur de la DGSE, l'amiral Lacoste, sera remplacé par l'amiral Imbot. La division Action sera réorganisée, et ses deux sections (le 11e bataillon de choc des parachutistes et le commandement des nageurs de combat)

LE MINISTRE DE LA DÉFENSE CHARLES HERNU (CI-DESSUS) RÉPOND AUX QUESTIONS DES JOURNALISTES, LE 20 AOÛT 1985, APRÈS LES RÉVÉLATIONS DU *MONDE* DANS SON ÉDITION DU 17 AOÛT (CI-DESSOUS).

seront restructurées. Conséquence indirecte, François Mitterrand devra se résoudre à un moratoire sur les essais nucléaires. En 1995, le nouveau président, Jacques Chirac, décidera de les reprendre temporairement, suscitant une vague de protestations dans le monde. Mais l'armée française se contentera cette fois d'arraisonner les bateaux de Greenpeace à Mururoa…

La chute de l'Empire soviétique

L'effondrement de l'URSS a laissé l'Europe de l'Est et la Russie en plein désarroi. Quelles sont les raisons de cette désintégration ?

STALINE (CI-DESSUS) **AVAIT MAINTENU AVEC BRUTALITÉ LA COHÉSION DE L'URSS. EN 1991, L'UNION SE DÉSINTÈGRE : LES RÉPUBLIQUES DÉCLARENT LEUR INDÉPENDANCE LES UNES APRÈS LES AUTRES.**
À GAUCHE : **DES CITOYENS DE RIGA, EN LETTONIE, RENVERSENT UNE STATUE DE LÉNINE.**

L'HISTOIRE, CELLE DE L'EUROPE en particulier, montre que les empires sont mortels. L'empire d'Alexandre le Grand, ceux de Rome et de Byzance, l'empire de Charlemagne ou celui de Napoléon… tous se sont écroulés — sous les coups des invasions ou de divisions internes. Le XXᵉ siècle est à cet égard une période particulièrement fertile en bouleversements. Après la Première Guerre mondiale, les quatre grands empires — Autriche-Hongrie, Allemagne, Russie, Empire ottoman — disparurent. Un certain équilibre paraissait s'être établi après 1945, entre une Europe de l'Ouest proche des États-Unis et une Europe de l'Est soumise à l'influence soviétique. L'URSS elle-même constituait un immense empire supranational, de la mer Baltique à l'océan Pacifique. Son brusque effondrement a donc surpris les dirigeants occidentaux et les experts en géopolitique.

En 1917, le régime impérial des tsars est renversé, miné par la guerre et par l'antagonisme entre une petite minorité de possédants et une immense majorité de paysans et d'ouvriers misérables. En quelques mois, le parti bolchevique conduit par Lénine s'empare du pouvoir et, après une longue guerre civile contre les Russes blancs (favorables au régime impérial), prend le contrôle de toute la Russie. Les

bolcheviques se considèrent comme l'avant-garde de la révolution mondiale, qui entend mettre fin à la lutte des classes en instaurant dans une première étape la dictature du prolétariat. Soixante-quatorze ans plus tard, le 8 décembre 1991, le président russe Boris Ieltsine — un apparatchik, pourtant, qui a fait toute sa carrière au sein du parti communiste — déclare que l'Union des républiques socialistes soviétiques n'existe plus, et met fin à des décennies de répression, de violence et de peur.

LA RÉPRESSION STALINIENNE

L'effondrement de l'URSS a des causes multiples, mais il tient sans doute pour une grande part à une politique étrangère dangereuse et très coûteuse. Les bolcheviques se sont trompés sur le caractère inéluctable de la révolution mondiale : dans la plupart des pays, la transition vers un État socialiste s'est opérée dans la violence et contre la volonté des peuples.

Après la mort de Lénine, en 1924, son successeur, Joseph Staline, qui abandonne de fait l'idée d'une révolution mondiale, applique une politique expansionniste proche de l'impérialisme des tsars. La politique du nouveau secrétaire général du Parti est particulièrement brutale. Toute forme d'opposition ou de critique est éliminée. L'Union soviétique vit dans la peur et la répression. Toute dissidence est punie d'emprisonnement, d'exil ou de mort. Dans les années 1930, Staline engage la collectivisation forcée des terres agricoles, mesure qui pro-

CONFUSION ET DÉSARROI

Afin de garantir l'unité de l'empire, le pouvoir soviétique s'était appliqué à instaurer l'interdépendance économique de ses républiques. Or, à l'heure des indépendances, l'insuffisance des infrastructures nationales se fit cruellement sentir. Ainsi, il n'y avait qu'une seule usine de fabrication de compteurs électriques, située en Lituanie. Les équipements militaires étaient répartis dans des circonscriptions qui ne coïncidaient pas avec les frontières des républiques… Les tentatives pour donner un tant soit peu

PIÈCE DU PUZZLE ▼

de légitimité à des gouvernements qui, pendant plus de quarante ans, n'avaient été que les porte-parole de la

politique soviétique se révélaient, elles aussi, difficiles. Enfin, avec l'indépendance des républiques s'est posée également la question des identités nationales. Staline avait procédé à des déplacements massifs de populations (Russes, minorités ethniques).

Les insatisfactions à la fois économiques et nationales de millions d'hommes sont à l'origine de conflits armés qui durent encore.

voque une terrible famine et la mort de millions de paysans.

Après la Seconde Guerre mondiale, l'URSS prend le contrôle de toute l'Europe orientale : la Pologne, la Hongrie, la Tchécoslovaquie, la Bulgarie, la Roumanie, l'Allemagne de l'Est deviennent des « démocraties populaires » et tombent sous la domination soviétique. Le maintien du socialisme dans ces pays coûte très cher, car l'URSS doit soutenir leur économie tout en y entretenant de nombreuses troupes. En outre, la guerre froide entraîne la course aux armements avec les États-Unis et l'ouverture de nombreux « fronts secondaires », en Asie du Sud-Est, au Moyen-Orient, en Afrique ; plus tard en Amérique du Sud et à Cuba. Cependant, le joug est mal supporté par les pays occupés. Berlin en 1953, après la mort de Staline, Budapest en 1956, Prague en 1968, Gdansk et Varsovie en 1980, autant de soulèvements nationaux où la révolte — généralement pacifique — contre l'occupant soviétique ne signifie pas forcément le rejet de l'idéal communiste. Tous ces mouvements sont pourtant écrasés dans le sang par l'Armée rouge. La construction du mur de Berlin, en 1961, est le symbole du totalitarisme soviétique : un nombre croissant d'intellectuels et de sympathisants s'éloignent alors d'un régime qui va jusqu'à édifier un mur pour empêcher ses citoyens de s'échapper.

GORBATCHEV ET LA GLASNOST

Alors que les peuples d'Europe de l'Est contestent le régime communiste, celui-ci n'est pas tout d'abord remis en question par les Soviétiques eux-mêmes, à l'exception de quelques intellectuels dissidents, comme Soljenitsyne ou Sakharov, qui ne rencontrent pas un grand écho dans le pays : le climat de peur créé par Staline a gagné toute la société soviétique. L'invasion de l'Afghanistan par l'Armée rouge, en 1979, va changer la donne. La guerre isole diplomatiquement l'URSS. Elle coûte cher et déstabilise une économie déjà fragile. Surtout, elle entraîne de lourdes pertes humaines, qui créent un profond désarroi dans la population, jusqu'alors convaincue par la propagande de l'invincibilité de l'Armée rouge et de la justesse des causes qu'elle défend. Lorsqu'il arrive au pouvoir, en 1985, Mikhaïl Gorbatchev trouve un pays en pleine déliquescence, où l'insatisfaction et le découragement se répandent comme une épidémie. Dans les diverses républiques, la résistance

s'organise. Gorbatchev tente de résoudre certaines de ces tensions en mettant en place une politique de transparence (*glasnost,* en russe) qui ouvre un espace au débat politique. Très vite, les oppositions longtemps contenues par la crainte commencent à s'exprimer. Dans les républiques baltes de Lettonie, d'Estonie et de Lituanie (annexées à la faveur du pacte germano-soviétique de 1939), des fronts antisoviétiques se forment. Au cours de l'année 1989, les pays d'Europe de l'Est se détachent du communisme. Ce mouvement culmine avec la chute du mur de Berlin, l'accession du dissident Václav Havel à la présidence de la Tchécoslovaquie et le renversement du dictateur roumain Ceausescu.

En 1989 et 1990, grèves et manifestations se multiplient en URSS. Gorbatchev fait de timides tentatives de réformes. En août 1991, les conservateurs communistes tentent un coup d'État, qui échoue en raison de la mobilisation des Moscovites, conduits par le président russe Boris Ieltsine. Quelques semaines plus tard, Gorbatchev démissionne du secrétariat général du Parti, puis de la présidence de l'URSS. Sur le Kremlin, les couleurs de la Fédération de Russie remplacent le drapeau soviétique.

APRÈS LA TENTATIVE MANQUÉE DE COUP D'ÉTAT DES CONSERVATEURS COMMUNISTES, EN AOÛT 1991, LE PRÉSIDENT RUSSE BORIS IELTSINE ORGANISE UN RASSEMBLEMENT TRIOMPHAL À MOSCOU. AU MOIS DE DÉCEMBRE, IL DÉCLARE QUE L'UNION SOVIÉTIQUE N'EXISTE PLUS.

L'énigme du vol TWA 800

Cette tragédie s'inscrit sur une longue liste de catastrophes aériennes. Aujourd'hui encore, la question se pose : comment s'est-elle produite ?

LA RECHERCHE DE L'ÉPAVE DU BOEING AU LARGE DE LONG ISLAND A ÉTÉ AUSSI DIFFICILE QUE DRAMATIQUE ; ELLE S'EST EFFECTUÉE SOUS L'ŒIL ANXIEUX DES MÉDIAS. CI-DESSUS : UN ZODIAC DES GARDES-CÔTES EMPLOYÉ POUR RASSEMBLER LES DÉBRIS. LES PLUS GROS MORCEAUX DE L'AVION (PAGE DE DROITE) FURENT REPÊCHÉS À L'AIDE D'ÉQUIPEMENTS SOUS-MARINS ET DE SURFACE.

LE 17 JUILLET 1996, LORSQUE LE VOL TWA 800 quitte l'aéroport Kennedy de New York en direction de Paris, le capitaine remarque, désinvolte, que l'avion gagne son altitude de croisière comme « un ange qui monte au ciel ». Quelques minutes plus tard, à 20 h 31, juste au sud de Long Island, le Boeing 747 explose ; ses 230 occupants sont tués.

Il n'y a eu aucun signe précurseur de l'explosion. L'enregistrement de la boîte noire ne contient qu'un bref bruit d'éclatement. Après dix-sept mois d'enquête, les organismes américains (NTSB et FBI) donnent du désastre une explication qui laisse en suspens de nombreuses questions.

UN OCÉAN D'INTERROGATIONS

L'explosion du Boeing est l'une des catastrophes les plus mystérieuses et les plus sujettes à controverses de l'histoire de l'aviation. Les premières spéculations des journalistes évoquaient une bombe ou un missile, mais l'enquête officielle du gouvernement américain a rapidement abandonné ces pistes, faute de la moindre preuve. Les auditions publiques qui se sont tenues à Baltimore en décembre 1997 ont conclu à une défaillance mécanique d'un type rare, susceptible d'être attribuée à une accumulation, dans le réservoir central, de vapeurs dangereuses qui auraient été enflammées par une étincelle.

Les enregistrements de la boîte noire révèlent que, lorsque l'appareil est arrivé à New York en provenance d'Athènes, le réservoir central de carburant était presque vide. Pour son voyage vers Paris, l'avion devait compter uniquement sur les réservoirs des ailes. Les enquêteurs ont noté que l'appareil avait fait tourner ses moteurs au ralenti, l'air conditionné en marche, pendant près de deux heures sur un tarmac surchauffé. Sur les Boeing 747, le système d'air conditionné se situe directement sous le réservoir central : les enquêteurs ont suggéré que la chaleur dégagée par ce système avait pu provoquer la vaporisation du carburant et produire un mélange inflammable. Pour enflammer ces vapeurs, il suffisait d'une impulsion électrique. Les experts n'ont pas pu, de manière incontestable, trouver l'origine de cette étincelle, mais ils ont présumé qu'un câble défectueux ou même de l'électricité statique avait pu suffire.

De nombreuses critiques se sont élevées contre les conclusions de la commission d'enquête. Parmi les témoins qui ont assisté à la catastrophe depuis la côte de Long Island, 183 ont observé un trait lumineux avant l'explosion. Sur ces 183 personnes, 102 ont donné des renseignements sur son origine : 6 ont affirmé qu'il était parti des airs ; 96, de la surface. Le directeur adjoint du FBI chargé de l'enquête, James Kallstrom, a reconnu au début de son travail qu'un bon nombre de « témoins hautement crédibles » avaient observé quelque

en novembre 1997, la marine a admis l'existence de ces exercices — sans dévoiler au public leur nature exacte.

Diverses photos, il est vrai peu nettes, semblent corroborer la théorie du « tir amical ». Parmi celles-ci, un cliché pris par une secrétaire de Long Island, Linda Kabot, lors d'une fête du Parti républicain. À l'arrière-plan, on distingue un objet volant allongé, avec une traînée lumineuse. Certains ont suggéré qu'il pourrait s'agir d'un missile qui aurait ensuite touché l'avion, mais la plupart des observateurs ont remarqué que l'objet ressemblait à un avion-cible de la marine, appareil qui sert souvent à tester les missiles. Devait-il servir de cible à un engin égaré ? Pour le FBI, l'image est simplement celle d'un « avion de type inconnu » !

Le FBI s'est également montré incapable d'expliquer la présence d'un bateau à 2,9 milles nautiques de la position où le Boeing a explosé. Ce navire a été surnommé « la piste des 30 nœuds » parce qu'il avait continué, après la déflagration, de filer à environ 30 nœuds en direction du sud-sud-ouest, jusqu'à être hors de portée des radars.

chose qui ressemblait à un missile : « Nous avons des informations selon lesquelles il y avait quelque chose dans le ciel. Des témoins l'ont vu. Certaines personnes l'ont décrit de manière concordante. Cela montait. »

Lou Desyron, témoin oculaire qui se trouvait sur la côte de Long Island le soir de l'accident, a déclaré à la chaîne de télévision ABC, le 21 juillet 1996 : « Nous avons vu ce qui semblait être une fusée éclairante et qui allait droit vers le ciel. Pour tout dire, nous pensions que ça venait d'un bateau. C'était de couleur rouge orangé brillant... Dès que ça s'est enflammé, j'ai su que ce n'était pas une fusée éclairante. » De tels récits ont mis en cause la position du gouvernement.

UN TIR « AMICAL » ?

Certains commentateurs ont imaginé qu'un terroriste avait pu tirer un missile avec un engin de lancement manuel, mais l'écrivain et journaliste Pierre Salinger a fait savoir qu'il avait des preuves établissant que la marine de guerre américaine était responsable de l'accident : celui-ci aurait été causé par un « tir amical ». Le porte-parole du ministère américain de la Défense, Kenneth Bacon, commença par nier les informations selon lesquelles des exercices militaires s'étaient déroulés le 17 juillet dans une zone située quelques kilomètres au sud du couloir aérien du vol TWA 800. Mais,

MISSILE OU PROBLÈME DE FUSELAGE ?

L'animation vidéo officielle qui a été réalisée pour reconstituer la catastrophe suggère que le « missile » vu par tant de témoins était en fait la partie arrière du fuselage, projetée à plusieurs centaines de mètres vers le haut après avoir été séparée du cockpit, et qui était ensuite retombée et avait explosé. Cependant, plusieurs témoins ont affirmé que l'animation vidéo ne restituait pas ce qu'ils avaient vu, et la société Boeing elle-même s'est par voie de presse rapidement désolidarisée de cette reconstitution. Certains experts ont d'ailleurs émis des doutes sur le fait qu'une carlingue ouverte, sans qualités aérodynamiques, ait pu monter aussi haut.

Bien des mystères posés par cette tragédie ne seront peut-être jamais résolus. En l'absence de preuve décisive, de nombreuses théories ont été avancées, dont certaines sont beaucoup moins vraisemblables que celle d'une bombe ou d'un missile. Quelle que soit la véritable cause, reste la troublante photographie prise par Linda Kabot, avec une fête au premier plan et, traversant la nuit noire à l'arrière-plan, un objet étrange qui s'élève dans le ciel...

Les derniers mots du commandant

Alors que la plupart des experts n'ont rien remarqué d'anormal dans l'enregistrement de la boîte noire du Boeing, un professeur de l'université Harvard, Elaine Scarry, dans son article « La chute du TWA 800 : possibilité d'une interférence électromagnétique », suggère que les conversations de l'équipage pourraient fournir des indices. Elle imagine que l'appareil

interférences électromagnétiques peuvent être tenues pour responsables, on pourra réécouter ces voix et chercher dans les mots du pilote les signes avant-coureurs de ce qui allait se produire. On y trouvera peut-être la trace des deux problèmes que le colonel Charles Quisenberry a identifiés comme la signature classique de l'interférence électromagnétique :

LA BOÎTE NOIRE ET LES ENREGISTREURS DE VOL ONT LIVRÉ PEU D'INDICES.

secondes plus tard, il continue de regarder le voyant et attire l'attention du copilote : « Tu vois ? » Douze secondes plus tard, il estime que les volets des ailes ne sont pas dans la bonne position et il tente d'y remédier. Le copilote ne comprend pas, ou n'entend pas, et le commandant doit répéter.

Cette opération est une procédure de routine, mais les paroles du commandant suggèrent que l'appareil ne répond pas avec la rapidité attendue. L'intervalle de temps entre toutes ces tentatives n'est que de quelques secondes, mais l'on sait combien on s'alarmerait de devoir attendre trois secondes pour que les roues d'une voiture réagissent à un coup de volant, et l'on comprend que le pilote s'attende à davantage de réactivité de la part de son avion !

pourrait avoir été victime d'une triangulation de champs radio de haute intensité, émis par les dix avions militaires qui se trouvaient dans le secteur. Ils auraient pu perturber les équipements du 747, provoquant un incident électrique et l'explosion.

Jusqu'à présent, l'enregistrement des paroles prononcées dans le cockpit n'a rien révélé qui annonce la catastrophe. S'il apparaît un jour que des

l'interruption soudaine de l'arrivée de carburant, et des instructions erronées aux volets des ailes ou au gouvernail.

En l'état actuel des choses, les conversations enregistrées demeurent toutefois troublantes. Une minute et cinquante secondes avant l'interruption totale de l'électricité, le commandant de bord commente le débit du carburant : « Regarde cet imbécile de voyant de kérosène, là sur le numéro 4. » Huit

« MAINTENEZ 15 000 »

On peut également s'interroger sur la conversation qui commence trente secondes plus tard, moins d'une minute avant la fin de l'enregistrement. Le centre de contrôle de Boston demande au pilote de s'élever de 13 000 à 15 000 pieds : « Vol TWA 800, montez et maintenez 15 000. » Le commandant transmet l'ordre au copilote et répète au centre de Boston l'instruction qu'il vient de recevoir : « Vol TWA 800, montez et maintenez 15 000 en quittant 13 000 ». Il s'adresse de nouveau au copilote comme si celui-ci n'avait pas exécuté l'instruction : « Ollie, mets la gomme ! » Puis, trois secondes plus tard : « Monte à 15 000 ! » Le copilote lui confirme alors que la commande a bien été transmise : « J'ai mis de la puissance. » Ce seront les derniers mots.

La mort
de la
Princesse Diana

Qu'est-il exactement arrivé, juste avant l'accident qui a coûté la vie à cette princesse très aimée ? Qui doit être tenu pour responsable ?

LA PRINCESSE DIANA PHOTOGRAPHIÉE À LONDRES EN AOÛT 1996, UN AN AVANT L'ACCIDENT OÙ ELLE PERDIT LA VIE. PENDANT DES ANNÉES, LES PAPARAZZI ONT SUIVI CHACUN DE SES FAITS ET GESTES.

JUSTE APRÈS MINUIT, LE 31 AOÛT 1997, DIANA, princesse de Galles, et son compagnon, Dodi Al Fayed, quittent l'hôtel Ritz, à Paris, pour rejoindre la maison des Al Fayed, dans le XVIe arrondissement. Il est à peu près minuit quinze lorsque le couple monte discrètement dans une Mercedes noire. Au même moment, une Range Rover s'éloigne de l'entrée principale de l'hôtel, dans l'espoir de tromper les quarante paparazzi qui attendent là. La princesse est en effet l'une des cibles privilégiées de la presse populaire et à scandale, et elle a toujours entretenu une relation complexe avec les photographes, les fuyant ou se servant d'eux selon les circonstances.

Selon un observateur, la Range Rover est prise en chasse par les photographes, mais ces derniers se rendent rapidement compte que le couple ne se trouve pas à l'intérieur du véhicule. La moitié d'entre eux — certains sur des motos — quittent le groupe pour suivre la Mercedes, conduite par Henri Paul, adjoint au chef de la sécurité du Ritz (l'hôtel appartient au père de Dodi, Mohamed Al Fayed). La limousine, qui essaie d'échapper aux paparazzi, roule à plus de 150 km/h lorsqu'elle atteint la place de la Concorde. Paul a semé la plupart des photographes, mais quelques voitures et des motos insistent encore quand la Mercedes pénètre dans le souterrain qui passe sous le pont de l'Alma — un endroit qui a déjà été le théâtre de deux accidents mortels les années précédentes.

C'est à cet instant que Paul perd le contrôle de la Mercedes. Il se peut qu'il ait heurté une Fiat Uno blanche transportant des paparazzi. La limousine rebondit contre un poteau de béton qui se trouve entre les deux chaussées, avant de s'écraser contre le mur de droite du souterrain. Il faudra une heure et demie pour découper le toit de la voiture et dégager ses occupants. Dodi Al Fayed et le conducteur, Henri Paul, sont morts sur le coup. Diana, grièvement blessée à la tête et à la poitrine, perd beaucoup de sang. Le SAMU parvient pourtant à la ranimer.

DES CIRCONSTANCES FATALES

La princesse est transportée à l'unité de soins intensifs de l'hôpital de la Pitié-Salpêtrière. Quand elle arrive, son cœur a cessé de battre. Les chirurgiens referment une blessure au ventricule gauche et lui font des massages cardiaques pendant deux heures. Mais Diana a subi une hémorragie interne ; à 4 heures, elle est déclarée morte.

Les critiques se focalisent immédiatement sur les paparazzi. Sept photographes sont maintenus en garde à vue par la police. L'un d'entre eux, qui tentait de prendre des photos de la voiture et de ses occupants, a même été pris à partie par des passants indignés. Des témoins racontent à la police qu'ils ont vu deux véhicules dépasser la limousine juste avant l'accident. Brian Anderson, un homme d'affaires californien qui roulait en taxi devant la voiture de Diana, dit à la chaîne américaine CBS que la Mercedes était suivie de près par deux motards, dont l'un « conduisait agressivement et dangereusement ».

Mais, lorsque les examens révèlent que le chauffeur a un taux d'alcool dans le sang trois fois supérieur à la limite légale et qu'il avait pris des médicaments qui peuvent causer affaiblissement des réflexes, somnolence et perte de la concentration lorsqu'on les mélange à l'alcool, l'enquête s'écarte des paparazzi. Ce soir-là, on a en effet vu Paul boire plusieurs verres de whisky.

Le chauffeur a toutefois des défenseurs. Le garde du corps, qui a survécu à l'accident, Trevor Rees-Jones, dit aux enquêteurs qu'il ne se rappelle pas l'accident mais que, lorsqu'il a vu Henri Paul en montant dans la voiture, il semblait parfaitement normal. Plusieurs de ses amis le décrivent comme « très sérieux » et « calme et très compétent ».

D'autres pistes sont suivies pendant l'enquête, qui dure près de deux ans. Un chauffeur qui conduisait régulièrement la Mercedes signale des problèmes de freins récurrents. « Il fallait bien la connaître pour la conduire en sécurité », dit-il de la voiture. Or, Paul ne l'avait jamais conduite auparavant. Par ailleurs, un ancien militaire déclare qu'il roulait rapidement dans une Ford grise quelques mètres derrière

L'ACCIDENT A CHOQUÉ DES MILLIONS DE PERSONNES DANS LE MONDE. « DIANA EST MORTE ! DODI, SON AMANT, AUSSI », CLAME CETTE UNE D'UN JOURNAL ANGLAIS.
CI-DESSOUS, À GAUCHE : LE DUC D'ÉDIMBOURG, LES DEUX FILS DE DIANA, LE FRÈRE DE CELLE-CI (AU CENTRE), ET LE PRINCE CHARLES DEVANT L'ABBAYE DE WESTMINSTER LORS DE LA PROCESSION FUNÈBRE, LE 6 SEPTEMBRE 1997.

la limousine lorsque l'accident s'est produit, et que sa propre conduite mal assurée avait peut-être contribué au drame.

L'enquête officielle est formelle : seul Henri Paul est en cause. Le juge ordonne un non-lieu pour les paparazzi et déclare que le chauffeur, ivre, n'était pas en mesure de conserver le contrôle de son véhicule. Pourtant, deux ans après la fin du procès, le 21 mai 2001, un des photographes est mis en examen pour atteinte à l'intimité de la vie privée. Cette nouvelle instruction permettra peut-être de déterminer quel rôle ont joué des photographes trop zélés dans l'accident qui a coûté la vie à la princesse.

LE POINT DE VUE D'UN PÈRE

PIÈCE DU PUZZLE ▼

Un homme a contesté publiquement les conclusions de la justice. Mohamed Al Fayed, père de Dodi et propriétaire du grand magasin londonien Harrods, a proclamé devant les médias britanniques, plus d'un an avant la fin de l'enquête, qu'il était « certain à 99,9 % » que cet « accident » n'en était pas un, mais résultait d'une conspiration visant à éviter le mariage de son fils et de la princesse.

Al Fayed a prétendu que Diana et Dodi étaient fiancés et que certaines personnes, y compris des membres de l'establishment britannique, se réjouissaient de la mort du couple. Le palais de Buckingham exprima sa consternation devant cette théorie, précisant qu'elle « causait un grand trouble dans la famille royale », et nia que le couple fût fiancé.

La Mafia

**Née en Sicile, la Mafia s'est implantée dans le monde entier.
Peut-on lutter efficacement contre elle ?**

CI-DESSUS : **LE
MASSACRE DE
LA SAINT-VALENTIN,
LE 14 FÉVRIER 1929.
IL FUT LE RÉSULTAT
DE LA GUERRE QUE
SE LIVRAIENT LES
GANGS DE LA MAFIA
NOUVELLEMENT
IMPLANTÉS AUX
ÉTATS-UNIS.**

POURQUOI UNE RÉGION ENTIÈRE PASSE-T-ELLE un jour sous le contrôle d'une société secrète de bandits, dont elle subit la loi tout en étant sa complice ? Comment ce modèle se diffuse-t-il dans le monde, malgré la lutte de toutes les polices ? L'histoire de la Mafia pose tous ces problèmes.

Il est très difficile de dater précisément la naissance de la Mafia. L'origine de son nom est déjà un mystère : il dériverait peut-être de celui d'une dynastie arabe du Moyen Âge, les Maafir, ou d'un mot arabe signifiant « assemblée » ou « défendre ». La Mafia est en effet une société d'hommes fondée, à l'origine, sur deux valeurs fondamentales : le droit et l'honneur. On l'appelle d'ailleurs parfois l'« honorable société ».

EN SICILE, AU XIXᵉ SIÈCLE

On a évoqué à son sujet une origine médiévale, mais cette organisation criminelle est plus probablement née au début du XIXᵉ siècle à l'initiative de grands propriétaires terriens qui organisent des bandes armées pour imposer leur domination aux paysans. Après le rattachement de la Sicile au royaume d'Italie, en 1860, le peuple a le sentiment d'être oublié par le gouvernement central, qui ne tient pas ses promesses — notamment en ce qui concerne la redistribution des terres agricoles. Réfugiés dans les montagnes, les insoumis qui refusent le service militaire, les anciens soldats de Garibaldi et les petits malfaiteurs constituent un réservoir inépuisable d'hommes de main. La société rurale passe alors progressivement sous le contrôle de la Mafia, avec la complicité des hommes politiques du Nord.

Qui dirige l'organisation criminelle à cette époque ? Principalement des paysans enrichis, des régisseurs de grands domaines et des avocats. Pour devenir un homme d'honneur, l'aspirant mafieux doit se mettre au service d'un chef et accomplir un certain nombre d'« actes virils », parmi lesquels le plus courant est le meurtre. Le mafieux échappe à la police grâce à un système complexe de cachettes et à un vaste réseau de solidarités familiales. Le vol d'animaux, le racket, la corruption politique et financière sont alors les activités principales de la Mafia.

AU XXᵉ SIÈCLE, UN COMBAT DIFFICILE

L'État italien assiste, impuissant, à l'essor de l'organisation secrète, qui devient le symbole de l'identité sicilienne. Seul le gouvernement fasciste de Mussolini engage une lutte efficace contre la Mafia. Entre 1924 et 1929, le préfet Mori démantèle les bandes armées — beaucoup de mafieux émigrent alors aux États-Unis — et il parvient à faire reculer la criminalité. Mais il est alors limogé par Mussolini, qui souhaite sans doute éviter la mise en cause de dignitaires fascistes.

En 1943, lors du débarquement américain en Sicile, la Mafia soutient les Alliés, avec l'espoir d'obtenir l'indépendance de l'île. Mais elle devra se contenter d'une large autonomie politique, qui lui permettra de mettre la main, dans les années 1950, sur la quasi-totalité de l'appareil économique sicilien.

Avec la complicité de certains membres de la Démocratie chrétienne, le parti alors au pouvoir, la Mafia se consacre désormais à la contrebande, au racket, à la spéculation immobilière et au trafic de drogue. Les règles traditionnelles du code de l'honneur sont abandonnées pour la recherche du seul profit. Dans les années 1970, l'enlèvement contre rançon devient l'une des activités les plus lucratives de l'organisation. Fini le temps des parrains discrets, qui cachaient leur réussite sous une apparente humilité, c'est désormais le triomphe du luxe ostentatoire et de l'esprit d'entreprise capitaliste. La Mafia n'hésite plus à abattre tous ceux qui la gênent : policiers (le général Dalla Chiesa, en 1982), juges (Giovanni Falcone, en 1992), hauts fonctionnaires et hommes politiques. Malgré certains résultats encourageants dans la lutte contre le crime organisé et malgré la révolte d'une part croissante de la population, la Mafia sicilienne — comme son homologue la Camorra napolitaine — conserve aujourd'hui une grande part de son influence.

LA MAFIA AMÉRICAINE

Des films comme *le Parrain* ou *les Incorruptibles* ont popularisé l'image de la Mafia américaine. Introduite aux États-Unis par des émigrés siciliens à la fin du XIXe siècle, elle se développe surtout dans les années 1920, lorsque les chefs mafieux doivent fuir le fascisme. Entre 1919 et 1933, en vertu de la prohibition, la vente d'alcool est interdite sur tout le territoire des États-Unis : la Mafia tirera donc des revenus considérables du trafic d'alcool, mais aussi de la prostitution et des paris clandestins. L'organisation, dirigée par Al Capone puis par Lucky Luciano, contrôle notamment le syndicat des dockers (on lui attribue généralement l'incendie du paquebot *Normandie*, en 1942) et celui des camionneurs. Dans les années 1950 et 1960, celle qu'on appelle Cosa Nostra (notre cause) intervient dans les campagnes électorales. Depuis les années 1970, elle contrôle la plus grande part du marché de la drogue, s'adonne à la délinquance financière à grande échelle et a mis en place des systèmes perfectionnés de blanchiment d'argent. Elle semble avoir encore de beaux jours devant elle.

LES MAFIAS

Un peu partout, il existe des réseaux de banditisme comparables à la Mafia. Les triades chinoises, les clans de *yakusa* japonais sont les sociétés secrètes les plus proches de l'exemple italo-américain. Mais le modèle mafieux s'est largement répandu à la faveur de la mondialisation : des gangs appliquent ses méthodes et mettent en coupe réglée des pans entiers des économies nationales en Europe de l'Est (où la Mafia américaine a pris pied) comme dans les pays émergents (le commerce indonésien des bois tropicaux est à 70 % sous le contrôle de trafiquants ; les cartels colombiens organisent la culture et le trafic de la drogue). La Russie est l'un des terrains d'action les plus « prometteurs » pour le grand banditisme, mais l'Europe occidentale est aussi victime de cet essor : en France, la Côte d'Azur serait l'une de ses zones d'intervention privilégiées.

PIÈCE DU PUZZLE

Ovnis & extraterrestres, de purs délires ?

Que penser de ceux qui prétendent avoir rencontré des extraterrestres ?

LES OVNIS ET LES ENLÈVEMENTS PAR DES extraterrestres sont devenus une sorte de mythologie moderne. Tout commence en 1947, lorsque le public se passionne pour des histoires d'« objets volants non identifiés » observés dans les Cascade Mountains, dans l'État de Washington, puis à Roswell, au Nouveau-Mexique. Des extraterrestres étaient-ils entrés en contact avec la Terre ?

Le premier récit d'enlèvement par des extraterrestres est celui de Barney et Betty Hill, un couple du New Hampshire. Selon eux, le 19 septembre 1961, un groupe de personnages ressemblant à des humains, à la peau grise et aux yeux bridés, les force à quitter leur voiture et les emmène à bord d'un engin sans ailes. Ces êtres étranges placent les époux Hill sur une table d'examen et leur disent de ne pas s'inquiéter : ils font juste quelques tests !

Quand les Hill se retrouvent dans leur voiture, ils ont tout oublié de leur enlèvement. Ce n'est que quelques années plus tard que leur aventure leur reviendra par bribes, après des mois d'une thérapie par l'hypnose destinée à leur faire recouvrer la mémoire. Betty Hill affirmera qu'une longue aiguille a été introduite dans son nombril ; son mari dira, pour sa part, qu'un peu de son sperme a été prélevé. Longtemps après l'« incident », un cercle de verrues apparaîtra sur la cuisse de Barney Hill, à un endroit où il prétend avoir été sondé.

L'INFLUENCE DES MÉDIAS ?

On a réentendu ce genre de récit depuis lors, avec des variantes. Les soi-disant victimes font souvent état de cicatrices causées par des blessures dont elles ne se souviennent pas et d'une sensation de perte de la notion du temps.

Ceux qui croient aux histoires d'enlèvements par des extraterrestres expliquent qu'un si grand nombre de personnes racontant autant d'expériences similaires ne peut pas être le simple effet du hasard. Certes, il semble improbable qu'il ne s'agisse que d'une coïncidence, mais le phénomène peut être expliqué assez simplement. L'histoire des Hill a été très largement diffusée. Des livres ont été écrits, et Betty et Barney ont même travaillé avec un artiste qui a fait des croquis des extraterrestres qu'ils ont rencontrés. Avec la multiplication des « témoignages », l'attention des médias n'a fait qu'augmenter ; ceux-ci ont reproduit d'innombrables fois ces images d'extraterrestres et ce scénario d'enlèvement. Le bombardement médiatique est la source la plus probable de ces stéréotypes.

L'OPINION D'UN PROFESSEUR

Malgré les bases peu solides de ces affaires, un véritable petit commerce s'est constitué autour de la thérapie des « victimes ». Des pseudo-spécialistes ont prétendu pouvoir aider leurs clients à retrouver les souvenirs effacés lors de leur enlèvement. Parmi eux, un psychiatre de la faculté de médecine de Harvard, le docteur John Mack, qui a publié en 1995 un livre, *Abductions (Enlèvements),* où il exprime sa foi dans les récits de ses patients. Certains sceptiques se sont dits troublés par son argumentation. Selon Mack, « la puissance et l'intensité avec lesquelles une chose est ressentie » sont un guide permettant d'apprécier son authenticité. Mais cette théorie a été discréditée par un écrivain et chercheur de Boston, Donna Bassett, qui s'est fait passer pour l'une des clientes du professeur. D'après elle, le docteur

Mack lui aurait remis une brochure sur les extraterrestres, à lire avant le début de leurs séances, puis il lui aurait posé, sous hypnose, des questions orientées tout en l'encourageant à se souvenir d'expériences d'enlèvement qu'elle n'avait en fait jamais vécues !

DES CASCADES DE VISIONS

Au moins 90 % des prétendus ovnis ont été immédiatement identifiés par les scientifiques comme de simples corps célestes ou comme des

phénomènes atmosphériques connus (nuages, éclairages particuliers), des objets fabriqués par l'homme (ballons-sondes, éléments de fusées ou de satellites rentrant dans l'atmosphère…), ou même des oiseaux reflétant l'éclairage des projecteurs ! Les 10 % restants pourraient bien être une combinaison de tous ces phénomènes, l'effet d'illusions d'optique, ou même des supercheries — toutes choses plus plausibles que des vaisseaux extraterrestres.

Et puis il y a le mythe fondateur : l'incident de la ville de Roswell ! L'histoire commence le 14 juin 1947, lorsque le contremaître d'un ranch du Nouveau-Mexique, W. W. Brazel, découvre quelques détritus répandus dans un coin reculé de la propriété : du papier ciré, des bandes de feuilles métalliques et un ruban portant un motif floral. Dix jours plus tard, la folie des ovnis commence, non du fait de Brazel, mais à cause d'un pilote civil appelé Kenneth Arnold : il raconte à des journalistes qu'il a vu neuf objets bizarres volant à près de 2 000 km/h au-dessus des Cascade Mountains.

Très vite, l'histoire d'Arnold entraîne l'observation de centaines de « soucoupes volantes » à travers tous les États-Unis. Dès que Brazel entend parler de ces soucoupes, il rapporte sa découverte à un officier de l'armée de l'air, qui publie immédiatement un communiqué de presse annonçant la capture d'un tel engin près de Roswell. Puis un officier de plus haut rang publie un nouveau communiqué, d'excuse cette fois, qui réfute le premier. L'affaire est close… jusqu'en 1978.

Cette année-là, un spécialiste des ovnis, Stanton Friedman, qualifie l'incident de « Watergate cosmique ». Il est le premier d'une longue série à interviewer des habitants du Nouveau-Mexique. Ceux-ci racontent, dans des termes très proches, avoir trouvé de petits cadavres dans les débris de ce qu'ils pensent être un vaisseau spatial. Il est désormais impossible d'échapper à cette affaire. En France, elle sera reprise sur TF1 par Jacques Pradel…

FIN DE L'AFFAIRE DE ROSWELL ?

Dans les années 1990, le gouvernement des États-Unis diligente plusieurs enquêtes. Un rapport établit qu'en 1947 l'armée de l'air travaillait sur un projet « top secret » appelé Mogu l, qui consistait à contrôler les essais nucléaires soviétiques en lançant des ballons munis d'équipements acoustiques. Ces engins étaient constitués de matériaux similaires à ceux que Brazel a retrouvés, y compris le ruban au motif floral ! Selon un autre rapport, au début des années 1950, l'armée de l'air américaine a réalisé des essais d'impact en utilisant des mannequins qui pouvaient ressembler à de petits cadavres. Puisqu'il n'a été question de ces « cadavres » qu'après 1978, il est possible que les témoins, qui ne devaient sans doute plus se rappeler la date précise à laquelle ils les avaient vus, aient été conduits à faire le rapprochement entre l'incident de 1947 et les « cadavres » des années 1950.

Certains esprits refusent les explications rationnelles. Cependant, tout laisse à penser que celles qu'a données le gouvernement américain s'appuient sur des preuves irréfutables.

L'ÉTAT DU NOUVEAU-MEXIQUE EST LE LIEU D'ORIGINE DE LA FOLIE DES OVNIS. CI-DESSUS : CETTE VUE DES ENVIRONS DE ROSWELL EST IMAGINAIRE, MAIS DES PANNEAUX ROUTIERS SIGNALENT VRAIMENT LE RISQUE DE TRAVERSÉES D'EXTRATERRESTRES ET D'ATTERRISSAGE DE SOUCOUPES VOLANTES…

LES DÉMONS DES TEMPS MODERNES ?

Dans son livre *le Monde hanté par les démons*, paru en 1997, l'astrophysicien Carl Sagan établit un lien entre le phénomène des ovnis et les démons, les sorcières, les fées et les fantômes de jadis. Au Moyen Âge, on croit en l'existence de démons séducteurs venant des cieux (les incubes séduisant les femmes, les succubes séduisant les hommes). « Il n'y a pas de vaisseaux spatiaux dans ces histoires, mais la plupart de leurs éléments centraux sont présents dans les récits d'enlèvement par des extraterrestres. À commencer par des non-humains obsédés sexuels qui vivent dans le ciel, passent à travers les murs, communiquent par télépathie, et réalisent des expériences de reproduction sur l'espèce humaine. » Sagan cite

PIÈCE DU PUZZLE

également le folkloriste Thomas E. Bullard, qui en 1989 écrivait que « les récits d'enlèvement sonnent comme des réécritures de vieilles traditions de rencontres surnaturelles, où les extraterrestres joueraient le rôle des divinités ». Bullard conclut : « La science a peut-être évincé les fantômes et les sorciers de nos croyances, mais elle a rempli le vide qu'elle a créé avec des extraterrestres qui ont les mêmes fonctions. Seuls les oripeaux extérieurs des extraterrestres sont neufs. Toutes nos peurs et tous nos drames psychologiques ont simplement trouvé un chemin différent pour nous hanter. Rien que d'ordinaire dans le royaume des légendes, où ce qui nous obsède vient cogner à notre porte dans la nuit. »

ÉNIGMES
POUR LE IIIᵉ
MILLÉNAIRE

À QUOI RESSEMBLERA NOTRE MONDE EN L'AN 3000 ? CHANGERA-T-IL autant d'ici là, ou plus encore qu'au cours du dernier millénaire ? Il est impossible de le dire. Notre culture sera-t-elle bouleversée par la généralisation des nouvelles technologies de l'information ? Saurons-nous faire face aux défis que pose l'avenir de la planète — effet de serre et réchauffement climatique, désertification, explosion démographique, sous-développement… — et à la radicalisation des tensions religieuses et économiques entre les pays riches et le tiers-monde ? Découvrirons-nous d'autres civilisations dans l'Univers et irons-nous coloniser des planètes, proches ou lointaines ?

Seule certitude : le prochain millénaire est pour nous aujourd'hui le plus grand… mystère de l'Histoire.

Existe-t-il ailleurs une Vie intelligente ?

Les spéculations sur l'existence d'une intelligence extraterrestre sont aussi vieilles que la pensée humaine. Qu'en dit la science aujourd'hui ?

CETTE PLATE-FORME ILLUMINÉE DOMINE LE RADIOTÉLESCOPE GÉANT D'ARECIBO, À PORTO RICO, LA PLUS GRANDE INSTALLATION DE CE TYPE AU MONDE (300 M DE DIAMÈTRE). AU DÉBUT DES ANNÉES 1990, CE TÉLESCOPE JOUAIT UN RÔLE ESSENTIEL DANS LE PROGRAMME SETI, MAIS CELUI-CI A RAPIDEMENT TOURNÉ COURT.

DE NOMBREUX SCIENTIFIQUES ESTIMENT QUE LES hommes ne sont pas seuls dans l'Univers et que des milliers d'autres civilisations peuplent les cieux. À l'appui de cette thèse, le fait que les éléments chimiques qui ont conduit à l'apparition de la vie sur la Terre sont partout présents dans l'Univers. Des composants organiques ont été découverts sur des astéroïdes, des comètes, des météorites et dans d'autres types de matière interstellaire. Or l'existence de molécules d'une certaine complexité est essentielle au développement de la vie. Bien plus, grâce aux technologies avancées, l'observation du ciel a permis de détecter de la matière dans un espace lointain qui n'émet pas de radiations stellaires, ce qui induit la présence possible de systèmes planétaires comme le nôtre. Toutefois, d'autres experts sont totalement en désaccord avec cette opinion…

L'ÉQUATION DE DRAKE

La recherche de signes d'une intelligence extraterrestre commence avec l'invention des radiotélescopes, dans les années 1940. On pense à cette époque que les ondes radio sont le meilleur moyen de communication à des distances interstellaires. Les premières études sur cette question sont lancées en 1960 par le radioastronome américain Frank Drake, qui guette des signaux émis par deux étoiles semblables au Soleil. Le chercheur imagine même une équation permettant d'estimer le degré de probabilité de l'existence d'une vie intelligente ailleurs dans le cosmos. Les éléments de l'équation de Drake sont la vitesse à laquelle naissent les étoiles, la probabilité de rencontrer, dans un système solaire donné, les conditions nécessaires à l'apparition de la vie, et la durée moyenne de vie des civilisations. L'équation fondée sur ces paramètres donne le résultat suivant : il y aurait environ 10 000 civilisations observables dans la Voie lactée, la plus proche se trouvant à 300 années-lumière de la Terre. Mais l'estimation de Drake a été réévaluée ultérieurement par l'astrophysicien américain Carl Sagan, qui a obtenu, lui, près d'un million de civilisations dans notre galaxie. Si l'on rapporte ce nombre aux centaines de millions de galaxies de l'Univers, on pourrait compter 10 milliards de milliards de civilisations !

Un des problèmes de l'équation de Drake tient au fait qu'elle suppose que chaque civilisation évolue de façon isolée. Or, si l'on en juge par notre histoire récente, il semble probable qu'en se développant les civilisations entament la colonisation de leur galaxie. S'il existe une société très évoluée dans la Voie lactée, elle n'est donc sans doute pas confinée sur sa propre planète. D'autre part, l'absence de signaux radio semble prouver qu'il n'existe pas de vie intelligente dans notre galaxie et que la seule civilisation avancée y est peut-être la nôtre.

Pour contrer ces critiques, certains partisans de Drake ont donc émis l'idée qu'il existe d'autres formes de vie, mais qu'elles ont choisi de ne pas communiquer avec les hommes. Une autre hypothèse serait toutefois plus vraisemblable : d'autres cultures auraient existé, mais elles auraient disparu avant d'avoir pu entamer la colonisation de leur galaxie.

DES CONDITIONS TRÈS RARES

Les travaux les plus récents contribuent à mettre en doute les propositions de Drake. On a ainsi attiré l'attention sur la fréquence avec laquelle les planètes susceptibles d'accueillir la vie sont bombardées par de grandes météorites. Or, dans notre système solaire, Jupiter joue le rôle d'absorbeur de « météorites tueuses » et renvoie les autres vers les confins de l'espace, ce qui a favorisé le développement de la civilisation sur la Terre. On a certes découvert des planètes géantes comparables à Jupiter, ailleurs dans la Galaxie, mais elles ne jouent pas le même rôle

protecteur vis-à-vis des petites planètes avoisinantes.

Autre objection : aux confins de notre galaxie, les supernovas sont rares, et le fer, le magnésium et le silicium doivent s'y trouver en faible quantité. Or, faute de ces éléments, la formation de planètes dotées de l'eau et de l'atmosphère nécessaires à la vie est improbable. Seules les galaxies spirales sont assez riches en métaux pour pouvoir entretenir la vie telle que nous la connaissons. Certains estiment en outre que les conditions qui ont permis la vie sur la Terre sont extrêmement rares et que leur combinaison est très complexe : la planète doit être assez éloignée de son étoile pour garder l'eau sous une forme liquide ; elle doit avoir un satellite naturel, juste à bonne distance pour garantir une stabilité climatique ; il doit y avoir assez de carbone, mais sans engendrer un échauffement excessif de l'atmosphère.

Quoi qu'il en soit, Drake — qui n'a cessé de chercher des signaux radio dans l'espace — a toujours maintenu que la vie est plus forte qu'on ne le croit et qu'elle peut se développer dans les conditions les plus variées.

Il reste qu'on ne se contente plus aujourd'hui de guetter des signaux radio : on cherche à détecter des impulsions lumineuses émises par d'éventuelles civilisations avancées. Mais aura-t-on jamais la réponse ?

LE RADIOASTRONOME AMÉRICAIN FRANK DRAKE A LANCÉ EN 1960 LES RECHERCHES DE SIGNAUX RADIO PROVENANT D'ÉTOILES LOINTAINES. SELON L'ÉQUATION QU'IL A ÉTABLIE, MAIS QUI DEMEURE CONTROVERSÉE, UNE AUTRE CIVILISATION SE TROUVERAIT À SEULEMENT 300 ANNÉES-LUMIÈRE DE LA TERRE.

LE DESTIN DE SETI

En octobre 1992, la NASA lance un programme de recherche d'une intelligence extraterrestre. Appelé SETI, il a pour mission d'examiner l'ensemble du ciel pendant dix ans, pour y détecter des signaux faibles grâce à des récepteurs d'un type entièrement nouveau par leur sensibilité et l'étendue des fréquences qu'ils couvrent. SETI est capable de recevoir le moindre message radio émis à partir de l'une des 100 milliards d'étoiles qui constituent la Voie lactée. Les stations de réception sont installées dans le désert Mojave (Californie) et à Porto Rico. Un an plus tard, le Congrès américain cesse de financer le programme, jugé trop cher et secondaire. Depuis 1994, le projet Phoenix tente de

PIÈCE DU PUZZLE

combler cette lacune en observant 1 000 étoiles du même type que le Soleil dans un rayon de 200 années-lumière autour de la Terre. En 1999, l'université Harvard et celle de Berkeley ont lancé des programmes de recherche d'éventuels signaux lumineux extraterrestres en mettant à contribution les puissants télescopes Keck sur le volcan Mauna Kea (Hawaii).

RADIOTÉLESCOPE.

Les Ordinateurs : un développement fulgurant

LE PREMIER ORDINATEUR DE GRANDE capacité est développé durant la Seconde Guerre mondiale, entre 1939 et 1943, par un thésard de Harvard, Howard H. Aiken. La machine, appelée « Mark I », pèse 5 tonnes, contient 800 km de câbles et 3 304 relais électromécaniques. Elle peut effectuer des additions à 23 chiffres et des soustractions en trois dixièmes de seconde, ce qui est incroyable pour l'époque. Mais, en 1946, une avancée encore plus importante se produit dans la technologie informatique : des ingénieurs de la Moore School de l'université de Pennsylvanie dévoilent ENIAC (Electronic Numerical Integrator and Calculator), un ordinateur qui utilise pour ses calculs des impulsions électroniques à la place des commutateurs mécaniques.

Ce géant pataud comprend 18 000 tubes électroniques et 50 000 commutateurs, il occupe

L'histoire des ordinateurs est loin d'être achevée, mais leur invention a d'ores et déjà eu des conséquences considérables sur notre vie.

140 m² au sol, pèse plus de 30 tonnes et consomme 180 000 watts. Il a été construit spécifiquement, lors de la Seconde Guerre mondiale, en réponse aux besoins croissants de calculer mieux et plus vite, afin d'élaborer des tables de trajectoires et de traiter d'autres données militaires. Quelques décennies plus tard, le micro-ordinateur deviendra un compagnon indispensable dans des millions de bureaux et de domiciles…

ENIAC et les autres machines du même type sont des ordinateurs de « première génération ». Après l'invention du transistor en 1947, la deuxième génération d'ordinateurs domine la fin des années 1950 et le début des années 1960. Mais la véritable révolution intervient avec l'arrivée de la troisième génération, qui se fonde sur l'utilisation des circuits intégrés.

Le premier circuit intégré est produit en septembre 1958 ; toutefois, les premiers ordinateurs qui l'utilisent n'apparaissent pas avant 1963. Il permet à la fois l'accroissement des capacités de stockage et de calcul dans les grands modèles tels que l'IBM 360, et le développement des micro-ordinateurs, qui deviennent abordables pour les petites entreprises et les particuliers — un pas de géant dans le domaine de l'informatique.

INTERNET, UNE AUBE NOUVELLE
Les immenses possibilités commerciales offertes par l'invention du microprocesseur n'ont pas été immédiatement perçues par les fabricants. Il faut attendre 1977 pour que Steve Jobs et Steve Wozniak lancent l'Apple II, un micro-ordinateur destiné à un marché de masse. Pour la première fois, un ordinateur est vendu assemblé, prêt à l'emploi. Depuis lors, les ordinateurs sont devenus de plus en plus faciles à utiliser, de plus en plus puissants, et ils ont changé notre façon de vivre.

Internet, par exemple, est aujourd'hui d'usage courant dans la plupart des foyers américains et il se répand rapidement en Europe. Le web est une immense bibliothèque électronique de pages liées entre elles et distribuées via un protocole appelé HTTP (hyper-text-transfer-protocol). Il démarre à la fin des années 1980,

à l'initiative de scientifiques qui souhaitent partager et échanger des informations — à l'époque, il s'agit de texte seulement. Les échanges de données graphiques sont bientôt rendus possibles avec un outil appelé NCSA Mosaïc. L'interface graphique ouvre ces possibilités à des utilisateurs novices, et Internet explose en 1993, lorsque le grand public commence à se connecter à partir d'un ordinateur personnel et d'un simple modem. Avant cette date, les seuls utilisateurs d'Internet se trouvaient dans les universités, les bibliothèques ou d'autres grands organismes. Aujourd'hui, chacun peut faire appel aux « autoroutes de l'information » que constitue le vaste réseau mondial du web.

LE MARK-1 FUT LE PREMIER ORDINATEUR DE GRANDE PUISSANCE (CI-DESSUS). **IL PESAIT 5 TONNES… AUJOURD'HUI, SES DESCENDANTS SONT ASSEZ PETITS POUR TENIR SUR UN BUREAU D'ÉCOLIER** (CI-DESSOUS).

DES CHANGEMENTS PROFONDS

Durant les dernières décennies, une littérature considérable a été consacrée aux effets de la micro-informatique sur nos modes de vie, mais nombre de déclarations sont soit trop enthousiastes, soit exagérément sceptiques. Si l'on observe les changements qui résultent de l'utilisation de plus en plus générale des micro-ordinateurs et des réseaux, on ne peut nier que l'informatique ait d'importantes répercussions sur la vie de la plupart des hommes, du moins dans les pays développés.

Indéniablement, l'une des grandes avancées que permettent les ordinateurs est le stockage, sur un espace réduit, d'une quantité inouïe d'informations. Les ordinateurs ont aussi accru de manière exponentielle la vitesse de traitement et de diffusion des données. La Bibliothèque nationale de France s'est ainsi engagée — comme d'autres bibliothèques dans ce pays et à travers le monde — dans un vaste programme de numérisation qui vise à mettre une part croissante de son fonds considérable à la disposition de tous via Internet. Même la petite puce de nos cartes de crédit — invention du Français Roland Moreno — permet de stocker une somme d'informations étonnante, appelée à croître encore dans un avenir proche. Les ordinateurs et Internet ont aussi une incidence sur l'éducation ; la mémoire risque du reste de perdre de l'importance dans l'apprentissage du savoir, dans la mesure où l'on peut facilement accéder à toutes les informations par un simple clic sur une souris.

On constate également une compression du temps. La capacité des ordinateurs à transmettre des informations en temps réel (c'est-à-dire instantanément) a révolutionné l'industrie, le commerce, les métiers de la banque ou la Bourse… Le monde du travail est en pleine mutation : il est de moins en moins nécessaire qu'un ouvrier reste assis près d'un convoyeur ou travaille — voire surveille — une chaîne de montage, quand un ordinateur peut faire la même chose.

UN OUTIL DE SIMULATION

La modélisation et la simulation sont aussi des progrès technologiques importants : elles permettent aux chercheurs d'étudier les effets de certaines expériences sans avoir à faire des essais qui pourraient être dangereux ou très onéreux. Tel est le principe de la simulation nucléaire, qui remplace les essais aériens ou souterrains, désormais interdits. L'aéronautique et l'astronautique, elles aussi, exploitent de manière intensive les possibilités de la simulation : c'est grâce à elle que, dès les années 1960, les Américains ont pu simuler la trajectoire des programmes spatiaux Mercury et Apollo.

La simulation peut aussi contribuer à résoudre certains mystères historiques. Grâce à elle, on a découvert que le cuirassé américain *Maine*, coulé en 1898 dans le port de La Havane, n'avait peut-être pas été détruit par une mine espagnole, mais plutôt par un incendie accidentel dans la soute à charbon. C'est pourtant cet événement qui a entraîné la guerre entre les États-Unis et l'Espagne, puis l'indépendance de Cuba…

ENIAC, DÉVOILÉ EN 1946, OCCUPAIT 140 M² AU SOL !

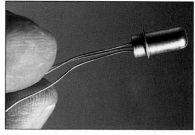

LES TRANSISTORS SONT ENTRÉS EN SCÈNE EN 1947.

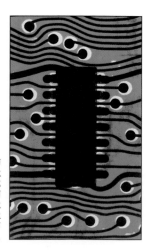

L'INVENTION DU MICROPROCESSEUR A RENDU POSSIBLE LA CRÉATION D'APPLE II, PREMIER ORDINATEUR DESTINÉ AU GRAND PUBLIC.

LE BON GRAIN ET L'IVRAIE

Bien sûr, à côté de ces progrès remarquables, l'ordinateur a aussi engendré de nouveaux problèmes. Les questions du respect de la vie privée, de la protection des mineurs (notamment contre les sites pornographiques), de la lutte contre les idéologies racistes, mais aussi de la sécurité des transactions financières et commerciales sont posées avec acuité par le développement d'Internet. Les pirates informatiques (ou *hackers*), les virus destructeurs (comme « I love you » en mai 2000, ou « Code Red », destiné à saturer les réseaux, en juillet 2001) sont autant de dangers. Il ne faut pas se cacher non plus que l'informatique risque de creuser un fossé supplémentaire : dans les pays riches, entre les « connectés » et ceux que les sociologues appellent parfois les « nouveaux illettrés », qui ne maîtrisent pas les nouvelles technologies ; et entre les pays riches et le tiers-monde, où l'urgence est moins de se connecter à Internet que de disposer de l'électricité et du téléphone, ou même de manger à sa faim… L'informatique sera ce qu'en feront les hommes, mais elle représente d'ores et déjà un puissant moyen d'améliorer et de développer l'information et la communication.

LES PIONNIÈRES

Les grands noms de l'informatique actuelle sont des hommes mais, si nous connaissons aujourd'hui les Aiken, Jobs, Wozniak ou Gates, de nombreux pionniers furent des femmes ! En fait, le premier « compilateur » informatique est l'invention de Grace Murray Hopper, qui l'a mis au point en 1952. Son logiciel révolutionnaire a facilité la première programmation automatique d'un langage informatique. Chaque fois que l'ordinateur avait besoin d'instructions communes à tous les programmes, le compilateur permettait à l'ordinateur de se référer à des codes qui se trouvaient dans sa propre mémoire.

Mais Grace Hopper ne s'est pas arrêtée là : elle a inventé le COBOL, premier langage de programmation destiné à résoudre des problèmes de gestion. Dix ans plus tard, Evelyn Boyd Granville, l'une des premières femmes noires spécialistes de l'informatique, a développé les programmes qui ont servi à analyser la trajectoire des missions spatiales Mercury et Apollo, dans les années 1960 et 1970. Ces pionnières ont même été précédées par la fille du grand poète romantique lord Byron. En 1833, le mathématicien anglais Charles Babbage conçut une « machine analytique » commandée par une machine à vapeur. Elle contenait déjà nombre de principes opératoires mis en œuvre dans les ordinateurs actuels : stockage de données, impression et même fonctions de prise de décision. Babbage n'a jamais pu achever sa machine, parce que les technologies ne permettaient pas, à l'époque, de répondre à ses exigences. Son assistante Augusta Ada Byron, lady Lovelace, devint, en tant qu'auteur du code de la machine de Babbage, la première programmatrice de l'histoire de l'informatique. En 1979, son prénom, Ada, a été donné à un langage informatique de haut niveau.

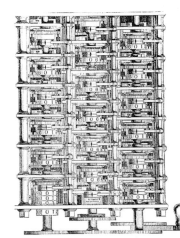

CHARLES BABBAGE EUT BESOIN D'ADA BYRON (CI-DESSUS) **POUR FAIRE FONCTIONNER SA MACHINE ANALYTIQUE** (À GAUCHE).

STEVE JOBS (CI-CONTRE), **COFONDATEUR D'APPLE, PRÉSENTE L'APPLE II** (CI-DESSUS).

BILL GATES (CI-DESSUS) **A CONDUIT MICROSOFT AU ZÉNITH DE L'INDUSTRIE DE L'INFORMATIQUE.**

INTERNET CHANGE LA MANIÈRE D'ENSEIGNER ET D'APPRENDRE (CI-CONTRE).

Le Livre est-il mort?

Depuis l'invention de Gutenberg, vers 1450, la « chose imprimée » fait partie intégrante de notre société et de notre culture. L'avènement du numérique marquera-t-il sa disparition?

LA PLUPART DES LECTEURS DEMEURENT ATTACHÉS AU PAPIER (CI-CONTRE, EN HAUT). **TOUTEFOIS, POUR CERTAINS FUTUROLOGUES, LE LIVRE ÉLECTRONIQUE** (CI-CONTRE, EN BAS) **DEVRAIT UN JOUR REMPLACER L'IMPRIMÉ.**

LES HISTORIENS QUI ÉTUDIERONT DANS L'AVENIR les apports du XXᵉ et du XXIᵉ siècle et qui chercheront à déterminer comment le monde de l'imprimé, de l'encre et du papier s'est vu largement remplacé par celui du numérique et des pixels sur un écran, tomberont peut-être par hasard sur un article de Vannevar Bush (qui fut directeur de l'Office de recherche scientifique du gouvernement américain), paru dans le numéro de juillet 1945 du magazine *Atlantic*

Monthly. Cette contribution, intitulée *Comme nous pouvons le penser,* est consacrée aux difficultés croissantes que rencontre celui qui veut acquérir des informations par un moyen que l'auteur considère déjà comme archaïque : l'imprimé. « Professionnellement, nos méthodes de transmission et de recension des résultats de nos recherches sont totalement dépassées et ne répondent plus à leur objectif, écrit-il. Le problème est non que nous publiions trop en regard de l'étendue et de la variété des centres d'intérêt actuels mais plutôt que l'édition se soit étendue bien au-delà de nos capacités à utiliser les informations à notre disposition. » Bush insiste sur le fait que les humains ont besoin de nouveaux moyens pour se frayer un chemin à travers l'abondance de l'information disponible — des moyens qui se libèrent du papier et de l'encre.

Il propose donc une machine appelée memex, qui créerait des liens que l'utilisateur pourrait suivre selon ses centres d'intérêt. « Des formes d'encyclopédies entièrement nouvelles apparaîtront ; elles seront structurées comme une maille permettant de suivre un chemin, d'information en information. Le juriste aura sous la main les opinions et les décisions qui correspondent à sa propre expérience, associées à celles de ses confrères et des autorités judiciaires. L'avocat spécialiste dans la propriété industrielle pourra appeler les millions de brevets en cours, avec des chemins prédéterminés vers chacun des points qui intéressent son client. »

Avec trente ans d'avance, Bush décrit les principes du web, la « toile » qui réunit aujourd'hui des centaines de millions de personnes dans une communauté virtuelle. Les utilisateurs d'Internet peuvent non seulement faire des recherches en ligne, mais s'envoyer des messages électroniques, dialoguer et créer des communautés qui ne sont plus limitées par la géographie réelle.

PASSIONNÉS ET DÉTRACTEURS

Dans l'avenir, les noms de Vannevar Bush et de J. C. R. Licklider (qui, en 1968, a écrit un article où il proposait un « réseau informatique intergalactique ») seront-ils l'objet d'autant de considération que celui de Gutenberg ? Les réseaux informatiques, avec leur rapidité, leurs vastes ressources en informations et en images, rendront-ils obsolètes l'encre, le livre et le papier ?

Pas si sûr ; car les ordinateurs ont aussi leurs détracteurs, qui les accusent de tyrannie. Le philosophe français Jean Baudrillard assure, par exemple, qu'Internet ne résoudra guère le problème de l'excès d'informations. Il dit en substance que la science informatique témoigne seulement de l'omnipotence de nos technologies ; en d'autres termes, elle a une capacité infinie à produire des données (seulement des données, c'est-à-dire ce qui a déjà été *donné*), mais en aucun cas une vision nouvelle.

Ceux qui soutiennent que le média numérique ne triomphera jamais de l'imprimé mettent aussi l'accent sur l'incompatibilité ou les défauts de certains équipements électroniques, le manque de fiabilité de l'information dispersée à travers plusieurs serveurs… Le papier imprimé est plus concret, plus solide, plus fiable.

BIENVENUE AU LIVRE ÉLECTRONIQUE ?

Pourtant, de nombreux observateurs mettent en avant les possibilités offertes par le numérique : suivre rapidement des liaisons selon des modalités proches du fonctionnement du cerveau humain, qui travaille par associations ; partager l'information et faciliter ainsi le développement de la recherche à travers un processus de collaboration ; accéder avec précision à une information en quelques minutes, alors qu'il faut parfois des jours voire des semaine de recherche dans les rayonnages d'une bibliothèque.

Pour ceux qui ont la nostalgie de l'époque où l'on pouvait se blottir au coin du feu un livre à la main, les fabricants ont conçu en 1999 le livre électronique, ou *e-book.* Les lecteurs peuvent télécharger jusqu'à dix romans via Internet et les dérouler ensuite sur leur écran. L'*e-book* n'est au demeurant pas tout à fait au point et n'a pas encore rencontré le succès espéré. Les chercheurs travaillent aujourd'hui à concevoir des écrans légers et souples et une encre électronique.

Il est toutefois impossible de dire si, en 2100, les élèves viendront en classe avec pour tout matériel un crayon optique et un *e-book.* Les livres, les journaux de papier, l'encre ont su remarquablement s'adapter depuis cinq siècles et, malgré l'essor des supports numériques, les librairies vendent toujours des livres. Tout laisse supposer que les gens continueront de lire des livres imprimés durant le siècle à venir, même si certains secteurs de l'édition — encyclopédies, ouvrages universitaires… — connaissent déjà une profonde mutation et si les CD-ROM comme les sites Internet occupent une place de plus en plus importante dans notre univers culturel.

Voyagerons-nous
vers
d'autres
Planètes ?

Le thème des voyages interplanétaires s'est peu à peu répandu à travers la littérature et le cinéma. La science rejoindra-t-elle un jour la fiction ?

« NOTRE INTÉRÊT PASSIONNÉ POUR LE CIEL, LES étoiles, et un Dieu quelque part dans l'espace, est une pulsion de retour aux origines », disait le philosophe américain Eric Hoffer après le premier pas sur la Lune. « Nous sommes renvoyés d'où nous venons. » Cette pulsion sera-t-elle assez forte pour nous conduire sur d'autres planètes, à l'intérieur ou à l'extérieur de notre système solaire ?

L'une des questions posées aujourd'hui par la conquête spatiale est de savoir si elle justifie les sommes colossales qui lui sont consacrées alors qu'une partie des habitants de notre planète ne mange pas à sa faim.

Quoi qu'on puisse en penser, la plupart des experts s'accordent désormais à dire que l'homme disposera un jour de la technique nécessaire pour entreprendre des voyages vers Mars. La technologie est presque au point. Les premières missions sur Mars ont été lancées en 1964 par la NASA, et depuis lors un grand nombre d'engins ont été mis en orbite autour de la « planète rouge » ou s'y sont posés, afin de rassembler un maximum d'informations sur son atmosphère et son sol. La plus stimulante de ces missions est sans aucun doute celle qui s'est déroulée durant l'été 1997, lorsqu'un petit robot nommé *Sojourner* s'est posé sur Mars pour prélever des échantillons de roches et photographier d'incroyables panoramas martiens qui ont émerveillé le monde entier.

UN GROS PROBLÈME

Envoyer un engin léger et inhabité vers Mars est un défi complexe à relever, mais que dire de l'envoi d'un vaisseau spatial habité ? Les missions inhabitées ont l'avantage de ne pas poser le problème du retour sur la Terre, alors que ce point devient crucial si l'on envisage d'envoyer des hommes sur Mars (seule la science-fiction, peut admettre l'idée d'astronautes acceptant de

LANCEMENT DE
LA SONDE *MARS
POLAR LANDER*, LE
3 JANVIER 1999.
ELLE DEVAIT
ATTEINDRE LE PÔLE
SUD DE LA PLANÈTE
ROUGE EN
DÉCEMBRE, MAIS
ELLE DISPARUT
DURANT SA
DESCENTE À
UNE CENTAINE
DE MÈTRES DU
SOL MARTIEN.

partir sans espoir de retour !). Un tel voyage prendrait environ un an dans chaque sens. Or la technique actuelle ne permet pas de concevoir une fusée capable d'emporter l'énorme poids que représentent l'équipement et le carburant nécessaires à l'aller et au retour, et il serait trop coûteux de construire un tel vaisseau, élément par élément, dans l'espace.

DES DÉFIS SURMONTABLES ?

Les idées n'ont pas manqué pour résoudre les problèmes posés par le voyage sur Mars. Deux ingénieurs, Robert Zubrin et Larry Clark, ont imaginé un prototype de machine qui pourrait combiner le dioxyde de carbone contenu dans l'atmosphère de Mars et de l'hydrogène apporté de la Terre pour créer un carburant capable de ramener la fusée à son point de départ. Deux lancements distincts seraient effectués lors de chaque mission : l'un pour le vaisseau habité à l'aller, l'autre pour celui qui servirait au retour. Le tout pour la modique somme de 2 milliards de dollars par an, pendant au moins dix ans.

Bien sûr, il reste quelques difficultés à surmonter, avant que nous ne puissions nous envoler à la découverte du système solaire. L'une des principales tient aux problèmes de santé que provoque un long séjour dans l'espace. Les cosmonautes russes, détenteurs des records de durée dans l'espace, ont souffert d'une perte de densité osseuse et d'une atrophie de leurs muscles (dont le cœur). Les astronautes seraient également soumis à de forts taux de radiation, malgré les enveloppes protectrices des vaisseaux spatiaux. Pour le moment, les vols dans l'espace évitent les périodes d'activité des tempêtes solaires, mais une mission sur Mars, compte tenu de sa durée, ne pourrait y échapper. Enfin, il serait difficile d'approvisionner le vaisseau en nourriture et en eau (toutefois, il n'est pas exclu que les astronautes puissent utiliser l'eau qui, selon les plus récentes découvertes, semble se trouver sous la surface de Mars).

VINGT ET UN ANS VERS PLUTON !

La physique s'est montrée impuissante à produire les fabuleux vaisseaux que l'on voit dans la *Guerre des étoiles*. Même si un tel engin pouvait être construit, il subirait des dommages irrémédiables en s'approchant de la vitesse de la lumière. À cette vitesse, la plus petite poussière interstellaire qui frapperait la carlingue aurait une énergie destructrice de plusieurs milliers de

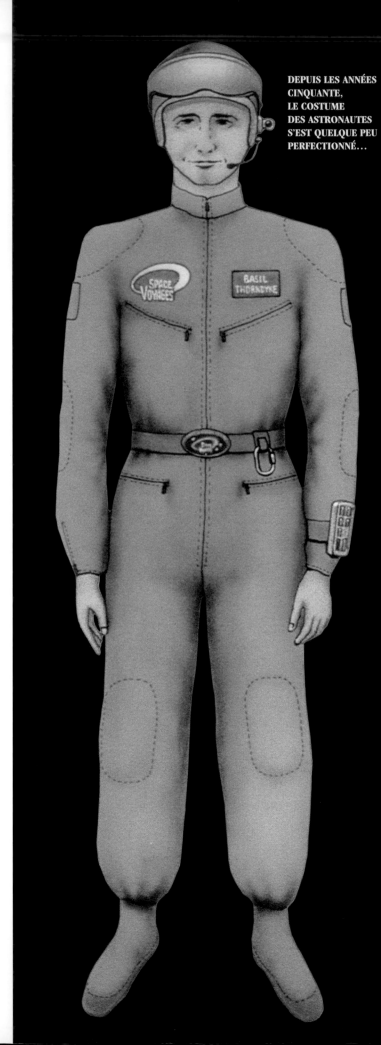

L'HIBERNATION SERA PEUT-ÊTRE NÉCESSAIRE POUR L'ACCOMPLISSEMENT DE LONGS VOYAGES. ICI, UNE SCÈNE DU FILM *2001 : L'ODYSSÉE DE L'ESPACE.*

tonnes — un orage de grêle bien supérieur à tout ce qu'on peut imaginer !

Les fusées du futur bénéficieront peut-être des résultats de nouvelles recherches dans la propulsion ionique, mais les scientifiques ne voient actuellement aucune méthode permettant de construire une machine capable de supporter de telles vitesses. Quelques auteurs de science-fiction ont imaginé que l'énergie des trous noirs pourrait servir à propulser les vaisseaux spatiaux, mais le trou noir le plus proche de nous se trouve à environ 3 000 années-lumière. Aux vitesses actuelles, un voyage vers Pluton, la planète la plus lointaine du système solaire, durerait plus de 21 ans. Quel homme accepterait de passer 42 ans de sa vie dans une capsule, même pour le bien de la science ? Quant à sortir du système solaire, c'est encore plus improbable. « Pourquoi l'humanité paierait-elle des milliards de dollars pour que nous puissions envoyer quelques dizaines de voyageurs vers l'étoile la plus proche, au terme d'un voyage sans retour de plusieurs décennies ? » se demande Sten Odenwald, chercheur à la NASA.

ET DEMAIN ?

Le jour où l'humanité aura de solides arguments pour répondre positivement à cette question, l'homme s'envolera peut-être au-delà de Mars. Mais il n'y a pas de nécessité biologique impérieuse, au moins dans un avenir proche, pour que nous colonisions d'autres planètes. D'ailleurs, celles de notre système solaire ne sont guère accueillantes pour la vie humaine. Depuis 1995, cependant, plus de vingt planètes ont été découvertes hors du système solaire, et les astronomes pensent désormais qu'il existe partout des étoiles entourées de planètes. Imaginons notre réaction si les scientifiques découvrent un jour une planète qui possède une orbite circulaire comme la nôtre et se trouve à une distance convenable de son étoile pour pouvoir accueillir la vie humaine ! Si la Terre est menacée ou si ses ressources sont épuisées, y aura-t-il demain des gens pour risquer un tel voyage sur une arche de Noé spatiale ? C'est une question à laquelle personne ne peut répondre, mais n'oublions pas l'avertissement de Robert Goddard, le physicien américain qui a conçu la première fusée à carburant liquide, au milieu des années 1920 : « Il est difficile de dire ce qui est impossible, car le rêve d'hier est l'espoir d'aujourd'hui et la réalité de demain. »

L'Histoire sera-t-elle récrite par la Science ?

Le développement des techniques de datation et d'identification des traces du passé remet en cause bien des certitudes. Dans quelle mesure les avancées de la science bouleverseront-elles nos connaissances historiques ?

UTILISÉES EN PREMIER LIEU DANS LES INVESTIGATIONS CRIMINELLES, LES TECHNIQUES DE DÉCRYPTAGE DE L'ADN TROUVENT DÉSORMAIS DES APPLICATIONS DANS LE DOMAINE HISTORIQUE, OÙ ELLES CONTRIBUENT À ÉLUCIDER CERTAINS MYSTÈRES.

NOUS ENTENDONS PARLER PRESQUE CHAQUE jour des progrès accomplis par les nouvelles techniques d'identification du vivant. Il suffit désormais de disposer d'un cheveu, d'une goutte de sang ou d'une trace de salive, même assez anciens, pour pouvoir déterminer avec une quasi-certitude la culpabilité ou, à l'inverse, l'innocence d'une personne. Ces nouveaux procédés ne s'appliquent pas aux seuls domaines de la criminologie ou de la recherche en paternité ; ils viennent aussi révolutionner les méthodes de l'historien et conduisent à la réouverture de dossiers presque oubliés ou à la résolution d'énigmes que l'on croyait à jamais insolubles.

LA TRAQUE DES INDICES

Pourtant, au moins depuis la deuxième moitié du XIXe siècle, l'Histoire s'est constituée comme une discipline scientifique dotée de méthodes rigoureuses d'établissement des faits. Un historien digne de ce nom travaille à partir de sources dont il doit vérifier l'authenticité et qu'il doit dater aussi précisément que possible. Ces sources documentaires sont de toute nature et tendent évidemment à se raréfier à mesure que les époques considérées sont reculées. Le travail de l'historien, qui procède par recoupement de données, confrontation de sources aussi variées que possible, ressemble donc beaucoup à celui du policier. Comme lui, il traque la vérité à partir d'indices, parfois très minces, et opère des reconstitutions en fonction des éléments convergents, ce qui requiert, dans certains cas, un effort d'imagination. Tous les matériaux, du tesson de poterie au journal intime, sont susceptibles de contribuer à la connaissance du passé, pourvu qu'ils soient correctement exploités.

Ainsi l'archéologie a-t-elle codifié ses méthodes de prospection des vestiges du passé, en particulier de la préhistoire (qui constitue une spécialité à part entière) et de la période antique. Cette discipline fait appel à de multiples techniques, comme la photographie par satellite, qui révèle d'anciens découpages fonciers (précieux pour l'étude de la répartition de la propriété). C'est dans le domaine de la datation que les avancées ont été récemment le plus spectaculaires, avec l'utilisation du carbone 14, un isotope radioactif qui prend naissance dans l'atmosphère sous l'action des radiations solaires, notamment dans le gaz carbonique, et qui est absorbé par les êtres vivants. La quantité de carbone 14 diminuant progressivement dans le temps pour un corps donné, il est possible de déterminer la date de sa mort à partir de la proportion de cet isotope qui subsiste. La chimie aussi est d'un grand secours pour la datation des ossements, grâce à la détection du fluor qu'ils contiennent : la chronologie de l'apparition des premiers hommes subit ainsi régulièrement des modifications, au gré des trouvailles archéologiques. La dendrochronologie, technique très fiable et en plein essor, se fonde, quant à elle, sur l'étude des cernes de croissance des troncs d'arbre : tous les arbres d'un même âge présentent le même nombre de cercles annuels. Outre leur datation relative, les arbres permettent de reconstituer les événements climatiques dont ils ont enregistré les variations.

LES RÉVÉLATIONS DE L'ADN

C'est à coup sûr l'affinement des méthodes de décryptage de l'ADN (acide désoxyribonucléique) qui bouleverse le plus profondément la connaissance de l'Histoire. Constitutif des chromosomes, cet acide nucléique, dont la structure à double hélice a été mise au jour dans les années 1950, est une sorte de carte d'identité génétique présente dans toutes nos cellules. Un simple fragment d'os, une demi-racine de dent suffisent à reconstituer l'ADN d'un individu. Des énigmes séculaires ont ainsi pu être résolues, comme l'identité de l'enfant du Temple, récemment établie à partir des restes de son cœur : c'est bien le

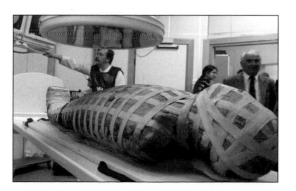

L'HOMME DE KENNEWICK

La découverte en 1996, près de la ville de Kennewick, aux États-Unis, d'un squelette humain parfaitement conservé, de type caucasien et que l'analyse au carbone 14 date de 9 000 ans, a provoqué une telle polémique que l'affaire a été portée devant **PIÈCE DU PUZZLE** les tribunaux. Elle oppose en effet les anthropologues, qui veulent examiner attentivement les ossements, et les représentants des Indiens, qui craignent que cette découverte n'invalide leur prétention à être les premiers occupants du territoire américain.

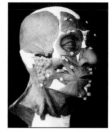

JIM CHATTERS, ANTHROPOLOGUE ET MÉDECIN LÉGISTE AMÉRICAIN, A RECONSTITUÉ LES TRAITS DE L'HOMME DE KENNEWICK. LA SCULPTURE DE DROITE A ÉTÉ RÉALISÉE PAR THOMAS MAC CLELLAND SUR LES INDICATIONS DE CHATTERS.

fils de Marie-Antoinette et de Louis XVI qui mourut en prison en 1795. D'autres dossiers brûlants attendent une réponse à partir de l'analyse de l'ADN. Ainsi des restes de Napoléon. Des chercheurs ont évoqué la possibilité d'une substitution du corps lors du rapatriement de celui-ci en 1840. Ils se sont intéressés à des poils de barbe et à des cheveux retenus dans la cire du masque mortuaire exposé aux Invalides. Il faudrait les comparer à d'autres fragments qui ont été authentifiés. Mais seule une analyse de l'ADN des restes qui se trouvent aux Invalides permettrait de trancher, ce qui suppose une autorisation administrative qui sera longue à venir…

Ces méthodes suscitent en effet d'innombrables résistances, car elles remettent parfois en question la mémoire collective d'une nation ou d'une population, comme en témoigne l'affaire de l'homme de Kennewick. Les nouvelles techniques d'investigation nous permettent d'affiner notre connaissance des civilisations passées. Pour autant, il ne faut pas s'en remettre trop systématiquement à elles : tout au plus constituent-elles des auxiliaires précieux qui ne rendent en rien caduques les méthodes plus classiques. L'Histoire consiste toujours, comme le pensait Michelet, en une tentative de résurrection intégrale du passé. Ce projet infini requiert de la rigueur mais il est aussi une perpétuelle invention qui met en jeu la sensibilité de l'historien.

EN BAS, À GAUCHE : **CETTE MOMIE ÉGYPTIENNE D'UNE FEMME NOMMÉE HAAT ET VIEILLE DE 3 000 ANS EST SOUMISE À UNE ANALYSE AUX RAYONS X PAR DES SCIENTIFIQUES DE L'ACADÉMIE DE MÉDECINE DE POZNAN, EN POLOGNE.**

Comment la Terre va-t-elle finir ?

Des milliards d'années nous séparent sans doute de la disparition de notre planète, mais les hommes hâteront-ils leur propre fin ?

BEAUCOUP DE GENS ONT SPÉCULÉ SUR LES derniers jours de la Terre, des prophètes de l'apocalypse aux écrivains de science-fiction, mais les seules prévisions crédibles sont sans doute celles des astronomes ! Notre Soleil a commencé son processus de transformation de l'hydrogène en hélium voilà environ 4,65 milliards d'années. Il possède assez d'hydrogène pour que le processus se poursuive encore pendant 4,5 milliards d'années. Puis ses couches externes commenceront une expansion qui les amènera jusqu'à l'orbite de la Terre, voire au-delà. Le Soleil sera alors devenu une nouvelle géante rouge, qui absorbera notre planète.

On a toutefois de bonnes raisons de craindre que la fin de l'humanité ne se produise bien avant ces 4,5 milliards d'années ! Une des plus graves questions qui se posent aujourd'hui est celle-ci : les hommes seront-ils l'instrument de leur propre disparition, ou bien seront-ils victimes de forces extérieures, hors de leur contrôle ?

Dans les années 1980, les scientifiques notent avec inquiétude que le niveau de dioxyde de carbone (CO_2) contenu dans l'atmosphère s'est élevé de 25 % en un siècle. Certains croient alors à une variation naturelle, mais la plupart accusent la consommation excessive d'énergies fossiles — charbon, gaz, pétrole. Le niveau élevé de CO_2 a des conséquences désagréables — odeurs, brouillards de pollution —, mais surtout il favorise l'effet de serre et l'augmentation de la température terrestre. En effet, le CO_2 capte la partie de l'énergie solaire qui n'est pas réfléchie pour la transformer en chaleur.

DU CO₂ AU NUCLÉAIRE

La présence d'une quantité trop élevée de CO_2 dans l'atmosphère risque de créer une sorte d'autocuiseur qui mettra en danger la vie végétale — notre seul moyen de convertir le dioxyde de carbone en oxygène, grâce à la chlorophylle contenue dans les plantes et à la photosynthèse. En outre, l'élévation des températures pourrait entraîner la fonte des calottes glaciaires et l'élévation du niveau des mers. De nombreuses zones côtières, souvent très peuplées, comme aux Pays-Bas ou dans le delta du Gange, au Bangladesh, seraient alors submergées. L'humanité pourrait disparaître de mort lente.

Si l'on est cynique, on peut considérer que les guerres, les épidémies et la malnutrition ont, par le passé, joué un rôle régulateur dans la croissance de la population humaine. À l'avenir, on peut imaginer que les sociétés entreront en conflit pour le contrôle des ressources naturelles — notamment l'eau, premier enjeu du XXIᵉ siècle — si elles ne trouvent pas des solutions alternatives pour produire de l'énergie et de la nourriture.

Toutes les tentatives directes pour contrôler la démographie — en Inde ou, de manière beaucoup plus stricte, en Chine — ont montré leurs limites et leurs effets pervers.

On peut aussi imaginer des scénarios beaucoup plus expéditifs, comme une catastrophe atomique. En 1961, John Kennedy déclarait à l'Assemblée générale des Nations unies : « Chaque homme, chaque femme, chaque enfant vit sous une épée de Damoclès nucléaire. » Malgré les accords de désarmement, il reste en effet assez de fusées nucléaires et de bombes à neutrons pour détruire plusieurs fois la planète...

LES DANGERS VENUS DE L'ESPACE

Autre cause possible de disparition de l'humanité : les objets célestes — comètes et astéroïdes. Une des hypothèses les plus plausibles pour expliquer l'extinction des dinosaures, il y a 65 millions d'années, est une catastrophe climatique causée par l'impact d'un astéroïde. Rien n'interdit d'imaginer qu'un tel scénario puisse se reproduire. Le 19 mai 1996, un astéroïde mesurant 600 m de large est bien passé à 400 000 km de la Terre — un cheveu, à l'échelle cosmique !

Les astronomes pensent qu'il suffirait qu'un astéroïde de 1 km de large heurte la Terre pour qu'il se produise un désastre mondial. Or, on estime que 2 000 astéroïdes de cette taille sont susceptibles de croiser l'orbite terrestre. Reste à savoir si cela se produira avant 4,5 milliards d'années... Un point rassurant toutefois : des scientifiques travaillent sur la possibilité d'utiliser la technologie nucléaire pour détruire ce type de corps céleste, le cas échéant.

Alors, apocalypse ou mort lente ? Depuis la Bible et Nostradamus, les prophètes de l'apocalypse sont légions, mais leurs prédictions ne se sont à l'évidence jamais réalisées... Les véritables circonstances de la fin de la Terre restent hypothétiques. Si rien n'est fait pour les prévenir, tous les scénarios sont également plausibles. Plus que jamais, l'homme tient son destin entre ses mains !

OCTOBRE 1979

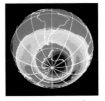

OCTOBRE 1994

CES IMAGES (CI-DESSUS) MONTRENT L'ÉVOLUTION DE LA MOYENNE MENSUELLE DE L'OZONE DANS L'ATMOSPHÈRE TERRESTRE. L'ACTIVITÉ HUMAINE A CONTRIBUÉ À DÉTÉRIORER LA COUCHE D'OZONE, CE QUI PEUT ENTRAÎNER UNE AUGMENTATION DES TEMPÉRATURES ET, EN CONSÉQUENCE, LA FONTE DES GLACIERS ET DES CALOTTES POLAIRES (À GAUCHE). ON CRAINT DONC UNE ÉLÉVATION DU NIVEAU DES OCÉANS, QUI POURRAIENT SUBMERGER DE NOMBREUSES RÉGIONS CÔTIÈRES PARTOUT SUR LA PLANÈTE.

Quel Monde pour demain?

Terrorisme, guerre bactériologique, famines, sida… Le tableau du monde qui nous attend est-il aussi noir, ou avons-nous des raisons d'espérer?

DANS SON ROMAN *1984*, DEVENU UN CLASSIQUE, GEORGE ORWELL DÉCRIT UNE SOCIÉTÉ DANS LAQUELLE LE GOUVERNEMENT CONTRÔLE LES PENSÉES DES INDIVIDUS. ORWELL N'EST PAS LE SEUL ÉCRIVAIN DE SON ÉPOQUE À AVOIR PRÉDIT DES LENDEMAINS QUI NE CHANTENT PAS POUR L'HUMANITÉ.

DEPUIS LE XVIIIᵉ SIÈCLE ET L'ÉPOQUE DES Lumières, la foi dans le progrès a animé une grande partie de l'humanité. Par des voies pacifiques ou révolutionnaires, la science, l'éducation, la culture devaient offrir des lendemains heureux où triompheraient la justice, la liberté, l'égalité. Cette vision, optimiste et sans doute un peu naïve, peut-elle encore avoir cours à l'aube du IIIᵉ millénaire? Peut-on encore — comme Voltaire le fait dire à Pangloss dans *Candide*, parodiant le grand philosophe et mathématicien allemand Leibniz — croire que nous vivons dans « le meilleur des mondes possibles »?

SOMBRE XXᵉ SIÈCLE

Le bilan que les historiens dressent aujourd'hui du siècle écoulé est assez inquiétant. À des degrés divers, toutes les idéologies ont failli à leurs

promesses. Le rêve d'un homme nouveau, d'une société idéale qui abolisse les classes et les inégalités sociales, s'est effondré. Le monde a découvert les violences du totalitarisme. Le communisme s'est traduit par la répression systématique de toutes les dissidences, l'instauration de camps d'internement. Le nazisme a éliminé impitoyablement tous ses opposants et a conduit une effroyable entreprise d'extermination de millions d'êtres humains, pour le seul motif de leur naissance ou de leur religion. L'idéologie libérale a, quant à elle, montré ses limites: elle n'a réalisé l'amélioration annoncée de la répartition des richesses ni au sein des sociétés développées ni, a *fortiori*, à l'échelle de la planète.

La confiance aveugle qu'a manifestée le siècle passé dans le progrès technique et scientifique a entraîné bien des catastrophes dont nous ne mesurons peut-être pas encore toutes les conséquences. Pour assurer le développement économique, les hommes ont cru pouvoir contrôler la nature, mais ils ont souvent commis des dégâts sans doute irréparables: en détournant plusieurs grands fleuves sibériens, les Soviétiques ont ainsi causé l'assèchement de la mer d'Aral, ce qui a ruiné toute une région et modifié le climat de l'Asie centrale; le déboisement massif de l'Amazonie menace la survie de tribus indiennes et risque de déséquilibrer gravement le climat mondial. Pendant des décennies, les pays développés ont pollué sans vergogne l'atmosphère et les océans, gaspillé l'énergie et l'eau sans souci de l'avenir ni des conséquences pour le tiers-monde. Quant au nucléaire, il a doté l'humanité de moyens permettant de détruire toute vie sur la Terre, et ses utilisations pacifiques ne sont pas sans danger: la catastrophe de Tchernobyl, en 1986, a montré les risques que font encourir les centrales atomiques.

LES DÉFIS DU XXIᵉ SIÈCLE

Il est difficile de faire des pronostics sur ce que nous réservent les cent prochaines années — mais qui aurait pu prédire, en 1901, ce qui se produirait au cours du XXᵉ siècle ? L'on sait pourtant déjà que les États auront à relever de nombreux défis si l'humanité veut continuer d'espérer la paix et un meilleur équilibre des richesses.

Premier défi : permettre à chacun de vivre décemment, de manger à sa faim, de se soigner, d'avoir un toit, d'aller à l'école… Chaque jour dans le monde, 30 000 enfants meurent de malnutrition. Dans certains pays d'Afrique, plus de la moitié des adultes sont affectés par le virus du sida ; dans une région de l'Ouganda, en 2001, le virus a quasiment fait disparaître toute la population masculine. Les disparités sont extrêmes. Même dans les pays développés, une part croissante de la population — le quart-monde —, touchée par le chômage, l'analphabétisme et de nombreuses maladies, est exclue

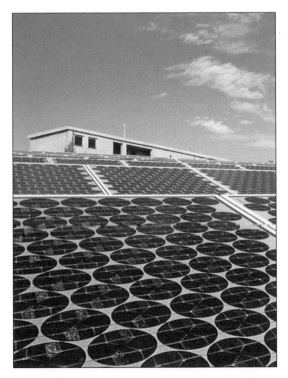

LES ÉNERGIES PROPRES SONT L'UNE DES CLEFS DE L'AVENIR. LES MAISONS AUTOSUFFISANTES (CI-DESSUS) ET LES PANNEAUX SOLAIRES (CI-CONTRE) SE RÉPANDENT DE PLUS EN PLUS. CE N'EST SANS DOUTE QUE LA PREMIÈRE ÉTAPE D'UNE SÉRIE DE PROGRÈS RENDUS INDISPENSABLES PAR L'ÉPUISEMENT DES RÉSERVES DE LA PLANÈTE ET PAR LA LUTTE CONTRE L'EFFET DE SERRE.

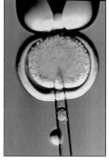

EN HAUT :
LES RÉCENTES AVANCÉES DE LA GÉNÉTIQUE ONT RENDU POSSIBLE LE CLONAGE D'ÊTRES VIVANTS, COMME LA BREBIS DOLLY.
CI-DESSUS : **UN OVULE DE BREBIS, DONT L'ADN A ÉTÉ ENLEVÉ, EST INJECTÉ DANS UNE CELLULE D'EMBRYON. QUAND LA BIOÉTHIQUE ET LE LÉGISLATEUR SAURONT-ILS METTRE À CES RECHERCHES LES BORNES QUI S'IMPOSENT ?**

tante dans certaines régions, la question du contrôle de l'eau sera au centre des conflits géopolitiques, du Moyen-Orient en particulier, dans les années à venir.

Quatrième défi : garantir la sécurité des hommes. Après la chute de l'empire soviétique et la fin de la guerre froide, nombre de spécialistes ont eu le sentiment que les grands conflits armés appartenaient au passé et que l'Occident pourrait jouer le rôle de « gendarme » de la paix. Un conflit aussi ancien et complexe que celui qui oppose Israéliens et Palestiniens a même semblé un moment près d'être résolu par la négociation. Depuis les attentats du 11 septembre 2001 qui ont détruit, à New York, les deux tours emblématiques du World Trade Center, et une partie du Pentagone, à Washington, faisant plus de 4 000 morts, le XXIᵉ siècle s'ouvre sur une période d'incertitude. Les États se voient désormais confrontés à de nouvelles formes de guerre où le terrorisme aveugle, le fanatisme religieux, l'usage des armes bactériologiques et chimiques laissent largement désemparées les démocraties.

DES RAISONS D'ESPÉRER

Heureusement, il reste des raisons d'espérer pour les générations futures. Sur le front de l'environnement, les gouvernements semblent prendre enfin conscience de l'urgence du problème de l'affaiblissement de la couche d'ozone, puisqu'ils ont décidé d'éliminer les gaz CFC et se sont engagés à Kyoto, en 1997, sur un programme de réduction des émissions polluantes — auquel les États-Unis, principal pollueur de la planète, ont toutefois refusé de s'associer ! Des efforts sont faits dans de nombreux pays pour économiser les énergies fossiles : l'industrie automobile travaille à mettre au point des véhicules électriques qui permettront de se passer d'essence ; les éoliennes commencent à se multiplier ; l'énergie solaire fait des adeptes dans les

du progrès et vit en dessous du seuil de pauvreté.

Deuxième défi : assurer le développement durable de la planète, c'est-à-dire une croissance économique rationnelle qui s'accompagne d'un contrôle démographique et d'une gestion prudente des ressources naturelles (les prévisions les plus optimistes estiment à quarante ans les réserves de la Terre en pétrole). Le développement devrait aussi être équilibré et ne pas favoriser le nord par rapport au sud. La mondialisation risque en effet de soumettre les pays les plus fragiles à la domination économique et financière des grandes puissances. Les manifestations, pacifiques ou violentes, qui accompagnent la plupart des sommets internationaux (comme celui de Gênes en 2001) prouvent que cette inquiétude gagne une part croissante de la population.

Troisième défi : maîtriser la pollution. L'effet de serre, le trou dans la couche d'ozone, les désordres climatiques causés par El Niño, la fonte des glaciers et de la banquise, l'avancée des déserts… autant de signes d'une modification profonde du climat, causée ou aggravée par la pollution industrielle et qui risque d'avoir des conséquences considérables. Les experts considèrent ainsi que, du fait de la sécheresse persis-

pays développés et aussi dans certaines régions du tiers-monde. Des programmes d'amélioration de la qualité des eaux sont en cours, notamment dans les pays en voie de développement. Ils devraient contribuer à abaisser les taux de mortalité infantile. La médecine accomplit sans cesse de grands progrès : on peut espérer que d'ici à une génération, grâce notamment au décryptage du génome humain, la plupart des cancers ainsi que le sida seront curables.

Ces progrès seront-ils réservés aux pays riches, ou le tiers-monde pourra-t-il aussi en bénéficier ? Dans toutes les régions du monde,

les institutions internationales comme l'Unesco et de nombreuses organisations non gouvernementales (ONG) interviennent pour venir en aide aux populations en difficulté, les soigner, les nourrir, les alphabétiser… avec l'espoir que de la culture et de la connaissance des autres naîtront la tolérance et l'envie de partager.

Car le défi le plus crucial du XXIe siècle est bien celui-ci : réduire enfin la fracture — qui n'a cessé de s'accroître depuis la révolution industrielle — entre les plus riches et les plus pauvres, entre les nantis et les laissés-pour-compte du progrès.

UN CHAMP D'ÉOLIENNES, EN CALIFORNIE. LA FORCE DU VENT ENTRAÎNE DES TURBINES QUI ENGENDRENT DE L'ÉLECTRICITÉ. BIEN QUE LEUR CAPACITÉ RESTE ENCORE LIMITÉE, CES TECHNIQUES « PROPRES » CONCURRENCENT DE PLUS EN PLUS LES VIEILLES CENTRALES À CHARBON.

PROPHÉTIES DE QUELQUES ÉCRIVAINS

L'histoire du IIIe Reich et celle de la société soviétique ont inspiré de nombreux écrivains qui ont décrit des systèmes politiques où une autorité a tout pouvoir sur les individus, tant dans leur vie publique que dans la sphère privée. Le roman d'anticipation *1984*, de George Orwell, publié en 1949, met en scène un

gouvernement qui va jusqu'à contrôler les pensées des citoyens. Dans *Fahrenheit 451* (1953), Ray Bradbury imagine la vie d'un pompier du futur chargé de brûler les livres et de punir leurs lecteurs. Le roman le plus impressionnant est peut-être celui d'Aldous Huxley *le*

PIÈCE DU PUZZLE ▼

Meilleur des mondes, paru en 1932, où l'auteur imagine l'année « 632 après Henry Ford » (2535 selon notre calendrier). Le bonheur universel a été atteint. La science a permis aux hommes de se reproduire sans acte sexuel ; chaque classe de citoyens est programmée pour aimer le

travail qui lui est assigné par la société. La consommation de masse est célébrée, et une drogue appelée Soma permet aux individus de ressentir du plaisir à tout moment. Puissent ces visions, qui rencontrent de nombreux échos dans la société des années 2000, n'être pas prophétiques…

Index

Crédits photographiques

DB/United Artists/*le Masque de fer* de Randall Wallace, 1998, avec L. Di Caprio; **161b** Tallandier; **162h** Erich Lessing/Art Resource; **162b** The Granger Collection; **163** Académie des Sciences, Paris/Giraudon/Art Resource; **164m** Tallandier; **164b** AKG/BNF, Paris; **165b** AKG/Visioars/Coll. part.; **166** The Granger Collection; **167g** Collection part.; **167hd** Staatsbibliothek, Munich/ Foto Marburg/Art Resource; **167md** The Granger Collection; **168g** Tallandier; **168-169** AKG/BNF, Paris; **170** Tallandier/BNF, Paris; **171h** J. Damase - Kaeppelin; **171b** J. Damase; **172h** RMN/Blot/Châteaux de Versailles et Trianon; **172b** RMN/Châteaux de Versailles et Trianon; **173** Bridgeman-Giraudon/Musée du Louvre, Paris; **174h** The Granger Collection; **174b** Eric Lessing/Art Resource; **175** Mozart House, Salzburg/Scala/Art Resource; **176-177** Photo 12/Hachedé; **177** Bridgeman-Giraudon/Châteaux de Versailles et Trianon; **178** Bridgeman-Giraudon/Musée Carnavalet, Paris; **179** G. Dagli Orti/Musée Carnavalet, Paris; **180h** G. Dagli Orti/Musée Carnavalet, Paris; **181h** Jean Vigne/Coll. Part.; **181b** G. Dagli Orti/Musée Carnavalet, Paris; **182** Giraudon/Art Resource; **183** Musée de Versailles/Laurie Platt-Winfrey Inc.; **184** Musée des Beaux-Arts, Valenciennes/ Giraudon/Art Resource; **185** Museo del Risorgimento/Scala/Art Resource; **186** Musée de l'Armée, Paris/Giraudon/Art Resource; **187h** Museo Lazaro Galdiano, Madrid/ Giraudon/Art Resource; **187b** The Granger Collection; **188hd** Science Museum, Londres/Bridgeman Library; **188g, m** The Granger Collection; **188-189b** Culver Pictures; **189hg** The Granger Collection; **190h** The Granger Collection; **190b** Library of Congress/American Heritage; **191h** Edison National Historic Site/National Park Service; **191b** Corbis; **192h** Texas State Capitol, Austin; **192m** The Granger Collection; **192b** The Alamo Museum, San Antonio; **193h** The Granger Collection; **193m** SuperStock; **193b** New York Public Library; **194** Bettmann/ Corbis; **195** Hulton-Deutsch Collection/ Corbis; **196h** British Library; **196b** The Granger Collection; **197** Hulton-Deutsch Collection/Corbis; **200-201** Library of Congress; **201h** The Smithsonian Institution/ American Heritage; **201b** U.S. Air Force/ American Heritage; **202h** Underwood & Underwood/Corbis; **202-203** Library of Congress/ American Heritage; **203** The Smithsonian Institution; **204** David Parker/SPL/Photo Researchers; **205h, b** Sovfoto; **206** Brown Brothers; **207h** The Granger Collection; **207bg, bm** John Frost Newspaper Archive; **208h** Brown Brothers; **208b** The Granger Collection; **209h** SuperStock; **209b** Culver Pictures; **210h**

Brown Brothers; **210-211** The Granger Collection; **211h** Denis Cochrane Collection/ e.t.archive; **212-213** Brown Brothers; **213h** Archive Photos; **213m** The Granger Collection; **213b** CulverPictures; **214** G. Dagli Orti; **215h** Roger-Viollet; **215b** Rue des Archives/Tal; **216h** The Granger Collection; **216b** Culver Pictures; **217g** The Granger Collection; **217d** Stock Montage/SuperStock; **218** Culver Pictures; **219h** Archive Photos; **219b** Popperfoto/Archive Photos; **220** *L'Illustration*; **221h** Roger-Viollet; **221b** TCD/Prod DB/*Lawrence d'Arabie* de David Lean, avec Peter o'Toole; **222** The Granger Collection; **223** Brown Brothers; **224** Culver Pictures; **225h** Bettmann/Corbis; **225b** 20th Century Fox/Harper Collins; **226** Mount Everest Foundation; **226-227** Jake Norton; **227** The Granger Collection; **228hg, mg, m, 228-229, 229bm, bd** Jim Fagiolo/Liaison Agency; **230h** Jean Vigne; **230b, 231h, b** Keystone; **232, 233** *New York Times*/Archive Photos; **234** Archive Photos; **235h** Bettmann/Corbis; **235b** The Granger Collection; **236** Bettmann/Corbis; **237** *New York Times*/Archive Photos; **238h** The Granger Collection; **238-239** Corbis; **239** Bettmann/Corbis; **240h** The Granger Collection; **240b** Corbis; **241h** Culver Pictures; **241b** AP Wide World Photos; **242hg** The Granger Collection; **242hm** The Granger Collection; **242hd** SuperStock; **242b** Kharbine Tapabor; **243** Culver Pictures; **244, 245g** Corbis-Sygma/Bettmann; **245d** Corbis-Sygma/Hulton Deutsch; **246b** Archive Photos; **246h** Culver Pictures; **247** SuperStock; **248, 249h** Keystone; **249b** *Paris-Match*/Gery; **250, 251h, b** Roger-Viollet; **252-253** Culver Pictures; **254h** Corbis; **254b** Culver Pictures; **255g** AKG Londres; **255d** Corbis; **256** Cartoon-Caricature-Contor; **257g** AKG Londres; **257m, d** *Stern*-Syndication; **258-259** U.S. Air Force/American Heritage; **259h** AKG Londres; **259m** Brian Brake/Photo Researchers; **260h** Culver Pictures; **260bg** SuperStock; **260bd** Library of Congress/ American Heritage; **261h** AP Wide World Photos **261b** Roger-Viollet; **264** Brown Brothers; **265** Pictorial Parade; **266** Sipa/ Vithalbhat; **267h** Corbis-Sygma/Bettmann; **267b** AFP; **268h** Keystone; **268b, 269hg** Ria-Novosti; **269hd** Roger-Viollet; **269b** Keystone; **270** AFP; **271hg** Rue des Archives; **271hd, b** Keystone; **272** Bettmann/Corbis; **273h, b,** Bettmann/Corbis; **274h** Editions R. Laffont; **274b** AFP; **275** AKG/Almasy; **276-277** Michael O'Neill; **278h, b** Cecil Stoughton/ John F. Kennedy Library; **279b** AP Wide World Photos; **279h, m** Corbis; **280h, b** Bettmann/ Corbis; **281h** AP Wide World Photos; **281b** Bettmann/Corbis; **282** Dick Strobel/AP Wide World Photos; **283** Bill

Eppridge/*Life Magazine* ©Time Inc.; **284, 285** Bettmann/Corbis; **286-287** Ernest C. Withers courtesy Panopticon Gallery; **287b** AP Wide World Photos; **288** Joseph Louw, *Life Magazine* ©Time, Inc.; **289h** Bettman/ Corbis; **289b** Corbis; **290** SuperStock; **291h, m** AP Wide World Photos; **292** Corbis; **293** Hulton Getty/Liaison Agency; **294h** Corbis; **294b** Photofest; **295** Hulton Getty/ Liaison Agency; **296h** Bettmann/Corbis; **296b** Sovfoto; **297d** Sovfoto; **297g** Roger Ressmeyer/Corbis; **298hm** Bettmann/Corbis; **298b** Win McNamee/Archive Photos; **299h** Archive Photos; **299b** SuperStock; **300, 301h** AFP; **301b** AFP/EPA; **302** Sipa/Tucker; **303m** *Le Monde* du 17-08-1985; **303d** AFP; **304-305** Archive Photos; **305** SuperStock; **306h** Sovfoto; **306m** *Le Point* n° 988; **306b** AP Wide World Photos; **307** Roberto Koch/ Contrasto/SABA; **308** Archive Photos; **309** AP Wide World Photos; **310** AP Wide World Photos; **311h** Jerry Wachter/Photo Researchers; **311b** Luc Novovitch/Archive Photos; **312** Ian Waldie/Archive Photos; **313h** John Frost Newspaper Archive; **313b** AP Wide World Photos; **314** Corbis-Sygma/Bettmann; **315md** Corbis-Sygma/ Epix; **315b** Keystone; **316g** John Frost Newspaper Archive; **316d** Bettmann/Corbis; **317** Photofest; **318hg** Archive photos; **318hd** Corbis; **318b** Kharbine Tapabor; **319h** Archive Photos; **319m** Archive Photos; **322** Roger Ressmeyer/Corbis; **323h** Roger Ressmeyer/Corbis; **323b** Lynette Cook/ SPL/Photo Researchers; **324-325** Harvard University Archives; **325** Owen Franken/ Corbis; **326h** James King-Holme/SPL/Photo Researchers; **326bg** Bettmann/Corbis; **326bm** Tony Craddock/SPL/Photo Researchers; **326bd** Charles O'Rear/ Corbis; **327h** SPL/ Photo Researchers; **327bg** Owen Franken/Corbis; **327bmg** AP Wide World Photos; **327bmd** Gregory Heisler/Corbis/Outline; **327bd** SuperStock; **328h** Richard Smith/Corbis; **328b** AP Wide World Photos; **330g** Kobal Collection d, Julian Baum/SPL/Photo Researchers; **331** Gamma/NASA; **332** Liaison Agency; **333** Photofest; **334** Gamma/ G. Merillon; **335bg** AFP; **335mg, m, md** Gamma/D. Atlan/Point de vue; **336h** D. VanRavenswaay/SPL/Photo Researchers; **336b** Photofest; **337g** Galen Rowell/Corbis; **337d** NASA; **338g** Library of Congress/ American Heritage; **338d** Laurie Platt-Winfrey Inc.; **339** Tommaso Guicciard/SPL/Photo Researchers; **340h** Remi Benali & Stephen Ferry/*Life Magazine*/Liaison Agency; **340b** James King-Holmes/SPL/Photo Researchers; **341h** John Mead/SPL/Photo Researchers; **341b** Hopkins/Baumann.

PREMIÈRE ÉDITION
Troisième tirage

Imprimé en China
Printed in China